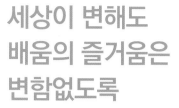

한끝

진도 교재

초등 국어 5·2

교과서 학습

준비

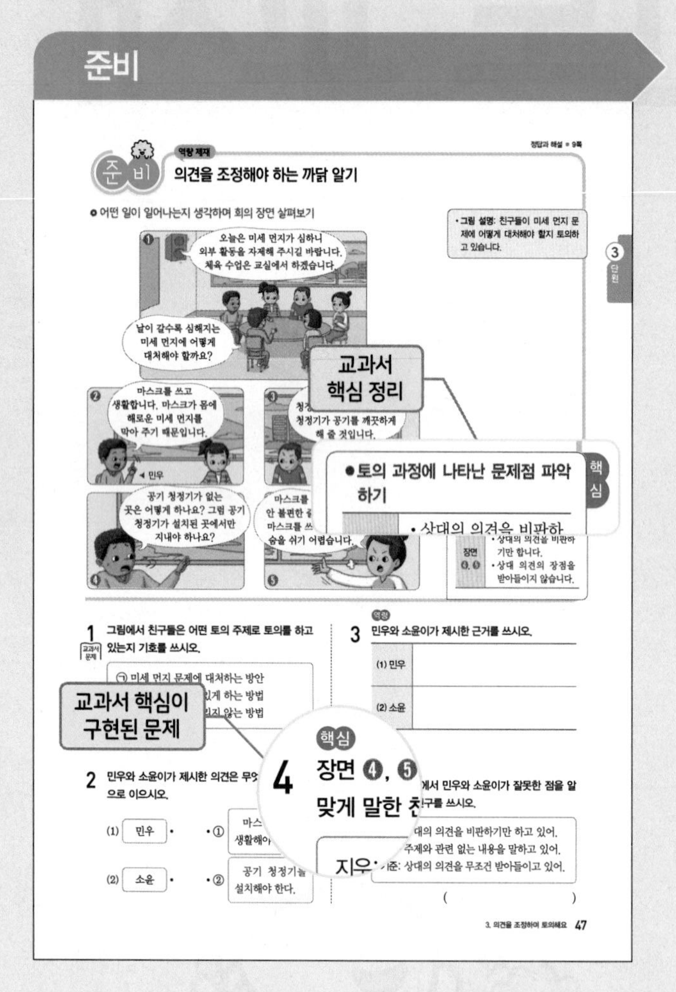

준비에서 앞으로 학습할 단원 목표와 내용을 쉽게 이해할 수 있습니다.

기본

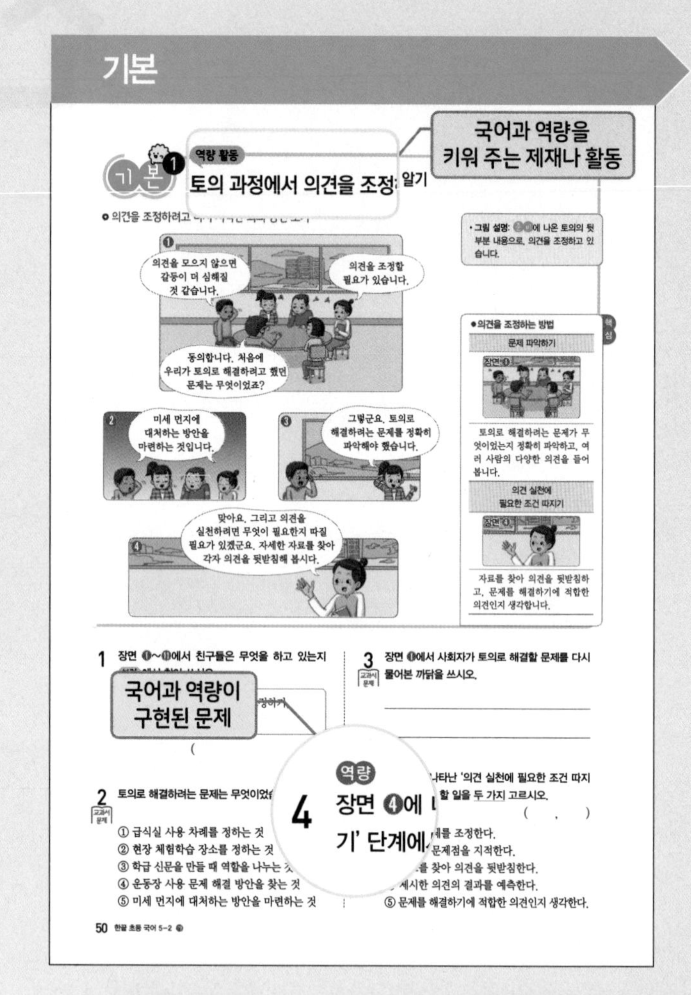

기본에서 핵심 개념과 관련된 다양한 형태의 문제를 통해 기본적인 학습 내용을 충분히 익힐 수 있습니다.

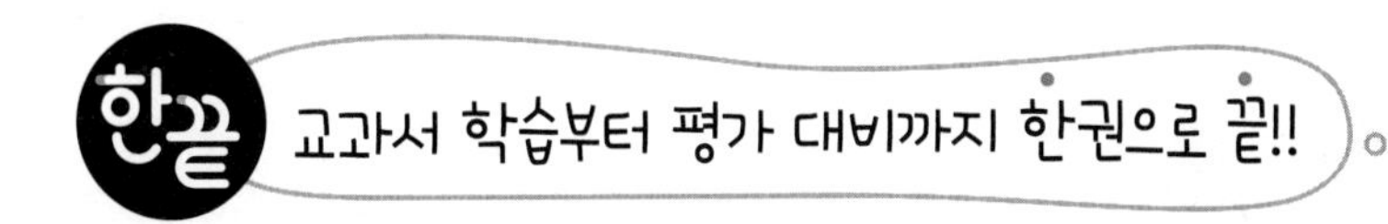

실천

정답과 해설 ● 7쪽

역량 활동

실천 지식이나 경험을 활용해 현장 체험학습 계획하기

● 지식이나 경험을 활용해 현장 체험학습 계획 세우기

• 그림 설명: 현장 체험학습 계획을 세울 때 지식이나 경험을 어떻게 활용할지 이야기하고 있습니다.

내가 가 본 곳 가운데에서 친구들이 좋아할 만한 곳을 추천할 수 있을 것 같아.

체험학습 장소를 친구들에게 설명할 때 수업 시간에 배운 지식을 활용하면 좋겠어.

활동을 계획할 때에도 지식이나 경험을 활용할 수 있어.

2 단원

핵심

● 현장 체험학습을 계획할 때 활용할 수 있는 지식이나 경험 예

- 가족과 함께 여행을 갔던 경험
- 사회 시간이나 과학 시간에 배웠던 지식
- 책에서 보았던 체험활동 내용

1 그림 속 친구들은 무엇에 대해 이야기하고 있는지 빈칸에 알맞은 말을 쓰시오.

• 현장 체험학습을 계획할 때 (　　　　) 이나 경험을 활용하는 방법

2 현장 체험학습을 계획할 때에 정할 것으로 알맞지 않은 것은 무엇입니까? (　　)

교과서 문제

① 활동　② 장소
③ 이동 시간　④ 식사 계획
⑤ 간식을 먹는 횟수

핵심

3 현장 체험학습을 계획할 때에 활용할 수 있는 지식이나 경험을 보기 와 같이 쓰시오.

보기: 책에서 보았던 체험 활동 내용

(　　　　　　　　)

역량

4 현장 체험학습 장소로 가고 싶은 곳과 그곳으로 정한 까닭을 쓰시오.

(1) 장소	
(2) 정한 까닭	

5 현장 체험학습 계획을 발표 자료로 만들 때에 해야 할 일로 알맞지 않은 것은 무엇입니까? (　　)

① 발표 자료의 형식을 정한다.
② 발표 자료에 들어갈 내용을 정리한다.
③ 발표에 사용하는 자료는 출처를 밝히지 않고 정리한다.
④ 발표에 필요한 그림, 사진, 동영상 자료를 찾아 정리한다.
⑤ 발표를 효과적으로 하려면 어떤 자료가 필요한지 생각한다.

2. 지식이나 경험을 활용해요 37

실천에서는 기본에서 학습한 내용을 실천할 수 있는 다양한 활동 문제를 구성하였습니다.

단원 마무리

• 단원 마무리

단원에서 배운 내용을 빈 곳을 채우며 정리합니다.

• 단원 평가

꼭 나오는 핵심 문제로 단원에서 배운 내용을 확인합니다.

• 서술형 평가

답을 글로 쓰는 서술형 문제로 단원에서 배운 내용을 다시 한번 확인합니다.

평가 교재

• 단원 평가 대비

- 단원 평가 2회
- 서술형 평가
- 수행 평가

• 중간·기말 평가 대비

- 중간 평가
- 기말 평가(중간 이후)
- 기말 평가(전 범위)

차례

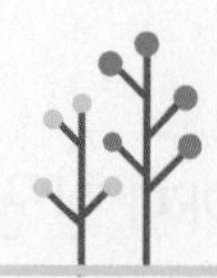

5-2 가

독서 단원 책을 읽고 생각을 넓혀요 5

1 마음을 나누며 대화해요 9

2 지식이나 경험을 활용해요 27

3 의견을 조정하며 토의해요 45

4 겪은 일을 써요 63

5-2 나

연극 단원 함께 연극을 즐겨요 81

5 여러 가지 매체 자료 91

6 타당성을 생각하며 토론해요 109

7 중요한 내용을 요약해요 129

8 우리말 지킴이 159

독서 단원

책을 읽고 생각을 넓혀요

이 단원은 '한 학기 한 권 읽기'를
실천하는 단원입니다.
독서 단원은 한 학기 동안
언제든지 공부할 수 있습니다.
학교 수업 순서에 맞추어 활용하세요.

독서 활동

[독서 준비]
읽을 책을 정하고
책 훑어보기

[독서]
질문하거나 비판하며 책 읽기

[독서 후]
책 내용을 간추리고
생각 나누기

독서 준비 읽을 책을 정하고 책 훑어보기

1 읽을 책 정하기

✚ 친구들의 관심 분야 알아보기

① 자신의 관심 분야를 말합니다.

> 모둠 친구들의 다양한 관심사를 알아보고, 그 분야에 관심이 있는 까닭도 알아봅니다.

② 관심 분야가 비슷한 친구들을 찾아 이야기를 나눕니다.

③ 관심 분야와 관련한 인물이나 사건을 다룬 책을 찾아봅니다.

예

우리나라를 빛낸 과학자를 알아보고 싶어. 인터넷을 검색하면 알 수 있을 거야.

④ 관심 분야와 관련 있는 책 목록을 정리합니다.

✚ 관심 있는 분야와 관련해 읽을 책 정하기

① 누구와 읽을지 정합니다.

② 친구들에게 책을 추천합니다.

③ 읽을 책을 정할 때 고려할 점을 생각합니다.

> • 자신의 관심 분야와 관련이 있는가?
> • 책 분량이 알맞은가?
> • 책 내용이 너무 어렵거나 쉽지 않은가?
> • 자신에게 도움이 되는가?

④ 한 학기 동안 읽을 책을 정하고 책을 정한 까닭을 이야기합니다.

2 책 훑어보기

✚ 책에 대해 자신이 아는 내용 쓰기

보기

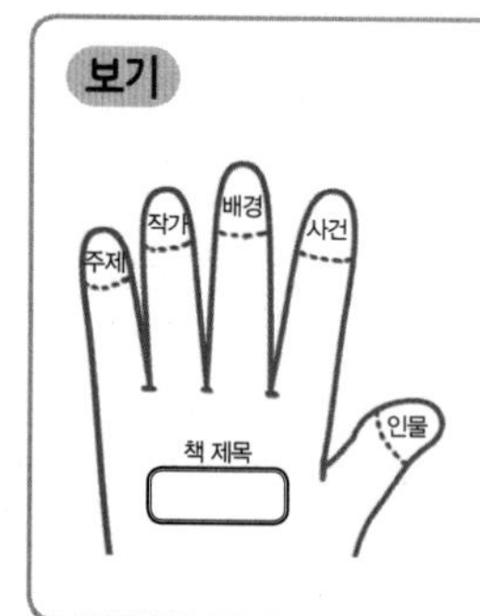

① 종이에 자신의 손바닥을 대고 손을 따라 그립니다.

② 각 손가락 끝에 보기 와 같이 '주제', '작가', '배경', '사건', '인물'이라고 씁니다.

③ 각 손가락에 해당하는 내용을 씁니다. 해당하는 내용이 없으면 쓰지 않아도 됩니다.

✚ 책 차례를 보고 관심이 가는 부분 생각하기

① 책 차례를 보고 내용을 예상해 본 뒤에 친구들과 핵심어를 정합니다. → 책의 특징이나 중요한 내용을 담은 낱말을 말합니다.

② 기대하는 부분(쪽)에 책갈피를 꽂아 둡니다.

③ 가장 중요하다고 생각하는 부분(쪽)에 붙임쪽지로 표시합니다.

독서 질문하거나 비판하며 책 읽기

1 다음 내용을 생각하며 앞에서 정한 책을 깊이 있게 읽기

질문하며 읽기	궁금한 점이 있으면 스스로 질문하고 답하며 읽어요.
비판하며 읽기	선입견, 과장, 왜곡이 있는지 생각하며 읽어요.
상상하며 읽기	자신이 그런 상황이라면 어떻게 했을지 상상하며 읽어요.
경험이나 지식을 떠올리며 읽기	책을 읽는 동안에 책 내용과 관련 있는 자신의 경험이나 지식을 떠올리며 읽어요.
사실을 확인하며 읽기	책에 나오는 내용이 사실인지 생각하며 읽어요.

2 책을 읽으면서 '질문하며 읽기'나 '비판하며 읽기'가 어려울 때 참고 1 이나 참고 2 살펴보기

참고 1 질문하며 읽기

✚ 질문하며 읽기가 어려울 때 참고하기

• 책을 읽으면서 더 알고 싶은 것을 질문으로 만들고 스스로 답을 찾으며 읽습니다.

> • 위인전을 읽을 때 그 당시 시대 상황에 대해 궁금한 점을 질문으로 만들 수 있습니다.
> • 문학 작품을 읽을 때 글에서 인물의 속마음이 드러나지 않으면 속마음을 알아보려는 질문을 할 수 있습니다.

참고 2 비판하며 읽기

✚ 비판하며 읽기가 어려울 때 참고하기

• 선입견, 과장, 왜곡이 있는지 생각하며 읽습니다.

예 → 책 내용이 사실인지 질문할 수도 있고, 책 내용을 비판하는 질문을 할 수도 있습니다.

> 가 미국 역사상 가장 위대한 인물 가운데 한 사람으로 꼽히는 크리스토퍼 콜럼버스(1451~1506). 그는 이탈리아의 탐험가로서 신대륙인 아메리카를 발견했다.
> 나 콜럼버스가 신대륙을 발견하면서 아메리카 원주민들은 유럽의 선진 문물을 받아들여 큰 혜택을 누렸다. 콜럼버스는 아메리카 대륙을 침략한 것이 아니라 발견한 것이다.

독서 후 책 내용을 간추리고 생각 나누기

1 책 내용 간추리기

✚ 책을 읽고 난 뒤 내용 정리하기

- 어떤 내용을 다루었는가?
- 가장 기억에 남는 장면이나 말은 무엇인가?
- 책 제목
- 중요한 사건이나 인물의 행동은 무엇인가?

⬇

글의 주제

✚ 책을 읽고 배운 점 정리하기

- 인상 깊은 인물의 행동이나 사건, 인상 깊은 까닭, 배운 점, 다짐 등을 정리합니다.

2 생각 나누기

✚ 독서 토론 하기

① 친구들과 함께 토론하고 싶은 주제를 생각합니다.

예

핵심어: 왕건

- **글쓴이의 의견과 비교해 생각하기**: 책에서는 왕건의 위대함만을 이야기하는데 왕건이 실수한 정책에는 무엇이 있을까?
- **사실과 의견 구분하기**: 책 내용 가운데에서 사실을 다루거나 글쓴이의 생각이 드러난 부분은 어디일까?
- **배경 생각하기**: 왕건이 고려를 건국할 때 시대 상황은 어떠했을까?
- **다른 책의 내용과 연결 짓기**: 다른 위대한 왕들과 비교했을 때 왕건의 장점은 무엇일까?

② 토론 주제를 선택할 때 주의할 점을 말합니다.

> 찬성과 반대로 의견이 나뉠 수 있고, 책 내용을 깊이 이해하는 데 도움이 되는 주제여야 합니다.

③ 토론 주제를 정합니다.
④ 토론 주제에 대한 자신의 의견을 씁니다.
⑤ 독서 토론을 합니다.
'주장 펼치기 → 반론하기 → 주장 다지기'의 절차로 독서 토론을 합니다.

✚ 다음 활동 가운데에서 하나를 선택하기

선택 1 책 속 인물에게 편지 쓰기

- 자신이 읽은 책 속 인물에게 편지를 씁니다.

→ 자신이라면 어떻게 했을지 생각하며 인물에게 할 말을 떠올려 보고, 책을 읽으며 인물에게 궁금했던 점을 떠올려 봅니다.

선택 2 독서 신문 만들기

- 책 내용을 바탕으로 하여 모둠 독서 신문을 만듭니다.

예

꿈사랑 **모둠 독서 신문** 20○○년 ○○월 호

책 속 인물을 만나다
– 유관순과의 대화 –

기자: 유관순 열사님, 안녕하세요? 열사님께 묻고 싶은 것이 많습니다.
유관순: 하하, 무엇이든 물어보세요.
기자: 가장 앞장서서 만세 운동을 할 때 어떤 생각을 하셨나요?
유관순: 우리나라가 독립해서 백성이 행복한 삶을 얼른 누렸으면 좋겠다는 생각뿐이었습니다.
기자: 여러 선생님과 친구가 잡혀간 뒤에도 독립 만세를 계속 부르려고 결심하신 계기가 있나요?
유관순: 누군가는 계속해야 하는 일이었기 때문입니다.
기자: 감옥에서 눈을 감기 전에 마지막으로 어떤 생각을 하셨나요?
유관순: 우리나라가 꼭 독립을 해야 한다고 생각했습니다.

이런 책 어때요

『세상을 바꾼 발명의 역사』
우리가 생활하면서 당연하게 쓰고 있는 것이 누군가의 노력으로 만들어졌음을 알게 되었습니다. 여러 물건에 숨어 있는 발명 이야기를 알고 나니 그 물건들이 다르게 보였습니다.

『내가 좋아하는 뮤지컬』
뮤지컬에 관심이 많았는데 이 책을 읽고 유명한 뮤지컬을 많이 알게 되었습니다. 책에서 소개한 뮤지컬 노래들을 인터넷에서 찾아 들어 보고 싶습니다.

우리 모둠 추천 도서
『마리 퀴리 이야기』
마리 퀴리는 여러 가지 어려운 상황에도 포기하지 않고 열심히 연구해 노벨상을 두 번이나 받았습니다. 어려운 상황에도 포기하지 않고 노력하는 모습을 배울 수 있어 우리 반 친구들에게 추천합니다.

→ 책 광고, 인물에게 쓴 편지, 서평 같은 것을 신문 내용으로 넣을 수 있습니다.

정리하기

독서 활동 돌아보기

✪ 독서 활동을 되돌아보고 스스로 점검합니다.

❶ 다섯 가지 기준에 따라 자신의 독서 활동을 스스로 평가합니다.
❷ 각 기준에 표시한 점을 서로 연결합니다.
❸ 잘한 부분과 아쉬운 부분을 확인하고 노력할 점을 생각해 봅니다.

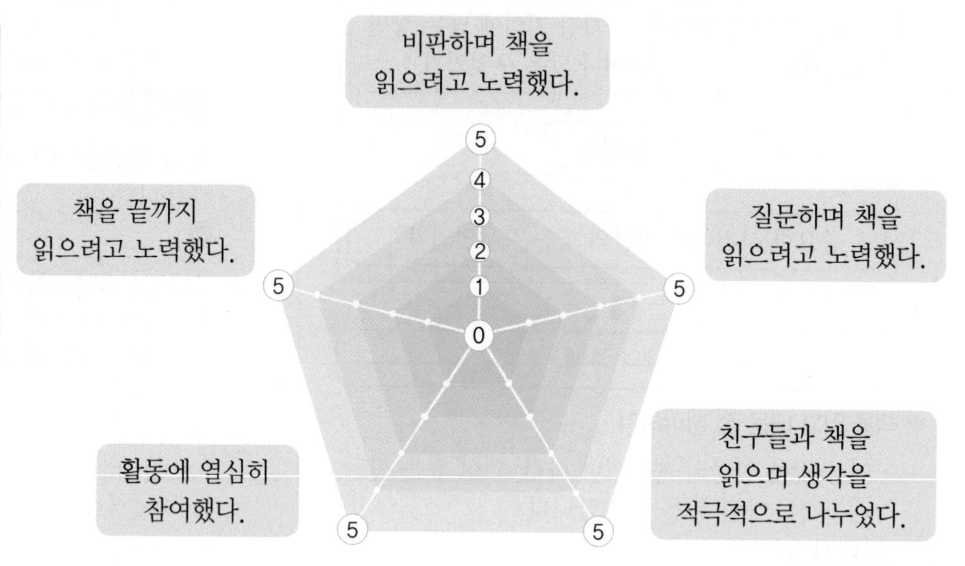

비판하며 책을 읽으려고 노력했다.
질문하며 책을 읽으려고 노력했다.
친구들과 책을 읽으며 생각을 적극적으로 나누었다.
활동에 열심히 참여했다.
책을 끝까지 읽으려고 노력했다.
5
4
3
2
1
0

(매우 그렇다: 5, 그렇다: 4, 보통이다: 3, 그렇지 않다: 2, 매우 그렇지 않다: 1)

더 찾아 읽기

✪ 자신이 읽은 책과 관련 있는 다른 책을 더 찾아 읽어 봅니다.

책 제목	글쓴이	이 책을 고른 까닭
예 이순신	예 조정래	예 학익진이라는 전술로 임진왜란을 승리로 이끈 이순신 장군의 일대기를 읽고 싶었다.
예 신사임당과 함께 그림 그리기	예 김학민	예 풀과 벌레를 즐겨 그린 화가 신사임당을 좀 더 자세하게 알고 싶었다.

독서 습관 기르기

✪ 자신의 독서 활동을 돌아보며 자신이 잘한 만큼 색칠해 봅니다.

나는 책을 꾸준히 읽는다.
나는 내가 읽은 책에 대해 친구들과 자주 이야기를 나눈다.
나는 책을 읽고 난 다음 그 책의 글쓴이가 쓴 다른 책이나 비슷한 주제의 책을 더 찾아 읽는다.
나는 가족과 함께 책을 읽고 책 내용을 이야기한다.

(매우 그렇다: 😀, 그렇다: 🙂, 보통이다: 😮)

1 마음을 나누며 대화해요

무엇을 배울까요?

- 공감하며 대화해야 하는 까닭 알기

- 공감하며 대화하는 방법 알기
- 예절을 지키며 누리 소통망에서 대화하기

- 이야기를 읽고 공감하며 대화 나누기

1 마음을 나누며 대화해요

1 공감하는 대화

공감하는 대화를 하면 좋은 점
• 기분 좋게 대화할 수 있습니다. • 사이가 좋아집니다. • 말할 내용이 풍부해집니다.

상대의 마음을 이해하고, 상대가 느끼는 감정과 같이 느끼며 귀 기울여 듣고, 상대를 배려하며 말하는 대화입니다.

2 공감하며 대화해야 하는 까닭

① 상대의 처지를 이해할 수 있기 때문입니다.
② 처지를 바꾸어 생각하면 상대의 마음을 알 수 있기 때문입니다.
③ 상대에게 공감하며 말하면 기분 좋은 대화를 할 수 있기 때문입니다.
④ 대화를 즐겁게 이어 갈 수 있기 때문입니다.

3 공감하며 대화하는 방법

방법	활동	할 수 있는 말 예	표정이나 행동 예
경청하기	말하는 사람에게 주의를 기울여 집중해서 듣기	• 그렇구나. • 그래서 어떻게 되었어? • 네 말이 그런 뜻이구나.	• 고개를 끄덕인다. • 눈을 맞추고 웃는다. • 상황에 맞게 손짓을 한다.
처지를 바꾸어 생각하기	말하는 사람의 처지가 되어 생각하기	• 나라도 화가 났을 거야. • 정말 슬펐을 것 같아.	• 주먹을 불끈 쥔다. • 손을 모아 쥔다. • 어깨를 토닥여 준다.
공감하며 말하기	상대의 처지를 생각하면서 말하기	• 네가 무척 힘들었겠구나. • 다음에는 잘할 수 있을 거야.	• 친절하게 웃는 표정 • 눈을 맞추고 몸을 가까이한다.
상대의 반응 살펴보기	자신의 말에 상대가 어떻게 반응하는지 살펴보기	• 내 말을 어떻게 생각하니?	• 부드럽게 웃는 표정 • 얼굴을 가까이한다.

4 예절을 지키며 누리 소통망에서 대화하기

'누리 소통망': '소셜 네트워크 서비스[SNS]'를 다듬은 말로, 온라인에서 자유롭게 글이나 사진 따위를 올리거나 나누는 것

누리 소통망 대화의 좋은 점	• 직접 말하기에 어색하고 서먹서먹할 때 누리 소통망 대화로 마음을 전할 수 있습니다. • 상대를 직접 만나지 않고도 대화를 주고받을 수 있습니다.
예절을 지키며 누리 소통망에서 대화하는 방법	• 말하고 싶은 내용을 정확하게 전달합니다. • 이상한 말이나 줄임 말을 쓰지 않습니다. • 상대가 대화하고 싶은지 확인하고 말을 걸어야 합니다. • 혼자서 너무 많이 말하지 않도록 합니다.

누리 소통망에서 대화할 때에 주의할 점
• 누리 소통망 대화를 할 때에는 상대의 얼굴이 보이지 않기 때문에 더욱 예의 바르게 말해야 합니다.
• 다른 사람에게 마음의 상처를 주지 않도록 조심해야 합니다.

핵심 개념 문제

정답과 해설 ● 2쪽

1 □□하는 대화는 상대의 마음을 이해하고, 상대가 느끼는 감정과 같이 느끼며 귀 기울여 듣고, 상대를 배려하며 말하는 대화입니다.

2 상대에게 공감하며 말하면 기분 좋은 대화를 할 수 있습니다.
(○, ×)

3 다음 활동은 공감하며 대화하는 방법 중 무엇에 해당하는지 쓰시오.

> 말하는 사람에게 주의를 기울여 집중해서 듣기

( )

4 누리 소통망에서는 상대를 직접 만나지 않고도 대화를 주고받을 수 있습니다.
(○, ×)

5 누리 소통망에서 대화할 때에는 □□이/가 대화하고 싶은지 확인하고 말을 걸어야 합니다.

준비 공감하며 대화해야 하는 까닭 알기

● 지윤이가 어떤 잘못을 하는지 생각하며 대화 읽기

지윤이와 명준이의 대화

❶ 지윤: 명준아, 안녕?
명준: 지윤아, 안녕? 너를 찾고 있었는데 마침 잘 됐다.
지윤: 나를 찾고 있었어? 왜?
명준: 너에게 할 말이 있어. 내 이야기 좀 들어 줄래? 어제 말이야…….
지윤: (말을 하는데 중간에 끊고) 나 지금 바쁜데, 내가 꼭 들어야 하니?
명준: (실망하는 목소리로) 뭐라고? 아직 내용을 듣지도 않았잖아.
지윤: 네 이야기보다는 내 일이 훨씬 중요해.
❷ 명준: 지난번 질서 지키기 그림 대회에서 내가 그린 그림이 뽑히지 않아서 무척 서운했어.
지윤: (시큰둥하게) 그게 그렇게 중요한 일이니?
명준: (화내는 목소리로) 뭐? 네가 내 기분을 어떻게 아니? 너는 친구의 기분은 조금도 생각하지 않니? 어떻게 그렇게 말을 해?
지윤: 왜 그래? 내 생각에는 별것 아닌 것 같아.
❸ 명준: 지난번 질서 지키기 그림 대회에서 내가 그린 그림이 뽑히지 않아서 무척 서운했어.
지윤: ㉠네가 그림을 못 그렸겠지. 그러니까 할 수 없잖아?
명준: (화내는 목소리로) 너는 친구에게 어떻게 그런 말을 하니?
지윤: 그냥 내 생각을 말한 건데, 왜?
명준: (화내는 목소리로) 생각을 말한 것뿐이라고?

• **대화 내용:** 명준이는 지윤이가 자신의 말에 관심을 갖지 않으며, 자신의 기분을 생각하지 않고 말해서 화가 났습니다.

핵심

● 지윤이가 명준이와 대화할 때 잘못한 점

❶	명준이가 말하는 내용에 관심을 갖지 않았습니다.
❷	명준이의 기분을 생각하지 않고 말했습니다.
❸	명준이를 배려하지 않고 말했습니다.

핵심

1 ❶에서 지윤이는 명준이의 말을 들을 때 어떻게 하였습니까? ( )

① 땅을 쳐다보았다.
② 맞장구를 쳐 주었다.
③ 얼굴을 뚫어지게 바라보았다.
④ 다른 사람과 이야기를 하였다.
⑤ 말하는 내용에 관심을 갖지 않았다.

2 ❷에서 명준이는 지윤이의 말을 듣고 기분이 어떠하겠습니까? ( )

① 공감해 주어 기쁠 것이다.
② 칭찬을 들어 힘이 날 것이다.
③ 배려해 주어 기분이 좋을 것이다.
④ 무시당하는 것 같아 화가 날 것이다.
⑤ 원하는 답을 해 주어 고마울 것이다.

논술형

3 ❸에서 ㉠의 말을 명준이를 배려하는 말로 바꾸어 쓰시오.

____

____

교과서 문제

4 공감하며 대화해야 하는 까닭으로 알맞지 않은 것에 ×표를 하시오.

(1) 대화가 즐겁게 이어지기 때문이다. ( )
(2) 상대의 생각을 다른 사람에게 말할 수 있기 때문이다. ( )
(3) 처지를 바꾸어 생각하면 상대의 마음을 알 수 있기 때문이다. ( )

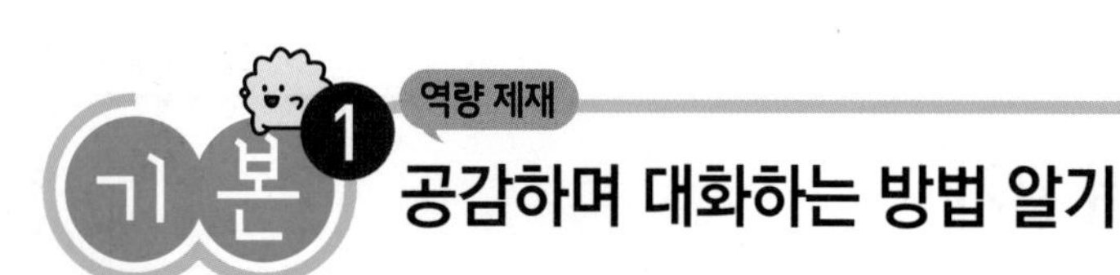

공감하며 대화하는 방법 알기

- 공감하며 대화하는 방법을 생각하며 현욱이의 일기 읽기

20○○년 8월 26일 토요일 날씨: 비오다 갬

엄마, 고마워요

오늘은 친척 결혼식이 있어서 외출하신 부모님께서 늦게 오시는 날이다. 나는(현욱) 부모님 대신 동생을 돌보고 저녁밥도 챙기기로 했다.

"엄마, 아빠께서 오시면 피곤하실 테니까 우리가 저녁밥을 해 먹자."

나는 동생과 함께 저녁밥을 먹고 설거지도 했다. 그릇을 다 씻고 나서 프라이팬도 닦기로 했다.

'프라이팬이 잘 닦이지 않네?'

나는 고민하다가 철 수세미를 쓰기로 했다. 부모님께서 냄비 같은 것을 철 수세미로 박박(반들반들해지도록 자꾸 닦는 모양) 문질러 닦으시는 것을 본 적이 있기 때문이다.

철 수세미로 프라이팬을 문지르니 금세(금새(×)) 찌든 때가 벗겨져 나갔다. / 저녁 늦게 부모님께서 돌아오셨다.

"너무 늦어서 미안하구나. 잘 있었니?"

"예. 저희가 저녁도 차려 먹고 설거지도 했어요."

㉮"설거지까지? 우리 현욱이 다 컸네."

흐뭇한 얼굴로 부엌을 둘러보시던 엄마께서 놀란 표정으로 물으셨다.

- 글의 내용: 엄마는 현욱이가 비록 설거지를 하다가 프라이팬을 망가뜨렸지만 현욱이의 마음을 이해하고 꼭 안아 주셨습니다.

"현욱아, 혹시 프라이팬도 닦았니?"

"예. 제가 철 수세미로 문질러 깨끗이 닦았어요."

"뭐라고? 철 수세미로 문질렀다는 말이니?"

"예. 수세미로는 잘 닦이지 않아서 철 수세미를 썼어요."

엄마는 한숨을 한 번 쉬시고는 다시 웃음을 띠고 말씀하셨다.

㉯"우리 아들이 집안일을 도와주려는 마음으로 설거지를 열심히 했구나. 그렇지만 금속으로 프라이팬 바닥을 긁으면 바닥이 벗겨져서 못 쓰게 된단다."

엄마의 말씀을 듣고 나니 부모님의 일을 도와드렸다는 생각에 뿌듯했던 나는 금세 부끄러워졌다.

"죄송해요, 엄마. 집안일을 도와드리려다가 오히려 프라이팬만 망가뜨렸어요."

엄마는 웃으며 나를 꼭 안아 주셨다.

㉰"미안해하지 않아도 돼. 집안일을 도와주려고 한 현욱이 마음이 엄마는 정말 고마워."

엄마의 말씀을 듣고 내 마음은 한순간에 봄눈 녹듯(무엇이 빨리 없어지는 모양을 비유적으로 이르는 말) 풀렸다.

1 저녁 늦게 집으로 돌아오신 엄마가 부엌을 둘러보고 놀라신 까닭은 무엇입니까? ( )

① 프라이팬이 망가져서
② 못 보던 프라이팬이 보여서
③ 부엌이 엉망진창이 되어 있어서
④ 식탁이 깨끗하게 치워져 있어서
⑤ 식탁 위에 음식이 차려져 있어서

2 교과서 문제 현욱이가 설거지를 할 때 철 수세미를 사용한 까닭을 쓰시오.

( )

3 현욱이는 엄마와 대화를 나누고 난 후, 엄마에게 어떤 마음이 들었겠습니까? ( )

① 서운한 마음 ② 속상한 마음
③ 고마운 마음 ④ 두려운 마음
⑤ 실망스러운 마음

핵심 역량

4 ㉮~㉰의 말은 다음 공감하며 대화하는 방법 중 무엇에 해당하는지 각각 알맞은 기호를 쓰시오.

(1) 경청하기 ( )
(2) 공감하며 말하기 ( )
(3) 처지를 바꾸어 생각하기 ( )

공감하며 대화하는 방법 익히기

• **그림 설명:** 청소 구역을 정하는 일로 남자아이와 여자아이가 공감하며 대화하고 있습니다.

❶ 경청하기

청소 구역을 번갈아 가며 바꾸는 것이 어떨까? 다른 일도 경험하면 좋을 것 같아.
그래. 네 말은 청소 구역을 바꾸자는 의견이구나.
맞아. 내 말을 잘 들어 줘서 고마워.

❷ 처지를 바꾸어 생각하기

넓은 구역을 청소하는 학생은 힘든 일을 오랫동안 하게 돼.
그렇구나. 내가 너처럼 넓은 청소 구역을 맡았다면 너와 같은 마음이 들 것 같아.

내 마음을 알아줘서 고마워.

❸ 공감하며 말하기

그러니까 청소 구역을 자주 바꾸면 좋겠어.
너는 맡은 청소 구역이 넓어서 그동안 무척 힘들었겠다. 네 말대로 좋은 방법을 생각해 보자.

내 말에 공감하며 말해 줘서 정말 고마워.
아니야. 네가 힘들었던 것을 미리 알아주지 못해서 미안해.

핵심

● 공감하며 대화하는 방법

❶ 경청하기

활동	말하는 사람에게 주의를 기울여 집중해서 듣기
표정이나 행동	• 고개를 끄덕인다. • 눈을 맞추고 웃는다.

❷ 처지를 바꾸어 생각하기

활동	말하는 사람의 처지가 되어 생각하기
표정이나 행동	• 주먹을 불끈 쥔다. • 어깨를 토닥여 준다.

❸ 공감하며 말하기

활동	상대의 처지를 생각하면서 말하기
표정이나 행동	• 온화한 표정 • 눈을 맞추고 몸을 가까이한다.

5 **남자아이의 의견은 무엇인지 ○표를 하시오.**

(1) 청소 구역을 바꾸자. ( )

(2) 청소 구역을 바꾸지 말자. ( )

(3) 청소 구역을 깨끗하게 청소하자. ( )

논술형

6 **남자아이는 여자아이와 대화를 나누고 어떤 기분이 들었을지 쓰시오.**

____

____

핵심

7 **다음 '경청하기' 방법으로 대화할 때 어울리는 표정이나 행동은 무엇입니까?** ( )

> 말하는 사람에게 주의를 기울여 집중해서 듣기

① 찡그린 표정

② 화가 난 표정

③ 주먹을 불끈 쥔다.

④ 머리를 쓰다듬는다.

⑤ 눈을 맞추고 웃으며 고개를 끄덕인다.

예절을 지키며 누리 소통망에서 대화하기

◦ 만화를 보고 누리 소통망 대화의 좋은 점 알아보기

• **그림 설명**: 친구에게 누리 소통망을 사용해 미안한 마음을 전했습니다.

핵심

직접 말하기에 어색하고 서먹서먹할 때 마음을 전할 수 있습니다.

1 누리 소통망에서 대화를 한 경험을 보기 와 같이 쓰시오.

> 보기 인터넷 카페의 단체 대화방에서 친구들과 대화한 적이 있다.

2 이 만화에서 여자아이가 고민하는 것은 무엇입니까? ( )

① 친구와 어디서 만날 것인가
② 친구에게 언제 전화할 것인가
③ 친구와 어떻게 하면 친해질 것인가
④ 친구에게 어떤 방법으로 사과할 것인가
⑤ 친구에게 어떤 선물을 주면 좋아할 것인가

핵심

3 만화 속 여자아이처럼 누리 소통망을 사용해 대화하면 좋은 점은 무엇인지 기호를 쓰시오.

> ㉠ 다른 사람의 관심을 끌 수 있다.
> ㉡ 직접 말하기에 어색하고 서먹서먹할 때 마음을 전할 수 있다.

( )

4 누리 소통망 대화의 특성으로 알맞지 않은 것은 무엇입니까? ( )

① 글자로 대화한다.
② 인터넷을 연결해야 한다.
③ 얼굴을 보지 않고 대화한다.
④ 가까운 거리에서만 대화한다.
⑤ 컴퓨터나 스마트폰이 있어야 한다.

예절을 지키며 누리 소통망에서 대화하는 방법 생각하기

• **그림 설명:** 예절을 지키며 누리 소통망에서 대화하는 방법에 대해 친구들이 생각하고 있습니다.

핵심

● **예절을 지키며 누리 소통망에서 대화하는 방법**

그림	방법
❶	상대의 말에 댓글을 달거나 '추천하기'를 해서 공감한다고 표현합니다.
❷	정확한 내용으로 댓글을 달아서 자신의 생각을 전합니다.
❸	내 느낌을 그림말로 표현합니다.

5 **다음 누리 소통망 대화의 문제점을 찾아 기호를 쓰시오.**

(1) 그림말을 너무 많이 사용함. ( )

(2) 친구에게 물어보지 않고 대화방에 초대함. ( )

6 **그림 ❶~❸의 상황에서 누리 소통망으로 대화하는 방법을 찾아 각각 선으로 이으시오.**

(1) ❶ • • ㉠ 내 느낌을 그림말로 표현한다.

(2) ❷ • • ㉡ 상대의 말에 좋다는 댓글을 달아 공감을 표현한다.

(3) ❸ • • ㉢ 정확한 내용으로 댓글을 달아 내 생각을 표현한다.

핵심

7 **예절을 지키며 누리 소통망에서 대화하는 방법으로 알맞지 않은 것은 무엇입니까?** ( )

① 혼자서만 많은 말을 한다.
② 이상한 말이나 줄임 말을 쓰지 않는다.
③ 말하고 싶은 내용을 정확하게 전달한다.
④ 상대의 말에 공감한다는 것을 표현한다.
⑤ 상대가 대화하고 싶은지 확인하고 말을 건다.

누리 소통망에서 상대의 말에 공감하며 대화하는 경우 알아보기

빨리 학교에 가고 싶다. 다들 어떻게 지낼까?
①

그래, 누리 소통망으로 연락해 볼까?
빨리 나아서 학교에 가고 싶어. 모두 보고 싶어요. (ㅠ.ㅠ)
②

얼른 나아서 건강하게 돌아오렴.
보고 싶어. 사랑해, 친구야~♥
③

선생님, 고맙습니다. 빨리 나을게요. 모두 정말 고마워. (^^/)
④

- **그림 설명**: 다리를 다쳐 병원에 있는 남자아이가 누리 소통망에서 선생님, 친구들과 대화를 나눈 후 기분이 좋아졌습니다.

핵심

● 누리 소통망에서 공감하며 대화하기

그림 ❶, ❷의 상황	
다리를 다쳐 병원에 있는 남자아이가 자신의 마음을 누리 소통망으로 전했습니다.	
⬇	
그림 ❸	선생님과 친구가 공감하는 말을 해 주었습니다.
그림 ❹	선생님과 친구에게 고맙다고 표현했습니다.

8 **그림 ❶에서 남자아이의 상황은 어떠한지 빈칸에 알맞은 말을 쓰시오.**

- 다리를 다쳐서 (　　　　　　)에 가지 못하는 상황

핵심

9 **누리 소통망에서 대화한 사람들은 남자아이에게 어떻게 말했는지 ○표를 하시오.**

(1) 공감하는 말을 해 주었다. (　　)

(2) 칭찬하는 말을 해 주었다. (　　)

(3) 충고하는 말을 해 주었다. (　　)

10 **누리 소통망에서 상대의 말에 공감하며 대화하는 방법으로 알맞지 않은 것은 무엇입니까? (　　)**

① 배려하며 말하기

② 아무 말 하지 않기

③ 잘 듣고 있다는 그림말 보내기

④ 상대의 처지에서 생각하고 말하기

⑤ 중간중간 "그렇구나." 같은 말로 잘 듣고 있음을 표현하기

11 **누리 소통망에서 다음 진수의 말에 공감하며 대화하지 못한 친구는 누구입니까?**

요즘 우리 반 청소가 너무 안 된다는 생각이 들어. 교실 바닥이 지저분할 때가 많지 않니?
진수
우리가 교실을 깨끗하게 쓰면 좋겠어.
나현
나도 그렇게 생각해. 좋은 방법이 없을까?
소민
나는 지금도 충분히 깨끗하다고 생각해.
정욱

(　　　　　　　　　　　　　)

역량 활동

실천 이야기를 읽고 공감하며 대화 나누기

○ 우리나라 최초의 여자 비행사인 권기옥의 삶에 공감하며 글 읽기

- **글의 종류**: 이야기
- **글의 특징**: 일제강점기라는 시대 상황에서 우리나라 최초로 여자 비행사가 되었던 '나'(권기옥)가 자신의 이야기를 직접 말하는 형식으로 쓴 글입니다. 비행사가 되고 싶었던 까닭과 비행사가 된 과정이 드러나 있습니다.

니 꿈은 뭐이가?

니: '네'를 일상적인 대화에서 이르는 말
뭐이가: '무엇인가'의 평안도 방언

박은정

❶ 조그만 내 손으로 조물조물 집안일하고, 공장에서 일해서 쌀을 사 왔네. 동생들 밥을 먹이니 나는 좋은데 어머니는 마음이 많이 아프다고 하셨어.

나 홀로 한글을 깨쳤어. 어느 날 목사님이 그러셨어. 너는 똑똑하니 학교를 공짜로 보내 주겠다고.

참말로 기뻤어야. 아침밥 짓고 동생을 업고 만날 학교에 나갔네. 일 등을 못 하면 분해서 잠이 안 왔어야.

중심 내용 '나'는 집안 형편이 어려웠지만 목사님의 도움으로 학교에 다닐 수 있었다.

❷ 보라, 내 열일곱 살 때야. 너덜너덜 짚신 신고 덜컹덜컹 소달구지 탔지. 가난한 조선 사람들은 자동차도 잘 몰랐어. 그런데

소달구지: 소가 끄는 수레

"사람이 괴물 타고 하늘을 난대!"

스미스란 미국 사람이 비행기를 타고 온다네? 온 마을이 들썩들썩. 내 마음도 들썩들썩.

구름처럼 몰려온 저 사람들 좀 봐. 구름을 뚫고 쇳덩이 괴물이 혼자만 날아올라. 이 산 위로 쑥, 저 하늘로 쌩 솟구치고 돌아 나와 못 가는 곳이 없네.

"사람들아, 이 날개를 봐. 정말 자유로워."

저 비행기란 놈이 그러네. 나는 땅에 딱 붙어 서서 두 발만 동동 굴렀어. 바로 그날 밤, 잠을 못 잤지. 바로 그날 밤, 꿈이 생겼지.

동동: 매우 안타깝거나 추워서 발을 가볍게 자꾸 구르는 모양

조물조물 작은 손놀림으로 자꾸 주물러 만지작거리는 모양.
예 어린 애들은 반죽 같은 것을 조물조물 만지는 것을 좋아합니다.

분해서 될 듯한 일이 되지 않아 섭섭하고 아까워서.

너덜너덜 여러 가닥이 자꾸 어지럽게 늘어져 흔들리는 모양.

1 '나'에 대해 알맞지 않게 말한 것은 무엇입니까? ( )

① 조그만 손으로 집안일을 했다.
② 직접 번 돈으로 학교에 다녔다.
③ 만날 동생을 업고 학교에 다녔다.
④ 한글을 홀로 깨칠 정도로 똑똑했다.
⑤ 공장에서 일해서 동생들과 어머니를 챙겼다.

2 '내'가 비행기를 처음 본 것은 언제인지 쓰시오.

( )

3 이 글에서 비행기를 처음 본 조선 사람들이 비행기를 표현한 말은 무엇입니까? ( )

① 공장 ② 구름
③ 괴물 ④ 자동차
⑤ 소달구지

4 교과서 문제 '내'가 비행기를 처음 보고 생각한 것으로 알맞지 않은 것을 두 가지 고르시오. (,)

① 신기하고 놀라웠다.
② 비행기를 타지 못해 슬펐다.
③ 땅으로 떨어질까 봐 무서웠다.
④ 발을 동동 구를 정도로 신났다.
⑤ 하늘을 날고 싶다는 생각을 했다.

'여자라고 못 하겠어? 조선 사람이라고 왜 못 하겠어? 얼른얼른 커서 꼭 비행사가 될 거야.'

니 꿈은 뭐이가?
나는 하늘을 훨훨 날고 싶었어야.

중심 내용 '나'는 비행기를 보고 커서 비행사가 되겠다는 꿈을 가졌다.

❸ 그때는 일본이 조선을 다스리고 있었어. 일본이 조선 땅을 빼앗았거든. 조선 사람들은 거리로 몰려나와 소리쳤어. 나도 친구들과 거리로 몰려나와 소리쳤어.

"일본은 물러가라!"

"조선 땅에서 물러가라."

사람이 많이 잡혔네. 나도 일본 경찰에게 잡혔네. 경찰이 학교에 못 다니게 하네. 조선 사람들은 힘을 모아 싸웠어. 나는 무기를 나르고 돈을 모으다가 또 잡혔어. 깜깜한 감옥으로 끌려갔어. 내 손으로 내 나라를 되찾는 게 죄야?

우리 땅에서 또 싸우다 잡히면 죽을 거야. 나는 가족을 떠나 중국으로 가는 배를 탔지. 깜깜한 밤바다, 빼앗긴 내 나라 이제 다시는 못 갈지 몰라. 못 가는 곳이 없던데, 저 비행기란 놈은…….

'그래! 진짜로 비행사가 되는 거야. 비행기를 타고 날아가서 일본과 싸우는 거야!'

니 꿈은 뭐이가?
나는 하늘을 훨훨 날고 싶었어야.

중심 내용 '나'는 가족을 떠나 중국으로 가면서 비행사가 되어 일본과 싸우겠다는 결심을 했다.

비행사(飛 날 비, 行 갈 행, 士 선비 사) 일정한 자격을 지니고 면허를 받아서 항공기의 조종에 종사하는 사람.

다스리고 국가나 사회, 단체, 집안의 일을 보살펴 관리하며 통제하고.

나르고 물건을 한 곳에서 다른 곳으로 옮기고.

핵심
5 '나'의 꿈은 무엇인지 쓰시오.

(　　　　　　　　　　)이/가 되는 것

6 당시 시대 상황을 알 수 있는 내용이 아닌 것은 무엇입니까? (　　)

① 일본이 조선을 다스리고 있었다.
② 일본 경찰이 조선 사람을 잡아갔다.
③ 조선 사람들이 비행기를 타고 일본과 싸웠다.
④ 일본 경찰이 '나'와 친구들을 학교에 못 다니게 했다.
⑤ 조선 사람들은 거리로 몰려나와 일본은 물러가라고 외쳤다.

7 '내'가 한 일은 무엇인지 기호를 쓰시오.

㉠ 가족과 함께 일본으로 건너갔다.
㉡ 몰래 비행기를 타고 하늘을 날았다.
㉢ 나라를 되찾기 위해 독립 운동을 했다.

(　　　　　　)

8 '내'가 중국으로 간 까닭을 두 가지 고르시오. (　　,　　)
교과서 문제

① 비행사가 되고 싶어서
② 돈을 많이 벌고 싶어서
③ 중국어 공부를 하고 싶어서
④ 우리 땅에서는 더 이상 독립 운동을 할 수 없어서
⑤ 중국 사람들에게 우리의 독립을 부탁하기 위해서

❹ 중국의 중학교부터 들어갔어. 2년 반 만에 영어와 중국어를 다 배웠지. 중국의 비행 학교를 찾아갔어.

㉠"여자는 들어올 수 없소!"

5 여자는 날 수 없다네? 중국에서도.

나는 원난성의 장군 당계요를 찾아갔어.

배 타고 기차 타고 걷고 또 걸어갔어야.

앞만 바라보며 드넓은(활짝 트이고 아주 넓은) 중국 땅을 가로질러 갔어야.

당계요 장군은 많이 놀랐지.

10 "여자가 어떻게 여기 왔나?"

"세상을 돌고 돌아 왔어요."

"여자가 왜 여기 왔나?"

"하늘을 날고 싶어서요."

"여자가 왜 비행사가 되려 하나?"

15 "내 나라를 빼앗아 간 일본과 싸우려고요!"

"…… 좋다!"

당 장군은 비행 학교에다 편지를 썼어. 여자가 자기 나라를 되찾으려고 왔으니 꼭 들여보내라고 썼어.

중심 내용 중국의 비행 학교에서 여자는 들어올 수 없다고 하자 '나'는 원난성의 장군 당계요를 찾아갔다.

❺ 드디어 비행 학교 학생이 되었어. 남학생들과 5 똑같이 훈련했지. 빙글빙글 어지러움을 견디는 훈련, 비행기를 조종하고 고치는 기술까지 배웠어. 너무 힘들고 위험했어야. 학생들이 많이 떠났지만 나는 하루하루가 행복했어. 내 꿈을 따라서 산다는 게 꿈만 같았거든. 10

'언젠가 내 나라를 자유롭게 만들 거야. 반드시 저 하늘을 훨훨 날아갈 거야.'

중심 내용 '나'는 중국의 비행 학교에 들어가서 비행사가 되기 위해 열심히 훈련하였다.

원난성(雲 구름 운, 南 남녘 남, 省 살필 성) 중국 남부, 윈구이고원의 서남부에 있음. 미얀마, 라오스, 베트남 등과 접하고 있음.

가로질러 어떤 곳을 가로 등의 방향으로 질러서 지나.
예 나는 지각을 하지 않으려고 운동장을 가로질러 뛰어갔습니다.

9 중국의 비행 학교에서 '나'의 입학을 허락하지 않았던 까닭은 무엇인지 빈칸에 알맞은 말을 쓰시오.

• '내'가 (   )였기 때문이다.

10 [교과서 문제] '내'가 ㉠"여자는 들어올 수 없소!"라는 말을 들었을 때 어떤 기분이었을지 두 가지 고르시오. (,   )

① 창피하다. ② 기대된다.
③ 억울하다. ④ 만족스럽다.
⑤ 공정하지 못하다.

11 비행 학교의 훈련이 힘들어도 '내'가 행복했던 까닭을 두 가지 고르시오. (,   )

① 선생님이 '나'를 인정해 주었기 때문에
② 꿈을 따라 산다는 것이 꿈만 같았기 때문에
③ 학교를 떠난 학생들이 응원해 주었기 때문에
④ 남학생들보다 '내'가 훨씬 비행기 조종을 잘했기 때문에
⑤ 비행기를 타고 '나'의 나라를 자유롭게 만들 수 있다고 생각했기 때문에

핵심
12 '내'가 꿈을 이루기 위해 어떤 노력을 했는지 세 가지 고르시오. (,   ,   )

① 비행 학교에 편지를 보냈다.
② 비행 학교에 가려고 열심히 공부했다.
③ 비행 학교에 찾아가 도와 달라고 말했다.
④ 비행 학교에서의 힘든 훈련을 이겨 냈다.
⑤ 당계요 장군을 찾아가 비행 학교의 입학을 부탁했다.

❻ 처음으로 비행기를 타는 날. 비행기에 올라타서 배운 대로 움직였지. 훌쩍! 날아올라, 깜짝! 너무 놀라 비행기가 부릉부릉, 눈앞이 기우뚱기우뚱. 잘 날다가 뚝 떨어지기도 해. 펑 터지기도 해. 조종간을 꽉, 이를 악물었지.

'진짜로 날고 있나?'

얼른 아래를 내려다봤더니…….

아름다워!

끝없는 산과 들과 강물이, 두 발목을 딱 붙들던 온 세상이 눈앞에서 너울너울 춤을 추네.

"이 세상아! 내 날개를 봐. 정말 자유로워. 구름을 뚫고 온몸이 날아올라."

내 이름은 권기옥. 사람들이 그러지, 처음으로 하늘을 난 우리나라 여자라고.

나는 하늘을 훨훨 날고 싶었어야. 온 세상이 너더러 날 수 없다고 말해도 날고 싶다면 이 세상 끝까지 달려가 보라. 어느 날 니 몸이 훨훨 날아오를 거야. 니 꿈을 좇으며 자유롭게 살게 될 거야.

㉠보라, 니 꿈은 뭐이가?

중심 내용 '나'는 역경을 딛고 우리나라 최초의 여자 비행사가 되었다.

핵심

●「니 꿈은 뭐이가?」를 읽고 친구의 꿈에 공감하며 대화하기 예

경청하기	친구의 꿈을 경청합니다.
처지를 바꾸어 생각하기	친구가 그 꿈을 가지게 된 까닭을 자신의 처지에서 생각합니다.
공감하며 말하기	친구가 꿈을 이루려고 하는 노력에 공감하고 응원합니다.

악물었지 단단히 결심하거나 무엇을 참아 견딜 때에 힘주어 이를 꼭 마주 물었지.

좇으며 목표, 이상, 행복 따위를 추구하며.
예 누구나 자신의 행복을 좇으며 살기 마련입니다.

13 '내'가 비행기를 처음 탔을 때의 마음을 짐작한 것으로 알맞지 않은 것은 무엇입니까? ( )

교과서 문제

① 꿈을 이루어 기뻤을 것이다.
② 자유롭다고 생각했을 것이다.
③ 세상이 아름답다고 생각했을 것이다.
④ 비행기에서 빨리 내리고 싶었을 것이다.
⑤ 날고 있다는 것이 믿어지지 않았을 것이다.

14 이 글에서 '내'가 하고 싶은 말로 알맞은 것에 ○표를 하시오.

(1) 독립 운동은 매우 힘든 일이야. ( )
(2) 아무나 비행사가 될 수는 없어. ( )
(3) 꿈을 이루기 위해 포기하지 말고 끝까지 노력하자. ( )

논술형

15 만약 내가 ㉠과 같은 질문을 받는다면 어떤 대답을 할지 생각하여 자신의 꿈과 그 꿈을 이루기 위해 어떤 노력을 할지 쓰시오.

(1) 자신의 꿈	
(2) 꿈을 이루기 위한 노력	

핵심 역량

16 이 이야기를 읽고, 서로의 꿈에 대해 공감하며 대화한 친구는 누구인지 쓰시오.

시우: 내 꿈에 대해서만 관심을 가지며 말했어.
유진: 친구가 말할 때에 잘못한 것을 생각하며 들었어.
남준: 친구의 꿈이 무엇인지 주의를 기울여서 집중해서 들었어.

( )

단원 마무리

1. 마음을 나누며 대화해요

공감하며 대화해야 하는 까닭 알기

예 「지윤이와 명준이의 대화」에서 공감하며 대화해야 하는 까닭 생각하기

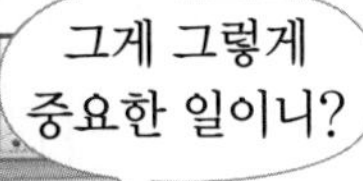

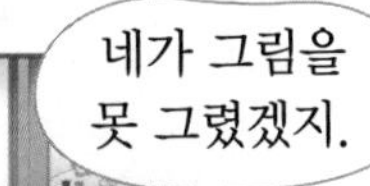

가에서 지윤이는 명준이의 ❶ ☐☐ 을/를 생각하지 않고 자기가 하고 싶은 말만 해서 명준이의 기분이 안 좋을 것입니다.

나에서 지윤이는 명준이의 말을 귀 기울여 들어 주고 명준이를 배려하며 말해 명준이의 기분이 좋을 것입니다.

공감하며 대화하는 방법 알기

단계	방법	활동
1	❷ ☐☐하기	말하는 사람에게 주의를 기울여 집중해서 듣습니다.
2	처지를 바꾸어 생각하기	말하는 사람의 처지가 되어 생각합니다.
3	공감하며 말하기	상대의 처지를 생각하면서 말합니다.

예절을 지키며 누리 소통망에서 대화하기

누리 소통망 대화를 하는 경우 예	• 많은 사람에게 알릴 것이 있을 때 • 자신의 생각을 직접 말하기 어려울 때
지켜야 할 예절	• 말하고 싶은 내용을 ❸ ☐☐☐☐ 전달합니다. • 이상한 말이나 줄임 말을 쓰지 않습니다. • 상대가 대화하고 싶은지 확인하고 말을 겁니다.

단원 평가

★ 단원 평가 더 풀기 >> 평가 교재 2~7쪽

[1~3] 대화를 읽고, 물음에 답하시오.

명준: 너에게 할 말이 있어. 내 이야기 좀 들어 줄래? 어제 말이야…….
지윤: ㉠나 지금 바쁜데, 내가 꼭 들어야 하니?
명준: 뭐라고? 아직 내용을 듣지도 않았잖아.
지윤: 네 이야기보다는 내 일이 훨씬 중요해.

1 지윤이의 말을 들은 명준이의 기분으로 알맞지 않은 것에 ×표를 하시오.

(1) 기분이 좋을 것이다. ( )
(2) 말을 하기 싫어질 것이다. ( )
(3) 무시당하는 것 같아 화가 날 것이다. ( )

2 지윤이가 잘못한 점은 무엇인지 빈칸에 알맞은 말을 쓰시오.

• 명준이가 말하는 내용에 ( ) 을/를 갖지 않았다.

3 공감하며 대화하려면 지윤이가 어떻게 말하면 좋을지 ㉠을 바꾸어 쓰시오.

( )

4 공감하며 대화해야 하는 까닭은 무엇인지 기호를 모두 찾아 쓰시오.

㉠ 상대가 할 말을 미리 알 수 있기 때문이다.
㉡ 처지를 바꾸어 생각하면 상대의 마음을 알 수 있기 때문이다.
㉢ 상대에게 공감하며 말하면 기분 좋은 대화를 할 수 있기 때문이다.

( )

[5~8] 글을 읽고, 물음에 답하시오.

㉮ 부엌을 둘러보시던 엄마께서 놀란 표정으로 물으셨다.
"현욱아, 혹시 프라이팬도 닦았니?"
"예. 제가 철 수세미로 문질러 깨끗이 닦았어요."
"뭐라고? 철 수세미로 문질렀다는 말이니?"
"예. 수세미로는 잘 닦이지 않아서 철 수세미를 썼어요."
엄마는 한숨을 한 번 쉬시고는 다시 웃음을 띠고 말씀하셨다.
㉠"우리 아들이 집안일을 도와주려는 마음으로 설거지를 열심히 했구나. 그렇지만 금속으로 프라이팬 바닥을 긁으면 바닥이 벗겨져서 못 쓰게 된단다."
㉯ 엄마는 웃으며 나를 꼭 안아 주셨다.
"미안해하지 않아도 돼. 집안일을 도와주려고 한 현욱이 마음이 엄마는 정말 고마워."

5 현욱이가 설거지를 한 까닭은 무엇입니까? ( )

① 설거지를 해 보고 싶어서
② 부모님을 도와드리기 위해서
③ 부모님께 용돈을 받기 위해서
④ 부모님을 놀라게 해 드리고 싶어서
⑤ 선생님께서 부모님을 도와드리라고 해서

논술형

6 엄마가 한숨을 쉬었다가 다시 웃음을 띠고 말씀하신 까닭은 무엇일지 쓰시오.

7 ㉠은 공감하며 듣고 말하는 방법 중 무엇에 해당하는지 알맞은 것에 ○표를 하시오.

생각을 정확히 전달하기, 처지를 바꾸어 생각하기

점수 / 점

서술형

8 이 글에 나오는 현욱이 엄마와 같이 공감하며 듣거나 말한 경험을 떠올려 쓰시오.

____

____

9 다음 공감하며 듣고 말하는 방법에 해당하는 활동을 보기 에서 찾아 각각 기호를 쓰시오.

보기
㉠ 상대의 기분을 고려해 말하기
㉡ 전하고 싶은 생각을 정확히 말하기
㉢ 말하는 사람의 처지가 되어 생각하기
㉣ 말하는 사람에게 주의를 기울여 집중해서 듣기

(1) 경청하기 (　　)
(2) 처지를 바꾸어 생각하기 (　　)
(3) 공감하며 말하기 (　　)
(4) 생각을 정확히 전달하기 (　　)

10 공감하며 대화하려면 ㉠에 어떤 말이 들어가면 좋겠습니까? (　　)

넓은 구역을 청소하는 학생은 힘든 일을 오랫동안 하게 돼.
㉠

① 나는 청소 구역에 관심이 없어.
② 열심히 하지도 않으면서 그런 말을 하니?
③ 힘들어도 깨끗이 청소해야 한다고 생각해.
④ 그게 그렇게 힘드니? 나라면 아무 말 않고 할 것 같아.
⑤ 그렇구나. 내가 너처럼 넓은 청소 구역을 맡았다면 너와 같은 마음이 들 것 같아.

11 누리 소통망 대화의 좋은 점으로 알맞지 않은 것은 무엇입니까? (　　)

① 만나지 않고도 대화할 수 있다.
② 공지 사항을 쉽게 올릴 수 있다.
③ 여러 사람과 동시에 대화할 수 있다.
④ 얼굴 표정으로 대화의 분위기를 알 수 있다.
⑤ 직접 말하기에 어색할 때 마음을 전할 수 있다.

12 다음 누리 소통망 대화에서 가 예절을 지키지 않은 점은 무엇인지 쓰시오.

너 지금도 졸았지? 정말 게을러.
뭐? 어떻게 그런 말을 할 수가 있어?
얼굴 보고 말하는 것이 아니니까 괜찮거든?

(　　　　　　　　　　　　　　　)

13 예절을 지키며 누리 소통망에서 대화하는 방법으로 알맞은 것은 무엇입니까? (　　)

① 혼자서만 말을 많이 한다.
② 자신이 할 말만 하고 대화방을 나간다.
③ 말하고 싶은 내용을 정확하게 전달한다.
④ 줄임 말을 지나치게 많이 사용해 말한다.
⑤ 말하고 싶을 때는 언제라도 대화방에 초대해서 말한다.

14 누리 소통망에서 다음과 같이 친구가 올린 글에 공감하는 댓글을 써 보시오.

빨리 나아서 학교에 가고 싶어.
모두 보고 싶어요. (ㅠ.ㅠ)

(　　　　　　　　　　　　　　　)

15 누리 소통망에서 상대의 말에 공감하며 대화한 친구는 누구입니까?

하린: 내가 하고 싶은 말만 했어.
은희: 무조건 미안하다고 말했어.
가영: 상대의 처지를 생각하며 말했어.

( )

[16~20] 글을 읽고, 물음에 답하시오.

㉮ 나 홀로 한글을 깨쳤어. 어느 날 목사님이 그러셨어. 너는 똑똑하니 학교를 공짜로 보내 주겠다고.

참말로 기뻤어야. 아침밥 짓고 동생을 업고 만날 학교에 나갔네. 일 등을 못 하면 분해서 잠이 안 왔어야.

㉯ 중국의 비행 학교를 찾아갔어.

"여자는 들어올 수 없소!"

여자는 날 수 없다네? 중국에서도.

나는 윈난성의 장군 당계요를 찾아갔어.

배 타고 기차 타고 걷고 또 걸어갔어야.

앞만 바라보며 드넓은 중국 땅을 가로질러 갔어야. / 당계요 장군은 많이 놀랐지.

"여자가 어떻게 여기 왔나?"

"세상을 돌고 돌아 왔어요."

"여자가 왜 여기 왔나?"

"하늘을 날고 싶어서요."

"여자가 왜 비행사가 되려 하나?"

"내 나라를 빼앗아 간 일본과 싸우려고요!"

"…… 좋다."

당 장군은 비행 학교에다 ㉠편지를 썼어. 여자가 자기 나라를 되찾으려고 왔으니 꼭 들여보내라고 썼어.

㉰ 내 이름은 권기옥. 사람들이 그러지, 처음으로 하늘을 난 우리나라 여자라고.

나는 하늘을 훨훨 날고 싶었어야. 온 세상이 너더러 날 수 없다고 말해도 날고 싶다면 이 세상 끝까지 달려가 보라. 어느 날 니 몸이 훨훨 날아오를 거야. 니 꿈을 좇으며 자유롭게 살게 될 거야.

㉡보라, 니 꿈은 뭐이가?

16 '나'에 대한 내용으로 알맞지 않은 것은 무엇입니까? ( )

① 집안 형편이 어려웠다.
② 공부를 잘하고 싶어 했다.
③ 꿈을 쉽게 포기하지 않았다.
④ 하늘을 나는 것을 두려워했다.
⑤ 우리나라 여자 중 처음으로 하늘을 날았다.

17 '나'는 중국의 비행 학교에서 여자는 들어올 수 없다고 하자 누구를 찾아갔습니까?

( )

18 '나'는 왜 비행사가 되려고 했습니까? ( )

① 부자가 되려고
② 가족을 떠나 혼자 살려고
③ 영어와 중국어를 배우려고
④ 일본 경찰에게 잡히지 않으려고
⑤ '내' 나라를 빼앗아 간 일본과 싸우려고

19 ㉠'편지'의 내용은 무엇이었을지 쓰시오.

( )

20 ㉡과 같은 질문에 나라면 어떤 대답을 할지 빈칸에 알맞은 말을 쓰시오.

• 내 꿈은 ( )이/가 되는 거야.

서술형 평가

정답과 해설 ● 5쪽

맞은 개수 / 개

1 다음 상황에서 지윤이가 명준이와 공감하며 대화하려면 어떻게 말하는 것이 좋을지 ㉠의 말을 바꾸어 쓰시오.

지난번 질서 지키기 그림 대회에서 내가 그린 그림이 뽑히지 않아서 무척 서운했어.
㉠그게 그렇게 중요한 일이니?
명준
지윤

2 다음 현욱이와 엄마의 대화에서 알 수 있는, 공감하며 대화하는 방법을 쓰시오.

저희가 저녁도 차려 먹고 설거지도 했어요.
설거지까지? 우리 현욱이 다 컸네.
우리 아들이 집안일을 도와주려는 마음으로 설거지를 열심히 했구나.
죄송해요, 엄마. 집안일을 도와드리려다가 오히려 프라이팬만 망가뜨렸어요.
미안해하지 않아도 돼. 집안일을 도와주려고 한 현욱이 마음이 엄마는 정말 고마워.

3 누리 소통망을 사용해 대화하는 경우를 쓰시오.

4 누리 소통망 대화로 좋아진 점과 불편해진 점을 각각 한 가지씩 쓰시오.

(1) 좋아진 점	(2) 불편해진 점

5 다음 누리 소통망 대화에서 친구들이 지켜야 할 예절을 쓰시오.

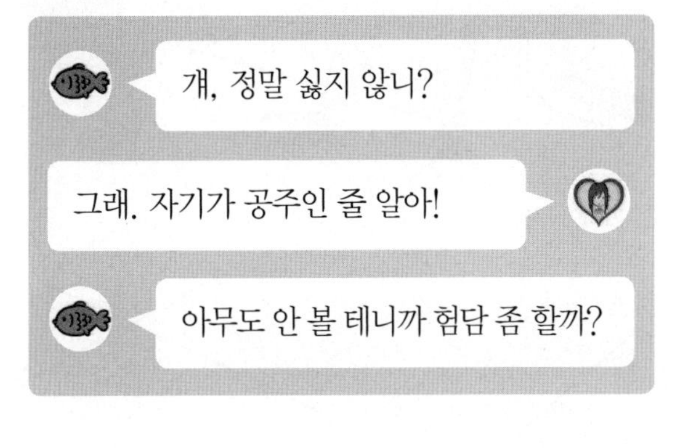

개, 정말 싫지 않니?
그래. 자기가 공주인 줄 알아!
아무도 안 볼 테니까 험담 좀 할까?

1 단원

교과서 문장으로 확인하는 핵심 낱말

● 다음 교과서 문장의 파란색 낱말 중에서 알맞은 것을 골라 인물들이 한 말을 완성하시오.

- 이번 일로 그림 그리기에 **자신감**을 많이 잃었어.
- 엄마의 말씀을 듣고 내 마음은 **한순간**에 봄눈 녹듯 풀렸다.
- 나는 땅에 **딱** 붙어 서서 두 발만 동동 굴렀어.
- 니 꿈을 **좇으며** 자유롭게 살게 될 거야.

정답 | ❶ 좇으며 ❷ 자신감 ❸ 한순간 ❹ 딱

역량 누리며 즐기기

2 지식이나 경험을 활용해요

무엇을 배울까요?

- 지식이나 경험을 활용해 글을 읽으면 좋은 점 알기

기본

- 지식이나 경험을 활용해 글 읽기
- 체험한 일을 떠올리며 감상이 드러나는 글 쓰기
- 지식이나 경험을 활용해 함께 글 고치기

- 지식이나 경험을 활용해 현장 체험학습 계획하기

2 지식이나 경험을 활용해요

1 지식이나 경험을 활용해 글을 읽으면 좋은 점

① 책을 읽을 때 내가 아는 지식이 나오면 더 재미있게 읽게 됩니다.
② 글 내용을 끝까지 집중해서 읽을 수 있습니다.
③ 내가 이미 아는 내용에 새롭게 안 내용을 더하니 글 내용이 더 오래 기억납니다.

2 지식이나 경험을 활용해 글을 읽는 방법

① 글과 관련 있는 내용을 조사합니다.
② 책을 고를 때 책 내용과 관련한 지식이나 경험을 떠올리며 읽을 수 있을지 생각합니다.
③ 글을 읽다가 잘 모르는 내용이 나오면 먼저 관련 있는 지식을 공부합니다.
④ 글을 골라 읽을 때에는 관련 있는 지식이나 경험이 많은 것으로 고릅니다.

예 「조선의 냉장고 '석빙고'의 과학」을 읽으며 떠올린 내용 분류하기

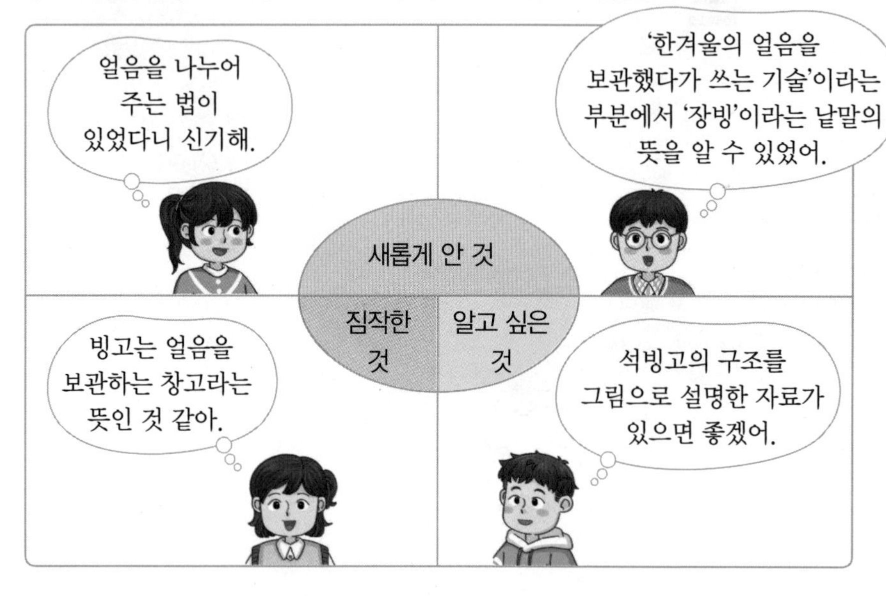

3 체험한 일을 떠올리며 감상이 드러나는 글을 쓰는 방법

① 체험한 일을 자세히 풀어 씁니다. → 글쓴이가 본 것, 들은 것, 한 것 등
② 체험한 일에 대한 감상은 그때의 생각이나 느낌을 떠올려 씁니다.
③ 체험한 일에 대한 감상을 생생하게 전하도록 씁니다.

4 지식이나 경험을 활용해 함께 글을 고치면 좋은 점

① 배운 지식을 활용하면 글 내용을 더 정확하고 자세하게 나타낼 수 있어서 좋습니다.
② 서로의 경험을 활용해서 글 내용을 생생하게 고칠 수 있어 좋습니다.
③ 글쓴이가 잘못 이해하고 쓴 내용도 다른 친구들이 바르게 고쳐 줄 수 있습니다.

친구의 글을 읽고 자신의 의견을 말할 때에 주의할 점
- 미리 정한 평가 기준에 맞추어 말합니다.
- 같은 의견이라도 상대가 기분 나쁘지 않게 말합니다.
- 고칠 점과 함께 좋은 점에 대한 의견도 말합니다.

핵심 개념 문제

정답과 해설 ● 5쪽

1 지식이나 경험을 활용해 글을 읽으면 내가 이미 아는 내용에 새롭게 안 내용을 더하게 되어 글 내용이 더 오래 기억나서 좋습니다.
(○, ×)

2 책을 고를 때 책 내용과 관련한 지식이나 [ ][ ]을/를 떠올리며 읽을 수 있을지 생각합니다.

3 글을 읽으며 '새롭게 안 것'은 무엇인지 기호를 쓰시오.

㉠ 얼음을 나누어 주는 법이 있었다니 신기해.
㉡ 빙고는 얼음을 보관하는 창고라는 뜻인 것 같아.
㉢ 석빙고의 구조를 그림으로 설명한 자료가 있으면 좋겠어.

( )

4 체험한 일을 떠올리며 감상이 드러나는 글을 쓸 때에는 체험한 일을 자세히 풀어 씁니다.
(○, ×)

5 친구의 글을 읽고 함께 글을 고칠 때, 배운 지식을 활용하면 글 내용을 더 [ ][ ][ ][ ] 자세하게 나타낼 수 있어서 좋습니다.

지식이나 경험을 활용해 글을 읽으면 좋은 점 알기

○ 지식이나 경험을 떠올리며 글 읽기

줄다리기, 모두 하나 되는 대동 놀이

• **글의 종류:** 설명하는 글
• **글의 내용:** 영산 줄다리기를 준비하는 과정, 줄다리기를 하는 방법, 줄다리기를 하는 까닭 등을 알 수 있습니다.

❶ 준비하는 과정이 더 즐거운 영산 줄다리기

줄다리기는 줄을 당길 때보다 줄다리기를 준비하는 과정에 더 많은 뜻이 있습니다. 영산 줄다리기는 어른들보다 아이들이 먼저 겨룹니다. 작은 줄을 만들어 어른들이 하는 것처럼 아이들이 경기를 벌이지요. 아이들 줄다리기가 끝나고 어느 편이 이겼다는 소리가 돌면 그제야 장정(나이가 젊고 기운이 좋은 남자)들이 나섭니다. 장정들은 집집을 돌면서 짚을 모아 마을 사람들과 함께 줄을 만들지요. 음력 정월(음력으로 한 해의 첫째 달. 일월)은 **농한기**라서 마을 사람이 모두 모여 줄을 만드는 일에만 **매달릴** 수 있어요.

줄다리기하는 모습을 실제로 본 적 있나요? 줄다리기에 쓰이는 줄은 엄청나게(생각보다 정도가 아주 심하게) 굵답니다. 옛날에는 어른이 줄 위에 걸터앉으면 발이 땅에 닿지 않을 정도였다고 해요. 요즈음 영산 줄다리기에 쓰는 줄은 예전에 비하여 훨씬 가늘고 짧아졌는데도 굵기가 1.5미터, 길이가 40미터가 넘습니다. 또 **암줄**, **수줄**로 나누어져 있지요.

줄을 다 만들면 여러 마을에서 모인 농악대가 앞장을 서고, 그 뒤로 수백 명의 장정이 줄을 어깨에 메고서 줄다리기할 곳으로 줄을 옮깁니다. 그리고 노인들과 아이들, 여자들이 행렬(여럿이 줄지어 감.) 끝에 서서 좇아갑니다. 이렇게 줄을 메고 가는 모습을 멀리서 보면, 마치 용이 꿈틀거리는 것 같답니다.

윤지
줄다리기하는 줄의 굵기가 15센티미터 정도일 것이라고 생각했는데 영산 줄다리기는 그것보다 열 배나 더 굵은 줄을 사용하는 놀이라니 놀라워.

농한기 농사일이 바쁘지 아니하여 겨를이 많은 때. 추수 후부터 다음 모내기까지의 기간을 이릅니다.
매달릴 어떤 일에 관계하여 거기에만 몸과 마음이 쏠려 있을.
암줄 줄다리기에서, 암컷을 상징하는 줄. 수줄의 머리를 끼울 수 있게 만든 둥근 고리가 있습니다.
수줄 줄다리기에서, 수컷을 상징하는 줄.

1 (교과서 문제) 다음은 무엇을 해 본 경험을 떠올려 쓴 것입니까?

> 똑바로 서서 줄을 당기는 것보다 비스듬히 누워서 줄을 당기면 더 센 힘으로 줄을 당길 수 있다.

( )

2 영산 줄다리기를 하기 전에 준비하는 과정에서 하는 일로 알맞지 않은 것에 ×표를 하시오.

(1) 장정들이 짚을 모아 사람들과 함께 줄을 만든다. ( )
(2) 수백 명의 장정이 줄다리기할 곳으로 줄을 옮긴다. ( )
(3) 아이들보다 먼저 어른들이 작은 줄을 만들어 경기를 벌인다. ( )

3 (교과서 문제) 음력 정월에 사람들이 모여 함께 줄을 만들 수 있었던 까닭은 무엇인지 빈칸에 알맞은 말을 찾아 쓰시오.

• 음력 정월은 ( )(이)라서 사람들이 함께 모여 줄을 만들 수 있는 시간이 있었다.

4 (핵심) 이 글을 읽을 때 윤지와 같이 떠올린 지식이나 경험이 글을 읽는 데 어떤 도움이 될지 알맞게 말한 친구는 누구누구입니까?

> 유미: 글을 천천히 읽을 수 있어.
> 영채: 글 내용에 흥미를 느낄 수 있어.
> 보연: 이미 아는 내용과 비교하며 글을 읽을 수 있어.

( )

드디어 줄을 당길 장소에 다다르면 양편에서는 상대의 기를 누르려고 있는 힘을 다하여 합성(여러 사람이 함께 외치거나 지르는 소리)을 질러요. 이 소리에 영산 지방 전체가 쩌렁쩌렁 울릴 정도이지요.

5 그렇지만 장소에 도착하자마자 줄을 당기는 것은 아닙니다. 한동안 암줄과 수줄을 합하지 않고 어르기만(장난하기만) 하다가 어느 정도 시간이 지난 뒤에야 암줄에 수줄을 끼우고 비녀목을 지릅니다. 그러고 나서 양편에서 서로 힘차게 줄을 당겨서 승부를 가리지 10 요. 이때 모두 신이 나서 자기편을 응원합니다.

중심 내용 영산 줄다리기는 줄다리기를 하기 전에 준비하는 과정이 있다.

❷ 풍년을 기원하는(바라는 일이 이루지기를 빎.) 줄다리기

우리 조상들은 왜 줄을 만들어 서로 당기는 놀이를 했을까요? 그것은 농사와 관련이 깊어요. 오랜 세월 동안 농사를 지어 온 우리 조상들의 가장 큰 소망은 풍년이었어요. 농사가 잘되려면 물이 가장 중요하고요. 그런데 우리 조상들은 용이 물을 다스리는 신이라고 생각했답니다. 그래서 용을 닮은 줄을 만들고 흥겹게 줄다리기를 해서 용을 기쁘게 하려고 했어요. 물의 신인 용을 즐겁고 기쁘게 해 5 야 풍년이 들 테니까요.

▲ 영산 줄다리기

다다르면 목적한 곳에 이르면.
비녀목 줄다리기에서, 암줄에 수줄을 끼울 때 벗겨지지 않게 하기 위하여 수줄 가닥 사이에 끼우는 나무.
지릅니다 양쪽 사이를 막대기나 줄 따위로 가로 건너막거나 내리꽂습니다. 예 대문의 빗장을 지릅니다.
흥겹게 매우 흥이 나서 즐겁게.

5 장정들이 줄을 당길 장소에 다다랐을 때에 양편에서 함성을 지르는 까닭을 쓰시오.

( )

6 교과서 문제 조상들은 왜 용을 닮은 줄을 만들어 줄다리기를 했습니까? ( )

① 용을 좋아해 닮고 싶어서
② 용을 실제로 보고 싶어서
③ 마을 사람들이 조금만 있어도 줄을 만들 수 있어서
④ 용을 가까이하면 마을 사람들이 열심히 일을 할 것이라고 믿어서
⑤ 용이 물을 다스리는 신이라고 생각해서 용을 기쁘게 해야 풍년이 들 것이라고 믿어서

핵심
7 민지는 이 글을 읽을 때에 다음과 같이 지식이나 경험을 떠올려 읽었습니다. 지식이나 경험을 활용해 읽으면 좋은 점으로 알맞지 않은 것은 무엇입니까? ( )

우리나라의 민속놀이 가운데 풍물놀이도 풍년을 기원하며 많이 해 왔다고 배운 적이 있어.
민지

① 글 내용을 쉽게 이해할 수 있다.
② 글 내용을 끝까지 집중해서 읽을 수 있다.
③ 글을 처음부터 끝까지 다 읽지 않아도 글 내용을 모두 알 수 있다.
④ 글을 읽을 때 내가 아는 지식이 나오면 더 재미있게 읽을 수 있다.
⑤ 내가 아는 내용에 새롭게 안 내용을 더하면 글 내용을 더 오래 기억할 수 있다.

또 조상들은 계절이 바뀌는 이유가 신들끼리 힘겨루기를 하기 때문이라고 생각했답니다. 봄부터 가을까지는 착한 신들의 힘이 세지만 추운 겨울에는 악한 신들의 힘이 더 세진다고 여겼어요. 그래서 새해의 첫 달인 정월에 힘이 약해진 착한 신들을 도울 수 있는 놀이를 했답니다. 그것이 바로 여럿이 힘을 모아 겨루는 윷놀이나 줄다리기였던 거예요.

중심 내용 풍년을 기원하는 마음을 담아 줄다리기를 했다.

③ 마음을 한데 모으는 놀이

(한데: 한곳이나 한군데)

조상들은 대보름이면 모든 일을 제쳐 두고 줄다리기 준비에 정성을 쏟았어요. 그리고 마을 사람이 모두 함께 줄다리기를 했지요. 온 마을이 참여해서 집집마다 짚을 거두고 놀이에 필요한 돈과 일손을 내어 줄을 만들어 놀이를 한다는 게 생각처럼 쉬운 일은 아니랍니다. 그런데도 해마다 줄다리기를 거르는 법이 없었어요. 여기에는 봄기운이 시작되는 정월에 풍년을 기원하고, 줄다리기라는 큰 행사를 치르면서 마을 사람들이 마음을 한데 모아 무사히 한 해 농사를 지으려는 지혜가 담겨 있어요. 영산 줄다리기는 1969년에 국가 무형 문화재 제26호로 지정되었답니다.

중심 내용 줄다리기는 사람들의 마음을 한데 모으는 역할을 했다.

●글을 읽으며 지식이나 경험 떠올리기 (핵심)

예 우리나라의 민속놀이 가운데 풍물놀이도 풍년을 기원하며 많이 해 왔다고 배웠어.

예 제목에 있는 '대동'이라는 낱말 뜻을 정확히 몰랐는데 글 전체 내용과 함께 나온 그림을 살펴보니 '여러 사람이 힘을 합치다'라는 뜻인 것 같아.

예 또 다른 국가 무형 문화재에는 무엇이 있는지 궁금해.

거르는 차례대로 나아가다가 중간에 어느 순서나 자리를 빼고 넘기는.
예 바쁠 때는 끼니를 거르는 일이 있습니다.

봄기운 봄을 느끼게 해 주는 기운. 또는 그 느낌.
무사히 아무 탈 없이 편안하게.

8 이 글에서는 조상들이 새해의 첫 달인 정월에 힘이 약해진 착한 신들을 돕기 위해서 어떤 일을 했다고 했습니까? (　　)

① 바다에 제사를 지냈다.
② 다른 지방으로 여행을 갔다.
③ 아이들에게 연을 날리게 했다.
④ 함께 음식을 만들어 나누어 먹었다.
⑤ 여럿이 힘을 모아 겨루는 윷놀이나 줄다리기를 했다.

9 (교과서 문제) 줄다리기에 담긴 조상들의 지혜는 무엇인지 빈칸에 알맞은 말을 쓰시오.

봄기운이 시작되는 정월에 (1)(　　　　) 을/를 기원하고, 큰 행사를 치르면서 마을 사람들이 (2)(　　　　)을/를 한데 모아 무사히 한 해 농사를 지으려는 지혜가 담겨 있습니다.

(핵심) (논술형)

10 이 글을 읽으며 자신이 떠올린 지식이나 경험을 쓰시오.

____

____

11 (교과서 문제) 지식이나 경험을 활용해 글을 읽는 방법으로 알맞지 않은 것의 기호를 쓰시오.

㉠ 글과 관련 있는 내용을 조사한다.
㉡ 글을 읽다가 잘 모르는 내용이 나오면 먼저 관련 있는 지식을 공부한다.
㉢ 책을 고를 때 책 내용과 관련한 지식이나 경험이 전혀 떠오르지 않는 것으로 고른다.

(　　　　　　)

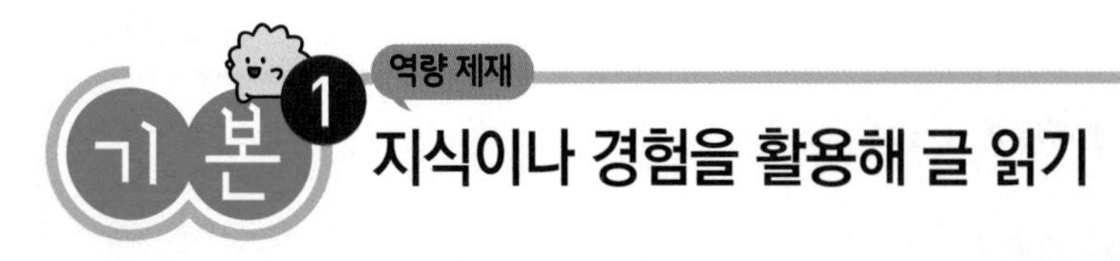

역량 제재
기본 1
지식이나 경험을 활용해 글 읽기

- 배운 지식이나 경험을 활용해 글 읽기

조선의 냉장고 '석빙고'의 과학

윤용현

- **글의 종류**: 설명하는 글
- **글의 내용**: 석빙고는 언제 만들어진 것인지, 석빙고의 구조는 어떠한지, 얼음을 오랫동안 보관하는 방법은 무엇인지 등을 알 수 있습니다.

❶ 여름철 무더위가 시작되면 누구나 냉장고 속의 시원한 얼음과 아이스크림, 그리고 선풍기와 에어컨 등을 떠올릴 것이다. 이것은 더위를 이기려는 한 방법이다. 그렇다면 우리 조상들은 무더위를 이기려고 어떻게 노력했을까? 우리 조상들이 살던 시대에도 냉장고가 있었을까? 결론적으로 말하자면 냉장고는 아니지만 냉장고 역할을 하는 석빙고가 있었다.

현대인의 **생활필수품**인 냉장고는 냉기(찬 기운)나 얼음을 인공적으로 만드는 기계 장치이지만, 빙고는 겨울에 보관해 두었던 얼음을 봄·여름·가을까지 녹지 않게 효과적으로 보관하는 냉동 창고이다. 우리나라에서 얼음을 보관하기 시작했다는 기록은 『삼국사기』에 나타난다. 또한 신라 시대 때에는 얼음 창고에 관한 일을 맡아보던 '빙고전'(얼음 창고에 관한 일을 맡아보던 기관)이라는 기관이 있었다고 한다. 고려 시대에 얼음을 보관하여 사용한 기록은 『고려사』에 나타나는데, 음력 4월에 임금에게 얼음을 진상한 기록이 있고 또 법으로 해마다 6월부터 **입추**까지 신하들에게 얼음을 나누어 준 기록이 있다.

중심 내용 얼음을 보관하기 시작했다는 기록은 『삼국사기』에서 찾아볼 수 있고, 『고려사』에 고려 시대에도 얼음을 보관하여 사용했다는 기록이 있다.

❷ 조선 시대에는 서울 한강가에 얼음 창고를 만들었는데, 동빙고와 서빙고를 두었다. 동빙고는 왕실의 제사에 쓰일 얼음을 보관했고, 서빙고는 음식 저장용, 식용(먹을 것으로 씀), 또는 의료용으로 쓸 얼음을 왕실과 고급 관리들에게 공급했다. 조선 시대의 빙고는 정식 관청이었으며, 얼음의 공급 규정을 법으로 엄격히 규정할 만큼 얼음의 공급을 중요하게 여겼다.

생활필수품 일상생활에 반드시 있어야 할 물품.
예 가전제품 중에 냉장고, 세탁기는 생활필수품입니다.

입추 이십사절기의 하나. 이때부터 가을이 시작된다고 합니다. 양력으로는 8월 8일이나 9일경입니다.

1 다음은 냉장고와 빙고의 다른 점을 정리한 것입니다. 알맞은 말에 ○표를 하시오. (교과서 문제)

> (빙고, 냉장고)는 냉기나 얼음을 인공적으로 만드는 기계 장치이지만, (빙고, 냉장고)는 겨울에 보관해 두었던 얼음을 봄 · 여름 · 가을까지 녹지 않게 효과적으로 보관하는 냉동 창고입니다.

2 신라 시대에 우리 조상들이 얼음을 보관했다는 것을 알 수 있는 기록을 이 글에서 찾아 쓰시오.

( )

3 조선 시대에 두었던 동빙고와 서빙고 가운데 왕실의 제사에 쓰일 얼음을 보관하는 역할을 한 곳은 어디입니까?

( )

논술형

4 이 글의 내용과 관련 있는 자신의 지식이나 경험을 떠올려 보고, 생각한 내용을 보기 와 같이 쓰시오.

> 보기: 빙고에 얼음을 보관해서 봄·여름·가을까지 사용했다니 놀랍다.

한겨울의 얼음을 보관했다가 쓰는 기술을 장빙이라고 했다. 우리나라는 여름과 겨울의 기온 차가 커서 옛날부터 장빙 기술이 크게 발달했다. 장빙 기술을 활용한 석빙고는 현재 일곱 개가 남아 있는데, 남한에는 경주, 안동, 영산, 창녕, 청도, 현풍에 각각 한 개가, 북한 해주에 한 개가 남아 있다. 그중 가장 완벽한 것이 바로 경주의 석빙고이다.

중심 내용 조선 시대에 서울에는 동빙고와 서빙고를 두었고, 지방에는 석빙고를 두었는데 남아 있는 것 중 경주의 석빙고가 가장 완벽하다.

▲ 경주 석빙고

❸ 보물 제66호인 경주 석빙고는 1738년에 만들었으며, 입구에서부터 점점 깊어져 창고 안은 길이 14미터, 너비 6미터, 높이 5.4미터이다. 석빙고는 온도 변화가 적은 반지하 구조로 한쪽이 긴 흙무덤 모양이며, 바깥 공기가 들어오지 않도록 출입구의 동쪽은 담으로 막고 지붕에는 구멍을 뚫었다.

▲ 경주 석빙고 내부 모습

● 지식이나 경험을 활용해 글 읽기 ① (핵심)

새롭게 안 것	'한겨울의 얼음을 보관했다가 쓰는 기술'이라는 부분에서 '장빙'이라는 낱말의 뜻을 알 수 있었어.
알고 싶은 것	• 조선 시대에는 음식이 상하지 않도록 어떻게 보관했을까? • 경주에 있는 석빙고에 간 적이 있어. 무덤처럼 생겼는데 어떻게 냉장고의 역할을 하는지 궁금했어.

완벽(完 완전할 완, 璧 구슬 벽)한 결함이 없이 완전한. 흠이 없는 구슬이라는 뜻에서 나온 말입니다.

반지하 절반쯤이 땅바닥 아래로 파고 들어가 있는 공간.
예 반지하는 햇볕이 잘 들지 않았습니다.

핵심
5 수진이는 이 글을 읽으며 다음과 같이 떠올렸습니다. 떠올린 내용은 무엇에 대한 것인지 ○표를 하시오.

'한겨울의 얼음을 보관했다가 쓰는 기술'이라는 부분에서 '장빙'이라는 낱말의 뜻을 알 수 있었어.

수진

(1) 짐작한 것 ( )
(2) 새롭게 안 것 ( )
(3) 알고 싶은 것 ( )

6 옛날부터 우리나라에 장빙 기술이 크게 발달한 까닭은 무엇인지 쓰시오.

( )

7 현재 남아 있는 석빙고 중 가장 완벽한 것은 무엇인지 빈칸에 알맞은 말을 쓰시오.

( )의 석빙고

8 우리 조상들이 석빙고를 만들 때 바깥 공기가 들어오는 것을 막기 위해 어떻게 했는지 두 가지 고르시오. (,)

① 지붕을 얇게 만들었다.
② 지붕에 구멍을 뚫었다.
③ 출입구를 만들지 않았다.
④ 서쪽 출입구는 크게 만들었다.
⑤ 출입구의 동쪽을 담으로 막았다.

기본 1

지붕은 이중 구조인데 바깥쪽은 열을 효과적으로 막아 주는 진흙으로, 안쪽은 열전달이 잘되는 화강암으로 만들었다. 천장은 반원형(반원의 모양)으로 기둥 다섯 개에 장대석이 걸쳐 있고, 장대석을 걸친 곳에는 밖으로 통하는 공기구멍이 세 개가 나 있다. 이 구멍은 아래쪽이 넓고 위쪽은 좁은 직사각형 기둥 모양인데, 이렇게 함으로써 바깥에서 바람이 불 때 빙실 안의 공기가 잘 빠져나온다. 즉, 열로 데워진 공기와 출입구에서 들어오는 바깥의 더운 공기가 지붕의 구멍으로 빠져나가기 때문에 빙실 아래의 찬 공기가 오랫동안 머물 수 있어 얼음이 적게 녹는 것이다. 또한 지붕에는 잔디를 심어 태양열을 차단했고, 내부 바닥 한가운데에 배수로를 5도 경사지게 파서 얼음에서 녹은 물이 밖으로 흘러 나갈 수 있는 구조를 갖추어 과학적이다.

중심 내용 경주 석빙고의 구조는 과학적이다.

❹ 여기에다가 석빙고의 얼음을 왕겨나 짚으로 싸 보관했다. 왕겨나 짚은 단열 효과를 높이기도 하지만, 얼음이 약간 녹을 때 주변 열도 흡수하므로 왕겨나 짚의 안쪽 온도가 낮아져 얼음을 오랫동안 보관할 수 있다.

(왕겨: 벼를 찧어 낸 겉껍질)

석빙고는 자연 그대로의 순환 원리에 맞춰 계절의 변화와 돌, 흙, 바람, 지형 등을 활용해 자연 상태에서 가장 효과적으로 얼음을 오랫동안 저장할 수 있는 구조로 되어 있다. 이러한 시설은 세계적으로도 드문데 조상들의 과학적인 지혜를 한껏 엿볼 수 있다.

중심 내용 석빙고는 조상들의 과학적인 지혜를 엿볼 수 있는 것이다.

핵심

● 지식이나 경험을 활용해 글 읽기 ②

새롭게 안 것	석빙고의 얼음을 왕겨나 짚에 싸서 보관했다는 것을 알았어.
알고 싶은 것	석빙고의 구조를 그림으로 설명한 자료가 있으면 좋겠어.

장대석 섬돌 층계나 축대를 쌓는 데 쓰는, 길게 다듬어 만든 돌.
배수로 물이 빠져나갈 수 있도록 만든 길.
단열(斷 끊을 단, 熱 더울 열) 물체와 물체 사이에 열이 서로 통하지 않도록 막음. 또는 그렇게 하는 일.

역량

9 **석빙고를 과학적이라고 말할 수 있는 까닭을 두 가지 고르시오.** (,)

① 천장을 직선형으로 만들었다.
② 기둥 두 개에 장대석이 걸쳐져 있다.
③ 지붕에 잔디를 심어 태양열을 차단했다.
④ 땅으로 통하는 공기 구멍이 세 개가 있었다.
⑤ 내부 바닥 한 가운데에 배수로를 경사지게 파서 얼음에서 녹은 물이 밖으로 흐르도록 했다.

핵심

10 **다음은 이 글을 읽으며 '새롭게 안 것'에 대해 쓴 내용입니다. 빈칸에 알맞은 말을 쓰시오.**

석빙고의 얼음을 ( )에 싸서 보관했다는 것을 알았어.

서술형

11 교과서 문제 **다음 과학 시간에 배운 '열의 이동' 내용을 이 글을 이해할 때 어떻게 활용할 수 있을지 쓰시오.**

- 고체: 열이 고체 물질을 따라 온도가 높은 곳에서 낮은 곳으로 이동함.
- 액체: 주위보다 온도가 높은 액체가 위로 올라가고 위에 있던 액체가 아래로 내려오면서 열이 이동함.
- 기체: 주위보다 온도가 높은 기체가 위로 올라가고 온도가 낮은 기체가 아래로 내려오면서 열이 이동함.

- 석빙고 안쪽의 화강암은 고체로서 주변의 열을 전달하는 역할을 한다.
- ______________________

체험한 일을 떠올리며 감상이 드러나는 글 쓰기

체험한 일을 떠올리며 감상이 드러나는 글을 쓰는 방법 알아보기

상설 전시실 바로 위에는 '한글 놀이터'와 '한글 배움터' 그리고 '특별 전시실'이 있었다. 아이들이 놀면서 한글을 배울 수 있는 '한글 놀이터', 한글에 **익숙하지** 않은 사람들을 위해 마련한 '한글 배움터'는 모두 체험과 놀이를 하면서 한글을 이해하도록 만들어졌다는 점이 흥미로웠다. '특별 전시실'에서는 국립한글박물관 개관 기념 특별전을 진행했는데, '세종 대왕, 한글문화 시대를 열다'라는 기획 아래 세종 대왕의 업적과 **일대기**, 세종 시대의 한글문화, 세종 정신 따위를 주제로 한 전통적인 **유물**과 이를 현대적으로 해석한 현대 작가의 작품을 만날 수 있었다.

박물관을 관람하면서 책과 화면으로만 봤던 한글 유물을 직접 볼 수 있어서 신기하고 즐거웠다. 그뿐만 아니라 날마다 세 번씩 운영하는 해설이 있는 관람 프로그램을 활용하면 더 많은 지식을 쌓으며 관람할 수 있겠다는 생각이 들었다. 이번 관람으로 국어 시간에 배웠던 한글을 더 생생하고 자세하게 배우는 소중한 기회를 얻어서 무척 뿌듯했다.

• **글의 특징:** 글쓴이가 국립한글박물관에 다녀와서 쓴 글로, 체험한 일과 체험한 일에 대한 감상이 나타나 있습니다.

핵심

● 체험한 일을 떠올리며 감상이 드러나는 글을 쓰는 방법

체험한 일을 자세히 풀어 쓰기
상설 전시실 바로 위에는 '한글 놀이터'와 '한글 배움터' ~ 현대 작가의 작품을 만날 수 있었다.
체험한 일에 대한 감상을 생생하게 전하기
• 한글 유물을 직접 볼 수 있어서 신기하고 즐거웠다. • 국어 시간에 배웠던 한글을 더 생생하고 자세하게 배우는 소중한 기회를 얻어서 무척 뿌듯했다.

익숙하지 어떤 일을 여러 번 하여 서투르지 않은 상태에 있지.
일대기 어느 한 사람의 일생에 관한 내용을 적은 기록.
유물 선대의 인류가 남긴 물건.
예 선사 시대의 유물이 발견되었다는 기사를 보았습니다.

1 교과서 문제 **글쓴이가 체험한 일은 무엇인지 빈칸에 알맞은 말을 쓰시오.**

• (   )의 '한글 놀이터', '한글 배움터', '특별 전시실'을 관람했다.

2 교과서 문제 **글쓴이가 체험한 일에 대한 감상을 두 가지 고르시오.** (,   )

① 상설 전시실 바로 위에 특별 전시실이 있다.
② '특별 전시실'에서는 개관 기념 특별전을 진행했다.
③ 한글 유물을 직접 볼 수 있어서 신기하고 즐거웠다.
④ '한글 배움터'는 체험과 놀이를 하면서 한글을 배울 수 있다.
⑤ 한글을 더 생생하고 자세하게 배우는 소중한 기회를 얻어서 무척 뿌듯했다.

핵심

3 **체험한 일을 떠올리며 감상이 드러나는 글을 쓰는 방법으로 알맞지 않은 것에 ×표를 하시오.**

(1) 체험한 일은 본 것 중심으로 최대한 간단히 쓴다. (   )
(2) 체험한 일에 대한 감상은 그때의 생각이나 느낌을 생생하게 전하도록 쓴다. (   )

논술형

4 **체험한 일을 떠올려 감상이 드러나는 글을 쓰려고 합니다. 글에 들어갈 체험과 감상의 내용을 간단히 정리해 쓰시오.**

(1) 체험	(2) 감상

기본 3 지식이나 경험을 활용해 함께 글 고치기

○ 친구의 글을 읽고 지식이나 경험을 활용해 함께 글을 고칠 때 고려할 점 알아보기

㉮ 국립한글박물관을 찾았다. 국립한글박물관은 '한글'로만 기록한 한글 자료와 한글을 활용한 작품들을 전시해 놓은 곳이다. 국립한글박물관은 용산 국립중앙박물관 옆에 있다. 우리 가족은 집 근처에서 지하철을 타고 가서 '박물관 나들길'을 이용해 박물관까지 걸어갔다. 이정표를 따라 걷다 보니 큰 박물관 건물이 눈에 들어왔다.

이정표: 어느 곳까지의 거리 및 방향을 알려 주는 표지

㉯ 처음 발끝이 닿은 장소는 2층 '한글이 걸어온 길' 상설 전시실이었다. 전시실 이름처럼 '한글이 걸어온 길'을 주제로 마련한 상설 전시실은 총 3부로 구성되었다. 1부 주제는 '새로 스물여덟 자를 만드니'로, 세종 25년 한글이 그 모습을 드러내던 때를 살펴볼 수 있었고, 2부 주제는 '쉽게 익혀서 편히 쓰니'이며, 마지막으로 3부 주제는 '세상에 널리 퍼져 나아가니'이다. 상설 전시실의 이름이 한글의 역사를 잘 말해 주는 것 같았다.

글 ㉮, ㉯에 대한 의견
민주: 내 경험으로는 지하철역에서 국립한글박물관까지 걸어가는 길 주변 건물의 모습이 인상 깊었다. 글 ㉮에 이런 부분을 덧붙이면 글이 더 생생하게 느껴질 것이다.
동호: 문장 중간중간에 감상을 넣어 주면 글쓴이가 어떻게 느꼈는지 알 수 있어서 좋을 것 같다. 지금은 글 ㉮와 글 ㉯ 모두 체험에 비해 감상이 부족해 보인다.
정욱: 글 ㉯에서 '발끝이 닿은 장소'보다는 '발길이 닿은 장소'가 더 자연스럽다.
성민: 상설 전시실이라는 낱말의 뜻이 조금 어려워 보인다. 간단히 뜻을 설명해 주면 좋겠다.
유원: 글 ㉯에서 한글을 설명할 때 4학년 1학기 때 배운 「훈민정음해례본」 내용도 함께 설명하면 읽는 사람이 이해하기 쉬울 것이다.

핵심

● 글 ㉮, ㉯를 읽고 친구들이 함께 글을 고칠 때에 의견을 말한 방법
- 글의 내용에서 보충할 부분과 알맞은 표현을 말해 주었습니다.
- 어떻게 고치면 좋을지 자세히 말해 주었습니다.
- 너무 심하게 비난하며 말하지 않습니다.

1 글 ㉮와 글 ㉯는 같은 장소에 다녀와서 쓴 글입니다. 어디에 간 일을 쓴 글입니까?

( )

2 다음은 글 ㉮, ㉯에 대한 의견을 말한 '민주', '동호', '유원' 가운데 누구의 의견을 정리한 것인지 이름을 쓰시오.

(1) 자신의 경험을 활용해서 글에 대한 의견을 말했다. ( )

(2) 겪은 일에 대한 감상을 충분히 쓰는 것이 좋다고 말했다. ( )

(3) 우리가 4학년 때 배웠던 지식을 활용하자는 의견을 제시했다. ( )

핵심

3 친구의 글을 읽고 자신의 의견을 말하는 방법으로 알맞지 않은 것은 어느 것입니까? ( )

① 너무 심하게 비난하며 말하지 않는다.
② 글 내용에 대해 보충할 부분을 말한다.
③ 그때그때의 기분에 따라 다르게 말한다.
④ 어떻게 고치면 좋을지 구체적으로 말한다.
⑤ 읽는 사람의 처지에서 이해하기 쉽게 말한다.

4 지식이나 경험을 활용해 친구들과 함께 글을 고치면 좋은 점을 찾아 ○표를 하시오.

(1) 친구가 잘못한 점을 지적할 수 있다. ( )

(2) 어려운 표현으로 읽는 이의 관심을 끌 수 있다. ( )

(3) 배운 지식을 활용하면 글 내용을 더 정확하고 자세하게 나타낼 수 있다. ( )

역량 활동

지식이나 경험을 활용해 현장 체험학습 계획하기

● 지식이나 경험을 활용해 현장 체험학습 계획 세우기

- **그림 설명**: 현장 체험학습 계획을 세울 때 지식이나 경험을 어떻게 활용할지 이야기하고 있습니다.

내가 가 본 곳 가운데에서 친구들이 좋아할 만한 곳을 추천할 수 있을 것 같아.
체험학습 장소를 친구들에게 설명할 때 수업 시간에 배운 지식을 활용하면 좋겠어.
활동을 계획할 때에도 지식이나 경험을 활용할 수 있어.

핵심 ● 현장 체험학습을 계획할 때 활용할 수 있는 지식이나 경험 예

- 가족과 함께 여행을 갔던 경험
- 사회 시간이나 과학 시간에 배웠던 지식
- 책에서 보았던 체험활동 내용

1 그림 속 친구들은 무엇에 대해 이야기하고 있는지 빈칸에 알맞은 말을 쓰시오.

- 현장 체험학습을 계획할 때 (   )이나 경험을 활용하는 방법

2 현장 체험학습을 계획할 때에 정할 것으로 알맞지 않은 것은 무엇입니까? (   )

교과서 문제

① 활동 ② 장소
③ 이동 시간 ④ 식사 계획
⑤ 간식을 먹는 횟수

핵심

3 현장 체험학습을 계획할 때에 활용할 수 있는 지식이나 경험을 보기 와 같이 쓰시오.

보기: 책에서 보았던 체험 활동 내용

(   )

역량 논술형

4 현장 체험학습 장소로 가고 싶은 곳과 그곳으로 정한 까닭을 쓰시오.

(1) 장소	
(2) 정한 까닭	

5 현장 체험학습 계획을 발표 자료로 만들 때에 해야 할 일로 알맞지 않은 것은 무엇입니까? (   )

① 발표 자료의 형식을 정한다.
② 발표 자료에 들어갈 내용을 정리한다.
③ 발표에 사용하는 자료는 출처를 밝히지 않고 정리한다.
④ 발표에 필요한 그림, 사진, 동영상 자료를 찾아 정리한다.
⑤ 발표를 효과적으로 하려면 어떤 자료가 필요한지 생각한다.

단원 마무리

지식이나 경험을 활용해 글을 읽으면 좋은 점 알기

예 「줄다리기, 모두 하나 되는 대동 놀이」를 지식이나 경험을 떠올리며 읽기

줄다리기하는 줄의 굵기가 15센티미터 정도일 것이라고 생각했는데 영산 줄다리기는 그것보다 열 배나 더 굵은 줄을 사용하는 놀이라니 놀라워.

우리나라의 민속놀이 가운데 풍물놀이도 풍년을 기원하며 많이 해 왔다고 배웠어.

제목에 있는 '대동'이라는 낱말 뜻을 정확히 몰랐는데 글 전체 내용과 함께 나온 그림을 살펴보니 '여러 사람이 힘을 합치다'라는 뜻인 것 같아.

지식이나 경험을 활용해 글을 읽으면 좋은 점

- 책을 읽을 때 내가 아는 지식이 나오면 더 ❶ □□□□ 읽게 됩니다.
- 글 내용을 끝까지 집중해서 읽을 수 있습니다.
- 내가 이미 아는 내용에 새롭게 안 내용을 더하니 글 내용이 더 오래 기억납니다.

지식이나 경험을 활용해 글 읽기

예 「조선의 냉장고 '석빙고'의 과학」을 읽으면서 생각한 내용 살펴보기

생각한 내용	구분
빙고는 ❷ □□ 을/를 보관하는 창고라는 뜻인 것 같아.	짐작한 것
• 얼음을 나누어 주는 법이 있었다니 신기해. • '한겨울의 얼음을 보관했다가 쓰는 기술'이라는 부분에서 '장빙'이라는 낱말의 뜻을 알 수 있었어. • 석빙고의 얼음을 왕겨나 짚에 싸서 보관했다는 것을 알았어.	새롭게 안 것
• 조선 시대에는 음식이 상하지 않도록 어떻게 보관했을까? • 경주에 있는 석빙고에 간 적이 있어. 무덤처럼 생겼는데 어떻게 냉장고의 역할을 하는지 궁금했어. • '장대석'의 뜻을 국어사전에서 찾아봐야겠어. • 석빙고의 구조를 그림으로 설명한 자료가 있으면 좋겠어.	알고 싶은 것

지식이나 경험을 활용해 글을 읽는 방법

- 책을 읽을 때에 궁금한 점은 다른 책이나 자료를 찾아 가며 읽습니다.
- 자신이 아는 내용과 책 내용을 비교하며 읽습니다.
- 글을 읽기 전에 여러 가지 질문을 떠올려 본 뒤 떠올렸던 질문을 생각하며 글을 읽습니다.

체험한 일을 떠올리며 감상이 드러나는 글 쓰기

예 체험한 일을 떠올리며 감상이 드러나는 글을 쓸 계획 세우기

글로 쓸 내용 떠올리기	경주에 가서 천마총, 첨성대, 불국사를 견학했던 일
글을 쓰기 전에 조사할 내용 정하기	첨성대에 숨겨진 조상들의 지혜 등
조사한 내용 정리하기	첨성대를 만든 목적, 첨성대의 크기, 꼭대기의 네모난 돌 등
글에 들어갈 체험과 감상 내용 간단히 정리하기	체험: 천마총 관람 / ❸ ☐☐: 천마가 하늘로 날아오를 것 같았다.
글의 처음, 가운데, 끝에 들어갈 내용을 핵심어로 정리하기	처음: 가족 여행, 요금소, 김유신 장군 동상 가운데: 천마총, 첨성대, 불국사 끝: 돌아오는 길, 저녁 식사

2 단원

지식이나 경험을 활용해 함께 글 고치기

❹ ☐☐이나 경험을 활용해 함께 글을 고치면 좋은 점	배운 지식을 활용하면 글 내용을 더 정확하고 자세하게 나타낼 수 있어서 좋아. 내가 잘못 이해하고 쓴 내용을 친구들이 바르게 고쳐 줄 수 있어.
함께 글을 고칠 때에 필요한 평가표 만들기	**평가 기준 예** 내용: • 체험한 일을 자세히 풀어 썼는가? • 글 내용이 정확한가? • 어떤 일인지 이해하기 쉬운가? 조직: • 글 내용에 따라 문단을 구분했는가? • 처음, 가운데, 끝으로 나누었는가? • 사실과 의견을 구분해 썼는가? 표현: • 체험한 일을 생생하게 표현했는가? • 정확한 표현을 사용했는가? • 알기 쉬운 표현을 사용했는가?
친구의 글을 읽고 자신의 의견을 말할 때 주의할 점	• 미리 정한 평가 ❺ ☐☐을/를 생각하며 말합니다. • 같은 의견이라도 상대가 기분 나쁘지 않게 말합니다. • 고칠 점과 함께 좋은 점에 대한 의견도 제시합니다.

단원 평가

★ 단원 평가 더 풀기 >> 평가 교재 8~13쪽

[1~3] 글을 읽고, 물음에 답하시오.

우리 조상들은 왜 줄을 만들어 서로 당기는 놀이를 했을까요? 그것은 농사와 관련이 깊어요. 오랜 세월 동안 농사를 지어 온 우리 조상들의 가장 큰 소망은 풍년이었어요. 농사가 잘되려면 물이 가장 중요하고요. 그런데 우리 조상들은 용이 물을 다스리는 신이라고 생각했답니다. 그래서 용을 닮은 줄을 만들고 흥겹게 줄다리기를 해서 용을 기쁘게 하려고 했어요. 물의 신인 용을 즐겁고 기쁘게 해야 풍년이 들 테니까요.

또 조상들은 계절이 바뀌는 이유가 신들끼리 힘겨루기를 하기 때문이라고 생각했답니다. 봄부터 가을까지는 착한 신들의 힘이 세지만 추운 겨울에는 악한 신들의 힘이 더 세진다고 여겼어요. 그래서 새해의 첫 달인 정월에 힘이 약해진 착한 신들을 도울 수 있는 놀이를 했답니다. 그것이 바로 여럿이 힘을 모아 겨루는 윷놀이나 줄다리기였던 거예요.

1 우리 조상들이 줄을 만들어 서로 당기는 놀이를 한 까닭을 두 가지 고르시오. (,)

① 풍년이 들기를 바라서
② 아이들의 건강을 위해서
③ 비가 많이 내리기를 바라서
④ 사람들이 열심히 일하기를 바라서
⑤ 힘이 약해진 착한 신들을 돕기 위해서

2 이 글을 읽을 때에 지식이나 경험을 떠올려 읽은 것으로 알맞은 것에 ○표를 하시오.

(1) 친구들과 술래잡기를 하면 재미있을 것 같아. ( )

(2) 우리나라의 민속놀이 가운데 풍물놀이도 풍년을 기원하며 많이 해 왔다고 배웠어. ( )

3 지식이나 경험을 활용해 글을 읽으면 좋은 점은 무엇인지 알맞은 말에 ○표를 하시오.

- 책을 읽을 때 내가 아는 지식이 나오면 더 (재미있게 , 천천히 , 어렵게) 읽을 수 있습니다.

[4~6] 글을 읽고, 물음에 답하시오.

현대인의 생활필수품인 냉장고는 냉기나 얼음을 인공적으로 만드는 기계 장치이지만, 빙고는 겨울에 보관해 두었던 얼음을 봄·여름·가을까지 녹지 않게 효과적으로 보관하는 냉동 창고이다. 우리나라에서 얼음을 보관하기 시작했다는 기록은 『삼국사기』에 나타난다. 또한 신라 시대 때에는 얼음 창고에 관한 일을 맡아보던 '빙고전'이라는 기관이 있었다고 한다. 고려 시대에 얼음을 보관하여 사용한 기록은 『고려사』에 나타나는데, 음력 4월에 임금에게 얼음을 진상한 기록이 있고 또 법으로 해마다 6월부터 입추까지 신하들에게 얼음을 나누어 준 기록이 있다.

4 서술형 냉장고와 빙고의 다른 점은 무엇인지 쓰시오.

5 다음은 어디에 기록된 내용인지 이 글에서 찾아 쓰시오.

- 음력 4월에 임금에게 얼음을 진상했다.
- 해마다 6월부터 입추까지 신하들에게 얼음을 나누어 주었다.

( )

6 다음은 이 글을 읽으며 떠오른 생각을 쓴 것입니다. 무엇에 해당하는지 보기 에서 찾아 기호를 쓰시오.

보기
㉠ 짐작한 것 ㉡ 새롭게 안 것
㉢ 알고 싶은 것

(1) 얼음을 나누어 주는 법이 있었다니 신기해. ( )

(2) 빙고는 얼음을 보관하는 창고라는 뜻인 것 같아. ( )

점수 / 점

[7~12] 글을 읽고, 물음에 답하시오.

㉮ 한겨울의 얼음을 보관했다가 쓰는 기술을 장빙이라고 했다. 우리나라는 여름과 겨울의 기온 차가 커서 옛날부터 장빙 기술이 크게 발달했다. 장빙 기술을 활용한 석빙고는 현재 일곱 개가 남아 있는데, 남한에는 경주, 안동, 영산, 창녕, 청도, 현풍에 각각 한 개가, 북한 해주에 한 개가 남아 있다.

㉯ 보물 제66호인 경주 석빙고는 1738년에 만들었으며, ㉠입구에서부터 점점 깊어져 창고 안은 길이 14미터, 너비 6미터, 높이 5.4미터이다. 석빙고는 온도 변화가 적은 반지하 구조로 한쪽이 긴 흙무덤 모양이며, 바깥 공기가 들어오지 않도록 출입구의 동쪽은 담으로 막고 지붕에는 구멍을 뚫었다.

㉡지붕은 이중 구조인데 바깥쪽은 열을 효과적으로 막아 주는 진흙으로, 안쪽은 열전달이 잘되는 화강암으로 만들었다. 천장은 반원형으로 기둥 다섯 개에 장대석이 걸쳐 있고, 장대석을 걸친 곳에는 밖으로 통하는 공기구멍이 세 개가 나 있다. 이 구멍은 아래쪽이 넓고 위쪽은 좁은 직사각형 기둥 모양인데, 이렇게 함으로써 바깥에서 바람이 불 때 빙실 안의 공기가 잘 빠져나온다. 즉, ㉢열로 데워진 공기와 출입구에서 들어오는 바깥의 더운 공기가 지붕의 구멍으로 빠져나가기 때문에 빙실 아래의 찬 공기가 오랫동안 머물 수 있어 얼음이 적게 녹는 것이다. 또한 지붕에는 잔디를 심어 태양열을 차단했고, 내부 바닥 한가운데에 배수로를 5도 경사지게 파서 얼음에서 녹은 물이 밖으로 흘러 나갈 수 있는 구조를 갖추어 과학적이다.

여기에다가 석빙고의 얼음을 왕겨나 짚으로 싸 보관했다. 왕겨나 짚은 단열 효과를 높이기도 하지만, 얼음이 약간 녹을 때 주변 열도 흡수하므로 왕겨나 짚의 안쪽 온도가 낮아져 얼음을 오랫동안 보관할 수 있다.

7 글 ㉮에서 한겨울의 얼음을 보관했다가 쓰는 기술을 무엇이라고 했는지 찾아 쓰시오.

( )

8 글 ㉯는 무엇에 대해 설명한 것입니까?

( )

9 다음 내용으로 알 수 있는 것은 무엇인지 빈칸에 알맞은 말을 쓰시오.

- 바깥 공기를 막기 위해 출입구 동쪽은 담으로 막고 지붕에 구멍을 뚫어 더운 공기가 빠져나가도록 했다.
- 지붕에 잔디를 심어 태양열을 차단했다.
- 내부 바닥 한가운데에 배수로를 경사지게 파서 얼음에서 녹은 물이 밖으로 흘러 나가도록 했다.

- 경주 석빙고가 ( )(으)로 만들어졌다.

10 석빙고의 얼음을 보관할 때에 무엇에 싸서 보관했는지 두 가지를 고르시오. (,)

① 짚 ② 재 ③ 왕겨
④ 헝겊 ⑤ 톱밥

11 석빙고의 얼음을 10번 문제에서 답한 것에 싸서 보관한 까닭을 쓰시오.

( )

12 ㉠~㉢ 중 과학 시간에 배운 다음 내용을 활용해 읽으면 이해하기 쉬운 것은 무엇인지 기호를 쓰시오.

기체: 주위보다 온도가 높은 기체가 위로 올라가고 온도가 낮은 기체가 아래로 내려오면서 열이 이동함.

( )

13 지식이나 경험을 활용해 글을 읽는 방법을 정리할 때 빈칸에 들어갈 말은 무엇입니까? ( )

- 책을 읽을 때 궁금한 점은 다른 책이나 자료를 찾아 가며 읽으면 좋습니다.
- 자신이 아는 내용과 책 내용을 ( ) 하며 읽습니다.

① 선택 ② 비교 ③ 활용
④ 짐작 ⑤ 상상

[14~15] 글을 읽고, 물음에 답하시오.

㉠상설 전시실 바로 위에는 '한글 놀이터'와 '한글 배움터' 그리고 '특별 전시실'이 있었다. 아이들이 놀면서 한글을 배울 수 있는 '한글 놀이터', 한글에 익숙하지 않은 사람들을 위해 마련한 '한글 배움터'는 모두 체험과 놀이를 하면서 한글을 이해하도록 만들어졌다는 점이 흥미로웠다. '특별 전시실'에서는 국립한글박물관 개관 기념 특별전을 진행했는데, '세종 대왕, 한글문화 시대를 열다'라는 기획 아래 세종 대왕의 업적과 일대기, 세종 시대의 한글문화, 세종 정신 따위를 주제로 한 전통적인 유물과 이를 현대적으로 해석한 현대 작가의 작품을 만날 수 있었다.

㉡박물관을 관람하면서 책과 화면으로만 봤던 한글 유물을 직접 볼 수 있어서 신기하고 즐거웠다. 그뿐만 아니라 날마다 세 번씩 운영하는 해설이 있는 관람 프로그램을 활용하면 더 많은 지식을 쌓으며 관람할 수 있겠다는 생각이 들었다. ㉢이번 관람으로 국어 시간에 배웠던 한글을 더 생생하고 자세하게 배우는 소중한 기회를 얻어서 무척 뿌듯했다.

14 글쓴이가 체험한 일은 무엇인지 쓰시오.

• 국립한글박물관의 ____________________

____

15 ㉠~㉢ 중 글쓴이가 체험한 일에 대한 감상은 무엇인지 모두 기호를 쓰시오.

(　　　)

16 체험한 일을 떠올리며 감상이 드러나는 글을 쓰는 방법을 알맞게 말한 친구는 누구입니까?

솔아: 체험한 일은 간단히 써야 해.
승주: 체험할 때 느낀 감동은 과장해서 쓰는 것이 좋아.
현정: 체험한 뒤 감상을 쓰려면 그때의 생각이나 느낌을 떠올려 봐야 해.

(　　　)

17 지식이나 경험을 활용해 함께 글을 고치면 좋은 점으로 알맞지 않은 것은 무엇입니까? (　　　)

① 글을 쓴 까닭을 알 수 있다.
② 글 내용을 더 정확하게 나타낼 수 있다.
③ 서로의 경험을 활용해서 글 내용을 생생하게 고칠 수 있다.
④ 배운 지식을 활용하면 글 내용을 더 자세하게 나타낼 수 있다.
⑤ 글쓴이가 잘못 이해하고 쓴 내용을 다른 친구들이 바르게 고쳐 줄 수 있다.

18 친구의 글을 읽고 자신의 의견을 말할 때에 주의할 점으로 알맞지 않은 것에 ×표를 하시오.

(1) 말할 내용을 내 기분에 따라 다르게 말한다. (　　)
(2) 같은 의견이라도 상대가 기분 나쁘지 않게 말한다. (　　)
(3) 고칠 점과 함께 좋은 점에 대한 의견도 제시하며 말한다. (　　)

논술형

19 다음 글을 읽고 어떻게 고치면 좋을지 생각하여 의견을 쓰시오

국립한글박물관을 찾았다. 국립한글박물관은 '한글'로만 기록한 한글 자료와 한글을 활용한 작품들을 전시해 놓은 곳이다. 국립한글박물관은 용산 국립중앙박물관 옆에 있다. 우리 가족은 집 근처에서 지하철을 타고 가서 '박물관 나들길'을 이용해 박물관까지 걸어갔다. 이정표를 따라 걷다 보니 큰 박물관 건물이 눈에 들어왔다.

____

____

20 현장 체험학습을 계획할 때에 활용할 수 있는 자신의 지식이나 경험을 한 가지 쓰시오.

(　　　)

맞은 개수 / 개

서술형 평가

1 다음은 「줄다리기, 모두 하나 되는 대동 놀이」를 읽으며 윤지가 생각한 내용입니다. 다음 생각이 글을 읽는 데 어떤 도움이 될지 쓰시오.

> 윤지: 우리나라의 민속놀이 가운데 풍물놀이도 풍년을 기원하며 많이 해 왔다고 배웠어.

[2~3] 글을 읽고, 물음에 답하시오.

> 석빙고는 온도 변화가 적은 반지하 구조로 한쪽이 긴 흙무덤 모양이며, 바깥 공기가 들어오지 않도록 출입구의 동쪽은 담으로 막고 지붕에는 구멍을 뚫었다.
>
> 지붕은 이중 구조인데 바깥쪽은 열을 효과적으로 막아 주는 진흙으로, 안쪽은 열전달이 잘되는 화강암으로 만들었다. 천장은 반원형으로 기둥 다섯 개에 장대석이 걸쳐 있고, 장대석을 걸친 곳에는 밖으로 통하는 공기구멍이 세 개가 나 있다. 이 구멍은 아래쪽이 넓고 위쪽은 좁은 직사각형 기둥 모양인데, 이렇게 함으로써 바깥에서 바람이 불 때 빙실 안의 공기가 잘 빠져나온다. 즉, 열로 데워진 공기와 출입구에서 들어오는 바깥의 더운 공기가 지붕의 구멍으로 빠져나가기 때문에 빙실 아래의 찬 공기가 오랫동안 머물 수 있어 얼음이 적게 녹는 것이다. 또한 지붕에는 잔디를 심어 태양열을 차단했고, 내부 바닥 한가운데에 배수로를 5도 경사지게 파서 얼음에서 녹은 물이 밖으로 흘러 나갈 수 있는 구조를 갖추어 과학적이다.

2 경주 석빙고가 과학적이라고 말할 수 있는 까닭을 한 가지 쓰시오

3 이 글의 내용과 관련 있는 지식이나 경험을 떠올려 쓰시오.

4 다음 글을 읽고 글쓴이가 체험한 일과 체험한 일에 대한 감상을 각각 쓰시오.

> '특별 전시실'에서는 국립한글박물관 개관 기념 특별전을 진행했는데, '세종 대왕, 한글문화 시대를 열다'라는 기획 아래 세종 대왕의 업적과 일대기, 세종 시대의 한글문화, 세종 정신 따위를 주제로 한 전통적인 유물과 이를 현대적으로 해석한 현대 작가의 작품을 만날 수 있었다.
>
> 박물관을 관람하면서 책과 화면으로만 봤던 한글 유물을 직접 볼 수 있어서 신기하고 즐거웠다.

(1) 체험	
(2) 감상	

5 지식이나 경험을 활용해 친구들과 함께 글을 고치면 좋은 점을 쓰시오.

2 단원

교과서 문장으로 확인하는 핵심 낱말

● 다음 교과서 문장의 파란색 낱말 중에서 알맞은 것을 골라 인물들이 한 말을 완성하시오.

- 줄다리기에 쓰이는 줄은 엄청나게 굵답니다.
- 노인들과 아이들, 여자들이 행렬 끝에 서서 쫓아갑니다.
- 줄다리기라는 큰 행사를 치르면서 마을 사람들이 마음을 한데 모아 무사히 한 해 농사를 지으려는 지혜가 담겨 있어요.

정답 | ❶ 행렬 ❷ 엄청나게 ❸ 무사히 ❹ 한데

역량 마음 나누기

3 의견을 조정하며 토의해요

무엇을 배울까요?

준비

- 의견을 조정해야 하는 까닭 알기

기본

- 토의 과정에서 의견을 조정하는 방법 알기
- 토의에서 자신의 의견을 뒷받침할 자료 찾아 읽기
- 찾은 자료를 정리해 알기 쉽게 표현하기

실천

- 의견을 조정하며 토의하기

3 의견을 조정하며 토의해요

1 토의에서 의견을 조정해야 하는 까닭

문제를 합리적으로 해결하려면 의견을 조정해야 합니다.
의견을 조정하는 과정은 토의 절차 '주제 정하기 → 의견 마련하기 → 의견 모으기 → 의견 정하기' 가운데 '의견 모으기'에서 합니다.

2 토의 과정에서 의견을 조정하는 방법 알기

의견을 조정하는 태도
- 의견과 발언에 집중합니다.
- 해결 방안을 끝까지 알아봅니다.
- 자신의 생각을 적극적으로 표현합니다.
- 결정한 의견에 따릅니다.

문제 파악하기	• 해결하려는 문제를 정확히 파악합니다. • 여러 사람의 다양한 의견을 들어 봅니다.
의견 실천에 필요한 조건 따지기	• 자료를 찾아 의견을 뒷받침합니다. • 문제를 해결하기에 적합한 의견인지 생각합니다.
결과 예측하기	• 의견대로 실천했을 때 결과를 생각합니다. • 의견을 실천했을 때 일어날 수 있는 문제점을 예측해 봅니다.
반응 살펴보기	• 어떤 의견을 더 따르고 싶어 하는지 살펴봅니다. • 의견에 대한 토의 참여자의 생각을 듣습니다.

3 토의에서 자신의 의견을 뒷받침할 자료 찾아 읽기

자료를 찾는 방법	자료에 따른 읽기 방법
컴퓨터를 활용하여 기사문, 보도문 찾기	① 찾고 싶은 자료와 관련한 낱말을 컴퓨터로 검색합니다. ② 신문 기사나 뉴스의 제목을 중심으로 훑어 읽습니다. ③ 의견을 뒷받침하는 기사문이나 보도문을 찾아 자세히 읽습니다. ④ 필요한 내용을 정리하고 날짜, 신문 또는 방송 이름을 씁니다. → 믿을 수 있는, 정확한 자료임을 나타내기 위해 자료의 출처를 씁니다.
도서관에서 책 찾기	① 찾고 싶은 자료와 관련한 책을 찾습니다. ② 찾은 책의 차례를 살펴봅니다. ③ 내용을 건너뛰며 읽으면서 의견을 뒷받침하는 내용을 찾습니다. ④ 의견을 뒷받침하는 내용을 좀 더 자세히 읽습니다. ⑤ 필요한 내용을 정리하고 글쓴이와 출판사를 씁니다.

4 찾은 자료를 정리해 알기 쉽게 표현하기

① 가장 중요한 정보는 간단하게 요약합니다.
② 직접 볼 수 있도록 사진이나 그림으로 나타냅니다.
③ 간단하게 볼 수 있도록 차례나 단계 또는 도표로 나타냅니다.
④ 공간에 자료를 적절하게 배치하고, 글씨, 그림, 사진, 도표 따위의 크기를 결정합니다.

핵심 개념 문제

정답과 해설 ● 9쪽

1 토의에서 문제를 합리적으로 해결하려며 의견을 □□ 해야 합니다.

2 토의를 하면서 의견을 조정할 때 가장 먼저 해야 할 일은 무엇인지 쓰시오.

( )

3 토의를 하면서 의견을 조정할 때 결과 예측하기 단계에서는 의견대로 실천했을 때의 결과와 일어날 수 있는 □□□을/를 예측해 봅니다.

4 자신의 의견을 뒷받침할 기사문을 컴퓨터를 활용해 검색할 때에는 자료와 관련한 낱말을 검색한 뒤 제목을 중심으로 훑어 읽고 의견을 뒷받침하는 기사문을 찾아 자세히 읽습니다.

(○, ×)

5 찾은 자료를 정리해 알기 쉽게 표현할 때에는 사진이나 그림처럼 직접 볼 수 있게 하거나 차례, 단계 또는 □□(으)로 나타낼 수 있습니다.

역량 제재

의견을 조정해야 하는 까닭 알기

○ 어떤 일이 일어나는지 생각하며 회의 장면 살펴보기

❶
오늘은 미세 먼지가 심하니 외부 활동을 자제해 주시길 바랍니다. 체육 수업은 교실에서 하겠습니다.
날이 갈수록 심해지는 미세 먼지에 어떻게 대처해야 할까요?

❷
마스크를 쓰고 생활합니다. 마스크가 몸에 해로운 미세 먼지를 막아 주기 때문입니다.
◀ 민우

❸
학교 곳곳에 공기 청정기를 설치합니다. 공기 청정기가 공기를 깨끗하게 해 줄 것입니다.
소윤 ▶

❹
공기 청정기가 없는 곳은 어떻게 하나요? 그럼 공기 청정기가 설치된 곳에서만 지내야 하나요?

❺
마스크를 쓰는 것은 안 불편한 줄 아십니까? 마스크를 쓰면 답답하고 숨을 쉬기 어렵습니다.

- **그림 설명**: 친구들이 미세 먼지 문제에 어떻게 대처해야 할지 토의하고 있습니다.

3 단원

핵심

●토의 과정에 나타난 문제점 파악하기

장면 ❹, ❺	• 상대의 의견을 비판하기만 합니다. • 상대 의견의 장점을 받아들이지 않습니다.

1 **그림에서 친구들은 어떤 토의 주제로 토의를 하고 있는지 기호를 쓰시오.** 교과서 문제

㉠ 미세 먼지 문제에 대처하는 방안
㉡ 체육 수업을 재미있게 하는 방법
㉢ 여름에 감기에 걸리지 않는 방법

(　　　　　　　　　　)

2 **민우와 소윤이가 제시한 의견은 무엇인지 각각 선으로 이으시오.**

(1) 민우 •　　　　• ① 마스크를 쓰고 생활해야 한다.

(2) 소윤 •　　　　• ② 공기 청정기를 설치해야 한다.

역량

3 **민우와 소윤이가 제시한 근거를 쓰시오.**

(1) 민우	
(2) 소윤	

핵심

4 **장면 ❹, ❺에서 민우와 소윤이가 잘못한 점을 알맞게 말한 친구를 쓰시오.**

지우: 상대의 의견을 비판하기만 하고 있어.
용민: 주제와 관련 없는 내용을 말하고 있어.
기준: 상대의 의견을 무조건 받아들이고 있어.

(　　　　　　　　　　)

6
하루 종일 공기 청정기를 켜 놓으면 전기 소모가 많을 수 있습니다.

7
미세 먼지를 걸러야 하는데 그깟 전기가 중요합니까? 정말 뭘 모르시는군요.
상우 ▶

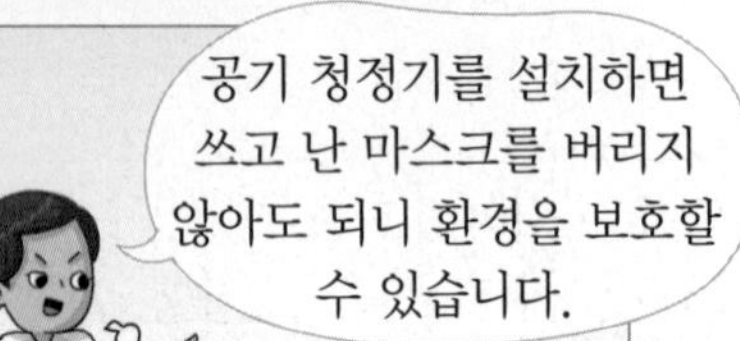

8
공기 청정기를 설치하면 쓰고 난 마스크를 버리지 않아도 되니 환경을 보호할 수 있습니다.

9
마스크를 쓰면 추운 겨울에도 얼굴을 따뜻하게 할 수 있습니다.

11
좀처럼 의견이 좁혀지지 않는군요. 박이슬 님의 의견은 어떻습니까?

12
예? 아, 뭐 저는 뭘 해도 상관없습니다.

핵심

●토의 과정에 나타난 문제점 파악하기

장면 ❼	• 상대를 무시하는 듯한 말을 했습니다. • 상대에게 예의를 지키지 않고 말했습니다.
장면 ❽, ❾	토의 주제와 관련 없는 근거를 말했습니다.
장면 ⓬	• 문제를 해결하는 데 무관심한 태도를 보였습니다. • 토의 과정에 적극적으로 참여하지 않았습니다.

핵심

5 장면 ❼에서 상우가 잘못한 점은 무엇입니까? (　　)

① 정확하지 않은 정보를 말했다.
② 소극적인 태도로 토의에 참여했다.
③ 상대에게 예의를 지키지 않고 말했다.
④ 토의 주제와 관련 없는 내용을 말했다.
⑤ 상대가 이해하기 어려운 말을 사용해 말했다.

6 장면 ❽, ❾에서 친구들이 내세운 근거는 어떤 문제가 있는지 쓰시오.

(　　　　　　　　　　)

7 장면 ⓬에서 박이슬 학생은 어떤 태도로 토의에 참여해야 할지 ○표를 하시오.

(무관심한 태도, 적극적인 태도)

8 이 토의에서 의견을 조정하지 않으면 어떤 일이 일어날지 기호를 쓰시오.

교과서 문제

㉠ 친구와의 사이가 좋아질 것이다.
㉡ 토의를 원활하게 진행할 수 없다.
㉢ 미세 먼지 문제를 해결하기 위한 가장 좋은 방법을 찾을 수 있다.

(　　　　　　　　　　)

의견을 조정할 때 어떤 문제가 일어날 수 있는지 생각하며 그림 보기

'미세 먼지 문제를 해결하기 위해 학교 곳곳에 공기 청정기를 설치해야 한다.'라는 의견에 대한 근거

'미세 먼지 문제를 해결하기 위해 마스크를 쓰고 생활해야 한다.'라는 의견에 대한 근거

❶
환경을 보호할 수 있습니다.
겨울에도 따뜻하게 지낼 수 있습니다.

❷
정말 아무것도 모르시는군요.
에이, 그게 말이나 됩니까?
예? 아, 저는 뭘 하든 상관없습니다.
❸
시간이 부족해. 의견을 조정하지 못한 채 끝날 것 같아.

핵심

● 의견을 조정할 때 일어날 수 있는 문제

❶ 의견 및 근거와 관련한 문제

의견: 미세 먼지 문제를 해결하기 위해 학교 곳곳에 공기 청정기를 설치해야 한다.
근거: 환경을 보호할 수 있다.
➡ 주제와 관련 없는 근거를 제시했습니다.

❷ 토의 태도와 관련한 문제

정말 아무것도 모르시는군요. / 에이, 그게 말이나 됩니까?

➡ 상대에게 예의를 지키지 않았습니다.

예? 아, 저는 뭘 하든 상관없습니다.

➡ 토의에 적극적으로 참여하지 않았습니다.

❸ 토의 진행과 관련한 문제

의견 조정 시간이 부족했습니다.

핵심

9 **장면 ❶~❸은 의견을 조정할 때 생기는 문제 유형 중 어떤 문제와 관련 있는지 선으로 이으시오.**

(1) 장면 ❶ • • ① 토의 태도와 관련한 문제

(2) 장면 ❷ • • ② 토의 진행과 관련한 문제

(3) 장면 ❸ • • ③ 의견 및 근거와 관련한 문제

논술형

10 교과서 문제 **장면 ❶~❸과 비슷하게 학급 회의나 토의를 하면서 어려웠던 일을 한 가지 떠올려 쓰시오.**

____

____

11 **10번 문제에서 답한 상황은 의견을 조정할 때 생기는 문제 유형 중 무엇에 해당하는지 쓰시오.**

(　　　　　　　　　　　　　)

12 교과서 문제 **토의를 할 때 의견을 조정해야 하는 까닭을 알맞게 말한 친구를 쓰시오.**

정아: 친구들이 모두 같은 생각을 하기 때문이야.
규현: 문제를 합리적으로 해결해야 하기 때문이야.
서윤: 가장 힘이 센 친구의 의견을 선택해야 하기 때문이야.

(　　　　　　　　)

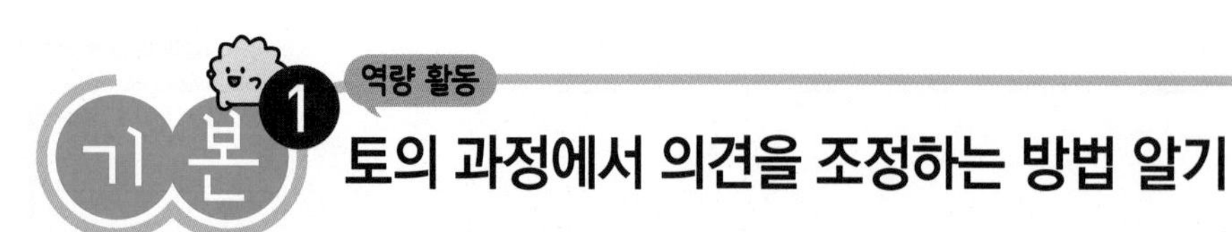

역량 활동

기본 1 토의 과정에서 의견을 조정하는 방법 알기

◉ 의견을 조정하려고 다시 시작한 회의 장면 보기

❶
의견을 모으지 않으면 갈등이 더 심해질 것 같습니다.
의견을 조정할 필요가 있습니다.
동의합니다. 처음에 우리가 토의로 해결하려고 했던 문제는 무엇이었죠?

❷
미세 먼지에 대처하는 방안을 마련하는 것입니다.

❸
그렇군요. 토의로 해결하려는 문제를 정확히 파악해야 했습니다.

❹
맞아요. 그리고 의견을 실천하려면 무엇이 필요한지 따질 필요가 있겠군요. 자세한 자료를 찾아 각자 의견을 뒷받침해 봅시다.

• 그림 설명: 준비에 나온 토의의 뒷부분 내용으로, 의견을 조정하고 있습니다.

핵심

● 의견을 조정하는 방법

문제 파악하기

토의로 해결하려는 문제가 무엇이었는지 정확히 파악하고, 여러 사람의 다양한 의견을 들어 봅니다.

의견 실천에 필요한 조건 따지기

자료를 찾아 의견을 뒷받침하고, 문제를 해결하기에 적합한 의견인지 생각합니다.

1 장면 ❶~⓫에서 친구들은 무엇을 하고 있는지 보기 에서 찾아 쓰시오.

보기: 의견 마련하기, 의견 조정하기, 토의 주제 정하기

(　　　　　　　　　　　　　)

2 교과서 문제 토의로 해결하려는 문제는 무엇이었습니까? (　　)

① 급식실 사용 차례를 정하는 것
② 현장 체험학습 장소를 정하는 것
③ 학급 신문을 만들 때 역할을 나누는 것
④ 운동장 사용 문제 해결 방안을 찾는 것
⑤ 미세 먼지에 대처하는 방안을 마련하는 것

3 교과서 문제 장면 ❶에서 사회자가 토의로 해결할 문제를 다시 물어본 까닭을 쓰시오.

____

____

핵심

4 장면 ❹에 나타난 '의견 실천에 필요한 조건 따지기' 단계에서 할 일을 두 가지 고르시오. (　　,　　)

① 토의 주제를 조정한다.
② 주제의 문제점을 지적한다.
③ 자료를 찾아 의견을 뒷받침한다.
④ 제시한 의견의 결과를 예측한다.
⑤ 문제를 해결하기에 적합한 의견인지 생각한다.

잠시 뒤

만약 의견을
실천한다면 어떤 결과가
따를까요? 의견대로
실천했을 때 일어날
문제점을 예측해 봅시다.

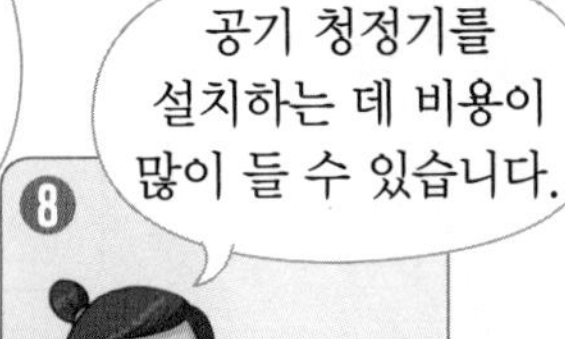

공기 청정기를
설치하는 데 비용이
많이 들 수 있습니다.
8

미세 먼지 마스크는
일회용이라 쓰레기
문제가 일어날 수
있습니다.
9

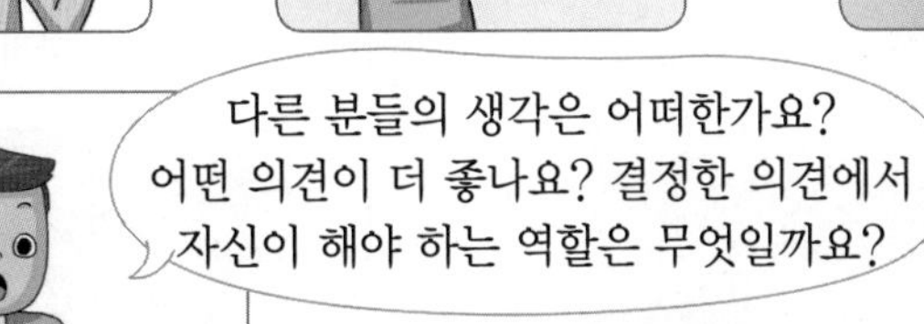

10
다른 분들의 생각은 어떠한가요?
어떤 의견이 더 좋나요? 결정한 의견에서
자신이 해야 하는 역할은 무엇일까요?

3 단원

핵심

● 의견을 조정하는 방법

결과 예측하기

장면 7

토의 참여자들이 제시한 의견대로 실천했을 때의 결과를 생각하고, 일어날 수 있는 문제점을 예측해 봅니다.

반응 살펴보기

장면 10

어떤 의견을 더 따르고 싶어 하는지 살펴보고, 의견에 대한 토의 참여자의 생각을 듣습니다.

핵심

5 **공기 청정기를 설치하거나 미세 먼지 마스크를 사용하면 어떤 문제가 일어날 수 있다고 예측했는지 보기 에서 각각 골라 기호를 쓰시오.**

보기
㉠ 비용이 많이 들 수 있다.
㉡ 일회용이라 쓰레기 문제가 일어날 수 있다.

(1) 공기 청정기 설치 ( )

(2) 미세 먼지 마스크 사용 ( )

논술형

6 **의 토의 장면과 비교했을 때, 다시 시작한 이번 토의에서 의견 조정에 참여하는 사람들의 태도가 어떠한지 쓰시오.**

역량

7 **다음 중 의견을 조정하는 과정에서 상대를 배려하며 말한 친구를 쓰시오.**

민아: 지금 말씀하신 내용은 실천할 수 없기 때문에 들어볼 필요도 없습니다.
주호: 그 의견도 좋은 생각입니다. 하지만 이 문제에 대해서도 생각해 보아야 합니다.

( )

8 교과서 문제 **의견을 조정하는 태도로 알맞지 않은 것은 무엇입니까?** ( )

① 결정한 의견에 따른다.
② 의견과 발언에 집중한다.
③ 상대의 의견은 무시한다.
④ 해결 방안을 끝까지 알아본다.
⑤ 자신의 생각을 적극적으로 표현한다.

토의에서 자신의 의견을 뒷받침할 자료 찾아 읽기

- 공기 청정기 설치하기와 마스크 쓰기에 관련해 의견을 제시하는 그림 보기

①
공기 청정기 설치하기와 관련한 의견
가
학교 곳곳에 공기 청정기를 설치합니다. 공기 청정기가 공기를 깨끗하게 해 줄 것입니다.
나
심해지는 미세 먼지, 이제는 공기 청정기가 필수
학교 곳곳에 공기 청정기를 설치합니다. 신문 기사에 실린 전문가의 의견에 따르면 공기 청정기가 공기를 깨끗하게 해 준다고 합니다.

②
마스크 쓰기와 관련한 의견
가
마스크를 쓰고 생활합니다. 마스크가 몸에 해로운 미세 먼지를 막아 주기 때문입니다.
나
마스크를 쓰고 생활합니다. 이 책을 보면 미세 먼지가 얼마나 몸에 해로운지, 그리고 마스크가 얼마나 효과적으로 미세 먼지를 막아 주는지 잘 알 수 있습니다.

핵심

● 자신의 의견을 뒷받침하기 위해 제시한 자료와 자료를 제시했을 때 좋은 점

심해지는 미세 먼지, 이제는 공기 청정기가 필수

제시한 자료	좋은 점
신문 기사	정보를 눈으로 직접 확인할 수 있어 의견과 근거를 이해하기 쉽습니다.

제시한 자료	좋은 점
책	발표 내용 이외에도 더욱 풍부한 정보를 얻을 수 있습니다.

서술형

1 (교과서 문제) **①의 그림 ㉮와 ㉯에서 남자아이가 자신의 의견을 말할 때 무엇이 다른지 쓰시오.**

____

____

2 다음 중 눈으로 확인하기 쉬운 자료를 두 가지 골라 쓰시오.

> 사진, 보고서, 도표, 설문 조사

(　　　　　　　　)

3 ②의 그림 ㉯에서 여자아이가 자신의 의견을 뒷받침하기 위해 제시한 자료를 쓰시오.

(　　　　　　　　)

핵심

4 3번 문제에서 답한 자료를 의견과 함께 제시하면 좋은 점은 무엇입니까? (　　)

① 한눈에 이해하기 쉽다.
② 글을 읽지 않아도 된다.
③ 자료를 빨리 만들 수 있다.
④ 의견을 따로 말하지 않아도 된다.
⑤ 발표 내용 이외에도 더욱 풍부한 정보를 얻을 수 있다.

기본 2

● 뉴스를 보고 토의할 때 자료를 어떻게 마련할지 생각하며 그림 보기

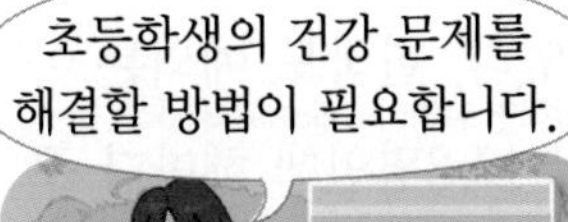
초등학생의 건강 문제를
해결할 방법이 필요합니다.

초등학생 건강 적신호

해결할 문제를 정확하게 파악하기

건강한 학교생활을 하려면
틈새 시간을 어떻게
사용해야 할까요?
주호 ▶
◀ 아리
건강 달리기를
하면 어떨까?
식물 기르기를
하면 어떨까?

아리 ▶
짧은 시간이라도
날마다 달리기를 하면
건강에 효과가 있다는
자료를 찾고 싶어.

주호 ▶
교실에서 식물을
기르면 공기가
깨끗해진다는 자료를
찾고 싶어.

신문 기사를
찾아보자.

책을 찾아보자.

관련 기사가
정말 많구나!
이 많은 것을 언제
다 읽어 보지?

읽어야 할 책이
많구나. 이것을
언제 다 읽지?

핵심

● 의견을 뒷받침하는 자료 찾기

토의 주제	건강한 학교생활을 하려면 틈새 시간을 어떻게 사용하는 것이 좋을까?	
	아리	주호
의견	건강 달리기를 하자.	식물을 기르자.
뒷받침 자료	달리기가 건강에 효과가 있다는 자료	교실에서 식물을 기르면 공기가 깨끗해진다는 자료
자료 찾는 방법	컴퓨터를 활용해 신문 기사 검색하기	도서관에서 책 찾기
읽기 방법	제목을 중심으로 훑어 읽다가 의견을 뒷받침하는 기사문이나 보도문을 자세히 읽기	차례를 살펴서 건너뛰며 읽다가 의견을 뒷받침하는 내용을 찾아 자세히 읽기

3 단원

5 교과서 문제 그림 속 토의 주제는 무엇인지 기호를 쓰시오.

> ㉠ 방과 후에 하기 좋은 운동은 무엇일까?
> ㉡ 음식을 건강하게 먹는 방법은 무엇일까?
> ㉢ 건강한 학교생활을 하려면 틈새 시간을 어떻게 사용하는 것이 좋을까?

( )

서술형

6 아리와 주호가 의견을 뒷받침할 자료를 찾으며 곤란해한 까닭을 쓰시오.

____

____

핵심

7 그림 속 아리와 주호가 자신이 찾은 자료에서 의견을 뒷받침할 자료를 빨리 찾으려면 각각 어떻게 읽어야 하는지 선으로 이으시오.

(1) 아리 • • ① 제목을 중심으로 훑어 읽기

(2) 주호 • • ② 차례를 살펴서 건너뛰며 읽기

8 교과서 문제 의견을 뒷받침하기 위해 찾은 자료를 정리할 때 자료의 출처를 써야 하는 까닭은 무엇인지 빈칸에 알맞은 말을 쓰시오.

• 믿을 수 있는, ( ) 자료임을 나타내기 위해서이다.

찾은 자료를 정리해 알기 쉽게 표현하기

- 찬원이가 찾은 건강 달리기와 관련한 신문 기사와 뉴스 보도 자료 읽기

가 세계보건기구[WHO]는 아동 비만을 21세기 최대 건강 문제 가운데 하나로 꼽고 있다. 한국도 예외는 아니다. 교육부에 따르면 2017년을 기준으로 우리나라 초중고 비만 학생은 100명당 약 17.3명인데 해마다 꾸준히 증가하고 있다.

(예외: 일반적인 규칙이나 정례에서 벗어나는 일)

영국의 한 초등학교에서 실시한 건강 달리기 프로그램이 성공을 거두어 큰 관심을 끌고 있다. 이 학교는 날마다 적절한 시간을 정해 1.6킬로미터를 달리게 하고 있다. 학생들을 관찰한 □□대학의 ○ 박사는 "이 학교의 학생들에게는 비만 문제가 보이지 않는다."라고 했다. / 미국 일리노이주의 한 학교 역시 건강 달리기로 하루를 시작한다. 이 학교의 학생들은 건강은 물론 집중력도 향상되었고, 우울증과 불안감은 줄어들었다고 한다.

『○○신문』

나

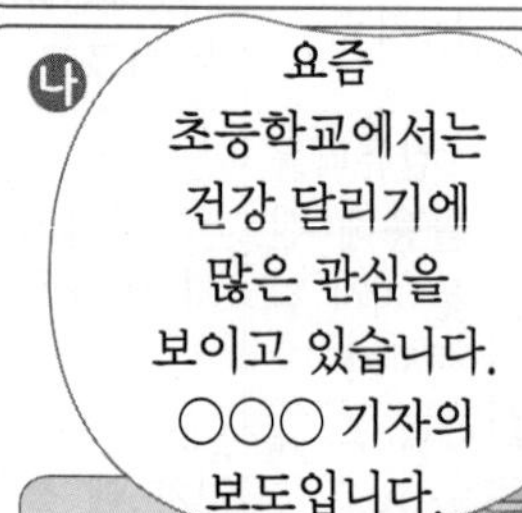

요즘
초등학교에서는
건강 달리기에
많은 관심을
보이고 있습니다.
○○○ 기자의
보도입니다.

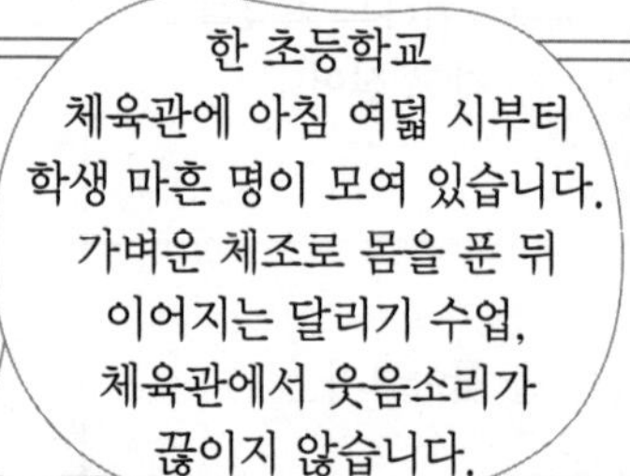

한 초등학교
체육관에 아침 여덟 시부터
학생 마흔 명이 모여 있습니다.
가벼운 체조로 몸을 푼 뒤
이어지는 달리기 수업,
체육관에서 웃음소리가
끊이지 않습니다.

아침마다 운동을 하니까 기분이 상쾌해요. 그래서 공부가 더 잘돼요.

이 학교에서는 삼 년 동안 학생 백 명이 꾸준히 건강 달리기를 실시하여 비만 학생이 해마다 열네 명, 아홉 명, 네 명으로 줄어들었다고 합니다.

「○○방송 뉴스」

1 찬원이가 다음 의견을 뒷받침하기 위해 찾은 자료 가와 나는 무엇에 대한 자료인지 쓰시오.

> 의견: 건강한 학교생활을 하기 위해 건강 달리기를 해야 한다.

(　　　　　　　　　　　　)

2 (교과서 문제) 가와 나는 각각 뉴스 보도와 신문 기사 중 무엇에서 찾은 자료인지 선으로 이으시오.

(1) 자료 가 •　　　　• ① 뉴스 보도

(2) 자료 나 •　　　　• ② 신문 기사

3 (교과서 문제) 자료 가를 쉽게 읽을 수 없는 까닭은 무엇인지 기호를 쓰시오.

> ㉠ 그림이 너무 많기 때문이다.
> ㉡ 내용을 너무 간단하게 줄였기 때문이다.
> ㉢ 많은 내용을 글로만 설명했기 때문이다.

(　　　　　　)

핵심

4 자료 가와 나를 읽기 쉽게 정리하려면 어떻게 해야 합니까? (　　)

① 대화 내용을 넣지 않는다.
② 날짜와 출처를 적지 않는다.
③ 내용을 더 자세하게 적는다.
④ 그림을 넣지 않고 글로만 쓴다.
⑤ 간단히 읽을 수 있도록 요약한다.

● 찬원이가 ㉮, ㉯를 읽고 정리한 내용 살펴보기

㉰ [아동 건강 문제]
- 세계보건기구: 아동 비만은 21세기 최대 건강 문제 가운데 하나
- 교육부: 우리나라 초중고 비만 학생은 100명당 약 17명(2017년 기준)

[건강 달리기의 효과]
- 비만 문제를 해결할 수 있다.
- 집중력이 향상되고, 우울증과 불안감이 줄어든다.

[건강 달리기를 실천한 예]
- 삼 년 동안 건강 달리기를 실시한 초등학교
- 비만 학생이 해마다 열네 명, 아홉 명, 네 명으로 줄어들었다.

㉱
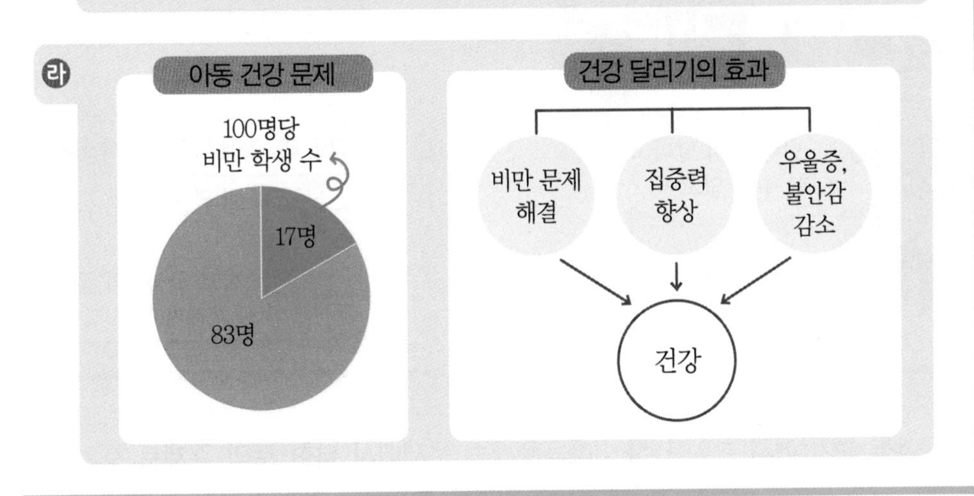

핵심

●찬원이가 건강 달리기에 대해 찾은 자료 ㉮, ㉯를 ㉰, ㉱와 같이 알기 쉽게 표현하기

	㉮	㉯
찾은 자료	신문 기사	뉴스 보도
문제점	많은 내용을 글로만 설명해서 이해하기 쉽지 않습니다.	
해결 방법	간단히 읽을 수 있도록 요약합니다.	

요약하기

㉰	읽기 쉽게 요약해 글로 썼습니다.
㉱	비만 학생 수는 도표로 나타내고, 건강 달리기의 효과는 내용을 간단히 줄여 쓴 뒤 도형과 선, 화살표를 이용해 서로 연결했습니다.

핵심

5 **㉰와 ㉱는 찬원이가 읽은 자료 ㉮, ㉯를 어떻게 정리한 것인지 각각 선으로 이으시오.**

(1) ㉰ • • ① 읽기 쉽게 요약해 글로 씀.

(2) ㉱ • • ② 도표로 나타내고, 도형과 선, 화살표를 연결하여 나타냄.

6 교과서 문제 **㉱에서 건강 달리기의 효과를 어떻게 표현했는지 두 가지를 고르시오.** (,)

① 대화하듯이 표현했다.
② 긴 문장으로 정리했다.
③ 내용을 간단히 줄여서 썼다.
④ 기사의 내용을 그대로 옮겨 썼다.
⑤ 도형과 선, 화살표를 이용해 서로 연결했다.

7 교과서 문제 **㉱와 같이 자료를 표현하면 효과적인 까닭은 무엇인지 빈칸에 알맞은 말을 쓰시오.**

글을 읽는 것보다 더 쉽고 빠르게 ( ) 할 수 있기 때문이다.

8 **찾은 자료를 알기 쉽게 표현하는 방법이 아닌 것은 무엇입니까?** ( )

① 가장 중요한 정보를 간단하게 요약한다.
② 제목과 내용의 글자 크기를 모두 같게 한다.
③ 직접 볼 수 있게 사진이나 그림으로 나타낸다.
④ 간단하게 볼 수 있도록 차례나 단계로 나타내거나 도표로 나타낸다.
⑤ 공간에 자료를 적절하게 배치하고, 글씨, 그림, 사진, 도표 따위의 크기를 알맞게 조절한다.

의견을 조정하며 토의하기

- 우리 주변에서 해결해야 할 문제를 생각하며 그림 보기

가

모두가 한꺼번에 운동장에 나오니 위험해 보여.

우리도 운동장을 사용하고 싶은데…….

나

음식물 쓰레기가 정말 많구나!
더 먹고 싶은데 번번이 더 달라고 할 수도 없고…….
남긴 음식물 버리는 곳

- **그림 설명**: 친구들이 한꺼번에 운동장에 많이 나와 운동장을 사용해서 생긴 문제와 학교 급식실에 음식물 쓰레기가 많이 생긴 문제가 나타나 있습니다.

핵심

- **그림 가, 나에 나타난 문제 상황**

그림 가	학교 운동장 사용 문제
그림 나	학교 급식실의 음식물 쓰레기 문제

핵심

1 그림 가와 나에서 해결해야 할 문제를 보기 에서 골라 기호를 쓰시오.

보기
㉠ 음식물 쓰레기가 너무 많고, 음식을 먹고 싶은 만큼 받고 싶다.
㉡ 운동장을 이용하는 학생 수가 많고, 운동장에서 학생끼리 서로 부딪히는 안전사고가 많이 일어난다.

(1) 그림 가	(2) 그림 나

2 다음 토의 주제는 그림 가와 나 중 어떤 문제를 해결하려는 토의 주제인지 기호를 쓰시오.

토의 주제: 급식실에서 음식물 쓰레기를 줄일 수 있는 방법에는 무엇이 있을까?

그림 (　　　　　　　　)

서술형

3 교과서 문제 다음은 2번 문제에서 답한 토의 주제로 토의를 할 때 의견을 조정하는 과정을 나타낸 것입니다. 어떤 의견으로 조정하면 좋을지 쓰시오.

문제 파악하기	음식물 쓰레기 문제를 해결할 수 있는 방법
의견 실천에 필요한 조건 따지기	자율 배식이 음식물 쓰레기 문제를 해결해 줄 수 있는가?
결과 예측하기	먹기 싫은 음식을 가져가지 않아서 남는 음식이 오히려 더 많아질 것이다.
반응 살펴보기	자율 배식은 오히려 먹지 않고 남기는 음식이 늘어나는 문제를 불러올 것이다.

⬇

조정한 의견	

단원 마무리

3. 의견을 조정하며 토의해요

토의 과정에서 의견을 조정하는 방법 알기

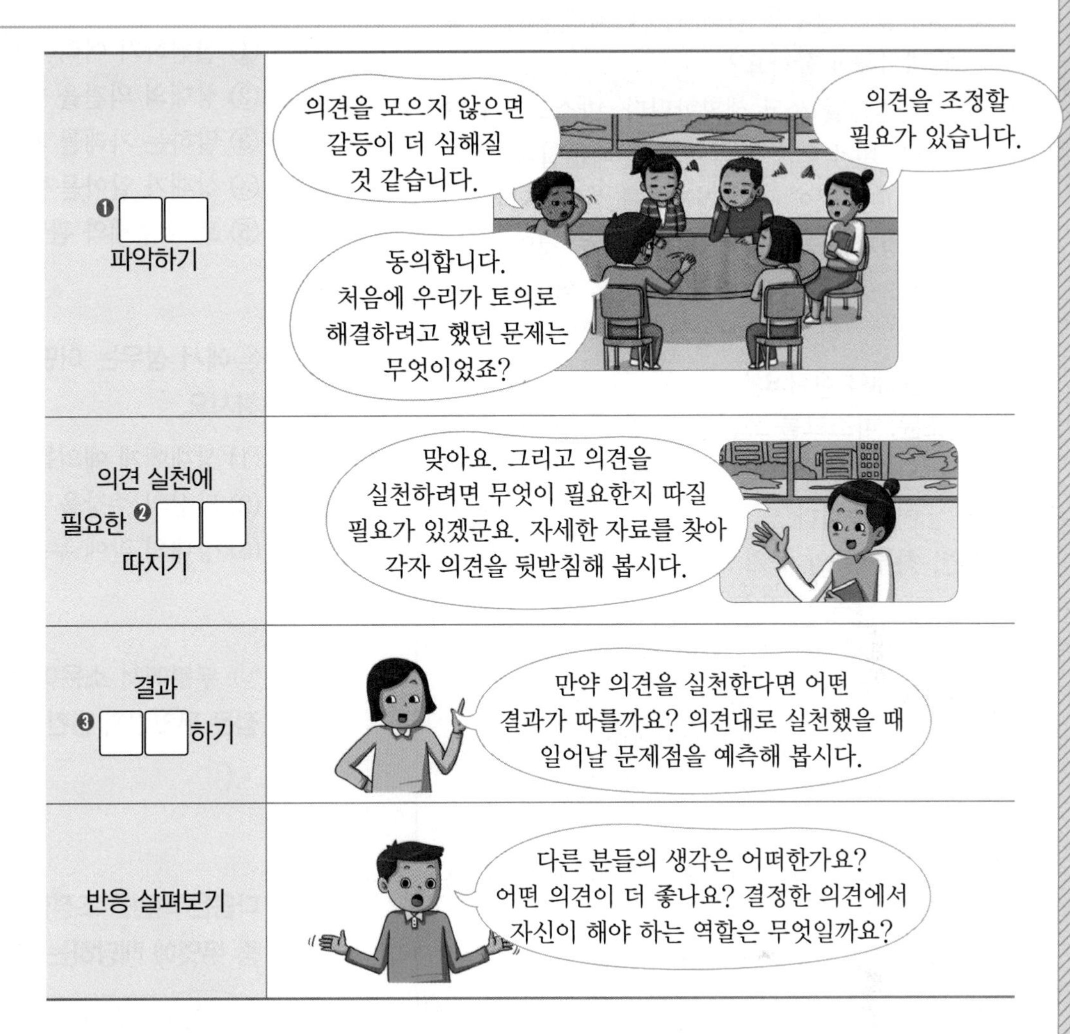

❶ ☐☐ 파악하기	의견을 모으지 않으면 갈등이 더 심해질 것 같습니다. 의견을 조정할 필요가 있습니다. 동의합니다. 처음에 우리가 토의로 해결하려고 했던 문제는 무엇이었죠?
의견 실천에 필요한 ❷ ☐☐ 따지기	맞아요. 그리고 의견을 실천하려면 무엇이 필요한지 따질 필요가 있겠군요. 자세한 자료를 찾아 각자 의견을 뒷받침해 봅시다.
결과 ❸ ☐☐하기	만약 의견을 실천한다면 어떤 결과가 따를까요? 의견대로 실천했을 때 일어날 문제점을 예측해 봅시다.
반응 살펴보기	다른 분들의 생각은 어떠한가요? 어떤 의견이 더 좋나요? 결정한 의견에서 자신이 해야 하는 역할은 무엇일까요?

토의에서 자신의 의견을 뒷받침할 자료 찾아 읽기

읽기 방법	읽기 방법
찾고 싶은 자료와 관련한 낱말을 컴퓨터로 검색하고, ❹ ☐☐을/를 중심으로 훑어 읽다가 의견을 뒷받침하는 기사문이나 보도문을 찾아 자세히 읽습니다.	찾고 싶은 자료와 관련한 책을 찾아 책의 ❺ ☐☐을/를 살펴보고, 내용을 건너뛰며 읽으면서 의견을 뒷받침하는 내용을 찾고, 내용을 좀 더 자세히 읽습니다.

단원 평가

★ 단원 평가 더 풀기 >> 평가 교재 14~19쪽

[1~5] 대화를 읽고, 물음에 답하시오.

사회자: 날이 갈수록 심해지는 미세 먼지에 어떻게 대처해야 할까요?
민우: 마스크를 쓰고 생활합니다. 마스크가 몸에 해로운 미세 먼지를 막아 주기 때문입니다.
소윤: 학교 곳곳에 공기 청정기를 설치합니다. 공기 청정기가 공기를 깨끗하게 해 줄 것입니다.
㉠ 민우: 공기 청정기가 없는 곳은 어떻게 하나요? 그럼 공기 청정기가 설치된 곳에서만 지내야 하나요?
소윤: 마스크를 쓰는 것은 안 불편한 줄 아십니까? 마스크를 쓰면 답답하고 숨을 쉬기 어렵습니다.
아연: 하루 종일 공기 청정기를 켜 놓으면 전기 소모가 많을 수 있습니다.
상우: ㉡미세 먼지를 걸러야 하는데 그깟 전기가 중요합니까? 정말 뭘 모르시는군요.
㉢ 소윤: 공기 청정기를 설치하면 쓰고 난 마스크를 버리지 않아도 되니 환경을 보호할 수 있습니다.
민우: 마스크를 쓰면 추운 겨울에도 얼굴을 따뜻하게 할 수 있습니다.
사회자: 좀처럼 의견이 좁혀지지 않는군요.

1 학생들은 어떤 주제로 토의하고 있는지 쓰시오.

(　　　　　　　　　　　　　　　　)

2 다음 의견은 민우와 소윤이 중 누가 제시한 의견인지 각각 이름을 쓰시오.

(1) 마스크를 쓰고 생활해야 한다.	
(2) 공기 청정기를 설치해야 한다.	

3 토의의 ㉠부분에 나타난 문제는 무엇입니까? (　　)

① 실천하기 어려운 내용을 말했다.
② 상대의 의견을 비판하기만 했다.
③ 말하는 차례를 지키지 않고 말했다.
④ 상대가 알아듣지 못하게 빠르게 말했다.
⑤ 토의 주제와 관련이 없는 내용을 말했다.

4 ㉡에서 상우는 어떤 태도로 말해야 할지 ○표를 하시오.

(1) 상대에게 예의를 지켜 말해야 한다. (　　)
(2) 자신의 주장을 강하게 말해야 한다. (　　)
(3) 상대의 말에 무조건 동의해야 한다. (　　)

5 ㉢ 부분에서 소윤이와 민우가 말한 근거의 문제점은 무엇인지 빈칸에 알맞은 말을 쓰시오.

• (　　　　　　　　　　)과/와 관련이 없다.

6 다음은 의견을 조정할 때 일어날 수 있는 문제 유형 중 무엇에 해당하는지 기호를 쓰시오.

시간이 부족해.
의견을 조정하지 못한 채
끝날 것 같아.

㉠ 토의 진행과 관련한 문제
㉡ 토의 태도와 관련한 문제
㉢ 의견 및 근거와 관련한 문제

(　　　　　　　　)

서술형

7 토의를 할 때 의견을 조정해야 하는 까닭을 쓰시오.

점수 / 점

[8~9] 그림을 보고, 물음에 답하시오.

처음에 우리가
토의로 해결하려고
했던 문제는
무엇이었죠?

의견을 실천하려면 무엇이
필요한지 따질 필요가
있겠군요. 자세한 자료를 찾아
각자 의견을 뒷받침해 봅시다.

만약 의견을
실천한다면 어떤 결과가
따를까요? 의견대로
실천했을 때 일어날
문제점을 예측해 봅시다.

다른 분들의 생각은
어떠한가요? 어떤 의견이
더 좋나요? 결정한 의견에서
자신이 해야 하는 역할은
무엇일까요?

8 그림 ❶~❹를 보고 의견을 조정하는 방법에 맞게 차례대로 번호를 쓰시오.

(1) 반응 살펴보기 ( )
(2) 결과 예측하기 ( )
(3) 문제 파악하기 ( )
(4) 의견 실천에 필요한 조건 따지기 ( )

서술형

9 의견을 조정하는 과정에서 그림 ❸과 같이 물은 까닭은 무엇인지 쓰시오.

____

____

10 토의를 할 때 의견을 조정하는 태도로 알맞지 않은 것은 무엇인지 기호를 쓰시오.

> ㉠ 결정한 의견에 따른다.
> ㉡ 의견과 발언에 집중한다.
> ㉢ 해결 방안을 끝까지 알아본다.
> ㉣ 자신의 생각만 강하게 주장한다.

( )

[11~12] 그림을 보고, 물음에 답하시오.

심해지는 미세 먼지,
이제는 공기 청정기가 필수
학교 곳곳에 공기
청정기를 설치합니다. 신문
기사에 실린 전문가의 의견에
따르면 공기 청정기가 공기를
깨끗하게 해 준다고
합니다.

11 남자아이가 사용한 자료의 특징을 쓰시오.

( )

12 아무런 자료 없이 의견만 말하는 것과 비교했을 때 그림과 같이 자료를 제시하면 좋은 점은 무엇입니까? ( )

① 발표를 빨리 끝낼 수 있다.
② 발표 준비 시간이 적게 걸린다.
③ 친구들에게 질문을 받지 않는다.
④ 발표 준비물을 따로 챙길 필요가 없다.
⑤ 정보를 눈으로 직접 확인할 수 있어 의견과 근거를 이해하기 쉽다.

13 아리는 다음 토의 주제로 토의를 하기 위해 자신의 의견을 뒷받침할 자료를 컴퓨터로 검색해 찾았습니다. 아리는 찾은 자료를 어떻게 읽어야 할지 ○표를 하시오.

> 토의 주제: 건강한 학교생활을 하려면 틈새 시간을 어떻게 사용하는 것이 좋을까?

짧은 시간이라도
날마다 달리기를 하면
건강에 효과가
있다는 자료를
찾고 싶어.
아리

(1) 차례를 살펴서 건너뛰며 읽는다. ( )
(2) 제목을 중심으로 훑어 읽다가 의견을 뒷받침하는 글을 자세히 읽는다. ( )

[14~15] 글을 읽고, 물음에 답하시오.

영국의 한 초등학교에서 실시한 건강 달리기 프로그램이 성공을 거두어 큰 관심을 끌고 있다. 이 학교는 날마다 적절한 시간을 정해 1.6킬로미터를 달리게 하고 있다. 학생들을 관찰한 □□대학의 ○ 박사는 "이 학교의 학생들에게는 비만 문제가 보이지 않는다."라고 했다.

미국 일리노이주의 한 학교 역시 건강 달리기로 하루를 시작한다. 이 학교의 학생들은 건강은 물론 집중력도 향상되었고, 우울증과 불안감은 줄어들었다고 한다.

14 이 글의 내용을 다음과 같이 정리하려고 합니다. 빈칸에 알맞은 말을 써 넣어 완성하시오.

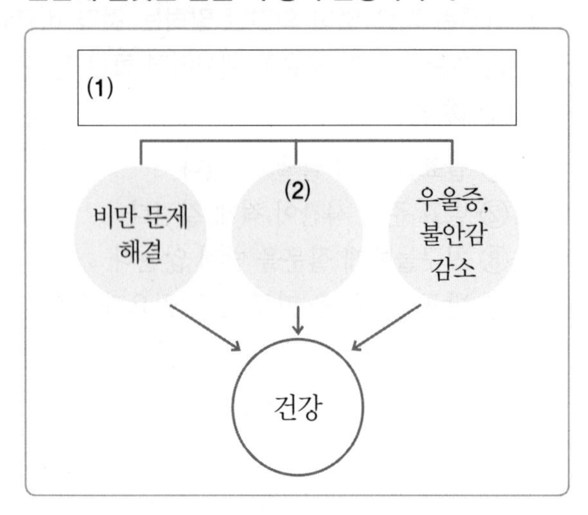

15 14번 그림과 같이 자료를 표현하면 좋은 점을 한 가지 골라 기호를 쓰시오.

㉠ 자세하다. ㉡ 이해하기 쉽다.
㉢ 구체적인 숫자를 간단히 확인할 수 있다.

( )

16 알기 쉽게 표현한 자료를 검토할 때 살펴볼 내용을 두 가지 골라 ○표를 하시오.

(1) 중요한 내용을 요약했나요? ( )
(2) 보기 쉽게 자료를 배치했나요? ( )
(3) 글자를 많이 넣어 내용을 풍부하게 했나요? ( )

[17~19] 그림을 보고, 물음에 답하시오.

17 그림에 나타난 문제를 해결하려면 토의 주제를 무엇으로 정하면 좋을지 빈칸에 알맞은 말을 쓰시오.

• 모두가 안전하게 ( )을/를 사용하는 방법은 무엇일까?

18 17번 문제의 토의 주제에 가장 알맞은 의견을 낸 친구를 쓰시오.

지연: 부모님과 함께 사용합니다.
민현: 운동장을 사용하지 않습니다.
도담: 학년마다 사용하는 시간을 정합니다.

( )

19 다음은 이 그림의 문제로 토의를 할 때 의견 조정하기 단계 중 어떤 단계에서 말한 내용인지 ○표를 하시오.

사용 시간을 정해서 사용하면 그 시간이 끝난 후에는 사용할 수 없어서 불편합니다.

(문제 파악하기 , 결과 예측하기)

20 토의 과정에 참여한 자신의 모습을 평가한 것으로 알맞지 않은 것은 무엇입니까? ( )

① 상대를 배려하며 의견을 말했나요?
② 토의 주제와 관련한 의견을 말했나요?
③ 의견을 조정하는 방법을 잘 알고 있나요?
④ 의견을 조정하는 과정에 스스로 참여했나요?
⑤ 의견과 관련이 없어도 최대한 다양한 자료를 마련했나요?

서술형 평가

정답과 해설 ● 12쪽

맞은 개수 / 개

1 다음 토의 장면에 나타난 문제를 쓰시오.

2 의견 조정하기의 마지막 단계인 '반응 살펴보기'에서 다음 내용을 묻는 까닭은 무엇인지 쓰시오.

더 선호하는 의견, 결정한 의견에 따른 자신의 역할

3 그림 ㉮와 비교했을 때 그림 ㉯와 같이 자료를 제시하면 좋은 점을 쓰시오.

마스크를 쓰고
생활합니다.
마스크가 몸에
해로운 미세 먼지를
막아 주기
때문입니다.
마스크를 쓰고 생활합니다.
이 책을 보면 미세 먼지가
얼마나 몸에 해로운지, 그리고
마스크가 얼마나 효과적으로
미세 먼지를 막아 주는지
잘 알 수 있습니다.
가
나

4 토의에서 자신의 의견을 뒷받침할 자료를 도서관에서 찾아 읽으려고 할 때 어떤 방법으로 읽어야 하는지 빈칸에 알맞은 내용을 쓰시오.

찾고 싶은 자료와 관련한 책을 찾는다.

찾은 책의 차례를 살펴본다.

( )

의견을 뒷받침하는 내용을 좀 더 자세히 읽는다.

필요한 내용을 정리하고 글쓴이와 출판사를 쓴다.

5 다음은 찾은 자료를 알기 쉽게 표현하는 방법입니다. 빈칸에 알맞은 말을 쓰시오.

가장 중요한 정보는?	간단하게 요약하자.
직접 보려면?	(1)
간단하게 보려면?	• 차례나 단계로 나타내자. • (2)
어떻게 나타낼까?	• 공간에 자료를 적절하게 배치하자. • 글씨, 그림, 사진, 도표 따위의 크기를 결정하자.

6 다음 토의 주제와 의견을 살펴보고 다음 의견대로 실천할 때 어떤 결과를 예측할 수 있을지 쓰시오.

토의 주제	급식실에서 음식물 쓰레기를 줄일 수 있는 방법에는 무엇이 있을까?
의견	자율 배식을 하자.

3 단원

교과서 문장으로 확인하는 핵심 낱말

● 다음 교과서 문장의 파란색 낱말 중에서 알맞은 것을 골라 인물들이 한 말을 완성하시오.

- 마스크가 몸에 해로운 미세 먼지를 막아 주기 때문입니다.
- 학교 곳곳에 공기 청정기를 설치합니다.
- 건강한 학교생활을 하려면 틈새 시간을 어떻게 사용해야 할까요?
- 이 학교의 학생들은 건강은 물론 집중력도 향상되었고, 우울증과 불안감은 줄어들었다고 한다.

정답 | ❶ 해로운 ❷ 틈새 ❸ 불안감 ❹ 설치

역량 다르게 생각하기

겪은 일을 써요

무엇을 배울까요?

• 호응 관계를 생각하며 겪은 일이 드러난 글 읽기

• 문장 성분의 호응 관계 알기
• 겪은 일이 드러나게 글 쓰기
• 매체를 활용해 겪은 일이 드러나는 글 쓰기

• 우리 반 글 모음집 만들기

4 겪은 일을 써요

1 겪은 일이 드러나게 글을 쓰는 과정

① 계획하기: 글 쓸 준비를 하는 단계
② 내용 생성하기: 쓸 내용을 떠올리는 단계
③ 내용 조직하기: 쓸 내용을 나누는 단계
④ 표현하기: 직접 글을 쓰는 단계
⑤ 고쳐쓰기: 글을 고치는 단계

2 문장 성분의 호응 관계를 생각하며 바르게 문장을 고쳐 쓰기

문장 성분: 주어, 목적어, 서술어와 같이 문장을 구성하는 부분

① 주어와 서술어의 호응 관계가 바르게 고쳐 씁니다.
예 우리가 환경을 보호해야 하는 까닭은 환경 파괴의 피해가 결국 우리에게 돌아오기 때문이다.
② 시간을 나타내는 말과 서술어의 호응 관계가 바르게 고쳐 씁니다.
예 어제저녁 우리 가족은 함께 동네 공원으로 산책을 나갔다.
③ 높임의 대상을 나타내는 말과 서술어의 호응 관계가 바르게 고쳐 씁니다.
예 할아버지께서는 얼른 진지를 다 잡수시고 또 일하러 나가셨다.

3 겪은 일이 드러나게 글 쓰기

① 글쓰기를 계획합니다.
② 기억에 남는 일을 이야기해 보고, 어떤 글감으로 글을 쓸지 정합니다.
글감: 글을 쓰는 재료가 되는 것
③ 글의 처음, 가운데, 끝부분에 들어갈 내용을 생각하며 글 내용을 조직합니다.
④ 글머리를 시작하는 방법 중 한 가지를 선택해 글을 시작하여 글을 씁니다.
글머리: 글을 시작하는 첫 부분으로, 글의 전체 인상을 만들어 주므로 중요합니다.

〈글머리를 시작하는 방법〉
- 날씨 표현으로 시작하기
- 대화 글로 시작하기
- 인물 설명으로 시작하기
- 속담이나 격언으로 시작하기
- 의성어나 의태어로 시작하기
- 상황 설명으로 시작하기

4 매체를 활용해 겪은 일이 드러나는 글 쓰기의 과정 알아보기

① 활용할 매체를 정합니다.
② 매체를 활용할 때 주의할 점을 알아봅니다.
- 읽기 쉽게 글자 크기와 줄 간격 등을 조정합니다.
- 저작권을 침해하지 않습니다.
- 예의를 갖추어 글을 씁니다.
- 누가 쓴 글인지 이름을 밝힙니다.
- 친구의 의견에서 잘한 점을 칭찬하고 고칠 부분을 말해 줍니다.

③ 매체를 활용해 글을 씁니다.
④ 의견을 주고받습니다.

〈매체를 활용해 글을 쓰고 의견을 나누면 좋은 점〉
- 의견을 쉽게 주고받을 수 있습니다.
- 한 사람이 쓴 글을 여러 사람이 동시에 읽고 의견을 쓸 수 있습니다.
- 글을 고치기 편리합니다.
- 칭찬하는 말이나 고칠 부분을 편하게 전할 수 있습니다.

⑤ 글을 고쳐 씁니다.

핵심 개념 문제

정답과 해설 ● 12쪽

1 겪은 일이 드러나게 글을 쓰는 과정에서 '계획하기'는 글 쓸 □□을/를 하는 단계입니다.

2 다음 문장은 □□을/를 나타내는 말과 서술어의 호응 관계가 바르지 않습니다.

> 어제저녁 우리 가족은 함께 동네 공원으로 산책을 나간다.

3 다음은 어떤 방법으로 글머리를 시작한 것인지 쓰시오.

> 하늘에서 물을 바가지로 퍼붓는 듯 비가 내리는 날이었다.

- (　　　　　　)(으)로 시작하기

4 매체를 활용해 겪은 일이 드러나는 글을 쓰고 의견을 나누면 칭찬하는 말이나 고칠 부분을 전하기 어렵습니다.
(　　○, ×　　)

역량 제재

호응 관계를 생각하며 겪은 일이 드러난 글 읽기

◦ 문장 성분의 호응 관계에 대해 배운 내용을 떠올리며 그림 보기

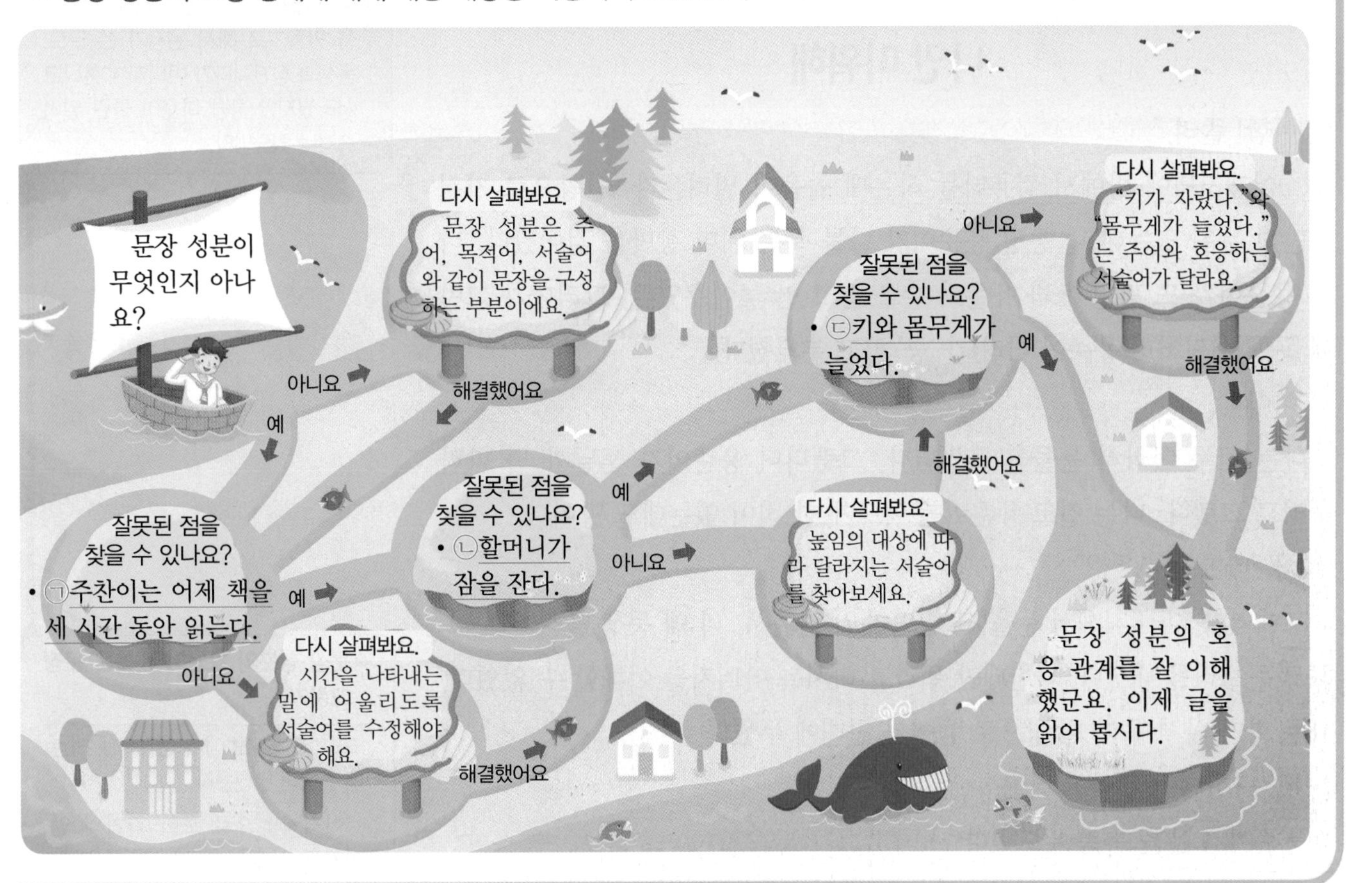

1 **다음 문장에서 주어, 목적어, 서술어와 같이 문장을 구성하는 부분을 무엇이라고 하는지 쓰시오.** 교과서 문제

> 윤서가 책을 읽는다.
> (윤서가: 주어, 책을: 목적어, 읽는다: 서술어)

(　　　　　　　　)

2 **㉠ 문장에서 잘못된 점을 알맞게 말한 친구는 누구인지 쓰시오.** 교과서 문제

> 채은: 높임 표현을 사용하지 않았어.
> 지운: 주어와 서술어의 호응이 알맞지 않아.
> 도아: 시간을 나타내는 말과 서술어의 호응이 알맞지 않아.

(　　　　　　　　)

3 **㉡ 문장을 알맞게 고쳐 쓴 것은 무엇입니까?** (　　)

① 할머니가 잠을 잤다.
② 할머니께서 잠을 잔다.
③ 할머니가 잠을 주무신다.
④ 할머니께서 잠을 주무신다.
⑤ 할머니께서 잠을 잘 것이다.

4 **㉢ 문장에서 잘못된 점은 무엇인지 알맞은 말에 각각 ○표를 하시오.**

• 키는 (1)(느는 , 자라는) 것이고, 몸무게는 (2)(느는 , 자라는) 것인데 '늘었다'라는 서술어만 썼다.

◎ 문장 성분의 호응 관계를 생각하며 윤서가 쓴 글 읽기

나만 미워해

"아함! 졸려."

㉠어제저녁에 방에서 컴퓨터를 하는데 졸음이 밀려온다. 안방으로 가서 가만히 누워 있는데 내 동생 용준이가 나를 툭툭 치며 장난을 걸어왔다. 나는 용준이가 또 덤빌까 봐 용준이 손을 잡고 안 놓아주었다. 그러다가 그만 내 눈에 쇳덩어리(용준이 머리)가 '쿵' 하고 부딪쳤다.

"아야!"

나는 너무 아파서 눈물을 글썽였다. 그랬더니 용준이가 혼날까 봐 따라 울려고 그랬다. 나는 결코 용준이를 아프게 한 적이 없는데도 말이다.

"야, 네가 왜 울어?"

그때였다. 아버지께서 눈을 크게 뜨며 / "진윤서, 너 왜 동생 울려?" 하고 큰소리를 내셨다. 나한테만 뭐라고 하시는 아버지를 이해할 수 없었다. 나는 화가 나서 울며 내 방으로 들어가 침대에 누웠다.

'쳇, 나한테만 뭐라고 하고…….'

용준이가 문을 똑똑 두드렸다.

"누나야, 문 열어 봐." / "싫어."

나는 앞으로 용준이와 놀아 주지 않겠다고 다짐했다. 한참 있다가 어머니께서 오셨다. 문을 열어 보라고 하시는데 ㉡어머니의 표정이 별로 좋아 보였다. 나는 혼이 날까 봐 살짝 문을 열었다.

• **글의 내용**: 윤서네 반에서 글 모음집을 만들기로 해서 윤서가 쓴 글로, 동생과 장난치다가 아버지께 혼나고 서러웠지만 금방 마음이 풀린 일이 드러나 있습니다.

핵심

● 문장 성분의 호응이 잘못된 문장 고치기

어제저녁에 방에서 컴퓨터를 하는데 졸음이 밀려온다.
'어제저녁'으로 보아 과거의 일이므로 서술형 '밀려온다'를 과거형인 '밀려왔다'로 써야 합니다.
어머니의 표정이 별로 좋아 보였다.
'별로'라는 말 뒤에는 '~지 않았다'와 같은 부정적인 서술어가 와야 합니다.

5 이 글은 언제 있었던 일입니까? ( )

① 지금 ② 지난 주 ③ 어제저녁
④ 오늘 아침 ⑤ 내일 저녁

6 윤서가 화가 난 까닭은 무엇입니까? ( )

① 친구들이 용준이를 놀려서
② 부모님께서 용준이만 혼내셔서
③ 용준이가 자신과 놀아 주지 않아서
④ 용준이가 방문을 열어 주지 않아서
⑤ 용준이가 잘못한 일인데 아버지께서 자신만 혼내셔서

핵심

7 ㉠ 문장에서 '밀려온다'를 알맞게 고쳐 쓴 것에 ○표를 하시오.

(밀려왔다, 밀려옵니다, 밀려올 것이다)

역량

8 ㉡ 문장에서 '별로'와 어울리는 서술어는 무엇입니까? ( )

① 좋아 보이셨다.
② 좋아 보였었다.
③ 좋아 보이곤 했다.
④ 좋아 보이지 않았다.
⑤ 좋아 보이는 듯했다.

"윤서야, 너 좋아하는 연속극 해."

"일기 쓸래요."

㉠그때 안방에서 아버지가 불렀다.

"윤서야, 이리 와 봐."

5 나는 입을 쭉 내밀고 절대 앉기 싫다는 표정으로 아버지 옆에 앉았다.

"왜 울었어?"

"잘못은 용준이가 했는데 저만 야단맞아서요."

"서러웠니?" / "예."

"윤서가 다 컸다고 아빠가 쉽게 생각했어. 미안하구나."

10 "……." / "용준이 너 이리 와."

아버지의 호령에 용준이가 똥 마려운 아이처럼 쭈뼛쭈뼛 다가왔다.

호령: 큰 소리로 꾸짖음
쭈뼛쭈뼛: 어줍거나 부끄러워서 자꾸 주저주저하거나 머뭇거리는 모양

"누나……, 미안."

용준이가 씩 웃으며 나를 쳐다보았다. 웃음이 나오려는 것을 참고 아버지 쪽으로 얼굴을 돌렸는데 아버지께서 손으로 하트 모양을 만들고 계셨다.

15 ㉡그만 웃음이 피식 웃어 버렸다. 아버지께서도 웃으셨다. 내 마음이 녹아 버렸다.

"윤서야, 연속극 보고 가." / "그냥 일기 쓸래요."

"그래? 알았다." / 나는 내 방으로 들어와서 일기를 썼다.

'역시 가족은 가족이구나. 이런 것이 가족의 정이지.'

핵심

●윤서의 글쓰기 과정

계획하기

쉽고 재미있게 읽을 수 있는 글을 쓰고 싶어.
윤서

내용 생성하기

내가 요즘 어떤 일을 겪었지?

내용 조직하기

쓸 내용 가운데에서 비슷한 내용을 묶어 볼까?

표현하기

용준이 모습을 좀 더 재미있게 표현해 보자.

고쳐쓰기

읽는 사람이 이해하기 어려운 내용은 없을까?

9 ㉠ 문장을 바르게 고쳐 쓰시오.

교과서 문제

(   )

10 ㉡ 문장에서 잘못된 점은 무엇인지 빈칸에 알맞은 말을 쓰시오.

• '웃어 버렸다'에 대한 (   )이/가 잘못되었다.

서술형

11 문장 성분의 호응이 바르게 이루어지도록 글을 써야 하는 까닭은 무엇인지 쓰시오.

____

____

핵심

12 다음 윤서의 생각은 보기 의 글쓰기 과정 중 어느 과정에 해당하는지 쓰시오.

보기

계획하기	글 쓸 준비를 하는 단계
내용 생성하기	쓸 내용을 떠올리는 단계
내용 조직하기	쓸 내용을 나누는 단계
표현하기	직접 글을 쓰는 단계
고쳐쓰기	글을 고치는 단계

부모님께서도 읽으실 테니 우리 가족과 있었던 일을 써 볼까?
내가 요즘 어떤 일을 겪었지?

(   )

문장 성분의 호응 관계 알기

핵심

1 다음 ❶~❸의 문장에서 밑줄 그은 부분을 빨간색 글자로 고친 까닭은 무엇인지 각각 보기 에서 골라 기호를 쓰시오.

보기
㉠ 주어와 서술어의 호응 관계가 바르지 않아서
㉡ 시간을 나타내는 말과 서술어의 호응 관계가 바르지 않아서
㉢ 높임의 대상을 나타내는 말과 서술어의 호응 관계가 바르지 않아서

❶ 할아버지는 얼른 밥을 다 먹고 또 일하러 나가셨다. → 할아버지께서는 얼른 진지를 다 잡수시고
❷ 어제저녁 우리 가족은 함께 동네 공원으로 산책을 나간다. → 나갔다
❸ 우리가 환경을 보호해야 하는 까닭은 환경 파괴의 피해가 결국 우리에게 돌아오는 것이라고 생각한다. → 돌아오기 때문이다

문장	고친 까닭
❶	(1)
❷	(2)
❸	(3)

[2~4] 문장을 읽고, 물음에 답하시오.

❶ 나는 책 읽기를 별로 좋아하는 편이다.
❷ 선생님 말씀은 전혀 들어 본 내용이었다.
❸ 나는 친구가 거짓말을 한 것이 결코 바른 행동이라고 생각한다.

2 (교과서 문제) ❶~❸ 문장이 잘못된 까닭은 무엇인지 빈칸에 알맞은 낱말을 세 가지 쓰시오.

• (　　　　　　　　　　)과/와 같은 낱말이 서술어와 어울리지 않기 때문이다.

서술형

3 2번 문제에서 답한 낱말 뒤에는 어떤 서술어가 어울리는지 쓰시오.

• ______________________
또는 '안', '못'이 꾸며 주는 서술어와 호응한다.

4 (교과서 문제) ❶~❸ 문장이 알맞은 문장이 되도록 밑줄 그은 부분을 고쳐 쓰시오.

문장	고쳐 쓰기
❶	좋아하는 → (1)(　　　　　)
❷	들어 본 → (2)(　　　　　)
❸	행동이라고 → (3)(　　　　　)

5 다음 문장의 밑줄 그은 부분을 바르게 고쳐 쓴 것은 무엇입니까? (　　)

내가 이번 대회에 참가하면서 느낀 점은 어떤 일에 도전하고 그 목표를 성취하고자 노력하는 순간들도 소중하다는 것을 느꼈다.

① 소중할 것이다
② 소중하기 때문이다
③ 소중하다는 것이다
④ 소중하다고 생각했다
⑤ 소중하다는 것을 알았다

6 (교과서 문제) 다음 중 문장 성분의 호응 관계가 바르지 않은 문장은 무엇인지 기호를 쓰시오.

㉠ 내 동생은 전혀 내 기분을 알지 못한다.
㉡ 내 짝꿍은 여간 자신감이 넘치는 것이다.
㉢ 나는 게임하는 것을 별로 좋아하지 않는다.
㉣ 나는 결코 친구에게 나쁜 말을 하지 않았다.

(　　　　　)

겪은 일이 드러나게 글 쓰기

1 겪은 일을 글로 쓸 계획을 세울 때 정할 내용이 아닌 것은 무엇입니까? ( )

① 목적 ② 주제
③ 읽는 사람 ④ 글의 종류
⑤ 문장의 길이

2 다음 중 겪은 일이 드러나는 글을 쓸 때 글감으로 알맞은 내용은 무엇입니까? ( )

① 누구나 경험할 만한 것
② 주제가 잘 드러나지 않는 것
③ 내용을 자세히 풀어 쓸 수 없는 것
④ 장소나 등장인물의 변화가 너무 많은 것
⑤ 글을 읽는 사람이 흥미를 느낄 수 있는 것

3 겪은 일이 드러나는 글을 쓰기 전에 다음과 같이 글 내용을 조직해야 하는 까닭을 알맞게 말한 친구는 누구인지 쓰시오.

부분	들어갈 내용
처음	어머니의 한숨
	어머니께서 한숨을 쉬시는 까닭이 궁금함.
가운데	설 명절을 힘들게 준비하시는 어머니의 모습
	명절에 대한 부모님과의 대화
	달라진 우리 집 추석의 모습
끝	생각이 달라진 까닭
	명절을 지내는 마음

서희: 글을 길게 쓸 수 있기 때문이야.
찬영: 기초를 잘 세워야 좋은 글이 나올 수 있기 때문이야.
리라: 글 내용을 조직한 표를 글의 처음 부분에서 보여 줘야 하기 때문이야.

( )

4 교과서 문제

다음 (1)과 (2)는 글을 쓸 때 어떤 방법으로 글머리(글을 시작하는 첫 부분)를 시작했는지 보기 에서 해당하는 방법을 골라 각각 기호를 쓰시오.

보기
㉠ 대화 글로 시작하기
㉡ 날씨 표현으로 시작하기
㉢ 인물 설명으로 시작하기
㉣ 속담이나 격언으로 시작하기

문장	방법
(1) 키가 작고 눈이 동그란 그 친구는 항상 웃는 아이였다.	
(2) "괜찮아." 드디어 유나가 입을 열었다.	

논술형

5 글을 쓸 때 다음의 방법으로 글머리를 쓴다면 어떻게 시작하는 것이 좋을지 문장을 떠올려 쓰시오.

의성어나 의태어로 시작하기

6 쓴 글을 다시 한번 읽고 고쳐 쓸 때 고려할 내용으로 알맞지 않은 것은 무엇입니까? ( )

① 글의 주제가 잘 드러났나요?
② 주제와 관련하지 않은 내용도 무조건 썼나요?
③ 읽는 사람이 흥미를 느낄 만한 글머리인가요?
④ 글의 내용 전개가 적절하며 글이 잘 마무리되었나요?
⑤ 낱말 사용이 적절하며 읽는 사람이 이해할 수 있나요?

기본 3 역량 활동 매체를 활용해 겪은 일이 드러나는 글 쓰기

- 매체를 활용해 겪은 일이 드러나는 글을 쓰고 각 단계의 문제 해결하기

1단계

활용할 매체 정하기 < >

⊙ 의견을 조정하는 방법으로 학급에서 활용할 매체를 정해 보세요.

문제 파악하기

- 무엇을 결정해야 하나요? 우리 학급에서 사용할 매체입니다.
- 무엇에 활용하려고 하나요? 우리가 쓴 글을 올리고 의견을 주고받을 것입니다.

의견 실천에 필요한 조건 따지기

- 어떤 매체가 있나요? 누리집, 블로그, 누리 소통망, 전자 우편 등이 있습니다.
- 활용할 매체는 어떤 조건을 갖추어야 하나요? 반 학생이 모두 사용할 수 있어야 합니다. / 긴 글을 쉽게 올리고 다 같이 읽어 볼 수 있어야 합니다. / 학교에서 사용할 수 있어야 합니다.

결과 예측하기

- 어떤 매체를 활용할까요? 단체 대화방입니다.
- 이 매체를 활용했을 때 어떤 문제가 있을까요? 스마트폰이 없는 친구들이 있습니다.

반응 살펴보기

- 다른 친구들은 어떻게 생각하나요? 학급 누리집을 사용하는 방법이 있습니다.
- 학급에서 정한 매체는 무엇인가요? 학급 누리집입니다.

1 매체를 활용해 겪은 일이 드러나는 글을 쓰기 위해 1단계 에서 할 일은 무엇입니까? ( )

① 글 고쳐 쓰기
② 의견 주고받기
③ 활용할 매체 정하기
④ 매체를 활용해 글 쓰기
⑤ 매체를 활용할 때 주의할 점 알기

2 교과서 문제 1단계 에서 매체를 정하여 무엇에 활용하려고 하는지 빈칸에 알맞은 말을 쓰시오.

- 학급에서 쓴 ( )을/를 올리고 의견을 주고받을 것이다.

3 학급에서 글을 쓰기 위해 활용할 매체를 '단체 대화방'으로 정했을 때 어떤 문제가 있을지 기호를 쓰시오.

㉠ 이동할 때에는 사용할 수 없다.
㉡ 집에서는 매체를 접할 수 없다.
㉢ 스마트폰이 없는 친구들이 있다.

( )

4 교과서 문제 1단계 에서 의견을 조정하는 방법을 통해 최종적으로 정한 매체는 무엇인지 쓰시오.

( )

2단계

매체를 활용할 때 주의할 점 알기 < >

⊙ 매체를 활용해 글을 쓰거나 의견을 나눌 때 주의할 점은 무엇인지 알아보세요.

글자 크기가 너무 작고 줄 간격이 좁아서 읽기가 힘들어.
지호가 올린 글은 이 책의 내용과 너무 비슷한데?

3단계

매체를 활용해 글 쓰기 < >

⊙ 매체를 활용해 글을 써 보세요.
(선택하거나 해결한 항목의 □ 안에 ∨표 하기)

글 쓰는 방법	□ 지난 시간에 썼던 글을 고치며 매체에 옮기기 □ 새로운 글을 매체에 직접 쓰기
주의할 점	□ 글을 쓸 때 생각해야 할 점 살펴보기 □ 읽는 사람이 쉽게 읽을 수 있도록 쓰기 □ 글을 평가하는 기준 살펴보기

4단계

의견 주고받기 < >

⊙ 매체를 활용해 의견을 주고받아 보세요. (선택하거나 해결한 항목의 □ 안에 ∨표 하기)

친구가 쓴 글에 의견 쓰기	□ 잘한 점 칭찬하기 □ 고칠 부분 말하기 □ 자신이 쓴 글과 비교하고 새롭게 생각한 것 쓰기
친구가 남긴 의견 읽기	□ 친구 의견에 대한 생각 쓰기 □ 친구 의견에서 반영할 부분 생각하기 □ 친구의 의견에서 반영하기 힘든 부분과 그 까닭 생각하기 □ 친구의 글을 읽고 자신의 글에서 좀 더 달라졌으면 하는 부분 생각하기

5 교과서 문제 **2단계 그림 속 아이들이 읽고 있는 글의 문제점을 두 가지 골라 기호를 쓰시오.**

㉠ 저작권을 침해하며 글을 썼다.
㉡ 모든 친구들이 알고 있는 내용을 올렸다.
㉢ 글자 크기와 줄 간격 등을 읽기 쉽게 조정하지 않았다.

( )

6 **3단계에서 매체를 활용해 글을 쓸 때 살펴볼 내용을 알맞지 않게 말한 친구를 쓰시오.**

서희: 그림을 많이 올렸는지 살펴봅니다.
영민: 글을 평가하는 기준에 맞는지 살펴본다.
기현: 읽는 사람이 쉽게 읽을 수 있도록 썼는지 살펴봅니다.

( )

7 **다음은 4단계 의견 주고받기에서 내가 쓴 글에 친구가 남긴 의견입니다. 의견을 쓴 방법으로 알맞은 것에 ○표를 하시오.**

ㄴ, 더 많은 친구들이 공감할 수 있는 내용으로 고치면 좋겠습니다.

(1) 잘한 점 칭찬하기 ( )
(2) 고칠 부분 말하기 ( )
(3) 자신이 쓴 글과 비교하고 새롭게 생각한 것 쓰기 ( )

역량 서술형

8 **7번 문제에서 친구가 남긴 의견을 읽고 생각할 점을 한 가지 쓰시오.**

____

____

5단계

고쳐쓰기 < >

⊙ 친구들과 나눈 의견을 바탕으로 하여 자신의 글을 고쳐 보세요.
(선택하거나 해결한 항목의 □ 안에 ∨표 하기)

글 고쳐 쓰는 방법	□ 처음에 썼던 글을 복사해서 붙이기 □ 고쳐 쓸 부분을 찾아 고치고 저장하기 □ 새롭게 고쳐 쓴 글임을 밝히기
처음 썼던 글과 비교하기	□ 처음 썼던 글과 달라진 점 생각하기 □ 처음 썼던 글보다 좋아진 점 생각하기 □ 글을 평가하는 기준 다시 살펴보기
확인하기	□ 문장 성분의 호응이 잘 이루어졌는지 확인하기 □ 글을 쓸 때 생각해야 할 점을 잘 해결했는지 살펴보기

정리하기

학습 내용 정리하기

⊙ 매체를 활용해 글을 쓰고 친구들과 의견을 주고받을 때 좋았던 점이나 어려웠던 점을 이야기해 보세요.
⊙ 어려웠던 점이 있다면 어떻게 해결할 수 있을지 생각하고 친구들과 의견을 나누어 보세요.
⊙ 매체를 활용해 글을 쓰고 의견을 나누는 방법과 직접 종이에 글을 쓰고 의견을 나누는 방법을 비교했을 때 어떤 차이가 있는지 친구들과 이야기해 보세요.

9 **매체를 활용하여 글쓰기를 할 때 5단계에서 해야 할 일을 골라 기호를 쓰시오.**

> ㉠ 고쳐쓰기
> ㉡ 활용할 매체 정하기
> ㉢ 매체를 활용해 글 쓰기
> ㉣ 매체를 활용할 때 주의할 점 알기

( )

10 **글을 고쳐 쓸 때 확인할 내용을 두 가지 고르시오.** (,)

① 글을 쓴 장소가 잘 드러났는지
② 문장 성분의 호응이 잘 이루어졌는지
③ 친구들의 의견을 전부 다 반영했는지
④ 사용할 매체를 정한 과정이 잘 드러났는지
⑤ 글을 쓸 때 생각해야 할 점을 잘 해결했는지

11 **매체를 활용해 글을 쓰고 의견을 나누는 방법이 직접 종이에 글을 쓰고 의견을 나누는 방법보다 좋은 점을 세 가지 고르시오.** (, ,)

① 글을 고치기 편리하다.
② 손 글씨를 뽐낼 수 있다.
③ 칭찬하는 말을 편하게 전할 수 있다.
④ 고칠 부분을 전하지 않아도 저절로 고쳐진다.
⑤ 한 사람이 쓴 글을 여러 사람이 동시에 읽고 의견을 쓸 수 있다.

서술형

12 **학급에서 매체를 활용할 수 있는 방법을 한 가지 쓰시오.**

실천 우리 반 글 모음집 만들기

○ 여러 가지 글 모음집 살펴보기

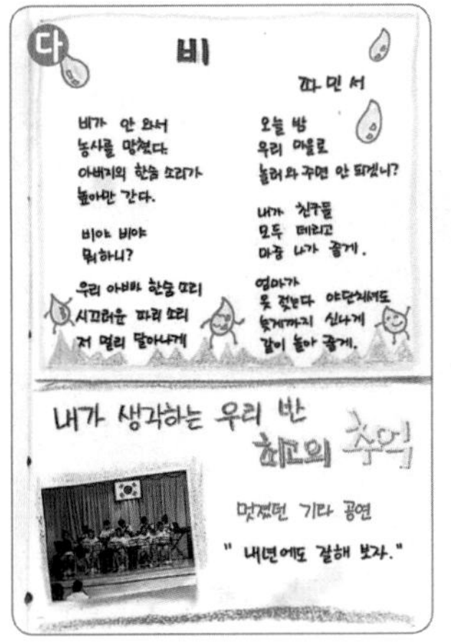

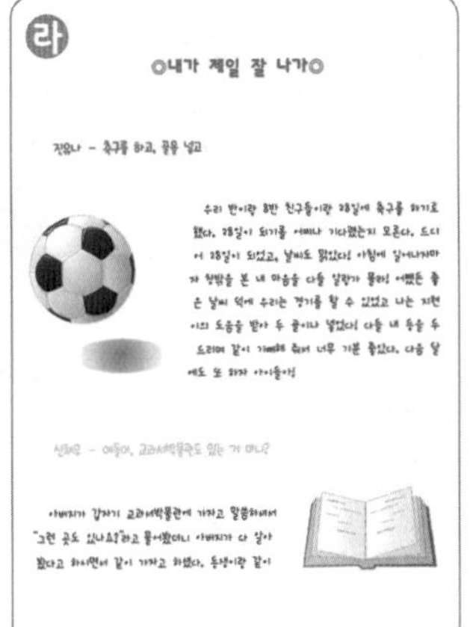

○ 글 모음집을 만들기 전에 정해야 할 것 알아보기

정해야 할 것	필요한 역할
• 만드는 목적 • 만드는 방법 • 읽을 사람 • 분량 • 들어갈 내용과 차례 • 펴낼 시기 • 제목	• 표지 꾸미기 • 글 고치기 • 책 만들기 • 학생 작품 모으기 • 복사 및 제본

●글 모음집 ㉮~㉱의 편집 방법 및 장단점 (핵심)

글 모음집	㉮, ㉰	㉯, ㉱
편집 방법	손으로 직접 그림을 그리고 글을 썼습니다.	컴퓨터로 편집했습니다.
장단점 (장점, 단점)	정감이 있지만 깨끗하게 편집하기 어려울 수 있습니다.	깔끔하고, 수정하거나 인쇄하기 쉽지만 직접 그린 그림이나 손 글씨 등을 보여 주기 어렵습니다.

1 글 모음집 ㉮~㉱의 특징을 찾아 선으로 이으시오. (교과서 문제)

(1) ㉮, ㉰ • • ① 컴퓨터로 편집한 것

(2) ㉯, ㉱ • • ② 손으로 직접 그림을 그리고 글을 쓴 것

2 다음은 어떤 방법으로 글 모음집을 만들었을 때의 장단점인지 ○표를 하시오.

> 정감이 있지만 깨끗하게 편집하기 어려울 수 있다.

(1) 손으로 직접 쓴 것 (　　)

(2) 컴퓨터로 편집한 것 (　　)

3 글 모음집을 만들기 전에 정해야 할 것을 세 가지 고르시오. (교과서 문제) (　　,　　,　　)

① 제목 ② 분량 ③ 가격
④ 읽을 사람 ⑤ 수정 횟수

4 글 모음집을 잘 만들었는지 평가할 때 살펴볼 내용으로 알맞지 않은 것은 무엇입니까? (　　)

① 반 친구 모두가 함께 글 모음집을 만들었나요?
② 계획과 목적에 알맞게 글 모음집을 만들었나요?
③ 글 모음집 만들기 활동에서 자신의 책임을 다했나요?
④ 글 모음집 내용을 구성할 때 읽을 사람을 고려했나요?
⑤ 다른 반 글 모음집 내용을 보고 최대한 비슷하게 만들었나요?

단원 마무리

글쓰기 과정 알기

예 윤서가 「나만 미워해」라는 글을 쓰기 위해 어떤 생각을 했는지 살펴보기

❶ 계획하기
– 글 쓸 ❶ ☐☐을/를 하는 단계

시나 동화보다는 내 경험이 잘 드러난 글을 쓰는 것이 좋겠어.

내 글을 읽을 사람은 선생님, 부모님, 친구들…….

❷ 내용 생성하기
– 쓸 ❷ ☐☐을/를 떠올리는 단계

친구들은 어떤 내용을 쓰려고 하는지 이야기해 봐야지.

❸ 내용 조직하기
– 쓸 내용을 나누는 단계

❹ 표현하기
– 직접 글을 쓰는 단계

읽는 사람이 관심을 보일 만한 제목으로 무엇이 좋을까?

대화 내용을 실감 나게 쓰면 읽는 사람이 더 흥미롭게 읽을 수 있을 거야.

❺ ❸ ☐☐☐☐
– 글을 고치는 단계

문장을 좀 더 간결하고 정확하게 쓰려면 어떻게 고쳐야 할까?
문장 성분의 호응이 바르지 않은 부분은 없는지 살펴봐야지.
읽는 사람이 이해하기 어려운 내용은 없을까?

문장 성분의 호응 관계 알기

예 문장 성분의 호응 관계를 살펴보고 바르게 고쳐쓰기

문장 1	문장 2	문장 3
우리가 환경을 보호해야 하는 까닭은 환경 파괴의 피해가 결국 우리에게 돌아오는 것이라고 생각한다.	할아버지는 얼른 밥을 다 먹고 또 일하러 나가셨다.	어제저녁 우리 가족은 함께 동네 공원으로 산책을 나간다.
❹ □□ 과/와 서술어의 호응 관계가 바르지 않음.	❻ □□ 의 대상을 나타내는 말과 서술어의 호응 관계가 바르지 않음.	❽ □□ 을/를 나타내는 말과 서술어의 호응 관계가 바르지 않음.

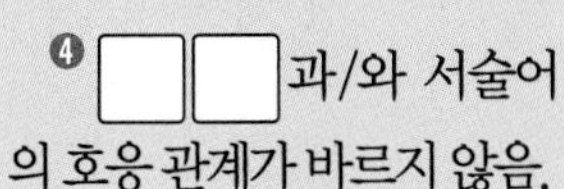
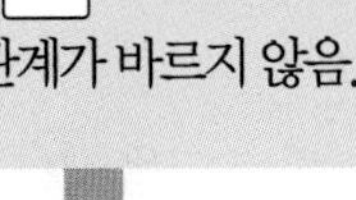
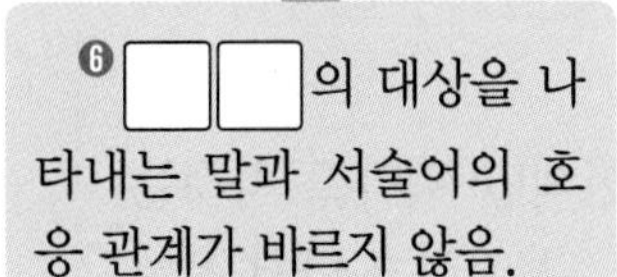
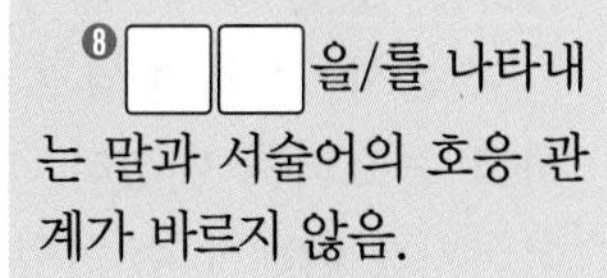

고쳐쓰기	고쳐쓰기	고쳐쓰기
우리가 환경을 보호해야 하는 까닭은 환경 파괴의 피해가 결국 우리에게 돌아오기 ❺ □□□□.	할아버지께서는 얼른 ❼ □□ 을/를 다 잡수시고 또 일하러 나가셨다.	어제저녁 우리 가족은 함께 동네 공원으로 산책을 ❾ □□□.

우리 반 글 모음집 만들기

예 글 모음집을 보고 편집 방법에 따른 장단점 파악하기

손으로 직접 그림을 그리고 글을 써서 만들기	컴퓨터로 편집해서 만들기
 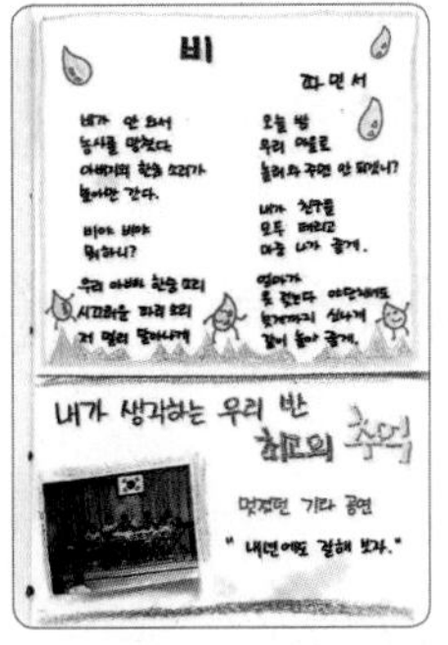	
정감이 있지만 깨끗하게 편집하기 어려울 수 있습니다.	깔끔하고, ❿ □□ 하거나 인쇄하기 쉽지만 직접 그린 그림이나 손 글씨 등을 보여 주기 어렵습니다.

단원 평가

★ 단원 평가 더 풀기 >> 평가 교재 20~25쪽

[1~3] 글을 읽고, 물음에 답하시오.

❶ ㉠어제저녁에 방에서 컴퓨터를 하는데 졸음이 밀려온다. 안방으로 가서 가만히 누워 있는데 내 동생 용준이가 나를 툭툭 치며 장난을 걸어왔다. 나는 용준이가 또 덤빌까 봐 용준이 손을 잡고 안 놓아주었다. 그러다가 그만 내 눈에 쇳덩어리(용준이 머리)가 '쿵' 하고 부딪쳤다.

"아야!"

나는 너무 아파서 눈물을 글썽였다. 그랬더니 용준이가 혼날까 봐 따라 울려고 그랬다.

❷ 그때였다. 아버지께서 눈을 크게 뜨며

"진윤서, 너 왜 동생 울려?"

하고 큰소리를 내셨다. 나한테만 뭐라고 하시는 아버지를 이해할 수 없었다. 나는 화가 나서 울며 내 방으로 들어가 침대에 누웠다.

❸ 아버지의 호령에 용준이가 똥 마려운 아이처럼 쭈뼛쭈뼛 다가왔다.

"누나……, 미안."

용준이가 씩 웃으며 나를 쳐다보았다. 웃음이 나오려는 것을 참고 아버지 쪽으로 얼굴을 돌렸는데 아버지께서 손으로 하트 모양을 만들고 계셨다. ㉡그만 웃음이 피식 웃어 버렸다. 아버지께서도 웃으셨다. 내 마음이 녹아 버렸다.

1 **㉠ 문장이 잘못된 문장인 까닭은 무엇입니까?** (　　)

① 뒷문장과 관련이 없는 내용을 썼기 때문에
② '컴퓨터를' 부분에 맞춤법이 잘못되기 때문에
③ 높임의 대상에 따른 서술어가 잘못되었기 때문에
④ '졸음이'라는 말과 뒤의 서술어가 어울리지 않기 때문에
⑤ 시간을 나타내는 말에 어울리지 않는 서술어를 썼기 때문에

2 **㉡ 문장에서 주어 '웃음이'를 바르게 고쳐 쓴 것은 무엇입니까?** (　　)

① 나는　② 나에게　③ 웃음은
④ 손가락이　⑤ 웃음소리가

3 **다음에서 윤서가 생각한 내용은 이 글을 쓰는 과정 중 어느 단계에 해당하는지 ○표를 하시오.**

일이 있었던 차례대로 글을 쓸까? 아니면 일이 생긴 까닭, 내 느낌, 화해한 일 세 부분으로 나누어 쓸까?

쓸 내용 가운데에서 비슷한 내용을 묶어 볼까?

이 내용은 끝부분에 써야 내 생각이 잘 드러날 것 같아.

(계획하기 , 표현하기 , 내용 조직하기)

4 **다음 보기 의 내용을 글쓰기 과정에 맞게 차례대로 기호를 쓰시오.**

보기
㉠ 표현하기　㉡ 고쳐쓰기
㉢ 계획하기　㉣ 내용 조직하기
㉤ 내용 생성하기

(　　→　　→　　→　　→　　)

5 **다음 문장에서 밑줄 그은 부분을 고쳐 써야 까닭은 무엇인지 빈칸에 알맞은 말을 쓰시오.**

할아버지는 얼른 밥을 다 먹고 또 일하러 나가셨다.

• (　　　　　)의 대상을 나타내는 말과 호응 관계가 알맞지 않기 때문이다.

6 **다음 중 문장 성분의 호응 관계가 바르지 않은 문장은 무엇입니까?** (　　)

① 날씨가 그다지 덥지 않다.
② 나는 책 읽기를 별로 좋아하지 않는 편이다.
③ 나는 지호의 생각을 도저히 이해할 수 없다.
④ 그 숙제를 해내는 일은 여간 어려운 일이다.
⑤ 선생님 말씀은 전혀 들어 보지 못한 내용이었다.

점수 / 점

7 다음 문장의 밑줄 그은 부분을 바르게 고친 것은 무엇입니까? (　　)

> 선생님께서는 이번 시험 문제가 쉽다고 말씀하셨는데 전혀 쉬워서 친구들이 모두 놀랐다.

① 전혀 어려워서
② 전혀 쉬웠다고
③ 전혀 쉽지 않아서
④ 전혀 어렵기 때문에
⑤ 전혀 어려웠기 때문에

8 다음 문장에서 밑줄 그은 부분을 바르게 고쳐 쓰시오.

> 그림책은 어린아이들이나 읽는 것이라고 생각해서 평소에 별로 읽는 편이다. 하지만 부모님께서 권해 주신 그 책은 내 생각과 달랐다.

(　　　　　　　　　　)

서술형

9 문장 성분의 호응을 생각하며, 내용에 알맞게 문장을 완성해 쓰시오.

> 나는 책을 많이 읽는 것이 좋은 것이라고 생각한다. 그 까닭은 ____________
>
> ____________

10 다음 '선생님께서는' 뒤에 ㉠과 ㉡ 중 어떤 말이 와야 호응 관계가 알맞은지 기호를 쓰시오.

> 선생님께서는 — ㉠ 우리에게 항상 협동을 강조한다.
>
> 선생님께서는 — ㉡ 우리에게 항상 협동을 강조하신다.

(　　　　　　)

11 겪은 일이 드러나게 글을 쓰려고 합니다. 어떤 일을 글로 쓸지 빈칸에 알맞은 내용을 떠올려 쓰시오.

목적	글 모음집에 실으려고
글의 종류	겪은 일을 표현하는 글
읽는 사람	(1)
주제	(2)

논술형

12 11번 문제에서 답한 내용을 토대로 글의 각 부분에 들어갈 내용을 떠올려 쓰시오.

부분	들어갈 내용
처음	(1)
가운데	(2)
끝	(3)

13 다음 (1)~(3) 문장은 각각 어떤 방법으로 글머리를 시작한 것인지 보기 에서 해당하는 방법을 골라 기호를 쓰시오.

> 보기
> ㉠ 날씨 표현으로 시작하기
> ㉡ 상황 설명으로 시작하기
> ㉢ 속담이나 격언으로 시작하기

(1) 하늘에서 물을 바가지로 퍼붓는 듯 비가 내리는 날이었다.	
(2) 10월의 어느 날, 드디어 반 대항 축구 대회가 열리는 날이었다.	
(3) "가는 날이 장날"이라더니 해변은 축제 때문에 사람들로 가득했다.	

14 **학급 친구들이 쓴 글을 올리고 의견을 주고받을 매체를 고를 때, 활용할 매체가 갖추어야 할 조건이 아닌 것에 ×표를 하시오.**

(1) 학교에서 사용할 수 있어야 한다. (　　)
(2) 긴 글을 쉽게 올리고 다 같이 읽어 볼 수 있어야 한다. (　　)
(3) 친구들이 함부로 볼 수 없고 자신만 볼 수 있어야 한다. (　　)

15 **학급 친구들과 매체를 활용해 글을 쓰거나 의견을 나눌 때 주의할 점을 두 가지 고르시오.**

㉠ 저작권을 침해하지 않는다.
㉡ 친구의 글을 평가하는 말은 쓰지 않는다.
㉢ 예의를 갖추어 글을 쓰고 누가 쓴 글인지 이름을 밝힌다.

(　　　　　　)

16 **매체를 활용해 글을 쓰고 의견을 나누는 방법은 직접 종이에 글을 쓰고 의견을 나누는 방법과 비교했을 때 어떤 차이가 있는지 알맞은 것을 세 가지 고르시오.** (　,　,　)

① 글을 고치기에 편리하다.
② 의견을 쉽게 주고받을 수 있다.
③ 고칠 부분을 편하게 전할 수 있다.
④ 칭찬하는 말을 전하는 것이 번거롭다.
⑤ 한 사람이 쓴 글을 여러 사람이 동시에 읽기 어렵다.

17 **다음 글 모음집 중 깔끔하고, 수정하거나 인쇄하기 쉽게 만든 글 모음집은 무엇인지 기호를 쓰시오.**

(　　　　　　)

18 **글 모음집을 만들기 전에 해야 할 것을 알맞지 않게 말한 친구를 쓰시오.**

서희: 만드는 목적이나 읽을 사람, 분량 등을 미리 결정하자.
유성: 글 모음집을 만들 때 반 친구 모두 함께 했는지 평가하자.
다은: 표지를 꾸미는 사람, 글을 고치는 사람, 학생 작품을 모으는 사람 등 필요한 역할도 나누어야 해.

(　　　　　　)

서술형

19 **다음 1, 2, 3에서 각각 한 가지씩 골라 문장 성분의 호응 관계가 알맞은 문장을 한 가지 만들어 쓰시오.**

1	준혁이는, 할머니께서, 그 까닭은
2	어제, 부지런한 사람이, 동생에게, 결코
3	밥을 먹이신다, 알지 못할 것이다, 숙제를 하지 않았다, 성공하는 경우가 많기 때문이다

20 **다음 문장을 문장 성분의 호응에 알맞게 바꾸어 쓴 것은 무엇입니까?** (　　)

나는 전혀 화를 낸 것이다.

① 나는 전혀 화를 냈습니다.
② 나는 결코 화를 낸 것이다.
③ 나는 전혀 화를 낼 것이다.
④ 나는 전혀 화를 낸 것이었다.
⑤ 나는 전혀 화를 내지 않았다.

서술형 평가

정답과 해설 ● 15쪽

맞은 개수 / 개

1 다음 문장에서 잘못된 점은 무엇인지 쓰시오.

키와 몸무게가 늘었다.

2 다음 문장을 문장 성분의 호응에 알맞게 고쳐 쓰시오.

우리가 환경을 보호해야 하는 까닭은 환경 파괴의 피해가 결국 우리에게 돌아오는 것이라고 생각한다.

3 다음 문장에서 밑줄 그은 부분을 바르게 고쳐 쓴 뒤 그렇게 고쳐 쓴 까닭을 쓰시오.

평소 은주는 바른 말을 쓰고 친구들을 잘 이해하는 친구였기 때문에 나는 결코 그것이 은주가 한 행동이라고 생각했다.

(1) 고쳐쓰기	
(2) 고쳐 쓴 까닭	

4 다음 보기 의 글머리를 쓴 방법과 같은 방법으로 글머리를 쓰시오.

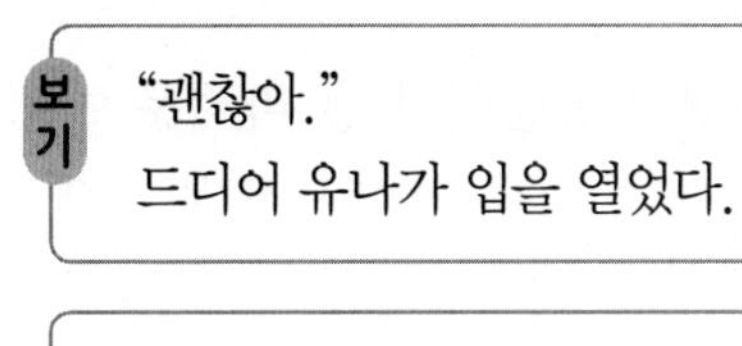

보기
"괜찮아."
드디어 유나가 입을 열었다.

5 직접 종이에 글을 쓰고 의견을 나누는 방법 대신 다음과 같은 방법으로 의견을 나누면 무엇이 좋은지 두 가지를 쓰시오.

매체를 활용해 글을 쓰고 의견을 나누는 방법

•

•

6 다음 글 모음집과 같이 손으로 직접 쓰거나 컴퓨터로 편집하는 것 외에 어떤 방법으로 글 모음집을 만들 수 있는지 떠올려 쓰시오.

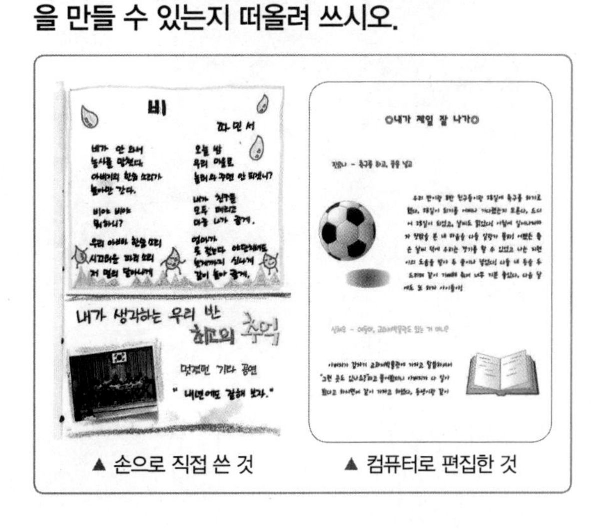

▲ 손으로 직접 쓴 것 ▲ 컴퓨터로 편집한 것

4 단원

교과서 문장으로 확인하는 핵심 낱말

● 다음 교과서 문장의 파란색 낱말 중에서 알맞은 것을 골라 인물들이 한 말을 완성하시오.

- 아버지의 호령에 용준이가 똥 마려운 아이처럼 쭈뼛쭈뼛 다가왔다.
- 그 숙제를 해내는 일은 여간 어려운 일이 아니다.
- 내가 이번 대회에 참가하면서 느낀 점은 어떤 일에 도전하고 그 목표를 성취하고자 노력하는 순간들도 소중하다는 것이다.
- 활용할 매체는 어떤 조건을 갖추어야 하나요?

정답 | ❶ 쭈뼛쭈뼛 ❷ 성취 ❸ 조건 ❹ 여간

함께 연극을 즐겨요

이 단원은 자신의 생각이나 느낌을 다른 사람과 나누고 목소리, 표정, 몸짓으로 표현하는 활동을 배우는 단원입니다.
연극 단원은 한 학기 동안 언제든지 공부할 수 있습니다. 학교 수업 순서에 맞추어 활용하세요.

연극 활동

[연극 준비]	[연극 연습]	[연극 실연]
• 연극의 특성 살펴보기	• 마음이나 생각을 몸짓으로 표현하기 • 자신이 되고 싶은 인물을 떠올리며 즉흥 표현 하기	• 이야기의 장면을 표현하며 재미 느끼기

연극의 특성 살펴보기

정답과 해설 ● 16쪽

✚ 연극의 특성을 살펴보며 「돌 장승 재판」 보기 [1~3]

연극 「돌 장승 재판」의 내용: 비단 장수가 돌 장승 아래에서 잠든 사이 비단을 모두 도둑맞고 비단 도둑을 잡아 달라고 원님을 찾아갑니다. 원님은 돌 장승이 범인이라고 생각하여 돌 장승 재판을 엽니다. 마을 사람들이 그 재판을 보며 웃자, 마을 사람들에게 비단을 한 필씩 가져오게 합니다. 마을 사람이 가져온 비단 중에 비단 장수가 도둑맞은 비단이 있는지 확인하여 비단 도둑을 잡는다는 이야기입니다.

등장인물	비단 장수, 원님, 포졸들, 비단 도둑, 마을 사람들
비단 장수에게 일어난 일	비단 장수가 잠시 잠든 사이에 비단이 모두 사라졌습니다.
▢ 안의 등장인물이 원님이라는 것을 알 수 있는 방법	옷차림을 보고 대사를 듣고 알 수 있습니다.

✚ 「돌 장승 재판」의 한 장면 표현하기 [4]

표현하고 싶은 장면	예 비단 장수가 원님에게 비단을 도둑맞았다고 말하는 장면
등장인물	예 비단 장수, 원님, 포졸들
그 장면에 등장하는 인물이 표현한 말과 행동	말: 예 제가 잠깐 잠이 든 사이 비단이 모두 사라졌어요. 행동: 예 손으로 자는 흉내를 낸다.

✚ 연극의 특성 알아보기 [5]

연극에는 이야기를 이끌어 가는 배우가 있어요.

공연을 하려면 인물의 말과 행동이 나와 있는 극본이 필요해요.

연극을 보는 관객이 있어요.

연극 공연은 배우와 관객이 함께 만들어 가는 시간입니다. 배우는 극본을 표현하고 관객은 그에 반응하면서 우리가 사는 세상을 이해하고 함께 문제를 고민합니다.

1 비단 장수에게 무슨 일이 일어났습니까?

- 비단 장수가 잠시 잠든 사이에 (　　　　　) 이/가 모두 사라졌습니다.

2 「돌 장승 재판」에 등장하는 역할은 누구누구입니까?

- 비단 장수, (　　　　　), 포졸들, 비단 도둑, 마을 사람들

3 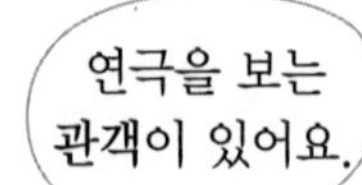가 원님이라는 것을 어떻게 알 수 있는지 모두 ○표를 하시오.

(1) 대사를 듣고 알 수 있다. (　)

(2) 얼굴을 보고 알 수 있다. (　)

(3) 옷차림을 보고 알 수 있다. (　)

4 다음 장면에서 등장하는 인물은 누구인지 모두 쓰시오.

> 비단 장수가 원님에게 비단을 도둑맞았다고 말하는 장면

(　　　　　　　　　　)

5 연극을 하려면 배우와 관객이 있어야 하며 ▢▢이/가 필요합니다.

1 감정이나 생각을 몸짓으로 표현하기

정답과 해설 ● 16쪽

✚ 다양한 감정을 느꼈던 때를 친구들과 함께 이야기하기 [1~2]

① 어제 있었던 일을 떠올려 보고 자신의 감정을 말합니다.
② 종이를 이용해 그때의 감정을 표현합니다.

✚ 자신의 감정을 잘 드러낼 수 있는 색을 고르고 문장 만들기 [3]

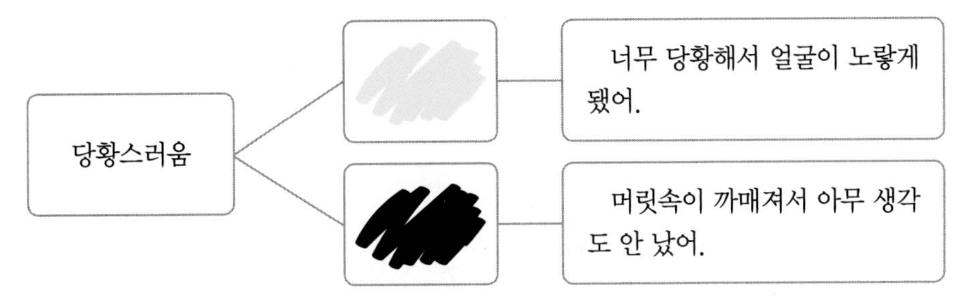

✚ 주변의 물건을 이용해 감정 표현하기 [4]

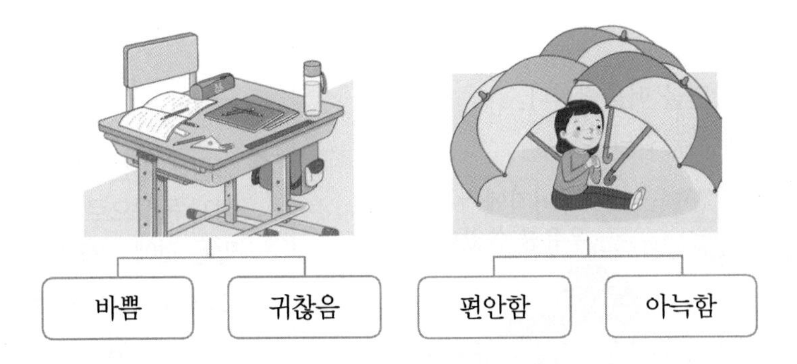

✚ 그림 ㉮와 그림 ㉯의 상황을 말과 몸짓으로 표현하기 [5]

감정	무서움 / 깜짝 놀람
말과 몸짓	말: 예 으악! 몸짓: 예 두 눈을 감고 고개를 숙인다.

감정	즐거움
말과 몸짓	말: 예 와! 너무 예쁘다. 몸짓: 예 손가락으로 꽃을 가리킨다.

1 그림에서 남자아이는 어떤 감정을 표현했습니까?

( )

2 그림에서 여자아이는 종이를 구겨서 자신의 감정을 표현했습니다.

(○, ×)

3 다음 문장은 어떤 감정을 표현한 문장인지 쓰시오.

> 머릿속이 까매져서 아무 생각도 안 났어.

( )

4 두 그림 중 '바쁨, 귀찮음'을 표현하고 있는 그림에 ○표를 하시오.

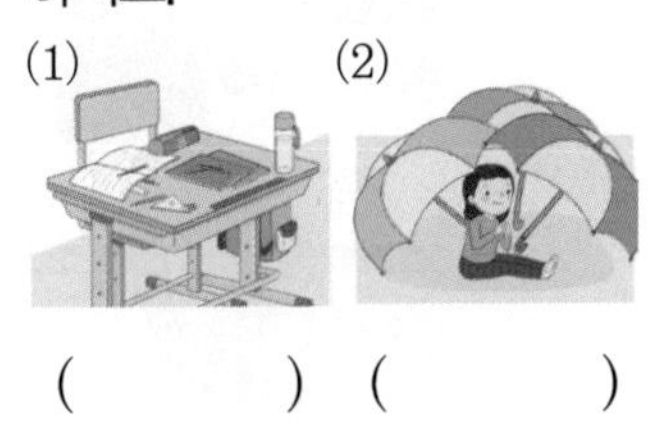

( ) ( )

5 그림 ㉮와 그림 ㉯의 인물이 느낀 감정은 각각 무엇인지 보기 에서 찾아 쓰시오.

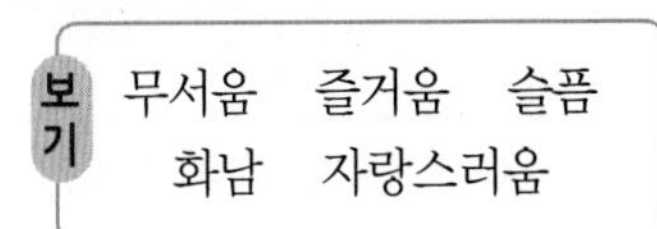

보기
무서움 즐거움 슬픔
화남 자랑스러움

(1) 그림 ㉮: ( )
(2) 그림 ㉯: ( )

2 자신이 되고 싶은 인물을 떠올리며 즉흥 표현 하기

정답과 해설 ● 16쪽

✚ 막대기를 활용해 즉흥 표현 하기 [1]

즉흥 표현은 생각이나 느낌을 자유롭게 떠오르는 대로 말이나 행동, 표정으로 나타내는 활동을 말해요.

➡ 오른쪽 여자아이처럼 신문이나 종이를 활용해 막대기를 만들어 허리가 굽은 할머니가 지팡이를 짚고 가는 것 등을 표현할 수 있습니다.

✚ 자신이 되고 싶은 인물을 떠올리며 즉흥 표현 하기 [2]

인물	성격	모습	좋아하는 것
예 시간 여행자	예 활발하고 호기심이 많다.	예 큰 배낭을 메고, 휴대용 컴퓨터를 손에 들고 있다.	예 새로운 곳을 탐험하는 것을 좋아한다.

✚ 학교에서 겪은 일을 표현하기 [3~4]

① 학교에서 겪은 일 가운데에서 기억에 남는 장면을 떠올립니다.
② 정지 동작으로 표현한 장면을 말과 몸짓으로 표현합니다.

정지 동작으로 표현한 장면	예 친구들과 함께 교실에서 청소를 한 일
말과 몸짓	말: 예 깨끗이 쓸자. 몸짓: 예 빗자루로 바닥을 쓰는 듯한 몸짓을 합니다.

1 □□ 표현은 생각이나 느낌을 자유롭게 떠오르는 대로 말이나 행동, 표정으로 나타내는 활동을 말합니다.

2 즉흥 표현을 하려고 할 때 어떤 인물을 표현하고 싶은지 쓰시오.

(　　　　　　　　)

3 그림에서 친구들은 어떤 일을 정지 동작으로 표현했는지 알맞은 것에 ○표를 하시오.

(1) 학교에서 현장 체험학습을 간 일 (　　)
(2) 친구들과 함께 교실에서 청소를 한 일 (　　)

4 ㉠은 빗자루로 교실 바닥을 쓰는 장면을 말과 □□(으)로 표현했습니다.

이야기의 장면을 표현하며 재미 느끼기

정답과 해설 ● 16쪽

✚ 이야기에서 인상 깊은 장면 정하기 [1~2]

① 기억에 남는 이야기 가운데에서 하나를 골라 인상 깊은 장면을 말합니다.

② 연극으로 표현하고 싶은 장면을 그립니다.

- 이야기 전체보다 사건 하나만 표현하는 편이 좋습니다.
- 『흥부 놀부』에서 제비 다리를 고쳐 주는 장면처럼 짧으면서도 사건이 있는 부분을 고릅니다.

✚ 이야기의 장면을 연극으로 표현하는 방법 알아보기 [3~4]

① 등장인물의 감정은 어떠한지 생각합니다.

이 이야기 속 인물은 엄마가 안 계셔서 슬퍼하는 듯해. 하지만 마냥 슬퍼하지 않고 슬픔을 이겨 내려는 감정이 느껴져.

② 인물의 감정을 잘 나타내려면 어떤 표정과 몸짓을 해야 할지 생각합니다.

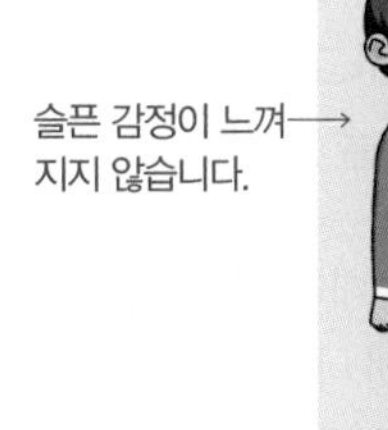

③ 다음 인물들의 감정을 잘 나타내려면 어떻게 말할지 생각합니다.
→ 인물에게 알맞은 목소리 크기나 높낮이를 찾아봅니다.

목소리의 크기나 높낮이	목소리의 느낌
예 형님이나 아우를 부를 때는 큰 소리로 말한다.	예 감격한 목소리

1 기억에 남는 이야기 가운데 연극으로 표현하고 싶은 장면을 떠올려 쓰시오.

(　　　　　　　　　　)

2 연극으로 표현하고 싶은 장면을 그릴 때 이야기 전체보다 사건 하나만 표현하는 편이 좋습니다.

(　　○, ×　　)

3 이야기의 장면을 연극으로 표현할 때에 인물의 감정을 잘 나타내려면 □□□의 크기나 높낮이를 생각해서 말해야 합니다.

4 다음 인물의 말을 인물의 감정이 잘 나타나도록 알맞게 말한 것에 ○표를 하시오.

> 형: 아우야! 네가 우리 낟가리에 볏단을 옮겨 놓았구나!
> 아우: 형님! 형님도 저희 낟가리에 볏단을 옮겨 놓으셨군요.

(1) 감격한 목소리로 말한다. (　　)

(2) 형님이나 아우를 부를 때는 작은 목소리로 말한다. (　　)

✚ 이야기 속 장면을 연습하고 표현하기 [5~7]

① 이야기 속 장면을 잘 나타낼 수 있는 소품을 준비합니다.
연극이나 영화 따위에서 무대 장치나 분장에 쓰는 작은 도구

비가 오는 장면을 표현할 때 우산이 필요할 것 같아.

비가 오는 장면을 표현할 때 북을 이용하면 좋겠어. 북을 작게 치면 빗방울이 내리는 소리 같을 거야.

② 이야기에 등장하는 인물에게 알맞은 말과 행동을 생각해 표현합니다.
실제로 말하는 것처럼 자연스럽게 말하는 것이 중요합니다.

③ 이야기의 장면을 상상하며 실감 나게 연습합니다.

내가 일어나서 이동하면 의자를 갖다 놔 줘.
내가 "어어." 하고 말하며 넘어지려는 순간에 잡아 줘.
네가 등장할 때 북을 쳐 줄게.
북을 점점 작게 쳐 줘.

④ 친구들 앞에서 이야기의 장면을 실감 나게 표현합니다.

✚ 인상 깊은 장면을 연극으로 표현하면서 느낀 점을 친구들과 이야기하기 [8]

내가 평소와 다르게 말하니까 '나에게 이런 모습이 있었구나.' 하고 생각했어.

내 경험을 떠올리며 표현하니까 그때 내가 어떤 감정이었는지 다시 생각해 보게 됐어.

친구들과 함께 연극을 하면서 더 가까워진 것 같아.

5 연극이나 영화 따위에서 무대 장치나 분장에 쓰는 작은 도구를 무엇이라고 합니까?

( )

6 비가 오는 장면을 표현할 때 필요한 것은 무엇이겠습니까?

( )

7 이야기 속 장면을 연극으로 표현할 때에 인물의 말은 실제로 말하듯이 자연스럽게 말해야 합니다.

(○, ×)

8 다음 친구들은 무엇에 대해서 이야기하고 있는지 빈칸에 알맞은 말을 쓰시오.

> 민수: 내가 평소와 다르게 말하니까 '나에게 이런 모습이 있었구나.' 하고 생각했어.
> 소영: 내 경험을 떠올리며 표현하니까 그때 내가 어떤 감정이었는지 다시 생각해 보게 됐어.
> 현승: 친구들과 함께 연극을 하면서 더 가까워진 것 같아.

• 인상 깊은 장면을 ( )(으)로 표현하면서 느낀 점

연극 정리

연극 활동 돌아보기

연극의 특성을 이해했나요?

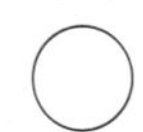 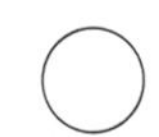 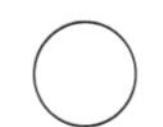

감정이나 생각을 몸짓으로 표현했나요?

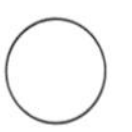 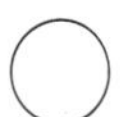 

친구들과 사이좋게 협동하며 실감 나게 표현했나요?

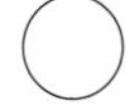  

일상생활을 되돌아보고 자신과 친구들을
새롭게 이해했나요?

 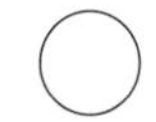

매우 잘함: ●●●, 잘함: ●●, 보통임: ●

단원 평가

1 연극의 특성을 생각하며 다음 빈칸에 들어갈 말을 **보기** 에서 찾아 쓰시오.

보기	극본	배우	관객	무대

(1) 연극에는 이야기를 이끌어 가는 (　　　　) 이/가 있습니다.

(2) 공연을 하려면 인물의 말과 행동이 나와 있는 (　　　　)이/가 필요합니다.

(3) 연극을 보는 (　　　　)이/가 있습니다.

2 다음은 종이를 이용해 자신이 느꼈던 감정을 표현한 것입니다. 남자아이가 어떤 경험을 떠올려 말했을지 알맞은 것에 ○표를 하시오.

(1) 나는 어제 오랜만에 할머니를 뵈어서 정말 기뻤어. (　　)

(2) 나는 어제 계단에서 미끄러져서 하마터면 크게 다칠 뻔했어. 이것은 그때의 내 감정을 표현한 거야. (　　)

서술형

3 다음 감정을 잘 드러낼 수 있는 색깔을 쓰고, 그 색깔을 넣어 문장을 만들어 쓰시오.

당황스러움

(1) 색깔	
(2) 문장	

4 다음은 주변의 물건을 이용해 자신의 감정을 표현한 것입니다. 그림을 보고 느낄 수 있는 감정을 두 가지 고르시오. (　　,　　)

① 바쁨
② 궁금함
③ 편안함
④ 아늑함
⑤ 귀찮음

5 그림 ㉮, ㉯의 인물 중 기쁘고 즐거운 감정을 표현한 인물은 누구인지 그림의 기호를 쓰시오.

㉮

㉯

그림 (　　　　　　)

점수 / 점

6 다음에서 설명하는 것은 무엇입니까? ( )

생각이나 느낌을 자유롭게 떠오르는 대로 말이나 행동, 표정으로 나타내는 활동을 말합니다.

① 즉흥 표현
② 공손한 표현
③ 감각적 표현
④ 비유적 표현
⑤ 언어적 표현

7 다음 친구는 어느 장면을 말과 몸짓으로 표현했는지 기호를 쓰시오.

여기에 누가
우유를 쏟았나 봐.

㉠ 유리창을 닦는 장면
㉡ 걸레로 바닥을 닦는 장면
㉢ 빗자루로 바닥을 쓰는 장면

( )

8 다음 인물들의 말을 실감 나게 말하는 방법을 두 가지 고르시오. (,)

아우야!
네가 우리 낟가리에
볏단을 옮겨 놓았구나!
형님! 형님도
저희 낟가리에 볏단을
옮겨 놓으셨군요!

① 감격한 목소리로 말한다.
② 크게 소리를 지르며 신나는 목소리로 말한다.
③ 형님이나 아우를 부를 때는 큰 소리로 말한다.
④ 처음부터 끝까지 목소리 크기를 똑같이 말한다.
⑤ 옆 사람에게만 들리도록 조그만 목소리로 말한다.

논술형

9 이야기 속 장면 중 비가 오는 장면을 표현할 때 비가 오는 장면을 잘 나타낼 수 있는 소품과 활용 방법을 쓰시오.

(1) 소품	(2) 활용 방법

10 다음 그림에서 친구들은 무엇에 대해 이야기하였습니까? ( )

내가 평소와 다르게
말하니까 '나에게
이런 모습이 있었구나.'
하고 생각했어.
내 경험을 떠올리며
표현하니까 그때 내가
어떤 감정이었는지 다시
생각해 보게 됐어.

① 인물의 감정
② 학교에서 겪은 일
③ 연극을 보면서 느낀 점
④ 이야기의 장면을 상상할 때에 좋은 점
⑤ 인상 깊은 장면을 연극으로 표현하면서 느낀 점

교과서 문장으로 확인하는 핵심 낱말

● 다음 교과서 문장의 파란색 낱말 중에서 알맞은 것을 골라 인물들이 한 말을 완성하시오.

- **등장인물**이 표현한 말과 행동을 따라 해 보세요.
- 나는 어제 계단에서 미끄러져서 **하마터면** 크게 다칠 뻔했어.
- 막대기를 **활용**해 즉흥 표현을 해 봅시다.
- 연극이나 영화 따위에서 무대 장치나 **분장**에 쓰는 작은 도구 따위를 소품이라고 해요.

정답 | ❶ 하마터면 ❷ 등장인물 ❸ 분장 ❹ 활용

역량 자신 알아보기

5 여러 가지 매체 자료

무엇을 배울까요?

준비
- 여러 가지 매체 자료 알기

기본
- 매체 자료의 특성을 생각하며 알맞은 방법으로 읽기
- 알맞은 방법으로 매체 자료를 읽고 주요 내용 정리하기
- 매체 자료의 특성을 생각하며 이야기를 읽고 현실 세계와 비교하기

실천
- 알리고 싶은 인물 소개하기

5 여러 가지 매체 자료

→내용을 전달하는 수단이 되는 것을 매체라고 합니다.
매체가 달라지면 내용을 전달하는 표현 방법도 달라집니다.

1 여러 가지 매체 자료가 정보를 전달하는 방법과 각 매체 자료를 읽는 방법

매체	예	정보 전달 방법	읽는 방법
인쇄 매체 자료	신문, 잡지	글, 그림, 사진	글, 그림, 사진으로 나타낸 시각 정보를 잘 살펴봅니다.
영상 매체 자료	영화, 연속극	소리, 자막 따위의 여러 가지 연출 방법	화면 구성을 잘 살피고 소리에 담긴 정보도 탐색합니다.
인터넷 매체 자료	휴대 전화 문자 메시지, 누리 소통망[SNS]	인쇄 매체 자료와 영상 매체 자료에서 사용하는 방식을 모두 사용함.	글과 그림과 사진이 주는 시각 정보를 잘 살펴볼 뿐만 아니라 화면 구성과 소리에 담긴 정보도 탐색합니다.

→영화는 소리나 화면을 다양하게 이용해 표현하지만,
휴대 전화 문자 메시지는 문자, 그림말, 사진, 동영상 따위를 모두 활용해 생각을 표현합니다.

2 인쇄 매체 자료와 영상 매체 자료를 대하는 자세

인쇄 매체 자료를 읽을 때	영상 매체 자료를 볼 때
인쇄 매체 자료는 글로 표현한 내용을 머릿속으로 떠올리면서 내용을 꼼꼼히 확인하며 읽습니다.	영상 매체 자료는 장면 표현, 효과음과 같은 여러 가지 표현 방법을 활용하므로 이러한 표현 방법에 주의를 기울이며 감상합니다.

3 인터넷 매체를 바르게 이용하는 방법

① 적절한 정보를 어디에서 어떻게 찾을지를 정확히 아는 자세가 필요합니다.
② 정보가 옳고 그른지 판단할 수 있어야 합니다.
③ 다른 사람에게 예의를 갖추는 것이 반드시 필요합니다.

4 대화할 때 지켜야 하는 예절

① 다른 사람의 말이 끝나기 전에 끼어들면 안 됩니다.
② 이야깃거리와 관련 있는 내용을 말해야 합니다.
③ 친구의 말을 무시하거나 친구의 말에 기분 나쁘게 대꾸하면 안 됩니다.
④ 혼자 너무 길게 말하지 않아야 합니다.

핵심 개념 문제

정답과 해설 ● 17쪽

1 '신문, 잡지'는 글과 함께 그림이나 사진을 활용하는 ☐☐ 매체 자료입니다.

2 정보를 전달할 때 인쇄 매체 자료와 영상 매체 자료에서 사용하는 방식을 모두 사용하는 매체 자료를 쓰시오.

(　　　　　　)

3 영상 매체 자료에서 활용하는 여러 가지 표현 방법에는 장면 표현, 효과음 등이 있습니다.

(○, ×)

4 인터넷 매체를 이용할 때에는 적절한 ☐☐을/를 어디에서 어떻게 찾을지 정확히 아는 자세가 필요합니다.

5 다른 사람과 대화할 때에는 이야깃거리와 관련 있는 내용을 말하되 시간을 길게 끌며 말하는 것이 좋습니다.

(○, ×)

준비 여러 가지 매체 자료 알기

○ 매체 자료 ㉮~㉰의 내용을 잘 이해하려면 어떻게 읽어야 할지 알아보기

㉮

어린이 신문 20○○년 ○○월 ○○일

걸어서 만나는 세계적인 생태 천국, 창녕 우포늪

여름철 우포늪은 온갖 생명의 움직임으로 분주하다(이리저리 바쁘고 수선스럽다). 개구리밥, 마름, 생이가래 같은 수생 식물이 세력을 넓히고, 새하얀 백로가 얕은 물가를 느긋하게 거닐며 먹이 활동을 한다. 가시연꽃이 보랏빛 꽃을 피워 여름의 절정(사물의 진행이나 발전이 최고의 경지에 달한 상태)을 알릴 날도 머지않았다.

㉯

아름다운 몸짓으로 피겨 스케이팅의 새 역사를 열어

㉰

핵심

● **매체 자료별 정보 전달 방법**

매체	정보 전달 방법
㉮ 인쇄 매체 자료	글, 그림, 사진을 사용한다.
㉯ 영상 매체 자료	소리, 자막 따위의 여러 가지 연출 방법을 사용한다.
㉰ 인터넷 매체 자료	인쇄 매체 자료와 영상 매체에서 사용하는 방식을 모두 사용한다.

1 ㉮~㉰는 각각 어떤 매체 자료에 해당하는지 바르게 선으로 이으시오.

(1) ㉮ • • ① 영상 매체 자료

(2) ㉯ • • ② 인쇄 매체 자료

(3) ㉰ • • ③ 인터넷 매체 자료

핵심

2 ㉮~㉰의 내용을 잘 이해하려면 어떤 부분을 집중해 읽어야 하는지 빈칸에 알맞은 말을 쓰시오.

교과서 문제

㉮	(1) (　　　　)과/와 글을 모두 살펴보며 읽는다.
㉯	(2) (　　　　)과/와 어우러지는 음악이나 연출 기법의 의미를 생각하며 읽는다.
㉰	사진과 (3) (　　　　), 문자를 함께 보며 읽는다.

3 ㉮를 만든 사람이 우포늪 사진을 글과 함께 제시한 까닭에 대해 바르게 짐작한 친구를 모두 쓰시오.

솔아: 우포늪을 더 구체적으로 설명하기 위해 썼을 거야.
희수: 사진이 없으면 사람들이 글 내용을 전혀 이해할 수 없기 때문이야.
지완: 사진이 있으면 보는 사람들의 관심을 더 잘 이끌어 낼 수 있기 때문이야.

(　　　　　　　　)

4 ㉮~㉰와 성격이 비슷한 매체 자료를 보기에서 골라 기호를 쓰시오.

교과서 문제

보기: ㉠ 영화 ㉡ 잡지 ㉢ 누리 소통망[SNS]

(1) ㉮: (　　) (2) ㉯: (　　) (3) ㉰: (　　)

매체 자료의 특성을 생각하며 알맞은 방법으로 읽기

- 인물이 처한 상황이나 사건을 파악하며 영상 매체 자료 보기

㉮

주인공은 의과 시험을 보러 한양으로 가는 길에 우연히 한 마을에 들러 환자를 진료했습니다. 다시 한양으로 가려고 하는데, 어느새 주인공의 소문을 듣고 수많은 환자들이 찾아왔습니다. 시험을 보려면 당장 떠나야 했지만, 주인공은 몰려드는 환자들의 딱한 사정을 외면할 수가 없어서 마을에 좀 더 머무르며 진료를 보기로 했습니다. 마을 사람들은 밤을 새워 환자들을 치료한 주인공의 은혜에 고마워했습니다.

인물이 처한 상황	장면
㉠주인공이 밤새도록 환자를 치료한다.	❶
㉡여기서 무너지면 안 된다고 다짐한다.	❷ 정신을 차려야 한다. 여기서 무너지면 안 돼!
㉢무엇인가 이상한 낌새를 느낀다.	❸

● 영상 매체 자료의 장면 표현 방법 ① 예

장면	표현 방법
❶	치료 장면을 연달아 보여 준다.
❷	인물의 속마음을 그대로 들려준다.
❸	인물이 주위를 두리번거리는 모습을 가까이 보여 준다.

핵심

1 [교과서 문제] **㉮에서 주인공이 처한 상황으로 알맞은 것은 무엇입니까?** (   )

① 환자를 진료하다가 실수를 했다.
② 마을 사람들을 피해 한양으로 도망갔다.
③ 큰 시험을 앞두고 다쳐서 의원을 불렀다.
④ 마을 사람들에게 병을 잘 고치는 의원을 소개했다.
⑤ 시험일이 촉박한데 자신에게 병을 치료 받기를 바라는 마을 사람이 많았다.

서술형

2 [교과서 문제] **㉮에서 마을 사람들이 주인공에게 고마워한 까닭을 쓰시오.**

____

____

핵심

3 [교과서 문제] **㉠~㉢의 상황을 표현하기 위해 사용한 방법을 찾아 바르게 선으로 이으시오.**

(1) ㉠ •　　• ① 속마음을 그대로 들려준다.

(2) ㉡ •　　• ② 치료 장면을 연달아 보여 준다.

(3) ㉢ •　　• ③ 인물이 주위를 두리번거리는 모습을 가까이 보여 준다.

4 **주인공이 마을 사람들을 치료하는 장면(❶)에서 비장한 느낌의 음악이 나오면 어떤 효과가 있을지 알맞은 말에 ○표를 하시오.**

- 자신을 희생하고 다른 사람을 위하는 주인공의 (태도 , 차림새)가 강조된다.

○ 다음 장면에서 사건을 어떻게 표현했는지 알아보기

㉯

의과 시험을 앞둔 인물이 내의원을 긴밀히 만나 자신이 시험에 합격할 수 있게 도와달라는 의미로 뇌물을 건넸습니다.

장면	표현 방법
❶	사건을 일으키는 인물을 카메라가 가까이 다가가 보여 준다.
❷	인물이 놀라는 모습에 맞추어 긴장감이 느껴지는 음악을 들려준다.

5 단원

● 영상 매체 자료의 장면 표현 방법 ② 예 핵심

장면	표현 방법
❶	사건을 일으키는 인물이라는 것을 나타내기 위해 뇌물을 주는 인물 쪽으로 카메라가 가까이 다가간다.
❷	뇌물을 주고받는 일이 옳지 못하다는 것을 나타내기 위해 긴장감이 느껴지는 배경 음악을 사용한다.

5 ㉠의 인물이 다른 사람에게 뇌물을 건네서 얻으려고 한 것을 쓰시오.

(　　　　　　　　　　　　　　　　　　　)

핵심

6 다음은 뇌물을 주는 인물 쪽으로 카메라가 가까이 다가가 보여 준 장면입니다. 장면을 이와 같이 표현한 까닭은 무엇일지 빈칸에 알맞은 말을 쓰시오.

• (　　　　　　　　　)을/를 일으키는 인물이라는 것을 나타내기 위해서이다.

7 뇌물을 보고 인물이 놀라는 장면(❷)에 어울리는 배경 음악으로 알맞은 것은 무엇입니까? (　　　)

① 슬픔이 느껴지는 음악
② 발랄함이 느껴지는 음악
③ 긴장감이 느껴지는 음악
④ 가벼움이 느껴지는 음악
⑤ 산뜻함이 느껴지는 음악

8 영상 매체 자료를 읽을 때 매체 자료에 사용된 장면 표현 및 효과음을 주의 깊게 살펴보며 읽으면 좋은 점을 쓰시오.

(　　　　　　　　　　　　　　　　　　　)

기본 2 알맞은 방법으로 매체 자료를 읽고 주요 내용 정리하기

● 영상 매체 자료를 보고 주요 내용을 정리한 글 읽기

김득신과 관련한 영상 매체 자료의 주요 내용

김득신은 정삼품 부제학을 지낸 김치의 아들로 태어났다. 김득신은 열 살에 겨우 글을 배우기 시작했다. 주변에서는 김득신의 아버지에게 우둔한 김득신을 포기하라고 했다. 하지만 김득신의 아버지는 공부를 포기하지 않는 김득신을 대견스럽게 여겼다.

보기에 흐뭇하고 자랑스러운 데가 있게

김득신은 스무 살에 처음 스스로 작문을 했다. 김득신의 아버지는 공부란 꼭 과거를 보기 위한 것만이 아니니 더욱 노력하라고 김득신을 격려했다. 김득신은 같은 책을 반복해서 여러 번 읽으며 공부했다. 그러나 하인도 외우는 내용을 기억하지 못하는 등 한계를 드러냈다.

김득신은 자신의 한계를 극복하기 위해 만 번 이상 읽은 책에 대한 기록을 남겼다.

김득신은 59세에 문과에 급제해 성균관에 입학했다. 김득신은 많은 책과 시를 읽었으면서도 그것을 따라하지 않고 자신만의 시어로 시를 썼다. 그래서 많은 사람들이 김득신의 시를 높이 평가했다.

● 영상 매체 자료의 음악이 주는 효과 예 핵심

장면	음악을 들은 느낌	음악이 주는 효과
❶ (태몽에 나온 '노자(老子)'의 정령을 받은 아이)	잔잔하고 차분한 느낌 / 아련한 느낌	이야기의 시작을 알림. / 묵묵히 노력하는 인물의 모습이 더욱 강조됨.
❷	경쾌한 느낌 / 춤을 추고 싶은 생각이 들게 함.	읽은 내용을 자꾸 잊어버리는 우스꽝스러우면서도 안타까운 김득신의 모습이 강조됨.
❸	고요하고 평화로운 느낌	꾸준히 노력해서 자신의 한계를 극복한 김득신의 삶을 돌아보는 느낌을 줌.

핵심

1 이 영상 매체 자료에서 음악을 사용하여 다음과 같은 효과를 내려고 합니다. 장면 ❶~❸에 어떤 느낌의 음악이 어울리는지 보기 에서 골라 기호를 쓰시오.

교과서 문제

보기
㉠ 경쾌한 느낌
㉡ 잔잔하고 차분한 느낌

장면	음악을 들은 느낌	음악이 주는 효과
❶	(1)	이야기의 시작을 알림. / 묵묵히 노력하는 인물의 모습이 더욱 강조됨.
❷	(2)	읽은 내용을 자꾸 잊어버리는 우스꽝스러우면서도 안타까운 김득신의 모습이 강조됨.
❸	고요하고 평화로운 느낌	꾸준히 노력해서 자신의 한계를 극복한 김득신의 삶을 돌아보는 느낌을 줌.

논술형

2 이 자료를 읽고 김득신에게서 본받을 점을 생각하여 쓰시오.

3 김득신처럼 독특한 방법으로 공부한 정약용을 매체를 이용해 찾아보았습니다. 각 매체에서 찾은 자료를 읽는 방법을 바르게 선으로 이으시오.

(1) 정약용을 소개한 책 • • ① 화면 구성과 소리에 담긴 정보를 탐색한다.

(2) 정약용에 대한 기록 영화 • • ② 글, 그림, 사진 등으로 나타낸 시각 정보를 잘 살펴본다.

역량 제재

기본 3 매체 자료의 특성을 생각하며 이야기를 읽고 현실 세계와 비교하기

○ 사건의 원인이 무엇인지 생각하며 글 읽기

마녀사냥

• 글: 이규희 • 그림: 한수진

• **글의 종류:** 이야기
• **글의 특징:** 인터넷 카페에서 부정확한 내용을 근거로 '마녀사냥'을 하듯이 친구를 공격하는 현상을 다룬 글입니다.

❶ 앞부분 이야기

전학 온 서영이는 성격이 좋아 금세 친구들과 잘 어울렸다. 그런 서영이가 부러운 미라는 핑공 카페에 '흑설 공주'라는 계정으로 서영이와 관련한 거짓 글을 올린다. 아이들은 서영이가 거짓으로 부모님 이야기를 한다는 '흑설 공주'의 글을 읽고 수군대기 시작한다.

한편, 미라와 친해지고 싶었던 민주는 '흑설 공주'인 미라가 거짓말을 하고 있다는 것을 알았지만 서영이에게 그 사실을 알리지 못하고 망설인다.

중심 내용 전학 온 서영이가 부러운 미라는 핑공 카페에 서영이와 관련한 거짓 글을 올리고, 민주는 이 모든 것을 알면서도 서영이에게 사실을 알리지 못했다.

❷ 민주는 날마다 핑공 카페를 들여다보았다. 혹시 서영이가 무슨 반박(어떤 의견, 주장, 논설 따위에 반대하여 말함.) 글을 올리지 않을까 해서였다. 그러던 어느 날 민주는 눈이 휘둥그레졌다. 마침내 서영이가 자기 입장을 밝히는 글을 올린 것이다.

"서영이가 이제 모든 걸 다 알았구나. 어떻게 알았지? 누가 핑공에 들어가 보라고 일러 주었나?"

민주는 떨리는 마음으로 서영이가 올린 글을 읽어 보았다. 흑설 공주에 대한 분노(분개하여 몹시 성을 냄. 또는 그렇게 내는 성), 엄마 아빠에 대한 자부심과 사랑과 함께 흑설 공주의 글이 모두 사실이 아니라는 걸 당당하게 밝혀 놓은 글이었다.

'역시 민서영이구나.'

민주는 자기 생각을 당당하게 밝힐 줄 아는 서영이의 용기가 몹시 부러웠다. 하지만 핑공 카페에 들어와 서영이가 올린 글을 읽은 아이들은 저마다 자기 의견을 달아 놓았다. 그중에는 서영이를 두둔하는(편들어 감싸 주거나 역성을 들어 주는) 선플도 있었지만, 흑설 공주를 비방하는(남을 비웃고 헐뜯어서 말하는) 악플과 함께 여전히 흑설 공주 편을 드는 아이들도 있었다.

수군대기 남이 알아듣지 못하도록 낮은 목소리로 자꾸 가만가만 이야기하기.

자부심 자기 자신 또는 자기와 관련되어 있는 것에 대하여 스스로 그 가치나 능력을 믿고 당당히 여기는 마음.

1 앞부분 이야기에서 알 수 있는 내용으로 알맞지 않은 것은 무엇입니까? ( )

① 서영이는 전학을 왔다.
② 민주는 미라와 친해지고 싶었다.
③ 민주는 미라가 진실만을 말한다고 믿었다.
④ 민주는 흑설 공주가 미라라는 것을 숨겼다.
⑤ 미라는 핑공 카페에서 '흑설 공주'라는 계정으로 활동하고 있다.

핵심

2 이 이야기에서 어떤 사건이 일어났는지 빈칸에 알맞은 말을 쓰시오.

교과서 문제

• (1) (   )이/가 핑공 카페에 (2) (   )과/와 관련한 거짓 글을 올렸다.

서술형

3 2번 문제에서 답한 사건 다음에 일어난 일은 무엇인지 쓰시오.

____

____

4 서영이가 올린 글에 담긴 내용으로 알맞은 것을 모두 골라 기호를 쓰시오.

㉠ 부모님에 대한 자부심과 사랑
㉡ 흑설 공주의 글이 모두 거짓이라는 내용
㉢ 흑설 공주의 정체를 알고 있으니 조심하라는 내용

( )

사냥꾼: 도대체 누구 말이 진실인가?
(진실: 거짓이 없는 사실)

빨간 풍선: 민서영이 흑설 공주에게 일방적으로 당한 것 같다. 지금이라도 민서영이 자기 입장을 밝혀 주어 속 시원하다.

은하수: 내가 보기에 흑설 공주가 너무 심하다. 본인이 사실이 아니라는데 왜 그런 거짓 글을 실었을까?

거지 왕자: 어쩌면 우리가 모르는 두 사람만의 갈등이 있는 건 아닐까?

하이디: 흑설 공주의 글을 보면 민서영에 대해서 잘 알고 있는 듯하다. 그러니 어쩌면 흑설 공주의 글이 사실이 아닐까?

기쁜 나무: 아무리 흑설 공주의 글이 사실이라고 해도 인터넷에 남의 사생활을 퍼뜨리는 건 나쁜 짓이다.

삐삐: 그럼 흑설 공주와 민서영, 둘 중 한 사람은 우릴 속이고 있는 거네?
(속이고: 거짓이나 꾀에 넘어가게 하고)

허수아비: 맞다. 흑설 공주가 근거도 없이 얼토당토않은 글을 올리지는 않았을 것이다. 내가 보기에 민서영이 거짓말을 하고 있는 것 같다.

솔로몬: 이 사실을 밝힐 수 있는 명탐정은 누구인가?
(명탐정: 사건을 해결하는 능력이 뛰어나 이름이 널리 알려진 탐정)

중심 내용 민서영이 흑설 공주의 글에 대한 반박 글을 올리자 카페 가입자들이 저마다 자기 의견을 댓글로 썼다.

❸ 아이들의 댓글은 꼬리에 꼬리를 물고 이어졌다. 민주는 숨을 죽인 채 카페에 올라온 글들을 읽고 또 읽었다. 그리고 다음 날 민주는 또다시 자기 눈을 의심하였다. 흑설 공주가 서영이를 공격하는 또 하나의 글이 올라와 있었기 때문이었다. 민주는 덜덜 떨리는 마음으로 흑설 공주가 올린 글을 읽기 시작하였다.
(숨을 죽인 채: 숨소리가 들리지 않을 정도로 조용히 한 채)

민서영, 내가 쓴 글이 사실이 아니라면 그걸 반박할 증거를 내놓아라. 그럴 용기가 없다면 내가 쓴 모든 글이 사실임을 인정해야 할 것이다.

사생활(私 개인 사, 生 날 생, 活 살 활) 개인의 사사로운 일상생활.
얼토당토않은 전혀 합당하지 아니한.
증거 어떤 사실을 증명할 수 있는 근거.
예 그가 범인이라는 확실한 증거를 찾았습니다.

핵심

5 등장인물들이 이야기를 나누는 공간으로 알맞은 것에 ○표를 하시오.

(인터넷 카페 , 단체 대화방)

6 서영이의 글을 읽은 아이들의 반응으로 알맞지 않은 것은 무엇입니까? ( )

① '사냥꾼'은 누구 말이 진실인지 궁금해하고 있다.
② '빨간 풍선'은 서영이를 두둔하고 있다.
③ '은하수'는 흑설 공주와 서영이를 모두 비방하고 있다.
④ '기쁜 나무'는 흑설 공주의 행동이 옳지 않다고 생각하고 있다.
⑤ '허수아비'는 흑설 공주 편을 들고 있다.

7 아이들이 쓴 댓글에서 알 수 있는 사실로 알맞은 것에 ○표를 하시오.

(1) 흑설 공주는 이전에도 다른 사람과 갈등을 겪었었다. ( )
(2) 흑설 공주와 민서영 중 누구 말이 맞는지 아는 사람이 없다. ( )

8 이 이야기에서 흑설 공주가 서영이에게 요구한 것은 무엇입니까?

( )

민주는 어이가 없어서 저절로 욕이 튀어나올 지경이었다. 이걸 보고 놀랄 서영이를 생각하니 딱하기만(사정이나 처지가 애처롭고 가엾기만) 했다. 아무것도 아닌 일에 휘말려 마치 그물 속의 물고기처럼 허우적거리고 있는 서영이가 생각할수록 가여웠다. 하지만 ㉠이번에는 서영이도 반격을 늦추지 않았다. 지난번처럼 잠자코 있으면 아이들이 흑설 공주의 주장이 사실이라고 받아들일까 봐 두려운 듯 보였다. 민주는 이번에는 더욱더 숨을 죽인 채 ㉡서영이가 올린 글을 읽어 나갔다.

흑설 공주의 글이 사실이 아니라는 증거 두 가지

여러분, 저는 흑설 공주에게 모함을 받고 있는 민서영입니다. / 여러분 중에서도 흑설 공주의 글을 읽고 여전히 제가 거짓말쟁이라고 의심하는 분들이 있다는 걸 알고 매우 슬펐습니다. 만약 아직도 저에 대한 의심과 오해를 풀지 못한 분이 있다면 아래에 있는 사진을 참조해 주시기 바랍니다.

첫 번째는 우리 아빠가 아프리카 탄자니아 은좀베에서 의료 봉사를 하고 있는 병원의 모습을 찍은 사진입니다. 진찰실에서 청진기를 들고 아프리카 아이를 진찰하고 있는 분이 바로 우리 아빠입니다. 정말 자랑스러운 우리 아빠 말이지요.

두 번째는 디자이너인 우리 엄마가 지난봄에 연 패션쇼 모습을 찍은 사진입니다. 엄마가 디자인한 옷을 입은 모델들이 패션쇼를 하고 있는 모습이 보이지요?

이처럼 뚜렷한 증거를 올렸으니 여러분은 이제 제가 거짓말쟁이가 아니라는 걸 믿으시겠지요?

잠자코 아무 말 없이 가만히.
모함 나쁜 꾀로 남을 어려운 처지에 빠지게 함.
오해 그릇되게 해석하거나 뜻을 잘못 앎. 또는 그런 해석이나 이해.
예 많은 대화로 서로 간에 오해가 풀렸습니다.

9 민주는 서영이에게 어떤 마음을 느꼈습니까? ( )

① 가엾다. ② 우습다. ③ 고맙다.
④ 기특하다. ⑤ 고소하다.

10 서영이가 ㉠과 같이 행동한 까닭으로 알맞은 것의 번호를 쓰시오.

① 빨리 반박 글을 올리라고 민주가 알려 주어서
② 잠자코 있으면 아이들이 흑설 공주의 주장이 사실이라고 받아들일까 봐

( )

11 ㉡에 담긴 내용으로 알맞지 않은 것은 무엇입니까? ( )

① 부모님에 대한 자부심을 드러냈다.
② 의심을 받아 슬프다는 감정을 드러냈다.
③ 부모님이 어떻게 살아오셨는지 자세히 밝혔다.
④ 흑설 공주의 글이 사실이 아니라는 증거로 사진을 올렸다.
⑤ 흑설 공주에게 모함을 받고 있다고 밝히며, 자신이 거짓말쟁이가 아니라는 것을 알렸다.

12 ㉡에서 알 수 있는 서영이 부모님의 직업은 무엇입니까?

(1) 아빠: ( )
(2) 엄마: ( )

추신: 이제 증거를 밝혔으니 흑설 공주는 터무니없는(허황하여 전혀 근거가 없는) 글로 나와 우리 엄마, 아빠를 모함하는 일을 그만두기 바란다.

서영이가 핑공 카페에 아빠가 은좀베 마을에서 의료 봉사를 하는 모습과 엄마가 디자인한 옷을 입고 모델들이 패션쇼를 하는 사진을 올리자, 이번에는 서영이를 응원하는 댓글과 흑설 공주를 비난하는 댓글이 수없이 올라와 있었다.

허수아비: ㉠아무리 얼굴과 이름을 숨기고 자기 생각을 마음대로 실을 수 있는 인터넷 세상이지만, 최소한의 예의는 지켜야 한다. 그런데도 거짓 정보를 올린 흑설 공주는 당장 사과해라!

어린 왕자: 흑설 공주가 대체 누구인가? 이런 사람은 카페에 들어올 자격이 없다.

매운 고추: 민서영, 잠시라도 널 의심해서 미안하다. 네 용기에 박수를 보낸다.

하이디: 글은 자기의 얼굴과 마찬가지이다. 거짓 글로 민서영에게 상처를 준 흑설 공주는 카페에 글을 쓸 자격이 없다. 마녀사냥은 민서영이 아니라 흑설 공주에게 해야 한다.

삐삐: 핑공 카페지기는 당장 흑설 공주의 신상 털기를 해라!

방글이: 요즈음 거짓 정보 때문에 목숨을 끊은 연예인이 얼마나 많은가. 우리 어린이들까지 그런 잘못된 걸 본받으면 안 된다!

중심 내용 민서영이 흑설 공주의 글에 대한 반박 글을 올리자 카페 가입자들이 흑설 공주를 비난하는 댓글을 달았다.

❹ '드디어 서영이의 역공 작전이 성공했구나. 이걸 보고 미라가 어떤 표정을 지을까? 된통(아주 몹시) 당했으니 이젠 슬그머니 꼬리를 내리겠지?(상대편에게 기세가 꺾여 물러서거나 움츠러들겠지)'

추신 뒤에 덧붙여 말한다는 뜻으로, 편지의 끝에 더 쓰고 싶은 것이 있을 때에 그 앞에 쓰는 말.

신상 한 사람의 몸이나 처신, 또는 그의 주변에 관한 일이나 형편. 예 자신의 신상 정보가 노출되지 않도록 주의합시다.

13 교과서 문제 **서영이가 흑설 공주의 글에 대한 반박 글을 올리고 나서 어떤 일이 있었는지 쓰시오.**

( )

논술형

14 **아이들이 쓴 댓글을 보고 떠오르는 자신의 생각을 간단히 쓰시오.**

15 **㉠에서 알 수 있는 인터넷 매체에서의 글 쓰기 특징으로 알맞은 것에 ○표를 하시오.**

(1) 자신이 누구인지 밝히지 않고도 자기 생각을 글로 쓸 수 있다. ( )

(2) 게시판에 글을 쓸 때에는 댓글을 쓸 때와 달리 책임감을 갖고 써야 한다. ( )

핵심

16 **이 이야기를 통해 인터넷 매체를 바르게 이용하는 방법은 무엇일지 생각해 보고, 빈칸에 알맞은 말을 보기 에서 골라 쓰시오.**

보기	자세 정보

• 적절한 (1)( )를 어디에서 어떻게 찾을지를 정확히 아는 (2)( )가 필요하다.

민주는 마치 자기 일처럼 고소하기 짝이 없었다. 하지만 웬걸, 싸움은 그게 끝이 아니었다. 흑설 공주가 곧바로 서영이의 글을 읽고 또 다른 공격을 해 온 것이다.

< >

민서영의 두 번째 거짓말!

여러분, 민서영은 또 한 번 여러분을 우롱하고 있습니다. 민서영이 내놓은 사진들을 살펴보면 단박에 그걸 알 수 있습니다.

민서영 아빠가 의료 봉사를 하고 있는 사진은 인터넷 여기저기에서 얼마든지 퍼 올 수 있는 사진들입니다. 사진 속 의사가 민서영 아빠라는 걸 누가 증명해 줄까요?

또 패션쇼 사진도 마찬가지입니다. 민서영이 마음만 먹으면 다른 디자이너의 패션쇼 사진을 얼마든지 퍼 올 수 있는 게 아닙니까?

민서영은 교묘한 잔꾀(약고도 얕은 꾀)로 우리 모두를 속여 넘기려는 것입니다.

흑설 공주는 마치 먹이를 문 사자처럼 좀처럼 서영이를 잡고 놓아주지 않았다. 그러자 핑공 카페는 점점 더 흑설 공주와 민서영의 싸움을 구경하려는 구경꾼들로 가득 찼다. 흑설 공주와 민서영이 올린 글의 조회 수는 점점 더 올라가고, 모두들 민서영이 어떤 반격을 해 올지 기다리는 눈치였다.

중심 내용 흑설 공주와 민서영이 계속해서 진실 싸움을 하자 핑공 카페는 둘의 싸움을 구경하려는 구경꾼들로 가득 찼다.

●현실 세계와 작품 세계 비교하기 예 (핵심)

등장인물과 비슷한 경험을 한 적이 있는가?	인터넷 대화방에서 누군가를 비난하는 것을 본 적이 있다.
이야기에 등장하는 것과 비슷한 현상을 본 적이 있는가?	가짜 뉴스를 접한 적이 있다.

고소하기 속이 시원하고 재미있기.
우롱 사람을 어리석게 보고 함부로 대하거나 웃음거리로 만듦.
교묘한 솜씨나 재주 따위가 재치 있게 약삭빠르고 묘한.
예 그는 교묘한 행동으로 사람들을 속였습니다.

핵심
17 이 이야기를 읽고 현실 세계와 작품 세계를 비교하여 바르게 말한 친구를 모두 쓰시오.

세형: 인터넷에서 가짜 뉴스를 접한 적이 있어.
진호: 인터넷 대화방에서 누군가를 비난하는 것을 본 적이 있어.
창희: 인터넷에서 찾은 자료를 자신이 쓴 것처럼 꾸며 과제를 제출한 친구를 본 적이 있어.

(　　　　　　　　)

18 이 이야기의 제목이 '마녀사냥'인 까닭을 생각하며 빈칸에 알맞은 말을 쓰시오. (교과서 문제)

• (1)(　　　　　)한 내용을 근거로 누군가를 (2)(　　　　　)하는 현상을 다루었기 때문이다.

논술형 역량
19 자신이 핑공 카페 가입자라면 흑설 공주와 서영이의 진실 싸움이 벌어졌을 때 어떻게 행동했을지 쓰시오.

____

____

20 이 이야기의 주제를 친구들과 이야기할 때 지켜야 할 대화 예절로 알맞지 않은 것은 무엇입니까? (　　)

① 친구의 말을 무시하지 않는다.
② 친구의 말에 소극적으로 반응한다.
③ 혼자서만 너무 길게 말하지 않는다.
④ 대화 내용에 집중하며 관련 있는 내용을 말한다.
⑤ 다른 사람의 말이 끝날 때까지 기다렸다가 말한다.

알리고 싶은 인물 소개하기

◎ 여러 사람에게 알리고 싶은 인물 생각하기

우리나라에서 만든 만화 영화의 주인공 가운데 한 명을 조사해 볼 거야.
일제에 저항하며 독립을 위해 노력한 독립운동가를 알리고 싶어.
「소나기」를 쓴 작가가 어떤 사람인지 자세히 알려야지.

• **그림 내용:** 여러 사람에게 알리고 싶은 인물을 정하여 다양한 매체를 활용해 조사하고 있습니다.

◎ 여러 사람에게 알리고 싶은 인물을 다양한 매체에서 조사하기

만화 영화 주인공을 알아보려면 만화 영화를 감상해 봐야지.

핵심

● 인물을 다양한 매체에서 조사하기 예

알리고 싶은 인물
동화 작가 권정생
활용한 매체
작가 소개가 나오는 기록 영화를 보았다.
활용한 매체 자료를 읽은 방법
기록 영화에서 내용을 전달하려고 활용한 화면 장치, 자막, 효과음 등을 주의 깊게 살펴보았다.

논술형 역량

1 **자신이 관심 있는 분야에서 여러 사람에게 알리고 싶은 인물을 고르고, 그 인물을 고른 까닭을 쓰시오.**

(1) 알리고 싶은 인물	
(2) 그 까닭	

핵심

2 **알리고 싶은 인물을 매체에서 알맞게 조사한 친구를 모두 쓰시오.**

희민: 해외에서 독립운동을 하신 분들을 소개한 책을 읽어 봤어.
혜진: 「소나기」를 쓴 작가를 소개한 자료를 인터넷에서 조사했어.
나래: 만화 영화 주인공의 목소리와 독특한 행동이 궁금해서 경제 신문을 살펴봤어.

( )

3 **기록 영화를 보며 인물에 대해 조사할 때 주의 깊게 살펴볼 부분을 보기 에서 모두 골라 기호를 쓰시오.**

보기 ㉠ 자막 ㉡ 그림말 ㉢ 효과음 ㉣ 화면 장치

( )

4 **자신이 조사한 인물과 관련해 소개하고 싶은 내용을 한 가지 떠올려 쓰시오.**

• 인물이 겪은 고난
• 인물이 가까이 지낸 사람들
• ( )

단원 마무리

준비

여러 가지 매체 자료 알기

예 여러 가지 매체 자료가 정보를 전달하는 방법

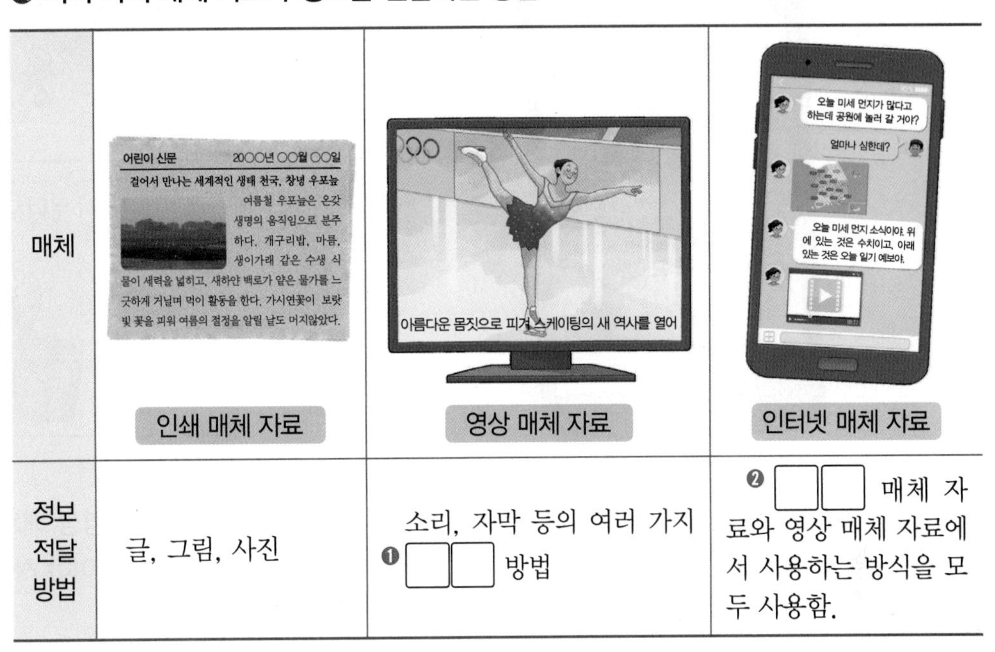
어린이 신문 20○○년 ○○월 ○○일
걸어서 만나는 세계적인 생태 천국, 창녕 우포늪
여름철 우포늪은 온갖 생명의 움직임으로 분주하다. 개구리밥, 마름, 생이가래 같은 수생 식물이 세력을 넓히고, 새하얀 백로가 얕은 물가를 느긋하게 거닐며 먹이 활동을 한다. 가시연꽃이 보랏빛 꽃을 피워 여름의 절정을 알릴 날도 머지않았다.
아름다운 몸짓으로 피겨 스케이팅의 새 역사를 열어
오늘 미세 먼지가 많다고 하는데 공원에 놀러 갈 거야?
얼마나 심한데?
오늘 미세 먼지 소식이야. 위에 있는 것은 수치이고, 아래 있는 것은 오늘 일기 예보야.

매체	인쇄 매체 자료	영상 매체 자료	인터넷 매체 자료
정보 전달 방법	글, 그림, 사진	소리, 자막 등의 여러 가지 ❶ ☐☐ 방법	❷ ☐☐ 매체 자료와 영상 매체 자료에서 사용하는 방식을 모두 사용함.

기본

매체 자료의 특성을 생각하며 이야기를 읽고 현실 세계와 비교하기

예 「마녀사냥」을 읽고 현실 세계와 비교하기

이야기에서 일어난 일	현실 세계에서 경험한 일
• 인터넷 카페에서 흑설 공주가 민서영과 관련한 ❸ ☐☐ 글을 올렸다. • 흑설 공주와 민서영이 올린 글을 읽은 카페 가입자들이 흑설 공주와 민서영을 비방하거나 비난하는 댓글을 썼다.	• 인터넷에 돌아다니는 가짜 뉴스를 보고 사실 확인을 하지 않은 채 그대로 믿은 적이 있다. • 인터넷 대화방에서 누군가를 비난하는 것을 본 적이 있다.

실천

알리고 싶은 인물 소개하기

예 여러 사람에게 알리고 싶은 인물을 다양한 매체에서 조사하기

만화 영화 주인공을 알아보려면 만화 영화를 감상해 봐야지.

해외에서 독립운동을 하신 분들을 소개한 ❹ ☐을/를 읽어 봐야겠다.

작가를 소개한 자료를 인터넷으로 조사해 보겠어.

단원 평가

★ 단원 평가 더 풀기 >> 평가 교재 26~31쪽

[1~3] 그림을 보고, 물음에 답하시오.

1 이 그림은 어떤 매체 자료를 나타내는지 빈칸에 알맞은 말을 쓰시오.

• (　　　　　　) 매체 자료인 휴대 전화 문자 메시지이다.

2 이 매체 자료에 대한 설명으로 알맞은 것에 모두 ○표를 하시오.

(1) 글, 그림, 사진, 영상을 모두 활용해 내용을 전달한다. (　　)
(2) 성격이 비슷한 매체 자료에는 누리 소통망[SNS]이 있다. (　　)
(3) 정보 전달 방법을 보면 인쇄 매체 자료나 영상 매체 자료의 방식과는 전혀 관련이 없다. (　　)

3 이 매체 자료를 읽는 방법을 생각하며 빈칸에 알맞은 말을 보기 에서 골라 완성하시오.

보기: 시각 정보　　화면 구성

글과 그림이 주는 (1)(　　　　　　)을/를 잘 살펴볼 뿐만 아니라 (2)(　　　　　　) 과/와 소리에 담긴 정보도 탐색한다.

[4~6] 장면을 보고, 물음에 답하시오.

㉮ 주인공이 밤새도록 환자를 치료한다.
㉯ 여기서 무너지면 안 된다고 다짐한다.

4 이와 같은 영상 매체 자료를 잘 읽으려면 무엇에 주의를 기울여야 하는지 두 가지를 고르시오. (　　,　　)

① 글　② 음악　③ 그림말
④ 장면 표현　⑤ 사진이나 그림

5 ㉮의 장면에서 인물이 처한 상황을 표현한 방법으로 알맞은 것의 기호를 쓰시오.

㉠ 환자를 치료하는 장면을 연달아 보여 준다.
㉡ 환자가 치료를 받고 고통스러워하는 장면을 보여 준다.
㉢ 주인공이 환자를 치료하면서 땀방울을 흘리는 장면을 보여 준다.

(　　　　　　)

6 ㉯의 장면에서 인물이 처한 상황에 어울리는 음악은 무엇이겠습니까? (　　)

① 왈츠풍의 음악
② 가볍고 경쾌한 음악
③ 비장한 느낌의 음악
④ 따뜻한 느낌의 음악
⑤ 편안한 느낌의 음악

7 '인물 소개하기'를 하기 위해 인물을 탐구할 때 조사할 내용을 바르지 않게 말한 친구를 쓰시오.

주영: 인물의 어떤 점을 소개할 것인지 먼저 정해야 해.
미희: 인물이 한 일을 중심으로 조사하면 좋을 것 같아.
상호: 인물이 한 일이 중요하니까 인물의 가치관이나 독특한 행동은 조사할 필요가 없어.

( )

[8~9] 글을 읽고, 물음에 답하시오.

김득신은 정삼품 부제학을 지낸 김치의 아들로 태어났다. 김득신은 열 살에 겨우 글을 배우기 시작했다. 주변에서는 김득신의 아버지에게 우둔한 김득신을 포기하라고 했다. 하지만 김득신의 아버지는 공부를 포기하지 않는 김득신을 대견스럽게 여겼다.

태몽에 나온 '노자(老子)'의
정령을 받은 아이

김득신은 스무 살에 처음 스스로 작문을 했다.

8 이 글은 김득신에 대한 영상 매체 자료의 시작 부분을 정리한 내용입니다. 김득신에 대한 설명으로 알맞지 않은 것의 번호를 쓰시오.

① 뛰어난 두뇌를 갖지는 못했다.
② 아버지는 벼슬을 지낸 분이었다.
③ 처음 스스로 한 작문으로 글 쓰기 능력을 인정받았다.

( )

9 이 부분에서 차분한 느낌의 음악을 사용하면 어떤 효과를 얻을 수 있을지 알맞은 것에 모두 ○표를 하시오.

(1) 이야기의 시작을 알린다. ( )
(2) 묵묵히 노력하는 인물의 모습이 더욱 강조된다. ( )
(3) 주변에서 우둔한 김득신을 포기하라고 웅성거리는 분위기가 강조된다. ( )

[10~12] 글을 읽고, 물음에 답하시오.

㉮ 전학 온 서영이는 성격이 좋아 금세 친구들과 잘 어울렸다. 그런 서영이가 부러운 ㉠미라는 핑공 카페에 '흑설 공주'라는 계정으로 서영이와 관련한 거짓 글을 올린다. 아이들은 서영이가 거짓으로 부모님 이야기를 한다는 '흑설 공주'의 글을 읽고 수군대기 시작한다.

한편, 미라와 친해지고 싶었던 민주는 '흑설 공주'인 미라가 거짓말을 하고 있다는 것을 알았지만 서영이에게 그 사실을 알리지 못하고 망설인다.

㉯ 민주는 떨리는 마음으로 서영이가 올린 글을 읽어 보았다. 흑설 공주에 대한 분노, 엄마 아빠에 대한 자부심과 사랑과 함께 흑설 공주의 글이 모두 사실이 아니라는 걸 당당하게 밝혀 놓은 글이었다. / '역시 민서영이구나.'

민주는 자기 생각을 당당하게 밝힐 줄 아는 서영이의 용기가 몹시 부러웠다.

10 이 이야기에서 주요 갈등을 겪는 인물은 누구누구인지 쓰시오.

( ), ( )

11 민주는 어떤 성격이겠습니까? ( )

① 당당하다. ② 소심하다.
③ 지혜롭다. ④ 용기가 있다.
⑤ 잘난 체한다.

12 ㉠에서 알 수 있는 인터넷 매체의 특성으로 알맞은 것은 무엇입니까? ( )

① 동영상 파일을 첨부할 수 있다.
② 글과 함께 그림을 올릴 수 있다.
③ 파일을 빠르게 주고받을 수 있다.
④ 그림말, 줄임 말을 많이 사용한다.
⑤ 자신이 누구인지 밝히지 않고도 글을 쓸 수 있다.

[13~16] 글을 읽고, 물음에 답하시오.

< >

빨간 풍선: 민서영이 흑설 공주에게 일방적으로 당한 것 같다. 지금이라도 민서영이 자기 입장을 밝혀 주어 속 시원하다.
은하수: 내가 보기에 흑설 공주가 너무 심하다. ㉠본인이 사실이 아니라는데 왜 그런 거짓 글을 실었을까?
거지 왕자: 어쩌면 우리가 모르는 두 사람만의 갈등이 있는 건 아닐까?
하이디: 흑설 공주의 글을 보면 민서영에 대해서 잘 알고 있는 듯하다. 그러니 어쩌면 흑설 공주의 글이 사실이 아닐까?
기쁜 나무: 아무리 흑설 공주의 글이 사실이라고 해도 인터넷에 남의 사생활을 퍼뜨리는 건 나쁜 짓이다.

13 이와 같은 글을 무엇이라고 하는지 다음 설명을 참고하여 쓰시오.

인터넷에 오른 글에 대하여 짤막하게 답하여 올리는 글

( )

14 이 글을 쓴 아이들의 태도에 대해 바르게 이야기한 친구를 쓰시오

진호: 적절하지 않은 근거를 바탕으로 멋대로 판단하고 있어.
기태: 적절한 정보를 찾아 그것을 근거로 판단하고 있어.

( )

15 ㉠'본인'이 가리키는 사람에 ○표를 하시오.

(흑설 공주 , 민서영 , 은하수)

16 '기쁜 나무'의 말에서 알 수 있는 인터넷 매체에서 지켜야 할 예절을 쓰시오.

( )

[17~18] 글을 읽고, 물음에 답하시오.

㉮ 서영이가 핑공 카페에 아빠가 은좀베 마을에서 의료 봉사를 하는 모습과 엄마가 디자인한 옷을 입고 모델들이 패션쇼를 하는 사진을 올리자, 이번에는 서영이를 [㉠]하는 댓글과 흑설 공주를 [㉡]하는 댓글이 수없이 올라와 있었다.

< >

㉯ 매운 고추: 민서영, 잠시라도 널 의심해서 미안하다. 네 용기에 박수를 보낸다.
하이디: 글은 자기의 얼굴과 마찬가지이다. 거짓 글로 민서영에게 상처를 준 흑설 공주는 카페에 글을 쓸 자격이 없다. 마녀사냥은 민서영이 아니라 흑설 공주에게 해야 한다.

17 서영이가 자신의 말이 사실임을 밝히기 위해 글과 함께 무엇을 올렸는지 쓰시오.

( )

18 글 ㉯의 내용으로 미루어 보았을 때 ㉠, ㉡에 알맞은 말을 쓰시오.

(1) ㉠: ( ) (2) ㉡: ( )

논술형

19 여러 사람들에게 알리고 싶은 인물을 생각해 보고, 그 인물에 대해 조사할 때 어떤 매체를 활용하는 것이 좋을지 쓰시오.

(1) 알리고 싶은 인물	
(2) 매체를 활용해 조사하는 방법	

20 다음과 같은 특징이 있는 매체 자료로 알맞은 것에 ○표를 하시오.

효과음이나 음악을 넣거나 화면에 특별한 장치를 사용해 인물이나 상황을 극적으로 표현한다.

(인쇄 매체 자료 , 영상 매체 자료)

정답과 해설 ● 20쪽

맞은 개수 / 개

서술형 평가

1 다음 매체 자료의 종류를 쓰고, 이와 같은 매체 자료의 내용을 잘 이해하려면 어떤 부분을 집중해 읽어야 하는지 쓰시오.

어린이 신문 20○○년 ○○월 ○○일

걸어서 만나는 세계적인 생태 천국, 창녕 우포늪

여름철 우포늪은 온갖 생명의 움직임으로 분주하다. 개구리밥, 마름, 생이가래 같은 수생 식물이 세력을 넓히고, 새하얀 백로가 얕은 물가를 느긋하게 거닐며 먹이 활동을 한다. 가시연꽃이 보랏빛 꽃을 피워 여름의 절정을 알릴 날도 머지않았다.

(1) 매체의 종류	
(2) 읽는 방법	

2 다음은 영상 매체 자료에서 다른 사람이 건넨 뇌물을 보고 인물이 놀라는 장면입니다. 이 장면에 긴장감이 느껴지는 배경 음악을 사용했다면 그 까닭은 무엇일지 쓰시오.

[3~4] 글을 읽고, 물음에 답하시오.

㉮ 추신: 이제 증거를 밝혔으니 흑설 공주는 터무니없는 글로 나와 우리 엄마, 아빠를 모함하는 일을 그만두기 바란다.

㉯ 패션쇼 사진도 마찬가지입니다. 민서영이 마음만 먹으면 다른 디자이너의 패션쇼 사진을 얼마든지 퍼 올 수 있는 게 아닙니까?

민서영은 교묘한 잔꾀로 우리 모두를 속여 넘기려는 것입니다.

㉰ 흑설 공주는 마치 먹이를 문 사자처럼 좀처럼 서영이를 잡고 놓아주지 않았다. 그러자 핑공 카페는 점점 더 흑설 공주와 민서영의 싸움을 구경하려는 구경꾼들로 가득 찼다. 흑설 공주와 민서영이 올린 글의 조회 수는 점점 더 올라가고, 모두들 민서영이 어떤 반격을 해 올지 기다리는 눈치였다.

3 이 이야기를 읽고 인터넷 매체에 글을 쓸 때 주의할 점을 생각하여 한 가지 쓰시오.

4 이 이야기의 제목은 '마녀사냥'입니다. 이 제목을 붙인 까닭을 생각하여 쓰시오.

5 친구들과 대화할 때 지켜야 하는 예절을 한 가지 쓰시오.

교과서 문장으로 확인하는 핵심 낱말

● 다음 교과서 문장의 파란색 낱말 중에서 알맞은 것을 골라 인물들이 한 말을 완성하시오.

- 사건을 일으키는 인물을 카메라가 가까이 다가가 보여 준다.
- 흑설 공주가 근거도 없이 얼토당토않은 글을 올리지는 않았을 것이다.
- 민서영, 내가 쓴 글이 사실이 아니라면 그걸 반박할 증거를 내놓아라.
- 여러분, 저는 흑설 공주에게 모함을 받고 있는 민서영입니다.

정답 | ❶ 모함 ❷ 얼토당토않은 ❸ 사건 ❹ 증거

역량 다르게 생각하기

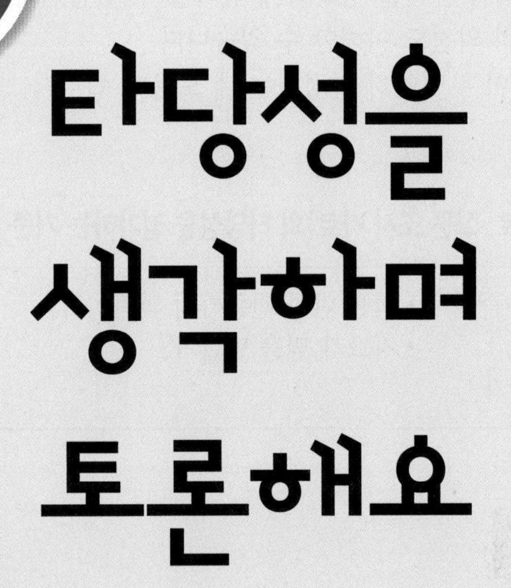

6 타당성을 생각하며 토론해요

무엇을 배울까요?

- 토론이 필요한 경우 알기

- 글을 읽고 근거 자료의 타당성 평가하기
- 토론 절차와 방법 알기
- 주제를 정해 토론하기

- 글을 읽고 독서 토론 하기

6 타당성을 생각하며 토론해요

1 토론하면 좋은 점

① 타당한 근거를 들어 말하기 때문에 문제 해결에 도움이 됩니다.
② 토론 과정에서 자신의 주장과 근거를 명확하게 정리할 수 있습니다.
③ 자신과 생각이 다른 사람의 의견도 이해할 수 있습니다.
④ 문제 해결에 더 나은 방법이 무엇인지 결정하는 데 도움이 됩니다.

2 글에 사용된 근거 자료(면담 자료, 설문 조사 자료)의 타당성을 평가하는 기준

- 주장을 뒷받침하는 자료인가?
- 자료의 출처가 정확한가?
- 조사 대상과 범위가 적절한가?
- 믿을 만한 전문가의 의견인가?
- 자료가 믿을 만한가?

3 토론 절차 알기

주장 펼치기	찬성편과 반대편이 차례로 자기편의 주장과 근거를 제시합니다.
⬇	
반론하기	반대편에서 찬성편이 제시한 주장에 대한 반론 및 질문을 합니다. 그러면 찬성편에서 반대편의 질문에 대한 답변 및 반박을 합니다. 찬성편의 반론하기도 이와 같은 차례로 이어집니다.
⬇	
주장 다지기	찬성편과 반대편이 차례로 자기편의 주장을 정리 및 강조합니다.

반론: 상대편의 주장에 반대하거나 되받아 논의하는 것
반박: 상대편의 반론에 다시 반대 의견을 펼치는 것

4 단계별 토론 방법 알기

주장 펼치기	• 근거를 들어 주장을 펼칩니다. • 근거와 관련해 구체적인 자료를 제시합니다.
반론하기	• 상대편의 주장을 요약합니다. • 상대편의 주장이 타당하지 않다는 것을 밝히기 위한 질문을 합니다. • 주장에 대한 근거나 그에 대한 자료가 타당하지 않다는 것을 밝힙니다.
주장 다지기	• 자기편의 주장을 요약합니다. • 상대편에서 제기한 반론이 타당하지 않음을 지적합니다. • 자기편 주장의 장점을 정리합니다.

핵심 개념 문제

정답과 해설 ● 20쪽

1 □□을/를 하면 문제 해결에 더 나은 방법이 무엇인지 결정하는 데 도움이 되고, 자신과 생각이 다른 사람의 의견도 이해할 수 있습니다.

2 주장하는 글을 읽을 때에는 근거 자료가 □□한지 평가하며 읽어야 합니다.

3 글쓴이의 주장을 뒷받침하는 근거 자료에는 면담 자료와 설문 조사 자료 등이 있습니다.
(○, ×)

4 다음 빈칸에 알맞은 토론 절차는 무엇입니까?

주장 펼치기
↓
(　　　)
↓
주장 다지기

5 토론 절차 가운데 근거를 들어 주장을 펼치고, 근거와 관련해 구체적인 자료를 제시하는 것은 '□□ □□□'에서 할 일입니다.

준비 토론이 필요한 경우 알기

- 우리 주변을 살펴보고 문제를 해결할 때 토론이 필요한 경우를 찾아보기

가

학교 앞에 불법 주차를 한 차가 많아. 또 차가 너무 빨리 달려서 위험해.
그래. 불법 주차를 하지 못하도록 단속 카메라를 달면 좋겠어.
단속 카메라를 단다고 해서 이 문제가 완전히 해결되지는 않을 것 같아.

- **그림 설명**: 우리 주변에서 겪을 수 있는 문제 상황을 보여 주고 있습니다.

나

핵심

● 우리 주변에서 토론이 필요한 문제 상황 예

그림 가	학교 앞에 불법 주차를 한 차가 많고 차가 빨리 달리는 상황
그림 나	학교 운동장을 외부인에게 개방해서 쓰레기가 많아진 상황

논술형

1 다른 사람과 서로 의견이 달랐을 때 토론으로 문제를 해결한 경험을 떠올려 쓰시오.

____

____

핵심

2 그림 가, 나에 나타난 문제 상황을 바르게 선으로 이으시오.

(1) 그림 가 • 　　• ① 학교 운동장을 외부인에게 개방해서 쓰레기가 많아진 상황

(2) 그림 나 • 　　• ② 학교 앞에 불법 주차를 한 차가 많고 차가 빨리 달리는 상황

3 그림 가, 나에서 문제 상황이 주어진 뒤에 일어난 일로 알맞은 것에 ○표를 하시오.

(1) 문제에 대한 의견이 하나로 모였다. (　　)

(2) 문제에 대해 서로 의견이 나뉘었다. (　　)

4 그림 나의 대화 내용으로 보아 여자아이와 선생님이 제시할 주장을 찾아 각각 알맞은 기호를 쓰시오.

> ㉠ 학교 운동장을 외부인에게 개방해도 된다.
> ㉡ 학교 운동장에 운동 기구를 설치해야 한다.
> ㉢ 학교 운동장을 외부인에게 개방하지 말아야 한다.
> ㉣ 운동장에 쓰레기를 버리는 학생들에게 벌점을 주어야 한다.

(1) 여자아이의 주장: (　　　　)

(2) 선생님의 주장: (　　　　)

● 토론할 때 주의해야 할 점을 생각하며 그림 보기

• **그림 설명**: 두 친구가 학교 인사말에 대한 서로 다른 생각을 이야기하고 있습니다.

핵심

● 토론할 때 주의할 점 예

그림 가	자신의 의견을 근거를 들어 말함.
그림 나	자신의 의견을 주장하려고 상대의 기분을 상하게 함.

⬇

자신의 의견을 상대가 받아들이도록 하기 위해서는 자신이 옳다고 우기기보다 타당한 근거를 들어 말해야 한다.

서술형

5 **이 그림에서 두 친구가 나누는 대화 주제를 쓰시오.**

____

____

6 **대화 주제에 대한 두 친구의 생각을 바르게 선으로 이으시오.**

(1)	수아 •	• ①	형식적으로 하는 인사말보다 새롭고 좋은 뜻이 있는 우리 학교 인사말이 더 뜻깊다고 생각한다.
(2)	지후 •	• ②	우리가 지금은 착한 사람이 아닌 것 같은 느낌이 드는 우리 학교 인사말이 어색하다.

핵심

7 교과서 문제 **수아의 말에 지후가 그림 가와 같이 말했을 때 두 사람의 대화는 앞으로 어떻게 이어질지 알맞은 것을 두 가지 고르시오.** (,)

① 서로 다투게 될 것이다.
② 서로 기분이 상하게 될 것이다.
③ 서로 자신이 옳다고 우기기만 할 것이다.
④ 서로 근거를 대며 자신의 의견을 나누게 될 것이다.
⑤ 상대의 주장과 그 근거가 옳은지 따져 가며 문제 해결 방법을 찾아볼 수 있을 것이다.

8 교과서 문제 **일상생활에서 토론이 필요한 경우를 바르게 말한 친구를 쓰시오.**

정환: 학교 안에서 스마트폰을 사용하는 문제에 대해 토론이 필요했어.
연우: 친구들끼리 다툼이 일어났을 때 누가 잘못한 것인지 따지기 위해 토론이 필요했어.

( )

역량 제재

글을 읽고 근거 자료의 타당성 평가하기

- 글쓴이의 주장과 그 주장을 뒷받침하려고 사용한 근거 자료를 살펴보며 글 읽기

유행에 따라 희망 직업을 바꾼다면

❶ 최근 한 매체에서 '연예인'이 초등학생들의 장래 희망 직업 1위를 차지했다는 결과를 발표했다. 초등학생들 사이에서 번진 아이돌 **열풍** 때문이다. 몇 년 전에는 꿈이 '요리사'인 초등학생이 많았는데, 5 그 당시에는 요리를 주제로 한 텔레비전 프로그램이 유행했기 때문이다. 게임 산업의 발전에 따라 '프로 게이머'를 희망 직업으로 뽑은 학생이 대다수였을 때도 있었다. 직업은 생활 수단이자 자신의 능력을 **발휘하고** 꿈을 실현할(꿈, 기대 따위를 실제로 이룰) 수 있는 기회이기도 10 하다. 그런데 자신이 희망하는 직업을 유행에 따라 결정하는 일이 과연 옳은 것일까?

중심 내용 자신이 희망하는 직업을 유행에 따라 결정하는 일이 과연 옳은 것일지 생각해 보아야 한다.

- 글의 특징: 유행에 따라 희망 직업을 고르지 말자고 주장하는 글로, 여러 가지 근거 자료를 제시했습니다.

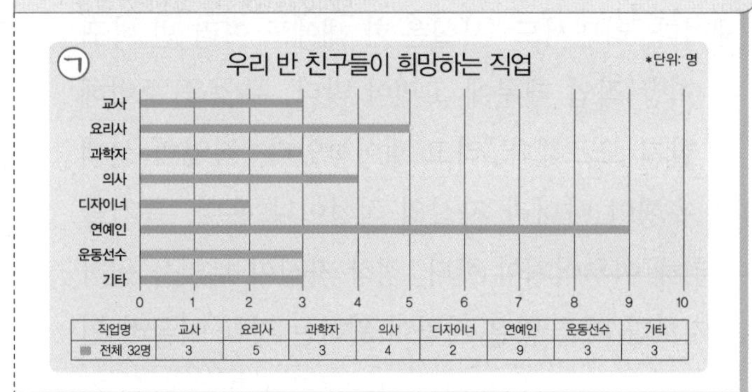

직업명	교사	요리사	과학자	의사	디자이너	연예인	운동선수	기타
전체 32명	3	5	3	4	2	9	3	3

● 주장을 뒷받침하는 근거 자료 평가하기 ① 예 (핵심)

조사 대상	우리 반 친구들
조사 범위	32명
응답이 가장 많은 항목	연예인
자료의 출처	글쓴이의 반 친구들을 대상으로 한 설문 조사 결과
자료의 부족한 점	조사 범위가 적절하지 않아 전체 초등학생의 희망 직업을 대표한다고 보기 어려움.

열풍 매우 세차게 일어나는 기운이나 기세를 비유적으로 이르는 말.
예 전 세계에 케이팝 열풍이 불고 있습니다.

발휘(發 쏠 발, 揮 휘두를 휘)하고 재능, 능력 따위를 떨치어 나타내고.
예 실력을 한껏 발휘하고 오라고 응원했습니다.

1 글쓴이의 생각으로 알맞은 것의 번호를 쓰시오.

① 연예인은 직업으로 좋지 않다.
② 희망 직업을 자주 바꾸어도 된다.
③ 자신이 희망하는 직업을 유행에 따라 결정하는 일이 옳은 것일지 생각해 보아야 한다.

( )

2 글쓴이가 자신의 주장을 뒷받침하려고 사용한 근거 자료는 무엇입니까? ( )

① 사진 자료 ② 그림 자료
③ 백과사전 자료 ④ 신문 기사 자료
⑤ 설문 조사 자료

3 (교과서 문제) ㉠ 자료를 정리한 다음 표를 보고, 빈칸에 알맞은 말을 쓰시오.

조사 (1) ( )	우리 반 친구들
조사 범위	32명
응답이 가장 많은 항목	(2) ( )
자료의 (3) ( )	글쓴이의 반 친구들을 대상으로 한 설문 조사 결과

핵심

4 ㉠ 자료에서 부족한 점을 바르게 말한 친구는 누구인지 쓰시오.

수미: 조사 범위가 적절하지 않아 전체 초등학생의 희망 직업을 대표한다고 보기 어려워.
세형: 조사 대상과 조사 범위가 명확하지 않아서 근거 자료로 적절하지 않아.

( )

❷ ㉠실제로 자신의 꿈이 '연예인'으로 바뀌었다고 하는 한 학생을 면담한 결과, "요즘에는 연예인이 대세이다."라면서도 "사실은 한 해에도 여러 번 바뀌는 희망 직업 때문에 고민이 많다. 무엇을 준비해야 할지 모르겠다."라고 털어놓았다. 직업의 선택은 유행이 아니라 자신의 적성이나 흥미, 특기를 고려해 이루어져야 한다. 정작 자신이 무엇을 원하는지보다 다른 많은 사람이 원하는 것에 이끌려 인생의 중요한 결정을 내린다면 결국 후회만 남을 것이다. 또 이것저것 유행에 휘둘리다 보면 자신의 능력을 집중적으로 개발하는 시간도 빼앗길 것이다.

(대세: 일이 진행되어 가는 결정적인 형세)

중심 내용 유행에 따라 희망 직업을 결정하면 후회하기 쉽다.

❸ ㉡이와 같은 현실과 관련해 직업 평론가 ○○○ 씨와 면담한 결과 그는 "자신이 원하는 일이 무엇인지 모르며 사회에 어떤 다양한 직업이 있는지 알아보려고 하지 않는 사실이 문제"라며 우려를 나타냈다.

(우려: 근심과 걱정)

직업은 미래에 자기 삶을 유지해 줄 수 있는 수단 가운데 하나이다. 직업으로 사람들은 소득을 얻기도 하고, 행복과 보람을 느끼기도 한다. 그러므로 유행보다는 자신의 흥미와 적성, 특기를 알고, 이것을 바탕으로 하여 직업을 고르려고 노력해야 한다.

핵심

●주장을 뒷받침하는 근거 자료 평가하기 ② 예

	면담 자료 1	면담 자료 2
면담 대상	자신의 꿈이 '연예인'으로 바뀌었다고 하는 학생	직업 평론가 ○○○ 씨
주요 내용	한 해에도 여러 번 바뀌는 희망 직업 때문에 고민이 많다.	자신이 원하는 일이 무엇인지 모르며 사회에 어떤 다양한 직업이 있는지 알아보려고 하지 않는 사실이 문제이다.
주장을 뒷받침하는가?	(그렇다.) / 아니다.	(그렇다.) / 아니다.

수단 어떤 목적을 이루기 위한 방법. 또는 그 도구.
예 온갖 수단을 다 동원했지만 결국 잠들어 버렸습니다.

소득 일한 결과로 얻은 정신적 · 물질적 이익.
예 그는 장사를 하여 엄청난 소득을 남겼습니다.

핵심

5 **㉠, ㉡ 자료를 비교한 내용으로 알맞지 않은 것은 무엇입니까?** (　　)

① ㉠은 자신의 꿈이 '연예인'으로 바뀌었다고 하는 학생을 면담한 것이다.
② ㉡은 직업 평론가를 면담한 것이다.
③ ㉠은 한 해에도 여러 번 바뀌는 희망 직업 때문에 고민이 많다는 것이 주요 내용이다.
④ ㉡은 자신의 원하는 일이 무엇인지 모르며 어떤 다양한 직업이 있는지 알아보려고 하지 않는 사실이 문제라는 것이 주요 내용이다.
⑤ ㉠은 글쓴이의 주장을 뒷받침하지만 ㉡은 글쓴이의 주장을 뒷받침하지 않는다.

서술형

6 **㉠, ㉡ 자료를 비교했을 때, ㉡ 자료가 더 믿을 만하다면 그 까닭은 무엇일지 쓰시오.**

____

____

역량

7 **보기를 이 글의 근거 자료로 활용할 수 없는 까닭은 무엇일지 빈칸에 알맞은 말을 쓰시오.**

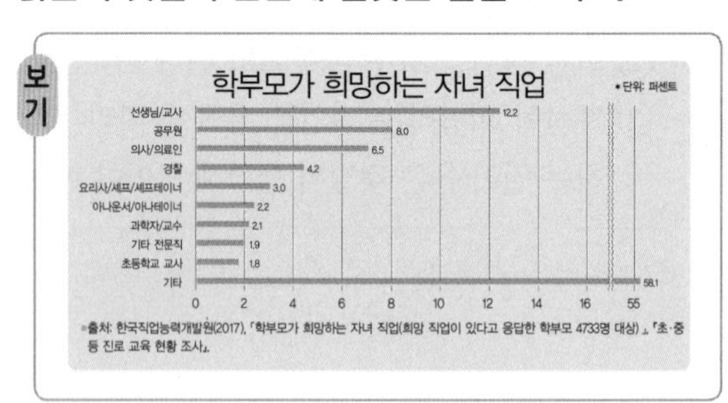

• 학부모가 희망하는 자녀 직업을 조사한 자료로 글의 (　　　　　　)과/와 관련이 없기 때문이다.

8 **글에 사용한 근거 자료를 평가하는 기준으로 알맞은 것에 모두 ○표를 하시오.**

(1) 자료의 출처가 정확한가? (　　)
(2) 주장을 뒷받침하는 자료인가? (　　)
(3) 인터넷 자료를 그대로 사용했는가? (　　)

토론 절차와 방법 알기

「민재네 반에서 한 토론」을 읽으며 토론 절차 알아보기

• **글의 특징:** "학급 임원은 반드시 필요하다."라는 주제로 찬성편과 반대편이 '주장 펼치기 – 반론하기 – 주장 다지기'의 절차에 따라 토론하고 있습니다.

주장 펼치기

❶ **사회자** 지금부터 "학급 임원은 반드시 필요하다."라는 주제로 토론을 시작하겠습니다. 저는 토론의 사회를 맡은 구민재입니다. 먼저 찬성편이 주장을 펼치겠습니다.

찬성편 저희 찬성편은 두 가지 까닭에서 "학급 임원은 반드시 필요하다."라는 주제에 찬성합니다.

첫째, 실제로 학생 대표가 학교생활에 많은 역할을 합니다. 많은 학생들이 함께 생활하다보니 학교에는 여러 가지 문제나 불편한 점이 생길 수 있습니다. 이러한 것에 대한 해결은 전교 학생회 회의에서 이루어지는데 학급 임원은 여기에 참여해 우리 반 학생들의 의견을 전달하는 역할을 합니다. 저희가 설문 조사를 한 결과에 따르면 우리 지역의 초등학교 가운데에서 95퍼센트가 넘는 학교가 학급 임원을 뽑고 있다고 합니다. 이렇게 많은 학교가 학급 임원을 뽑는다는 것은 실제로 학교 임원이 필요하기 때문이 아니겠습니까? 학급 임원이 없다면 누가 선생님을 돕고, 누가 전교 학생회 회의에 참여해 우리의 뜻을 전하겠습니까?

둘째, 학교 안에서 선거를 경험할 수 있습니다. 어린이 사회 교육 잡지에 실린 한 전문가의 면담에 따르면, "민주 시민 교육은 초등학교 때부터 이루어져야 한다. 사회를 미리 경험한다는 점에서 학급 임원 선거는 학생들에게 소중한 경험이 될 수 있다."라고 했습니다.

중심 내용 학급 임원이 반드시 필요하다는 찬성편의 주장과 그에 대한 근거

❷ **사회자** 네, 이어서 반대편이 주장을 펼치겠습니다.

임원(任 맡길 임, 員 인원 원) 어떤 단체에 소속하여 그 단체의 중요한 일을 맡아보는 사람.

민주 시민 민주주의의 원리를 존중하고 실천하는 태도를 가지며 개인적 행복을 추구하는 동시에 국가와 사회의 발전에 공헌할 수 있는 사람.

1 교과서 문제 **민재네 반에서 한 토론의 주제를 쓰시오.**

( )

2 교과서 문제 **토론에 참여한 사람들의 역할에는 어떤 것이 있는지 빈칸에 알맞은 말을 쓰시오.**

사회자	찬성편 토론자	

핵심

3 **글 ❶에서 이루어지고 있는 토론 절차는 무엇인지 다음에서 알맞은 것을 골라 기호를 쓰시오.**

㉠ 반론하기 ㉡ 주장 펼치기 ㉢ 주장 다지기

( )

4 교과서 문제 **토론 주제에 대한 찬성편의 주장으로 알맞은 말에 ○표를 하시오.**

• 학급 임원은 반드시 (필요하다 , 필요하지 않다).

5 **찬성편의 주장을 뒷받침하는 근거로 알맞은 것을 두 가지 고르시오.** (,)

① 학교 안에서 선거를 경험할 수 있다.
② 실제로 학생 대표가 학교생활에 많은 역할을 한다.
③ 어린이 사회 교육 잡지에 우리의 뜻을 전할 수 있다.
④ 우리 반 학생들은 학급 임원 없이 의견을 말하지 못한다.
⑤ 우리 지역의 초등학교에서는 학급 임원을 반드시 뽑아야만 한다.

반대편 학급 임원 제도는 반드시 필요하다고 할 수 없습니다. 저희는 다음과 같은 까닭으로 "학급 임원은 반드시 필요하다."라는 주제에 반대합니다.

5 첫째, 학급 임원을 뽑는 기준이 올바르다고 보기 어렵습니다. 한 매체에서 설문 조사를 한 결과에 따르면 70퍼센트 정도의 학생들이 "후보들의 능력보다 친분을 우선으로 투표한 적이 있다."라고 응답했습니다. 이 조사는 정말 우리가 우리 10 를 대표할 수 있는 사람을 학급 임원으로 뽑았는지에 대한 의문을 가지게 합니다. 특히 1학기에는 서로 잘 알지도 못한 채로 학급 임원 선거가 이루어지는 경우도 있습니다. 이와 같은 학급 임원 선출은 인기투표와 다르지 않습니다.

15 둘째, 학생들 간 동등한 관계에 부정적인 영향을 끼칩니다. 우리는 모두 평등한 관계여야 합니다. (동등한: 등급이나 정도가 같은)

하지만 학급 행사를 하는 과정에서 학생들과 학급 임원 사이에 의견 차이가 생겨 친구들끼리 사이가 멀어지는 경우가 생깁니다. 실제로 학급 임원을 한 경험이 있는 학생을 면담한 결과, "학급 임원을 하면서 사이가 멀어진 친구들이 있다." 5 라고 하면서, "선생님께서 부탁하신 일과 친구들과의 관계 사이에서 고민스러운 일이 많았다."라고 말했습니다.

●주장 펼치기 예 (핵심)

	찬성편	반대편
주장	학급 임원은 반드시 필요하다.	학급 임원이 반드시 필요하지는 않다.
근거	• 실제로 학생 대표가 학교생활에 많은 역할을 한다. • 학교 안에서 선거를 경험할 수 있다.	• 학급 임원을 뽑는 기준이 올바르다고 보기 어렵다. • 학생들 간 동등한 관계에 부정적인 영향을 끼친다.

친분(親 친할 친, 分 나눌 분) 아주 가깝고 두터운 정분.
의문 의심스럽게 생각함. 또는 그런 문제나 사실.
선출(選 가릴 선, 出 날 출) 여럿 가운데서 골라냄.
예 우리는 민아를 전교 회장으로 선출했습니다.

6 (교과서 문제) **반대편이 주장을 뒷받침하려고 제시한 근거와 그에 대한 구체적인 자료를 선으로 이으시오.**

(1) 학급 임원을 뽑는 기준이 올바르다고 보기 어렵다. • • ① 학급 임원을 한 경험이 있는 학생을 면담한 자료

(2) 학생들 간 동등한 관계에 부정적인 영향을 끼친다. • • ② 한 매체에서 학급 임원 선출 기준을 설문한 조사 결과

7 (교과서 문제) **찬성편과 반대편이 구체적인 예를 근거 자료로 제시한 까닭은 무엇인지 빈칸에 알맞은 말을 쓰시오.**

• 자기편의 주장에 대한 ( )이/가 믿을 만하다고 상대편이 생각하도록 하기 위해서

(핵심)
8 **토론에서 주장을 펼치는 방법에 대해 바르게 말하지 못한 친구를 쓰시오.**

세영: 면담 자료를 꼭 제시해야 해.
수하: 근거를 들어 주장을 펼쳐야 해.
종선: 근거와 관련해 구체적인 자료를 제시해야 해.

( )

9 **토론을 듣는 태도로 알맞은 것을 두 가지 골라 기호를 쓰시오.**

㉠ 상대의 주장과 근거를 기록한다.
㉡ 상대의 주장과 근거가 타당한지 판단한다.
㉢ 상대의 주장이 이해가 되지 않을 때에는 그때 그때 질문한다.

( )

사회자 네, 여기서 주장 펼치기를 마치겠습니다. 이제 3분 동안 협의 시간을 드리겠습니다. 각 토론자께서는 상대편의 주장과 근거에 대한 반론을 준비해 주십시오.

중심 내용 학급 임원이 반드시 필요하지는 않다는 반대편의 주장과 그에 대한 근거

반론하기

5 ❸ **사회자** 이번에는 상대편이 펼친 주장에서 잘못된 점이나 궁금한 점을 지적하고 이에 답하는 반론하기 시간입니다. 먼저 반대편이 반론과 질문을 하고 이에 대해 찬성편이 답변하도록 하겠습니다. 시간은 2분입니다. 시작해 주십시오.

10 **반대편** 찬성편에서는 학급을 위해 봉사하고, 학생 대표가 되어 우리의 뜻을 학교에 전하는 역할을 할 학급 임원이 필요하다고 했습니다. 하지만 학급을 위해 봉사하는 것은 몇 명의 학생이 아니라 전체 학생이 다 할 수 있는 일입니다. 또 요즘은 기술이 발달해서 여러 사람이 동시에 회의에 참여할 수 있습니다. 굳이 학생 대표 한두 명만 회의에 참여하도록 할 필요가 없습니다. 따라서 찬성편의 근거는 학급 임원이 반드시 필요하다는 주장을 뒷받침하는 근거라고 보기 어렵습니 5 다. 오히려 모든 학생이 학급 임원을 경험할 수 있도록 돌아가면서 하는 게 좋지 않을까요?

핵심

●반대편의 반론하기 예

찬성편의 주장 요약	학급 임원은 반드시 필요하다.
찬성편의 주장에 대한 반론	• 누구나 학급을 위해 봉사할 수 있다. • 요즘은 기술이 발달해서 여러 사람이 동시에 회의에 참여할 수 있다. 굳이 학생 대표 한두 명만 회의에 참여하도록 할 필요가 없다.
반대편의 질문	오히려 모든 학생이 학급 임원을 경험할 수 있도록 돌아가면서 하는 게 좋지 않을까?

협의(協 화합할 협, 議 의논할 의) 둘 이상의 사람이 서로 협력하여 의논함.

지적 잘못된 점이나 허물을 가리켜 말하는 것.
예 선생님께 노력이 부족하다는 지적을 받았습니다.

10 반론하기 절차에서 할 일로 알맞은 것은 무엇입니까? ( )

① 토론을 마무리한다.
② 토론 주제를 소개한다.
③ 근거를 들어 주장을 펼친다.
④ 상대편의 주장에서 잘된 점을 찾아 말한다.
⑤ 상대편의 주장에서 잘못된 점이나 궁금한 점을 지적하고 이에 답한다.

11 글 ❸에서 반대편이 반론을 효과적으로 펼치기 위해 다시 한 번 요약하여 말한 것은 무엇인지 쓰시오.

( )

핵심

12 교과서 문제 반대편이 제시한 찬성편의 주장에 대한 반론으로 알맞은 것을 두 가지 고르시오. (,)

① 누구나 학급을 위해 봉사할 수 있다.
② 학교 임원이 학급 임원을 맡아 할 수 있다.
③ 학생 대표를 뽑아 의견을 제시하면 더 좋은 의견을 모을 수 있다.
④ 요즘은 기술이 발달해서 여러 사람이 동시에 회의에 참여할 수 있다.
⑤ 학급 임원을 하고 싶어 하는 사람에게 학급을 맡기면 일을 더 잘할 수 있다.

13 반론하기 절차에서 반대편이 찬성편에게 한 질문을 찾아 쓰시오.

찬성편 네, 반대편의 반론 잘 들었습니다. 모두가 돌아가면서 학급 임원을 한 번씩 경험해 볼 수도 있습니다. 그러나 말씀드렸다시피 학급 임원은 학급 학생 전체를 대표하는 자리입니다. 학생 대표는 모범적(본받아 배울 만한 또는 그런 것)이면서 봉사 정신이 뛰어난 학생이 스스로 참여해야 한다고 생각합니다. 반대편의 반론처럼 모든 학생이 돌아가면서 학급 임원을 맡는다면 그 가운데에는 하고 싶은 마음이 없는 학생이 대표가 될 수 있습니다. 그러면 그 학생에게도 부담이 되는 일입니다.

중심 내용 학급 임원이 필요하다는 찬성편의 주장에 대한 반대편의 반론과 질문 및 찬성편의 반박과 답변

❹ **사회자** 이번에는 찬성편이 반론을 펴고, 반대편에서 찬성편의 반론을 반박해 주시기 바랍니다.

찬성편 반대편은 학급 임원을 뽑는 기준이 올바르지 않은 까닭을 근거로 들었습니다. 하지만 반대편에서 첫 번째 자료로 제시한 설문 조사 결과는 다른 학교를 조사한 것입니다. 따라서 우리 학교의 상황과 설문 조사 결과가 반드시 같다고는 볼 수 없습니다. 우리 학교 사정을 고려해서 근거를 말씀해 주셔야 하지 않을까요?

반대편 네, ㉠저희가 다른 학교에서 조사한 결과를 활용한 것은 맞습니다. 그러나 그 자료는 학급 임원을 뽑는 기준에 문제가 있다고 생각하는 학생이 많다는 점을 보여 드리려는 자료입니다. ㉡여기 우리 학교 선생님을 면담한 결과를 보여 드리겠습니다. 그 선생님께서는 "봉사 정신이 뛰어나거나 모범적인 행동을 보이는 학생보다는 인기가 많은 학생이 학급 임원이 되는 경우가 종종 있다."라고 말씀하셨습니다. 이러한 점을 모두 고려해 학생 대표로서의 학급 임원이 필요한지 의문입니다.

부담(負 질 부, 擔 멜 담) 어떠한 의무나 책임을 짐.
예 혼자 과제를 끝내야 해서 정신적인 부담이 컸습니다.

사정(事 일 사, 情 뜻 정) 일의 형편이나 까닭.
예 수민이는 집안 사정으로 급하게 조퇴를 했습니다.

14 찬성편은 반대편의 질문에 어떻게 답변했는지 알맞은 것에 ○표를 하시오.

(1) 학급 임원을 하고 싶지 않은 학생에게는 부담이 되는 일이다. ( )

(2) 모두가 돌아가면서 학급 임원을 맡는 것에 반대하는 사람이 많았다. ( )

15 글 ❹에서 반대편의 주장에 대해 찬성편이 제기한 반론은 무엇인지 빈칸에 알맞은 말을 쓰시오.

• 반대편에서 제시한 (1) ( ) 결과는 (2) ( )를 조사한 것으로, 우리 학교의 상황과 반드시 같다고 볼 수 없다.

16 ㉠, ㉡에 대한 설명으로 알맞은 것을 보기 에서 골라 기호를 쓰시오.

보기
㉮ 찬성편의 질문에 대한 답변
㉯ 찬성편이 제기한 반론에서 받아들이는 점

(1) ㉠: ( ) (2) ㉡: ( )

핵심

17 교과서 문제 찬성편과 반대편이 서로 질문하면서 얻고자 한 것으로 알맞은 것을 모두 골라 번호를 쓰시오.

① 상대편의 주장을 인정한다는 것
② 자기편의 주장이 더 타당하다는 것
③ 상대편이 제시한 주장과 근거 자료가 타당하지 않다는 것

( )

사회자 양쪽 질문과 답변을 잘 들었습니다. 2분 동안 협의 시간을 드리도록 하겠습니다. 양쪽은 토론 내용을 바탕으로 하여 주장과 근거를 다시 정리해 주시기 바랍니다.

중심 내용 학급 임원을 뽑는 기준이 올바르지 않다고 보는 반대편의 주장에 대한 찬성편의 반론과 질문 및 반대편의 반박과 답변

주장 다지기

5 ❺ **사회자** 이제 토론의 마지막 단계인 주장 다지기입니다. 먼저 찬성편이 발언해 주시기 바랍니다.

찬성편 학급 임원은 반드시 필요합니다. 공정한 선거로 학생 대표를 뽑고, 그 대표를 도와 학교 생활이 잘 이루어지도록 하는 경험을 해 보는 것은 큰 의미가 있습니다. 학급 임원을 뽑는 기준에 문제가 있다면 그 문제를 해결하면 됩니다. 반대편의 대안처럼 할 경우 원하지 않는 학생이 학생 대표를 맡게 되는 또 다른 문제가 발생할 수 있습니다. 공정한 경쟁과 올바른 선택을 거쳐 학급 임원을 뽑는다면 문제를 원만히 해결할 수 있을 것이라고 생각합니다.

중심 내용 찬성편의 주장 강조 및 반대편에서 제기한 반론 반박

6 단원 핵심

●찬성편의 주장 다지기 예

주장을 다지려고 덧붙인 설명이나 뒷받침 자료	• 학급 임원을 뽑는 기준에 문제가 있다면 그 문제를 해결하면 된다. • 반대편의 대안처럼 할 경우 원하지 않는 학생이 학생 대표를 맡게 되는 또 다른 문제가 발생할 수 있다.
이 자료가 주장과 근거의 타당성을 높여 주는가?	학급 임원 선거의 중요성을 되짚는다는 면에서 타당성을 높여 준다.

발언(發 쏠 발, 言 말씀 언) 말을 꺼내어 의견을 나타냄. 또는 그 말.
예 장관이 발언을 시작했습니다.

대안(代 대신할 대, 案 책상 안) 어떤 안을 대신하는 안.
예 수호는 문제를 해결하기 위해 현실적인 대안을 찾았습니다.

18 찬성편과 반대편이 반론하기 절차에서 토론한 방법을 생각하며 다음 빈칸에 알맞은 말을 쓰시오.

(1) 상대편의 주장을 (　　　　　)한다.

(2) 상대편의 주장이 타당하지 않다는 것을 밝히기 위한 (　　　　　)을/를 한다.

(3) 주장에 대한 근거나 그에 대한 (　　　　　)이/가 타당하지 않다는 것을 밝힌다.

19 교과서 문제 **주장 다지기 절차에서 찬성편의 발언을 정리했습니다. 찬성편이 내세운 근거를 생각하며 빈칸에 알맞은 말을 쓰시오.**

주장	학급 임원은 반드시 필요하다.
근거	공정한 (1) (　　　　　)(으)로 학생 대표를 뽑고, 그 대표를 도와 학교생활이 잘 이루어지도록 하는 (2) (　　　　　)을/를 해 보는 것은 큰 의미가 있다.

핵심

20 교과서 문제 **찬성편이 자신의 주장을 다지려고 덧붙인 설명이나 뒷받침 자료로 알맞은 것에 모두 ○표를 하시오.**

(1) 학급 임원을 공정하게 뽑는 방법을 교육해야 한다. (　　)

(2) 학급 임원을 뽑는 기준에 문제가 있다면 그 문제를 해결하면 된다. (　　)

(3) 반대편의 대안처럼 할 경우 원하지 않는 학생이 학생 대표를 맡게 되는 또 다른 문제가 발생할 수 있다. (　　)

21 교과서 문제 **다음은 20번 문제에서 선택한 것이 찬성편의 주장과 근거의 타당성을 높여 준다고 판단한 결과입니다. 빈칸에 알맞은 말을** 보기 **에서 골라 쓰시오.**

보기: 학급 임원 경험　　학급 임원 선거

 (　　　　　)의 중요성을 되짚는다는 면에서 타당성을 높여 준다.

❻ **반대편** 찬성편은 학급에 대표가 필요하고, 학급 임원을 뽑는 과정에서 선거를 경험할 수 있기 때문에 학급 임원이 필요하다고 주장했습니다. 그러나 저희 반대편은 ㉠학급 임원이 반드시 필요하지는 않다고 생각합니다. 학급 임원을 뽑는 기준에 문제가 있고, 학생들 간 동등한 관계에 부정적인 영향을 끼친다면 반드시 학급 임원 제도를 유지해야 할 필요가 있을까요? 물론 학급 대표가 필요한 경우도 있습니다. 그러나 그렇다고 해서 꼭 한두 사람이 학급 임원이 될 필요는 없습니다. 오히려 여러 학생이 한 번씩 돌아가면서 봉사하고 학급을 대표하는 경험을 쌓는다면 좀 더 많은 학생이 지도력과 책임감을 키울 수 있다고 생각합니다.

사회자 모두 수고하셨습니다. 지금까지 "학급 임원은 반드시 필요하다."라는 주제를 놓고 토론을 진행해 보았습니다. 찬성편과 반대편의 토론으로 학급 임원의 필요성에 대해 깊이 생각해 볼 수 있었습니다. 토론자 여러분, 감사합니다. 그럼 여기서 토론을 마치겠습니다.

중심 내용 반대편의 주장 강조 및 찬성편에서 제기한 반론 반박

● 반대편의 주장 다지기 예

주장을 다지려고 덧붙인 설명이나 뒷받침 자료	여러 학생이 한 번씩 돌아가면서 봉사하고 학급을 대표하는 경험을 쌓는다면 좀 더 많은 학생이 지도력과 책임감을 키울 수 있다.
이 자료가 주장과 근거의 타당성을 높여 주는가?	한두 사람을 선출하는 것이 아니라 여러 사람이 돌아가며 공평하게 학급 임원을 한다는 점에서 타당성을 높여 준다.

핵심

유지 홀로 어떤 상태나 상황을 그대로 보존하거나 변함없이 계속하여 지탱함.

지도력(指 손가락 지, 導 이끌 도, 力 힘 력) 어떤 목적이나 방향으로 남을 가르쳐 이끌 수 있는 능력.

22 다음은 반대편이 주장 다지기 절차에서 발언한 내용입니다. 발언한 차례대로 기호를 쓰시오.

㉮ 주장에 대한 근거
㉯ 자기편의 주장 요약
㉰ 근거를 뒷받침하는 설명이나 뒷받침 자료

• 찬성편의 주장 요약 ➡
( ) ➡ ( ) ➡ ( )

23 교과서 문제 반대편이 ㉠의 주장에 대한 근거로 제시한 것을 두 가지 고르시오. (,)

① 사실 학급 대표가 하는 일이 없다.
② 학급 임원을 뽑는 기준에 문제가 있다.
③ 학급 임원을 뽑는 과정에서 선거를 경험할 수 있다.
④ 학급 임원만 선생님과 가깝게 지내는 경향이 있다.
⑤ 학급 임원 제도는 학생들 간 동등한 관계에 부정적인 영향을 미친다.

24 교과서 문제 반대편은 찬성편에서 제기한 반론을 반박하려고 어떤 방법을 제안했습니까? ( )

① 한두 사람이 학급 임원을 맡는 방법
② 제비뽑기로 학급 임원을 정하는 방법
③ 선생님께서 학급 임원을 지정하는 방법
④ 여러 학생이 돌아가면서 학급 임원을 맡는 방법
⑤ 학생들에게 올바른 지도자의 자세에 대해 교육하는 방법

핵심
25 토론에서 주장을 다지는 방법으로 알맞지 않은 것을 골라 ×표를 하시오.

(1) 자기편의 주장을 요약한다. ( )
(2) 상대편 주장의 장점을 정리한다. ( )
(3) 상대편에서 제기한 반론이 타당하지 않음을 지적한다. ( )

주제를 정해 토론하기

학급 친구들과 함께 토론 주제를 정해 토론하는 방법

내가 떠올린 우리 학급 및 학교의 문제

예 도서관을 이용하는 학생이 줄고 있다. / 비싼 옷을 자랑하는 학생들 때문에 위화감이 생긴다.

토론으로 해결할 수 있는 문제

예 비싼 옷을 자랑하는 학생들 때문에 위화감이 생긴다.

친구들과 의논해 정한 토론 주제

?

●토론 준비하기 예

토론 주제	초등학생도 교복을 입어야 한다.
입장	반대편
주장	초등학생은 교복을 입으면 안 된다.
자기편 주장을 뒷받침할 근거	• 각자의 개성을 존중해야 한다. • 교복은 불편한 점이 많다.
근거를 뒷받침할 수 있는 자료	학생들을 대상으로 한 면담 자료, 교복 가격에 대한 자료, 초등학생의 성장 속도에 대한 통계 자료 등

핵심

6 단원

1 학급 친구들과 함께 토론 주제를 정할 때 우리 학급 및 학교의 문제를 해결할 수 있는 토론 주제로 알맞은 것은 무엇입니까? (　　)

① 도서관을 이용하는 학생이 줄고 있다.
② 교실에서 만화책 보기를 금지해야 한다.
③ 학급 규칙을 잘 지키지 않는 학생이 많다.
④ 급식실에서 조용히 하는 방법은 무엇일까?
⑤ 반 친구들이 교실 청소를 깨끗이 하지 않는다.

논술형

2 다음 토론 주제에 대한 자신의 생각과 그렇게 생각한 까닭을 쓰시오.

토론 주제	초등학생도 교복을 입어야 한다.
자신의 생각	(1)
그렇게 생각한 까닭	(2)

역량

3 다음은 2번 문제의 토론 주제에 대해 찬성편과 반대편의 주장을 뒷받침하는 근거입니다. 어느 편에서 제시한 근거인지 알맞은 기호를 모두 골라 쓰시오.

㉠ 교복은 불편한 점이 많다.
㉡ 각자의 개성을 존중해야 한다.
㉢ 어느 학교 학생인지 알 수 있어 책임감 있게 행동하게 된다.
㉣ 교복을 입으면 따로 옷을 사야 하는 비용을 절약할 수 있다.

(1) 찬성편: (　　　) (2) 반대편: (　　　)

핵심

4 다음은 주장을 뒷받침하는 근거를 마련한 뒤에 해야 할 일입니다. 빈칸에 공통으로 들어갈 말을 쓰시오.

• 자기편 주장을 뒷받침할 수 있는 (　　　)을/를 조사한다.
• 상대편 반론을 반박할 수 있는 (　　　)을/를 조사한다.

(　　　　　)

실천 글을 읽고 독서 토론 하기

● 말하는 이가 고모의 어떤 행동을 문제라고 보았는지 생각하며 시 읽기

• **글의 특징:** 사람은 믿지 않고, 기계는 믿는 고모의 행동을 문제라고 생각하고 쓴 시입니다.

기계를 더 믿어요

• 글: 한상순 • 그림: 임수진

시장에 간 우리 고모
물건 사고 아주머니가 돌려주는
거스름돈,
꼭 세어 보아요

은행에 간 고모
현금 지급기가
'달깍' 내미는 돈
세어 보지도 않고
지갑에 얼른 넣는 거 있죠?

고모도 참

핵심

●**글을 읽고 독서 토론 하기**

자신의 의견을 잘 내세운 경우
예 이 시는 사람보다 기계를 더 믿는 현실을 비판적으로 바라보는 것 같아.
자신의 의견을 잘 내세우지 못한 경우
예 나는 외삼촌께서 용돈을 주시면 돈을 세어 보지 않고 그냥 지갑에 넣어.

1 이 시의 주제는 무엇입니까? ( )

① 기계보다 사람이 위험한 세상
② 사람보다 기계를 더 믿는 세상
③ 사람은 무서워해도 기계는 무서워하지 않는 세상
④ 기계보다 사람이 낫다는 것을 인정하지 않는 세상
⑤ 사람 대신 기계를 사용하여 일자리가 줄어드는 세상

2 교과서 문제 **이 시를 읽고 정한 독서 토론 주제로 알맞은 것은 무엇입니까?** ( )

① 은행이 꼭 있어야 하는가
② 재래시장을 반드시 지켜야 하는가
③ 시장에서 물건값을 깎아도 되는 것인가
④ 휴대 전화에 의존하는 것이 나쁜 행동인가
⑤ 인공 지능 시대에 사람의 가치는 낮아질 것인가

핵심
3 **다음은 이 시를 읽고 독서 토론을 하며 나눈 대화입니다. 자신의 의견을 잘 내세우지 못한 친구를 쓰시오.**

치영: 이 시는 사람보다 기계를 더 믿는 현실을 비판적으로 바라보는 것 같아.
소담: 나는 외삼촌께서 용돈을 주시면 돈을 세어 보지 않고 그냥 지갑에 넣어.
수현: '시장'과 '은행'을 대비하려고 한 연씩 구성한 점이 시의 주제를 더 잘 드러내.

( )

4 교과서 문제 **독서 토론을 할 때 자신의 의견을 말하는 방법으로 알맞은 것에 ○표를 하시오.**

(1) 토론 주제에 알맞은 의견과 까닭을 말한다. ( )
(2) 상대의 의견에 반박하며 자신의 의견을 강요한다. ( )

단원 마무리

정답과 해설 ● 22쪽

6. 타당성을 생각하며 토론해요

글을 읽고 근거 자료의 타당성 평가하기

예 「유행에 따라 희망 직업을 바꾼다면」에서 사용한 근거 자료 평가하기

조사 범위가 적절한지 생각해 봐야 해. 조사 범위가 너무 좁으면 결론을 얻기 어려워.

맞아. 일부 사람들에게만 해당하는 내용일 수도 있으니까.

주장의 근거로 사용한 자료가 믿을 만한지, ❶ □□ 이/가 정확한지 확인해야 해.

주장을 ❷ □□□ 하기에 적절한 자료를 사용했는지 생각해 봐야 해.

토론 절차와 방법 알기

예 「민재네 반에서 한 토론」에서 "학급 임원은 반드시 필요하다."라는 주제로 토론한 내용

단계	찬성편	반대편
주장 펼치기	• 주장: 학급 임원은 반드시 필요하다. • 근거: 실제로 학생 대표가 학교생활에 많은 역할을 한다. / 학교 안에서 ❸ □□ 을/를 경험할 수 있다.	➡ • 주장: 학급 임원이 반드시 필요하지는 않다. • 근거: 학급 임원을 뽑는 기준이 올바르다고 보기 어렵다. / 학생들 간 동등한 관계에 부정적인 영향을 끼친다.

단계	반대편	찬성편	찬성편	반대편
반론하기	오히려 모든 학생이 학급 임원을 경험할 수 있도록 돌아가며 하는 게 좋지 않을까?	➡ 학급 임원을 하고 싶지 않은 학생이 대표가 된다면 그 학생에게 부담이 되는 일이다.	➡ 우리 학교 사정을 고려해서 근거를 말해 주어야 하지 않을까?	➡ 우리 학교 선생님을 면담한 결과를 보여 주겠다.

단계	찬성편	반대편
주장 다지기	공정한 선거로 학생 대표를 뽑고, 그 대표를 도와 학교생활이 잘 이루어지도록 하는 경험을 해 보는 것은 큰 의미가 있으므로 학급 임원은 반드시 필요하다.	➡ 학교 임원을 뽑는 ❹ □□ 에 문제가 있고, 학생들 간 동등한 관계에 부정적인 영향을 끼치므로 학급 임원이 반드시 필요하지는 않다.

단원 평가

★ 단원 평가 더 풀기 ≫ 평가 교재 32~37쪽

[1~2] 글을 읽고, 물음에 답하시오.

지아: 학교 앞에 불법 주차를 한 차가 많아. 또 차가 너무 빨리 달려서 위험해.
소영: 그래. 불법 주차를 하지 못하도록 단속 카메라를 달면 좋겠어.
상진: 단속 카메라를 단다고 해서 이 문제가 완전히 해결되지는 않을 것 같아.

1 이 대화에서 이야기하고 있는 문제 상황으로 알맞은 것에 ○표를 하시오.

(1) 학교 앞에서 학생들이 무단횡단을 하는 문제 ( )

(2) 학교 앞에 불법 주차를 한 차가 많고 차가 너무 빨리 달리는 문제 ( )

2 소영이와 상진이는 문제에 대해 각각 어떤 의견을 말했는지 바르게 선으로 이으시오.

(1) 소영 • • ① 단속 카메라를 달아도 문제가 해결되지 않는다.

(2) 상진 • • ② 단속 카메라를 다는 것이 문제 해결에 도움이 된다.

[3~4] 글을 읽고, 물음에 답하시오.

설아, 규민: (학교 복도에서 선생님을 보고) 착한 사람이 되겠습니다.
설아: 나는 우리 학교 인사말이 좀 어색해. 우리가 지금은 착한 사람이 아닌 것 같거든. 또 "안녕하세요?"와 같은 전통적인 인사말을 우리가 지켜야 하는 것이 아닐까 하는 생각도 들어.
규민: [ ]

3 설아가 규민이와 나누려는 대화 주제는 무엇인지 빈칸에 알맞은 말을 쓰시오.

• 학교에서 ( )을/를 "착한 사람이 되겠습니다."로 하는 문제

서술형

4 다음 중 규민이가 어떻게 말하는 게 문제를 해결하는 데 더 도움이 될지 고르고, 그렇게 생각한 까닭을 쓰시오.

㉠ 넌 왜 그렇게 항상 불만이 많니? 어휴, 투덜이 같아.
㉡ 나는 형식적으로 하는 인사말보다 새롭고 좋은 뜻이 있는 인사말이 더 뜻깊다고 생각해.

(1) 도움이 되는 말: ( )

(2) 그렇게 생각한 까닭: ______________________

____

[5~6] 글을 읽고, 물음에 답하시오.

자신이 희망하는 직업을 유행에 따라 결정하는 일이 과연 옳은 것일까?
실제로 자신의 꿈이 '연예인'으로 바뀌었다고 하는 한 학생을 면담한 결과, "요즘에는 연예인이 대세이다."라면서도 "사실은 한 해에도 여러 번 바뀌는 희망 직업 때문에 고민이 많다. 무엇을 준비해야 할지 모르겠다."라고 털어놓았다. 직업의 선택은 유행이 아니라 자신의 적성이나 흥미, 특기를 고려해 이루어져야 한다.

5 글쓴이의 주장을 생각하며 빈칸에 알맞은 말을 쓰시오.

• 직업의 선택은 (1) ( )이/가 아니라 자신의 적성이나 (2) ( ), 특기를 고려해 이루어져야 한다.

☆☆ **6** 이 글에 제시된 근거 자료를 바르게 평가한 사람을 쓰시오.

선우: 자료가 주장을 잘 뒷받침하고 있어.
가영: 해당 분야 전문가를 면담한 자료보다 더 믿을 만한 자료야.

( )

점수 / 점

6 단원

[7~9] 글을 읽고, 물음에 답하시오.

㉮ 찬성편: 저희 찬성편은 두 가지 까닭에서 "학급 임원은 반드시 필요하다."라는 주제에 찬성합니다.

첫째, 실제로 학생 대표가 학교생활에 많은 역할을 합니다. 많은 학생들이 함께 생활하다 보니 학교에는 여러 가지 문제나 불편한 점이 생길 수 있습니다. 이러한 것에 대한 해결은 전교 학생회 회의에서 이루어지는데 학급 임원은 여기에 참여해 우리 반 학생들의 의견을 전달하는 역할을 합니다.

㉯ 반대편: 저희는 다음과 같은 까닭으로 "학급 임원은 반드시 필요하다."라는 토론 주제에 반대합니다.

첫째, [㉠]이/가 올바르다고 보기 어렵습니다. 한 매체에서 설문 조사를 한 결과에 따르면 70퍼센트 정도의 학생들이 "후보들의 능력보다 친분을 우선으로 투표한 적이 있다."라고 응답했습니다. 이 조사는 정말 우리가 우리를 대표할 수 있는 사람을 학급 임원으로 뽑았는지에 대한 의문을 가지게 합니다.

7 이 글은 토론 절차 가운데 무엇에 해당하는지 쓰시오.

( )

8 반대편의 주장과 근거 자료를 보았을 때, ㉠에 들어갈 내용으로 알맞은 것에 ○표를 하시오.

(1) 학급 임원을 뽑는 기준 ( )
(2) 학급 임원에게 주는 보상 ( )
(3) 학급 임원과 교우들 간의 관계 ( )

9 다음은 어느 편에서 제시할 수 있는 자료인지 알맞은 역할에 ○표를 하시오.

학급 임원 선거로 민주 시민 교육이 이루어질 수 있다고 한 전문가의 면담 자료

(찬성편 , 반대편)

[10~12] 글을 읽고, 물음에 답하시오.

㉮ 사회자: 이번에는 상대편이 펼친 주장에서 잘못된 점이나 궁금한 점을 지적하고 이에 답하는 반론하기 시간입니다. 먼저 반대편이 반론과 질문을 하고 이에 대해 찬성편이 답변하도록 하겠습니다.

㉯ 반대편: 찬성편에서는 학급을 위해 봉사하고, 학생 대표가 되어 우리의 뜻을 학교에 전하는 역할을 할 학급 임원이 필요하다고 했습니다. 하지만 학급을 위해 봉사하는 것은 몇 명의 학생이 아니라 전체 학생이 다 할 수 있는 일입니다.

㉰ 찬성편: 반대편은 학급 임원을 뽑는 기준이 올바르지 않은 까닭을 근거로 들었습니다. 하지만 반대편에서 첫 번째 자료로 제시한 설문 조사 결과는 다른 학교를 조사한 것입니다. 따라서 우리 학교의 상황과 설문 조사 결과가 반드시 같다고는 볼 수 없습니다. 우리 학교 사정을 고려해서 근거를 말씀해 주셔야 하지 않을까요?

10 토론에서 반론하기 방법을 생각하며 빈칸에 알맞은 말을 쓰시오.

반대편		찬성편
찬성편이 제시한 (1) ( )에 대한 반론 및 질문	➡	반대편의 질문에 대한 답변 및 (2) ( )

11 반대편이 찬성편의 주장에 제기한 반론은 무엇인지 쓰시오.

( )

서술형

12 반대편은 글 ㉰에서 찬성편이 제시한 반론에 반박하려 합니다. 이때 제시할 수 있는 자료를 한 가지 쓰시오.

[13~14] 글을 읽고, 물음에 답하시오.

> 사회자: 이제 토론의 마지막 단계인 주장 다지기입니다. 먼저 찬성편이 발언해 주시기 바랍니다.
> 찬성편: 학급 임원은 반드시 필요합니다. 공정한 선거로 학생 대표를 뽑고, 그 대표를 도와 학교생활이 잘 이루어지도록 하는 경험을 해 보는 것은 큰 의미가 있습니다. ㉠학급 임원을 뽑는 기준에 문제가 있다면 그 문제를 해결하면 됩니다. 반대편의 대안처럼 할 경우 원하지 않는 학생이 학생 대표를 맡게 되는 또 다른 문제가 발생할 수 있습니다. 공정한 경쟁과 올바른 선택을 거쳐 학급 임원을 뽑는다면 문제를 원만히 해결할 수 있을 것이라고 생각합니다.

13 이 글에 나타난 토론 절차에서 할 일로 알맞은 것을 세 가지 고르시오. (, ,)

① 자기편의 주장을 요약한다.
② 자기편 주장의 장점을 정리한다.
③ 자기편 주장의 단점을 정리한다.
④ 상대편에서 제기한 반론이 타당하지 않음을 지적한다.
⑤ 상대편 주장이 타당하지 않다는 것을 밝히기 위한 질문을 한다.

14 ㉠의 역할을 생각하며 빈칸에 알맞은 말을 쓰시오.

• 찬성편이 자신의 주장을 다지려고 덧붙인 (1) (   )(으)로, 주장과 근거의 (2) (   )을/를 높여 준다.

15 토론 절차와 방법에 대해 바르게 말한 사람은 누구인지 쓰시오.

> 수현: 토론은 '주장 펼치기-반론하기-주장 다지기'의 절차로 이루어져.
> 세호: 반론을 마치면서 상대편의 주장을 다시 한 번 말하면 효과적으로 반론할 수 있어.

(   )

16 다음은 학급 친구들과 주제를 정해 토론을 준비하는 방법입니다. 차례대로 기호를 쓰시오.

> ㉠ 학급 친구들과 함께 토론 주제 정하기
> ㉡ 주장과 근거를 마련하고 토론에 필요한 자료 준비하기
> ㉢ 앞서 정한 토론 주제를 살펴보며 자신은 어느 편에서 토론할지 정하기

(   ) ➡ (   ) ➡ (   )

17 토론을 할 때 무엇과 무엇을 지키며 역할에 따라 토론해야 하는지 쓰시오.

• 토론의 (   )과/와 (   )

18 독서 토론을 할 때 자신의 의견을 어떻게 말해야 하는지 빈칸에 알맞은 말을 쓰시오.

• 토론 주제에 알맞은 의견과 (   )을/를 말한다.

서술형

19 글을 읽고 독서 토론을 하고 난 뒤에 느낀 점을 한 가지 쓰시오.

____

____

20 토론하면 좋은 점으로 알맞지 않은 것은 무엇입니까? (   )

① 문제 해결에 도움이 된다.
② 자신과 생각이 다른 사람의 의견도 이해할 수 있다.
③ 토론 과정에서 자신의 주장과 근거를 명확하게 정리할 수 있다.
④ 문제 해결에 더 나은 방법이 무엇인지 결정하는 데 도움이 된다.
⑤ 문제 해결을 위해 서로 다투고 화해하면서 관계가 돈독해질 수 있다.

맞은 개수 / 개

서술형 평가

[1~2] 글을 읽고, 물음에 답하시오.

유행에 따라 희망 직업을 바꾼다면

㉮ 최근 한 매체에서 '연예인'이 초등학생들의 장래 희망 직업 1위를 차지했다는 결과를 발표했다. 초등학생들 사이에서 번진 아이돌 열풍 때문이다.

㉯ 직업은 생활 수단이자 자신의 능력을 발휘하고 꿈을 실현할 수 있는 기회이기도 하다. 그런데 자신이 희망하는 직업을 유행에 따라 결정하는 일이 과연 옳은 것일까?

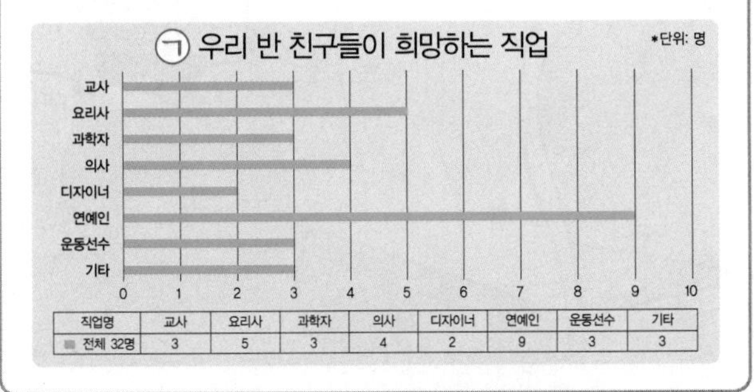

직업명	교사	요리사	과학자	의사	디자이너	연예인	운동선수	기타
전체 32명	3	5	3	4	2	9	3	3

1 ㉠ 자료의 부족한 점은 무엇인지 쓰시오.

2 다음 자료를 이 글의 근거 자료로 활용할 수 없는 까닭을 두 가지 쓰시오.

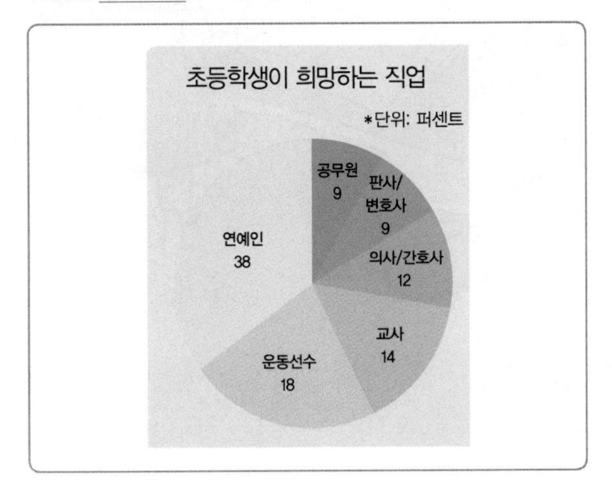

3 다음은 토론 절차 가운데 무엇에 해당하는지 쓰고, 이 절차에서 토론하는 방법을 두 가지 쓰시오.

찬성편: 반대편은 학급 임원을 뽑는 기준이 올바르지 않은 까닭을 근거로 들었습니다. 하지만 반대편에서 첫 번째 자료로 제시한 설문 조사 결과는 다른 학교에서 조사한 것입니다. 따라서 우리 학교의 상황과 설문 조사 결과가 반드시 같다고는 볼 수 없습니다. 우리 학교 사정을 고려해서 근거를 말씀해 주셔야 하지 않을까요?

(1) 토론 절차:

(2) 이 절차에서 토론하는 방법:

4 다음 토론 주제에 대해 반대편의 입장에서 토론을 하려고 합니다. 빈칸에 알맞은 내용을 쓰시오.

토론 주제	초등학생도 교복을 입어야 한다.
(1) 반대편의 주장	
(2) 근거	• •

5 토론하면 좋은 점을 생각하여 한 가지 쓰시오.

6 단원

교과서 문장으로 확인하는 핵심 낱말

● 다음 교과서 문장의 파란색 낱말 중에서 알맞은 것을 골라 인물들이 한 말을 완성하시오.

- 초등학생들 사이에서 번진 아이돌 **열풍** 때문이다.
- 직업은 생활 수단이자 자신의 능력을 **발휘**하고 꿈을 실현할 수 있는 기회이기도 하다.
- 직업의 선택은 **유행**이 아니라 자신의 적성이나 흥미, 특기를 고려해 이루어져야 한다.
- 어린이 사회 교육 잡지에 실린 한 **전문가**의 면담에 따르면 "민주 시민 교육은 초등학교 때부터 이루어져야 한다."라고 했습니다.

정답 | ❶ 열풍 ❷ 유행 ❸ 발휘 ❹ 전문가

역량 함께 이야기하기

7 중요한 내용을 요약해요

무엇을 배울까요?

준비

- 낱말의 뜻을 짐작하며 읽어야 하는 까닭 알기

기본

- 낱말의 뜻을 짐작하며 읽기
- 글을 요약하는 방법 알기
- 글의 구조에 따라 요약하기

실천

- 다른 과목의 교과서를 읽고 요약하기

7 중요한 내용을 요약해요

1 낱말의 뜻을 짐작하며 읽어야 하는 까닭 알기

① 낱말의 뜻을 제대로 짐작하지 못하면 글을 제대로 이해할 수 없기 때문입니다.
② 글을 읽으면서 모르는 낱말이 나올 때마다 사전을 찾아볼 수 없기 때문입니다.

2 낱말의 뜻을 짐작하며 읽기

뜻을 잘 모르는 낱말의 앞뒤 상황을 살펴봅니다.	예 사오정이 뜬금없는(→뜻을 잘 모르는 낱말) 말로 우리에게 재미와 웃음을 주지만 요즘에 사오정들은 귀 건강을 위협받는 아주 위험한 상황에 놓여 있습니다.(→'뜬금없는'의 뜻을 짐작할 수 있는 부분)
해당 낱말의 뜻과 비슷하거나 반대인 낱말을 대신 넣어 봅니다.	예 사오정이 엉뚱한 말로~. / 사오정이 황당한 말로~.
낱말을 사용한 예를 떠올려 봅니다.	예 잠을 자다가 동생이 뜬금없이 웃었습니다.

3 글을 요약하는 방법 알기

글을 요약하는 까닭	• 주어진 글의 내용을 잘 이해하기 위해서입니다. • 주어진 글의 중심 내용을 잘 파악하기 위해서입니다.
글을 요약하는 방법	• 글을 짧게 간추립니다. • 사소한 내용은 삭제하고 중요한 내용만 간추립니다. • 글에서 중요한 내용을 이해할 수 있게 간추립니다.

4 글의 구조에 따라 요약하기

① 글의 구조를 파악하며 읽고, 문단의 중심 내용을 간추립니다.
② 글의 구조에 알맞은 틀을 그려 내용을 정리합니다.
③ 정리한 내용은 중요한 내용이 잘 드러나도록 간결한 문장으로 씁니다.

예 「한지돌이」에서 글의 구조에 알맞은 틀

설명하는 내용	글의 구조	글의 구조에 알맞은 틀 예
한지가 만들어지는 과정	한지를 만드는 과정을 차례대로(시간의 순서대로) 설명하였습니다.	한지를 만드는 순서 ① → 한지를 만드는 순서 ② → 한지를 만드는 순서 ③
한지의 쓰임새	한지의 쓰임새를 늘어놓으면서(나열하면서) 설명하였습니다.	한지의 쓰임새 – (빈칸) / (빈칸) / (빈칸)

핵심 개념 문제

정답과 해설 ● 24쪽

1 낱말의 뜻을 제대로 이해하지 못하면 글을 제대로 이해할 수 없습니다.
(○, ×)

2 낱말의 뜻을 짐작하려면 뜻을 잘 모르는 낱말의 □□ 상황을 살펴봅니다.

3 글을 요약하는 까닭은 주어진 글의 내용을 잘 이해하기 위해서입니다.
(○, ×)

4 글을 요약할 때에는 (사소한 , 중요한) 내용만 간추립니다.

5 글의 구조에 따라 요약할 때 글의 구조에 알맞은 □을/를 그려 내용을 정리합니다.

역량 제재

낱말의 뜻을 짐작하며 읽어야 하는 까닭 알기

7 단원

- 뜻을 잘 모르는 낱말이 있을 때 민찬이가 어떤 읽기 방법을 선택했는지 그 과정을 따라가며 글 읽기

- **글의 종류**: 기사문
- **글의 내용**: 귀가 건강하지 못하다는 것을 알 수 있는 방법과 귀를 건강하게 하는 방법을 알려 주었습니다.

□□신문

내 귀는 건강한가요

❶ 귀가 ㉠어두워 무슨 말을 해도 제대로 알아듣지 못하는 만화 주인공 '사오정'을 아시나요? 만화 주인공 사오정과 비슷한 사람이 우리 주변에 많이 생겨나고 있습니다. 사오정이 ㉡뜬금없는 말로 우리에게 재미와 웃음을 주지만 요즘에 사오정들은 귀 건강을 위협받는 아주 위험한 상황에 놓여 있습니다.

귀가 어둡다는 말은 무슨 뜻일까? 귀 색깔이 검은색이라는 뜻이겠지. 그냥 대충 읽어야겠다.
민찬 ▶

중심 내용 우리 주변에 귀 건강을 위협받는 사람이 많이 생겨나고 있다.

❷ 귀가 건강하지 못하다는 사실은 소리 듣기로 가장 쉽게 알 수 있습니다. 소리가 잘 들리지 않는다면 그만큼 귀가 건강하지 못하다는 의미입니다. 소리가 잘 들리지 않으면 '최소 난청'이지만 귀 건강이 더 나빠지면 '전음성 난청'(청력이 저하되거나 손실된 상태)이 됩니다. 이 단계에서는 속삭이는 소리 외에도 일반적인 소리까지 선명하게 듣지 못하고 비행기를 타거나 높은 곳에 올라갔을 때처럼 귀가 먹먹한 느낌이 듭니다. 귀를 후비거나 하품하거나 귀에 바람을 넣어 봐도 순간적으로 증상이 호전될(병의 증상이 좋아짐.) 뿐 금세 귀가 먹먹해집니다. 그 밖에도 염증으로 인한 통증과 가려움 같은 증상이 일어납니다.

중심 내용 소리가 잘 들리지 않는다면 귀가 건강하지 못하다는 의미이다.

핵심

● **낱말의 뜻을 짐작하며 읽어야 하는 까닭**

낱말	민찬이가 짐작한 뜻	이 글에서 쓰인 뜻
(귀가) 어둡다.	(귀 색깔이) 검은색이다.	(귀가) 잘 들리지 않다.

⬇

민찬이는 낱말의 뜻을 제대로 짐작하지 못해서 글의 내용을 잘 이해할 수 없다.

난청(難 어려울 난, 聽 들을 청) 청력이 저하 또는 손실된 상태. 청각 기관의 장애로 생긴다.

염증(炎 불꽃 염, 症 증세 증) 우리 몸의 조직이 손상을 입었을 때에 몸 안에서 일어나는 방어적 반응.

1 ㉠'어두워'의 뜻을 민찬이가 짐작한 뜻과 이 글에서 쓰인 뜻을 찾아 선으로 이으시오.

(1) 민찬이가 짐작한 뜻 • • ① 잘 들리지 않아

(2) 이 글에서 쓰인 뜻 • • ② 검은색이어서

핵심 서술형

2 민찬이와 같이 했을 때 어떤 문제가 생길 수 있을지 생각하여 써 보시오.

____

____

3 교과서 문제 ㉡'뜬금없는'의 뜻을 짐작하는 방법으로 알맞은 것을 두 가지 고르시오. (,)

① 글쓴이에 대해 알아본다.
② 글에 실린 그림을 살펴본다.
③ '뜬금없는' 앞뒤의 내용을 자세히 살펴본다.
④ '뜬금없는'과 모양이 비슷한 낱말을 떠올려 본다.
⑤ '뜬금없는'을 이미 아는 친숙한 낱말로 바꾸었을 때 문장의 의미가 자연스러운지 살펴본다.

역량

4 교과서 문제 3번 문제에서 답한 방법대로 ㉡'뜬금없는'의 뜻을 짐작해 쓰시오.

( )

뜬금없는? 걸림돌?
왜 이렇게 어려운 말이 많아.
더 못 읽겠다. 그만 읽어야지.

❸ 우리 귀 건강에 가장 큰 ㉠걸림돌은 '이어폰'입니다. 사람들 대부분이 이어폰으로 음악을 들으면 집중을 잘하기 때문에 학습하는 데 큰 ㉡힘이 될 것이라고 생각합니다. 하지만 이는 사실과 다릅니다. 양쪽 귀 바로 위쪽 부위에는 언어 중추가 있는 뇌 측두엽이 존재하는데 측두엽과 가까운 귀에 이어폰을 꽂으면 언어 중추가 음악 소리에 자극을 받기 때문에 학습 내용이 기억에 잘 남지 않습니다. 왜냐하면 측두엽은 기억력과 청각을 담당하기 때문입니다. 다시 말해 노래를 들으며 공부를 하면 뇌는 이 두 가지를 한꺼번에 처리해야 하기 때문에 어려움을 겪습니다. 그래서 일반적으로 뇌 과학자들은 음악 듣기는 고난도 학습이나 업무를 하는 데 도움을 주지 않는다고 설명합니다.

귀를 건강하게 하려면 이어폰 같은 음향 기기를 하루 2시간 이내로 사용해야 하고, 사용할 때에는 소리 크기를 60퍼센트로 유지해야 합니다. 또 귀를 건조하게 유지하고 깨끗한 이어폰을 사용하는 방법도 좋습니다.

20○○. ○○. ○○
△△△ 기자

중심 내용 귀 건강을 위해서 이어폰 같은 음향 기기 사용을 바르게 해야 한다.

핵심

● 낱말의 뜻을 짐작하기

낱말의 앞뒤 내용을 자세히 살펴보거나 다른 낱말로 바꾸었을 때 문장의 의미가 자연스러운지 살펴본다.

⬇

낱말	짐작한 뜻 예
뜬금없는	엉뚱한 / 황당한
걸림돌	방해물 / 장애물
힘	도움

중추(中 가운데 중, 樞 지도리 추) 신경 기관 가운데, 신경 세포가 모여 있는 부분.

고난도(高 높을 고, 難 어려울 난, 度 법도 도) 어려움의 정도가 매우 큼. 또는 그런 것.

핵심

5 ㉠'걸림돌', ㉡'힘'과 바꾸어 써도 문장의 의미가 자연스러운 낱말을 보기 에서 찾아 쓰시오.

보기
도움, 노력, 방해물, 결과물

(1) ㉠'걸림돌': (　　　　　)
(2) ㉡'힘': (　　　　　)

6 귀를 건강하게 하는 방법으로 알맞지 않은 것은 무엇입니까? (　　)

① 귀를 건조하게 유지한다.
② 깨끗한 이어폰을 사용한다.
③ 귀의 안쪽을 자주 씻어 준다.
④ 이어폰 같은 음향 기기를 하루 2시간 이내로 사용한다.
⑤ 이어폰 같은 음향 기기를 사용할 때 소리 크기를 60퍼센트로 유지한다.

7 교과서 문제 다음 문장에서 '얼굴'의 뜻을 바르게 짐작한 것을 찾아 선으로 이으시오.

(1) 고려청자는 대한민국의 얼굴이라고 할 만한 대표 문화재입니다. • • ① 어떤 분야에서 활동하는 사람

(2) 우리나라 리듬 체조계에 새 얼굴이 등장했습니다. • • ② 어떤 것을 대표하는 상징

8 교과서 문제 다음 밑줄 그은 낱말의 뜻을 짐작해 쓰시오.

한번 먹은 마음 변하지 말고 열심히 공부하자.

(　　　　　　　　　　)

낱말의 뜻을 짐작하며 읽기

○ 파란색으로 쓰인 낱말의 뜻을 짐작하며 글 읽기

존경합니다, 선생님

• 글 · 그림: 퍼트리샤 폴라코 • 옮김: 유수아

❶ 글쓰기반 수업 첫날, 켈러 선생님은 아무 ㉠기척도 없이 교실로 들어와 책상 사이를 왔다 갔다 하며 ㉡엄포부터 놓았다.

"오늘부터, 나는 너희 한 사람 한 사람을 완전히 훈련시켜서 진짜 멋진 작가로 만들어 줄 생각이다. 정말 기적 같겠지? 하지만!"

켈러 선생님은 특유의 진한 미국 남부 지방 억양으로 말을 이어 나갔다.

"이 수업을 만만하게 생각했다면 지금 당장 저 문으로 나가도록. 보잘것없이 짧은 너희의 인생 경험으로는 상상도 못 할 정도로 힘들 테니까. 아마 이 수업을 끝까지 따라오지 못하는 학생들도 나오겠지." / 어쩐지 켈러 선생님이 유독 나만 노려보는 것 같았다.

• **글의 종류**: 이야기
• **글의 내용**: 퍼트리샤는 '마녀'라고 불리는 켈러 선생님의 글쓰기 지도를 받게 되었는데, 연습 과정은 힘들었지만 자신의 감정이 잘 드러나는 글쓰기를 하게 되었습니다.

켈러 선생님은 허리를 꼿꼿이 펴고 똑바로 서 있어서 실제 키보다 더 커 보였다. 특히 교탁에 기대설 때면, 마치 죽은 나뭇가지에 앉아 금방이라도 사냥감을 홱 낚아챌 듯 노려보는 매처럼 ㉢매서워 보였다.

● 낱말의 뜻을 짐작하며 읽기 ① (핵심)

낱말	짐작한 뜻 예
기척	누가 있는 줄을 알 만한 소리
엄포	무섭게 으르는 짓
매서워	성질이나 기세가 날카로워

억양 음(音)의 상대적인 높이를 변하게 함. 또는 그런 변화.
예 선생님께서는 억양 없는 목소리로 딱딱하게 말씀하셨습니다.

유독 많은 것 가운데 홀로 두드러지게.
예 오늘은 유독 더 추운 날입니다.

1 이 이야기는 어떤 날에 일어난 일로 시작했는지 쓰시오.

( )

2 켈러 선생님께서 하시려는 일은 무엇입니까? ( )

① 아이들을 운동선수로 만드는 것
② 아이들을 자원봉사자로 만드는 것
③ 아이들을 멋진 탐험가로 만드는 것
④ 아이들을 진짜 멋진 작가로 만드는 것
⑤ 아이들을 존경받을 수 있는 선생님으로 만드는 것

3 '내'가 느낀 켈러 선생님의 첫인상으로 알맞은 것은 무엇입니까? ( )

① 밝고 명랑해 보였다.
② 인자하고 온화해 보였다.
③ 힘이 없고 우울해 보였다.
④ 유독 '나'만 노려보는 것 같았다.
⑤ 아이들을 사랑하는 눈빛을 보였다.

핵심
4 ㉠~㉢의 낱말의 뜻을 짐작해 쓰시오.

(1) ㉠'기척': ( )
(2) ㉡'엄포': ( )
(3) ㉢'매서워': ( )

기본 1

"첫 번째 과제는 수필이다. 내가 놀라 까무러칠 정도로 재미있는 글을 써 오도록. 내가 너희의 반짝이는 생각에 홀딱 빠질 만큼 대단한 작품을 써 보란 말이다. 너희가 이 수업을 들을 만한 자격이 5 있는지를 알아보려는 거니까! 주제는? 가족이나, 집에서 일어나는 일상생활에 대한 이야기라면 뭐든지 괜찮아."

우리는 허둥지둥 종이를 꺼내 ㉠끼적이기 시작했다.

10 "아니, 아니! 여기서 말고!"

켈러 선생님의 호통에 우리는 바로 연필을 놓았다.

"숙제란 말이다, 숙제! 세 쪽 가득 채워 오도록. 기한은 내일까지!"

나는 ㉡마른침을 꿀꺽 삼켰다.

15 집으로 돌아오는 내내, 나는 줄곧 숙제 생각만 했다. / 진짜 잘 써야 하는데!

중심 내용 글쓰기반 수업 첫날, 켈러 선생님께서는 우리들을 멋진 작가로 만들어 줄 생각이라시며 집에서 숙제로 수필을 써 오라고 하셨다.

❷ 어느덧 언덕길로 접어들어 집이 점점 가까워질 무렵, 옆집에 사는 슐로스 할아버지가 현관 계단에 앉아 있는 모습이 보였다. 슐로스 할아버지는 아내를 먼저 하늘 나라로 보내고, 자식들도 다 커서 떠나 혼자 살고 있었다. 5

슐로스 할아버지가 나를 보더니, 옆에 앉으라는 듯 계단 옆자리를 탁탁 두드렸다.

"무슨 안 좋은 일이라도 있었니?"

슐로스 할아버지는 막 구워 낸 쿠키가 담긴 봉지를 호주머니에서 꺼내 나에게 내밀며 물었다. 유 10 명한 제빵사인 슐로스 할아버지는 늘 호주머니에 쿠키가 들어 있었다.

핵심

● 낱말의 뜻을 짐작하며 읽기 ②

낱말	짐작한 뜻 예
끼적이기	아무렇게나 쓰기
마른침	긴장했을 때 삼키는 침

호통 몹시 화가 나서 크게 소리 지르거나 꾸짖음. 또는 그 소리.
기한(期 기약할 기, 限 한할 한) 미리 한정하여 놓은 시기.
줄곧 끊임없이 잇따라.
제빵사 빵을 만드는 일을 전문으로 하는 사람.

5 문장의 내용으로 보아, ㉠'끼적이기'와 바꾸어 쓰기에 알맞은 말에 ○표를 하시오.

(1) 글씨를 정성껏 쓰기 ( )
(2) 글씨를 아무렇게나 쓰기 ( )

6 ㉡'마른침'의 뜻을 짐작하기 위해 낱말 앞부분의 상황을 살펴보려고 합니다. 나타난 상황으로 알맞은 것은 무엇입니까? ( )

① 켈러 선생님께서 졸고 계신 상황
② 켈러 선생님께서 칠판에 숙제를 적는 상황
③ 켈러 선생님께서 호통을 치셔서 긴장되는 상황
④ 켈러 선생님께서 아무 말씀도 없이 노려보시는 상황
⑤ 켈러 선생님께서 숙제 기한을 친절하게 말씀하시는 상황

역량 핵심

7 6번 문제에 나타난 상황을 보며 ㉡'마른침'의 뜻을 짐작하여 쓰시오.

( )

8 슐로스 할아버지에 대한 설명으로 알맞지 <u>않은</u> 것은 무엇입니까? ( )

① '나'의 옆집에 사신다.
② 유명한 제빵사이시다.
③ 아내 분은 돌아가셨다.
④ '나'를 늘 본체만체하신다.
⑤ 자식들이 다 커서 떠나 혼자 사신다.

"학교에서 가장 ㉠깐깐한 선생님한테 배우게 됐어요."

"설마 ㉡'마녀 켈러' 말이니?"

슐로스 할아버지가 짐짓 충격받은 척 머리를 감싸며 물었다. 나는 고개를 끄덕였다.

"흠, 우리 두 아들놈도 켈러 선생님한테 배웠지. 나중에 그때의 이야기를 좀 해 주마."

슐로스 할아버지와 나는 우두커니 앉아 거리를 가로지르는 전선에 내려앉은 새들을 쳐다보았다.

진짜 잘 써야 할 텐데!

중심 내용 '나'는 슐로스 할아버지를 만나 학교에서 가장 깐깐한 선생님을 만나게 됐다고 말씀드리고, 글을 진짜 잘 써야겠다고 생각했다.

❸ 그날 밤, 나는 책상에 앉아 글을 쓰기 시작했다. 나는 내 방이 정말 좋았다. 하루의 대부분을 내 방에서 보내는 만큼, 방을 쭉 둘러보면서 하나하나 묘사하면 어떨까. 아주 세세히! 그리고 내가 우리 집 고양이와 엄마를 얼마나 사랑하는지, 새로 산 치마가 얼마나 마음에 드는지, 집에서 먹는 아침밥이 얼마나 맛있는지를 보태면……. 와! 내가 쓴 글이지만, 잘 써도 너무 잘 쓴 것 같았다. 지금까지 쓴 글 중에서 최고라는 생각이 들었다.

나는 얼른 교실에서 큰 소리로 발표하고 싶어 몸이 ㉢근질근질했다.

이튿날 아침, 우리는 한 사람씩 차례로 자기가 써 온 글을 큰 소리로 발표했다. 나는 발표가 두렵지는 않았지만 무척 떨렸다. 그때 내 이름이 불렸다.

"다음, 퍼트리샤."

나는 우리 가족과 내 일상에 대해 쓴 '걸작'(매우 훌륭한 작품)을 읽어 내려갔다. 내가 우리 가족 모두를 얼마나 사랑하는지 알면 켈러 선생님도 무척 감동하겠지?

● 낱말의 뜻을 짐작하며 읽기 ③ (핵심)

낱말	짐작한 뜻 예
깐깐한	까다롭고 빈틈이 없는
근질근질했다	몹시 어떤 일을 하고 싶었다.

짐짓 마음으로는 그렇지 않으나 일부러 그렇게.
우두커니 넋이 나간 듯이 가만히 한 자리에 서 있거나 앉아 있는 모양.
묘사(描 그림 묘, 寫 베낄 사) 어떤 대상이나 사물, 현상 따위를 언어로 서술하거나 그림을 그려서 표현함.

9 ㉠'깐깐한'의 뜻으로 알맞은 것은 무엇입니까? ( )

① 느리고 어수룩한
② 따뜻하고 부드러운
③ 인자하고 너그러운
④ 일이 서툴러 허둥대는
⑤ 까다롭고 빈틈이 없는

10 슐로스 할아버지께서 말씀하신 ㉡'마녀 켈러'라는 말에 담긴 뜻은 무엇이겠습니까? ( )

① 신기한 선생님
② 재미있는 선생님
③ 매우 무서운 선생님
④ 마술을 부리는 선생님
⑤ 호기심이 많은 선생님

11 켈러 선생님께서 내 주신 숙제에 대한 '나'의 마음으로 알맞은 것은 무엇입니까? ( )

① 가벼운 마음
② 글을 쓰기 귀찮은 마음
③ 글을 대충 쓰려는 마음
④ 글을 잘 쓰고 싶은 마음
⑤ 선생님이 원망스러운 마음

핵심
12 ㉢'근질근질했다'의 뜻을 짐작해 쓰시오.

( )

하지만 내 예상과는 달리, 켈러 선생님의 숨소리가 점점 거칠어졌다.

"퍼트리샤, 넌 지금 '사랑'이라는 낱말을 고양이에게도, 치마에도, 이웃에게도, 팬케이크에도……, 심지어 엄마에게도 사용하고 있어. 엄마에게 느끼는 감정과 팬케이크에 느끼는 감정이 똑같다는 말이니? 낱말은 감정을 전해 주지. 하지만 낱말 하나하나가 가진 차이를 이해해야 해! 자, 다들 주목. 지금 당장 종이에 '사랑'을 나타내는 낱말을 쭉 써 봐. 단, '사랑'이라는 낱말은 빼고."

우리는 모두 끙끙대며 머리를 짜냈지만 고작 몇 개밖에 쓰지 못했다.

"자, 자, 그만." / 켈러 선생님은 교실을 휙 둘러보더니, 포기한 듯 교탁 앞에 섰다.

"'유의어'의 뜻을 아는 사람? 고대 물고기 이름 따위가 아니라는 것쯤은 알겠지."

켈러 선생님의 질문에 아무도 대답하지 못했다.

"그럼 이것이 바로 오늘 숙제다. '유의어'의 뜻을 알아보고, 다음 시간에 '유의어 사전'을 가져와서 '사랑'이라는 낱말을 찾아보도록."

중심 내용 '나'는 지금까지 쓴 글 중에 최고라고 생각하며 글을 썼지만 이튿날 켈러 선생님께서는 낱말 하나하나가 가진 차이를 이해하지 못하고 있다며, 숙제로 유의어의 뜻을 알아보라고 하셨다.

❹ 그날 오후, 집으로 돌아오자마자 곧바로 슐로스 할아버지를 찾아갔다.

"유의어 사전이라고? 아마 우리 아들들이 켈러 선생님 수업 시간에 쓰던 것이 아직 어딘가에 있을 거야."

슐로스 할아버지는 웅얼거리며 아들들 방으로 느릿느릿 걸어갔다.

(웅얼거리며: 나직한 소리로 똑똑하지 아니하게 혼자 입속말을 자꾸 해 대며)

"아, 그럼 그렇지. 여기 있구나!"

주목 관심을 가지고 주의 깊게 살핌. 또는 그 시선.
짜냈지만 온 힘을 다하여 어떤 생각이 나오게 했지만.
고작 기껏 따져 보거나 헤아려 보아야.
고대(古 옛 고, 代 대신할 대) 옛 시대.

13 켈러 선생님께서 '내'가 발표한 글을 듣고 보인 반응은 어느 것입니까? ( )

① 손뼉을 세게 쳤다.
② 눈을 지그시 감았다.
③ 고개를 연신 끄덕였다.
④ 흐뭇한 표정을 지었다.
⑤ 숨소리가 점점 거칠어졌다.

14 켈러 선생님께서 '내'가 쓴 글에서 지적한 점은 무엇입니까? ( )

① 다른 사람의 글과 비슷하게 쓴 것
② 감정을 전하는 낱말을 쓰지 않은 것
③ 특별하지 않은 일상을 글감으로 쓴 것
④ 한 낱말을 여러 상황에 구별 없이 쓴 것
⑤ 솔직한 감정을 글 속에 드러내지 않은 것

15 켈러 선생님의 낱말에 대한 생각을 두 가지 고르시오. (,)

① 낱말은 감정을 전해 준다.
② 같은 낱말을 반복하면 뜻이 강조된다.
③ 사람들이 쓰는 낱말을 따라 쓰면 안 된다.
④ 소리가 같아도 낱말의 뜻이 다를 수 있다.
⑤ 낱말 하나하나가 가진 차이를 이해해야 한다.

16 켈러 선생님께서 내 주신 숙제의 내용은 무엇인지 빈칸에 알맞은 말을 쓰시오.

• '( )'의 뜻을 알아보는 것이다.

7 단원

슐로스 할아버지가 책 더미에서 조그마한 종이책 한 권을 끄집어냈다.

"모든 낱말이 알파벳순으로 정리되어 있구나. 어디 보자. 뒷면에는…… '낱말 15만 개 이상 수록'이라고 적혀 있네. 이 사전이 켈러 선생님 수업에서는 성경으로 통하지, 아마?"

다음 날, 켈러 선생님은 칠판에 '만족스러운', '시원한', '충성스러운' 같은 여러 낱말을 죽 썼다. 그러고는 우리에게 유의어 사전을 뒤져 각 낱말을 대신 할 수 있는 낱말을 최대한 많이 찾아보라고 했다. 낱말을 가장 많이 찾은 사람은 금요일 쪽지 시험이 면제였다.

과연 그 결과는? 내가 낱말을 가장 많이 찾아냈다! 마침내 내가 해낸 것이다. 쪽지 시험 면제라니! 하지만 쉬는 시간에 남자아이 두 명이 심술궂게 ㉠빈정댔다.

"이제 퍼트리샤가 마녀의 새 인형이래!"

중심 내용 '나'는 슐로스 할아버지 댁에서 유의어 사전을 찾았고, 다음 수업에서 유의어를 가장 많이 찾아내서 금요일 쪽지 시험을 면제 받았다.

❺ 날이 갈수록 켈러 선생님은 온갖(이런저런 여러 가지의) 종류의 글쓰기 훈련을 시켰다. 훈련은 다양하게 이루어졌다. 어떤 날은 교실에서, 또 다른 날은 교실 밖에서.

하루는 모두 밖으로 나가 숲속에서 들려오는 소리에 귀를 기울였다. 켈러 선생님은 이 훈련이 우리의 감각을 예민하게 다듬어 줄 것이라고 했다.

점심시간에는 '대화'에 관한 숙제를 하려고 아이들의 말소리에 귀를 쫑긋 세워야 했다. 심지어 색깔을 이해하기 위해 쓰레기장까지 찾아갔다.

그러던 어느 날, 켈러 선생님이 물건 한 무더기를 잔뜩 갖고 와서 탁자 위에 늘어놓았다. 그중에는 자전거 핸들이나 드라이버, 컵도 있었다.

"이 물건들을 하나씩 살펴보고 원래 쓰임새와는 다르게 어떻게 사용할 수 있을지 생각나는 대로 죽 써 봐."

핵심

● 낱말의 뜻을 짐작하며 읽기 ④

낱말	짐작한 뜻 예
빈정댔다	비웃는 태도로 놀렸다.

면제(免 면할 면, 除 제할 제) 책임이나 의무 따위를 면하여 줌.
예 초등학생은 수업료가 면제입니다.

예민하게 무엇인가를 느끼는 능력이 빠르고 뛰어나게.
무더기 한데 수북이 쌓였거나 뭉쳐 있는 더미나 무리.

17 다음은 무엇에 대한 설명인지 이 이야기에서 찾아 쓰시오.

- 슐로스 할아버지께서 찾아 주셨다.
- 알파벳순으로 정리되어 있다.
- 켈러 선생님 수업에서 성경으로 통한다.

( )

서술형
18 금요일 쪽지 시험을 면제 받는 조건은 무엇인지 쓰시오.

핵심
19 ㉠'빈정댔다'의 뜻을 짐작해 쓰시오.

( )

20 켈러 선생님의 글쓰기 훈련에 대한 내용으로 알맞지 않은 것은 무엇입니까? ( )

① 다양한 훈련이 이루어졌다.
② 교실 안에서만 이루어졌다.
③ 색깔을 이해하기 위해 쓰레기장까지 찾아갔다.
④ 하루는 모두 밖으로 나가 숲속에서 들려오는 소리에 귀를 기울였다.
⑤ '대화'에 관한 숙제를 하려고 아이들의 말소리에 귀를 쫑긋 세워야 했다.

㉠그날 숙제는 어른 한 명을 인터뷰해서, 그 어른이 집 안에서 가장 소중하게 여기는 물건에 대해 알아 오는 것이었다. 예쁜 접시든, 테이블보든 무엇이든 좋았다. 켈러 선생님은 일명 '보물찾기' 숙제라고 했다. / ㉡「물론, 나는 누구를 붙잡고 인터뷰할지 이미 정해 놓고 있었다.

당연히 슐로스 할아버지!」/ 나는 슐로스 할아버지와 함께 할아버지의 집을 둘러보며 물었다.

"할아버지는 가장 소중한 물건 하나를 고르라면 무엇으로 하실 거예요?"

슐로스 할아버지는 쉽사리 결정을 내리지 못하는 것처럼 보였다. 하지만 잠시 뒤, 벽난로 위에 놓인 아름다운 액자를 가져와 보이며 나직이 입을 열었다.

"이 사랑스러운 여인이 바로 내 아내란다. 난 첫눈에 반했지. 정말 사랑스러운 여자였어. 아내가 방 안에 들어섰을 때 해와 달도 내 아내를 한번 훔쳐보려는 듯 창가를 어른거렸지. 휴, 정말 보고 싶구나."

슐로스 할아버지의 목소리가 흐려졌다(분명하지 아니하고 어렴풋하거나 모호해졌다). 슐로스 할아버지는 그 뒤로도 아내에 대한 이야기를 한 시간이나 더 들려주었다. 나는 슐로스 할아버지의 집을 나서기 전부터 이미 머릿속으로 글을 쓰고 있었다.

중심 내용 날이 갈수록 켈러 선생님은 온갖 종류의 글쓰기 훈련을 시켰고, '나'는 '보물찾기' 숙제를 하기 위해 슐로스 할아버지를 찾아가 가장 소중한 물건이 아내 사진을 넣은 액자라는 말을 들었다.

❻ 이번에는 켈러 선생님 마음에 쏙 들겠지? 내 마음과 감정을 듬뿍 담아 썼으니까, 나는 당장 켈러 선생님에게 숙제를 보여 주고 싶었다. 그런데 숙제 점수를 받고 보니, 맨 아래에 시(C)라고 적혀 있었다. 또 시(C)라니! 대체 켈러 선생님은 나한테 무엇을 바라는 것일까?

쉽사리 아주 쉽게. 또는 순조롭게.
예 어머니께서는 이사 갈 동네를 쉽사리 결정하지 못하셨습니다.

나직이 소리가 꽤 낮게.
어른거렸지 큰 무늬나 희미한 그림자가 물결 지어 자꾸 움직였지.

21 ㉠'그날 숙제'의 내용은 무엇인지 빈칸에 알맞은 말을 쓰시오.

• 어른 한 명을 인터뷰해서, 그 어른이 집 안에서 (   )에 대해 알아 오는 것이다.

22 ㉡「 」 부분을 통해 알 수 있는 점이 아닌 것은 무엇입니까? (   )

① '나'는 슐로스 할아버지를 좋아한다.
② '나'는 슐로스 할아버지를 의지한다.
③ '나'는 슐로스 할아버지를 편하게 생각한다.
④ '나'와 슐로스 할아버지는 어색한 사이이다.
⑤ '나'에게 슐로스 할아버지는 소중한 존재이다.

23 슐로스 할아버지를 인터뷰하면서 '내'가 느꼈을 마음을 바르게 말한 친구를 쓰시오.

정국: 아내를 사랑하는 할아버지의 마음을 느꼈을 거야.
나영: 먼저 떠난 아내를 원망하는 할아버지의 마음을 느꼈을 거야.
주희: 젊었을 때 고생하느라 힘들었을 할아버지의 마음을 느꼈을 거야.

(   )

24 '내'가 자신의 글이 켈러 선생님 마음에 들 거라고 생각한 까닭을 쓰시오.

(   )

그날, 켈러 선생님은 나에게 수업이 끝나고 잠깐 남아 있으라고 했다.

"퍼트리샤, 음, 그러니까 일단 슐로스 할아버지의 아내를 주제로 삼은 점은 적절했단다. 하지만 이 글에서 진실한 감정을 드러내는 낱말이 어디에 있지?"

켈러 선생님은 나를 똑바로 보며 말을 이었다.

"글을 읽는 사람이 글쓴이의 '진짜' 감정을 느낄 수 있어야 해. 물론 평범한 방식으로는 절대 안 되지. 독자들이 전혀 예상하지 못한 방식으로, 깜짝 놀라도록. 한마디로 **독창적**이어야 한다는 말이야!" / 어느 순간, 켈러 선생님은 내 눈을 뚫어져라 바라보고 있었다.

(방식: 일정한 방법이나 형식)

"퍼트리샤, 넌 이미 낱말을 아주 많이 알고 있어. 이제 그 낱말에 날개를 달아 줄 때란다."

중심 내용 켈러 선생님께서는 '나'에게 글을 읽는 사람이 글쓴이의 '진짜' 감정을 느낄 수 있어야 한다며 이제 낱말에 날개를 달아 줄 때라고 하셨다.

❼ 켈러 선생님의 수업은 쏜살같이 흘러갔다. 그러나 한순간도 쉽지는 않았다.

(쏜살같이: 쏜 화살과 같이 매우 빠르게)

어느 날, 켈러 선생님이 중요한 발표를 했다.

"오늘, 너희에게 무시무시한 기말 과제를 내 줄 거다. 그동안 너희는 수많은 글쓰기 **형식**을 배웠어. 대화 글 쓰기나 상황을 묘사하는 글 쓰기, 주장을 펼치는 글 쓰기, 자신이 겪은 일 쓰기 등등. 이 중에서 가장 자신 있는 형식 한 가지를 골라 글을 쓰는 것이 마지막 과제다. 아주 잘 골라야 할 거야. 이 기말 과제 점수로 합격이 결정되니까!"

독창적(獨 홀로 독, 創 비롯할 창, 的 과녁 적) 다른 것을 모방함이 없이 새로운 것을 처음으로 만들어 내거나 생각해 내는. 또는 그런 것.

형식(形 모양 형, 式 법 식) 문학 작품의 장르를 가리키거나, 외형적으로 고정되어 있는 운율, 장, 절을 뜻하는 개념.

25 '내'가 쓴 글에 대한 켈러 선생님의 평가로 알맞은 것은 무엇입니까? (　　)

① 주제가 적절하지 않다.
② 글의 내용이 독창적이다.
③ 어려운 낱말이 너무 많다.
④ 감정에 대한 표현이 너무 많다.
⑤ 진실한 감정이 드러나 있지 않다.

서술형

26 (교과서 문제) 다음 질문에 대한 답을 생각해 보고, 이 이야기의 주제는 무엇일지 쓰시오.

> 켈러 선생님께서 글쓰기에서 무엇을 강조하셨나요?

____

____

27 켈러 선생님께서 내 주신 기말 과제의 내용은 무엇인지 빈칸에 알맞은 말을 쓰시오.

- 가장 자신 있는 (　　　　　　) 한 가지를 골라 글을 쓰는 것

핵심

28 이 이야기를 읽으며 뜻을 잘 모르는 낱말의 뜻을 짐작한 방법이 바르지 <u>않은</u> 친구를 쓰시오.

> 동진: 낱말을 사용한 예를 떠올려 보았어.
> 수민: 뜻을 잘 모르는 낱말의 첫소리가 무엇인지 살펴봤어.
> 중혁: 해당 낱말의 뜻과 비슷하거나 반대인 낱말을 대신 넣어 봤어.

(　　　　　　)

기본 1

역시! 이런 날이 올 줄 알았다. 나는 벌써부터 진땀이 났다. 엎친 데 덮친 격으로, 켈러 선생님이 할 말이 있다며 따로 남으라고 했다.

"퍼트리샤, 너는 자신이 겪은 일을 써 왔으면 좋겠다. 솔직히 말해서, 네 글은 여전히 감정이 잘 드러나지 않고 있으니까."

하지만 아무리 머리를 ㉠쥐어짜도, 켈러 선생님을 감동시킬 만한 주제가 하나도 떠오르지 않았다.

중심 내용 켈러 선생님의 수업은 쏜살같이 흘러갔고, 켈러 선생님께서는 가장 자신 있는 글쓰기 형식 한 가지를 골라 글을 쓰는 것을 기말 과제로 내 주셨다.

❽ 기말 과제 주제를 제출하기 전 마지막 일요일, 친구 세 명과 함께 슐로스 할아버지 집에 모였다. 이웃에 사는 할머니가 계단에서 넘어져 뼈가 부러지는 바람에, 할머니를 돕는 성금 모금 바자회에 내놓을 쿠키를 다 같이 만들기 위해서였다.

"참, 그러고 보니, 전에 이 할아비가 켈러 선생님에 대한 이야기를 해 주겠다고 했었구나!"

슐로스 할아버지가 쿠키 반죽을 넓적하게 밀면서 기억을 더듬듯 천천히 입을 열었다.

"너희 모두 켈러 선생님이 그저 학생들을 괴롭히는 깐깐한 선생님이라고만 알고 있겠지. 하지만 말이다, 그리 오래전 일도 아니지. 예전에 글재주가 뛰어나서 훌륭한 작가로 성장할 만한 학생이 켈러 선생님 눈에 들어왔단다. 켈러 선생님은 그 학생이 쓴 글의 문제점을 모조리 지적해서 계속 다시 쓰게 했지. 완벽한 글이 될 때까지 몇 번이고 말이야. 단연코 그 학생은 태어나서 그토록 엄하고 힘든 선생님은 만난 적이 없었어."

"그래서 그 학생은 어떻게 됐어요?"

스튜어트가 물었다.

핵심

● 낱말의 뜻을 짐작하며 읽기 ⑤

낱말	짐작한 뜻 예
쥐어짜도	골똘히 생각해도

진땀 몹시 애쓰거나 힘들 때 흐르는 끈끈한 땀.
바자회 공공 또는 사회사업의 자금을 모으기 위하여 벌이는 시장.
단연코 확실히 단정할 만하게.
엄하고 성격이나 행동이 철저하고 까다롭고.

29 켈러 선생님께서 '나'에게 써 오라고 하신 글의 형식으로 알맞은 것은 무엇입니까? ( )

① 대화 글 쓰기
② 설명하는 글 쓰기
③ 자신이 겪은 일 쓰기
④ 주장을 펼치는 글 쓰기
⑤ 상황을 묘사하는 글 쓰기

핵심

30 ㉠'쥐어짜도'와 같은 뜻으로 쓰인 문장을 찾아 ○표를 하시오.

(1) 비가 내려 흠뻑 젖은 옷을 쥐어짜서 널어 놓았다. ( )
(2) 감기에 걸려 목이 잠겨서 소리를 쥐어짜서 인사를 했다. ( )
(3) 어머니 선물로 무엇이 좋을지 생각을 쥐어짰지만 마땅한 게 떠오르지 않았다. ( )

서술형

31 기말 과제 주제를 제출하기 전 마지막 일요일에 친구 세 명과 '내'가 슐로스 할아버지 집에 모인 까닭을 쓰시오.

32 슐로스 할아버지께서 아이들에게 해 준 이야기로 알맞은 것은 무엇입니까? ( )

① 켈러 선생님의 꿈
② 켈러 선생님의 가정 환경
③ 예전에 있었던 켈러 선생님의 일화
④ 켈러 선생님의 성격이 고약해진 까닭
⑤ 켈러 선생님이 교사를 직업으로 선택한 까닭

"물론 글 쓰는 사람이 되었지. 시카고에서 가장 큰 신문사에 들어갔단다! 나중에는 워싱턴에서 제일 큰 신문사로 옮겼고, 남아메리카에서 중동, 소련에 이르기까지 두루두루(여기저기 빠짐없이 골고루) 다니며 기사를 썼지. 그러다가 미국 최고의 권위를 자랑하는 보도 부문 퓰리처상까지 받았단다."

"어쩌면 ㉠그 학생은 켈러 선생님이 아니었더라도 훌륭한 글을 쓰는 사람이 되지 않았을까요?"

"꼭 그렇지만은 않단다, 퍼트리샤. 그 학생의 집은 아이를 대학교에 보낼 여유가 없었지. 켈러 선생님은 그 학생에게 글쓰기를 가르쳤을 뿐만 아니라, 학비까지 ㉡손수 마련해서 대학교에 다닐 수 있도록 주선해 주었어. 켈러 선생님이 아니었다면 그 학생은 평생 아버지의 빵집에서 일할 수밖에 없었을 거야."

슐로스 할아버지는 장난스럽게 눈을 찡긋했다.

"그래, 맞아. 그 학생이 바로 우리 아들이란다. 그러니까, 그 사실 하나만으로도, 나는 기 세고 고집 센 켈러 선생님에게 감사하지 않을 수 없지. 마녀 켈러라지만, 켈러 선생님이 없었다면 어떻게 되었을지……."

슐로스 할아버지는 알약을 하나 더 입에 넣었다.

중심 내용 슐로스 할아버지께서는 켈러 선생님이 자신의 아들을 훌륭한 기자로 만들어 주었다며 켈러 선생님에게 감사하지 않을 수 없다고 하셨다.

❾ 일주일이 채 지나지 않은 어느 날이었다. 나는 여전히 기말 과제 주제를 정하지 못한 채로 켈러 선생님 수업에 좀 일찍 도착해서 앉아 있었다. 그때, 학교 행정실 직원이 들어와 켈러 선생님에게 쪽지를 전해 주었다.

"퍼트리샤, 지금 행정실로 가 봐야겠구나."

켈러 선생님은 충격을 받아 슬픈 기색(마음의 작용으로 얼굴에 드러나는 빛)이 역력했다.

켈러 선생님과 함께 행정실로 가 보니 엄마가 와 있었다. 엄마는 울고 있었다. 엄마는 아침에 슐로스 할아버지가 돌아가셨다고 했다. 갑작스러운 심장 마비로.

● 낱말의 뜻을 짐작하며 읽기 ⑥ (핵심)

낱말	짐작한 뜻 예
손수	자기 손으로 직접

보도(報 갚을 보, 道 길 도) 대중 전달 매체를 통하여 일반 사람들에게 새로운 소식을 알림. 또는 그 소식.

주선해 일이 잘되도록 여러 가지 방법으로 힘써.

역력했다 자취나 기미, 기억 따위가 환히 알 수 있게 또렷했다.

33 ㉠'그 학생'에 대한 내용으로 알맞지 않은 것은 어느 것입니까? ( )

① 신문사에서 일했다.
② 글 쓰는 사람이 되었다.
③ 슐로스 할아버지의 아들이다.
④ 보도 부문 퓰리처상을 받았다.
⑤ 켈러 선생님과 끝까지 사이가 좋지 않았다.

핵심

34 ㉡'손수'의 뜻을 짐작해 쓰시오.

( )

서술형

35 교과서 문제 이 이야기에서 인물의 생각, 행동, 가치관 등을 이해하는 데 도움을 줄 수 있는 질문을 만들어 쓰시오.

36 글 ❾에서 일어난 일로 알맞은 것은 무엇입니까? ( )

① 어머니께서 다치셨다.
② '나'는 기말 과제를 포기했다.
③ 슐로스 할아버지께서 돌아가셨다.
④ '내'가 학교를 다닐 수 없게 되었다.
⑤ 켈러 선생님께서 학교를 그만두셨다.

엄마와 내가 차고에 들어서자, 슐로스 할아버지의 두 아들이 보였다. 두 사람 다 상심한 얼굴이 말이 아니었다. 나는 마지막으로 한 번만 슐로스 할아버지 집을 구석구석 살펴보고 싶었다. 다행히 허락을 받아, 나는 모든 방을 천천히 둘러보았다. 슐로스 할아버지의 침대에 놓인 베개도 만져 보고, 슐로스 할아버지가 가장 아끼던 의자의 등받이도 쓰다듬었다. 그러다 우리가 함께 쿠키를 만들 때 슐로스 할아버지가 입었던 요리복을 발견했다. 나는 요리복을 덥석(왈칵 달려들어 움켜잡는 모양) 움켜잡았다. 북받쳐 오르는 눈물을 그칠 수가 없었다. 이제는 하늘도 ㉠꼴 보기 싫었다. 슐로스 할아버지 같은 사람이 돌아가셨는데, 어째서 세상은 이리도 멀쩡히 잘 돌아가고 있을까!

그날 밤, 나는 책상에 앉아 정신없이 글을 쓰기 시작했다. 쓰고 또 쓰고, 또 썼다.

슐로스 할아버지의 장례식에는 거의 모든 이웃이 참석한 것 같았다. 켈러 선생님도 보였다. 마을 상점들은 이날 하루 문을 닫기까지 했다. 새삼 모든 것이 낯설게 보였다. 여기저기 마을 곳곳에 슬픔이 묻어났다.

기말 과제 제출 날을 훌쩍 넘긴 어느 날, 슐로스 할아버지가 돌아가신 날에 쓴 글을 켈러 선생님 책상에 올려놓았다. 이제는 켈러 선생님이 마음에 들어하든 말든 전혀 상관없었다. 오로지 슐로스 할아버지를 사랑하는 내 마음이 잘 표현되었기를 바랄 뿐이었다.

중심 내용 어느 날 갑자기 슐로스 할아버지께서는 심장 마비로 돌아가셨고, '나'는 슬픈 마음에 정신없이 글을 써서 기말 과제를 제출했다.

● 낱말의 뜻을 짐작하며 읽기 ⑦ (핵심)

낱말	짐작한 뜻 예
꼴	모양새를 낮잡아 이르는 말

상심한 슬픔이나 걱정 따위로 속을 썩인.
구석구석 이 구석 저 구석.
새삼 이전의 느낌이나 감정이 다시금 새롭게.
훌쩍 보통의 경우보다 훨씬 더 크거나 커진 모양.

37 이 이야기를 읽으면서 낱말의 뜻을 잘못 짐작한 친구를 찾아 쓰시오.

> 은정: '상심한'이라는 낱말 뒷부분에 얼굴이 말이 아니라는 내용이 나와서 '다친'이라는 뜻으로 짐작했어.
> 미연: '구석구석'이라는 낱말 뒷부분에 집을 여기저기 살펴보는 내용이 나와서 '샅샅이'라는 뜻으로 짐작했어.

(　　　　　　　　)

핵심 서술형

38 ㉠'꼴'을 사용한 예를 떠올려 한 문장으로 쓰시오.

39 '내'가 슐로스 할아버지 집에서 한 일이 아닌 것은 어느 것입니까? (　　)

① 슐로스 할아버지 집의 모든 방을 천천히 둘러보았다.
② 슐로스 할아버지의 침대에 놓인 베개를 만져 보았다.
③ 슐로스 할아버지가 쓰시던 책상에 앉아 글을 정신없이 썼다.
④ 슐로스 할아버지가 입었던 요리복을 움켜잡고 눈물을 흘렸다.
⑤ 슐로스 할아버지가 가장 아끼던 의자의 등받이를 쓰다듬었다.

40 '내'가 쓴 기말 과제에는 어떤 마음이 표현되었을지 쓰시오.

(　　　　　　　　)

⑩ 며칠 뒤, 나는 분홍색 쪽지를 받았다. 켈러 선생님이 보낸 쪽지였다. 막상 켈러 선생님의 연락을 받자 가슴이 철렁했다. 이렇게 학기말에 따로 불러낸다는 것은 좋지 않은 소식을 전하려는 경우가 많았다.

분명 켈러 선생님은 내 글이 마음에 들지 않았던 거야!

처음에는 슐로스 할아버지 생각에 눈물이 고였다가, 점점 기말 과제 점수가 걱정되기 시작했다.

합격을 못 하게 되면 어쩌지?

그런데 내가 교실에 들어서자, 켈러 선생님이 내 두 손을 꽉 잡았다.

"우리 퍼트리샤, 상심이 아주 컸구나."

그때, 켈러 선생님 책상 위에 내 기말 과제 종이가 반으로 접혀 있는 것이 눈에 들어왔다.

"점수는 다 매겼단다. 꼭 집에 가서 펼쳐 보도록 해. 알겠지?"

나는 가만히 고개를 끄덕였다.

㉠그 순간, 나는 깜짝 놀랐다. 켈러 선생님이 나를 꽉 끌어안은 것이다.

'마녀 켈러'가 나를 안아 주다니! 그러면서 켈러 선생님은 나직이 속삭였다.

"퍼트리샤, 슐로스 할아버지에게 바치는 글은 정말 놀라웠다. 자신이 겪은 일 쓰기의 모범으로 삼아도 좋을 만큼 말이다."

반으로 접힌 기말 과제 종이를 손에 꼭 쥐고 집으로 달려가는 내내, 나는 기대에 ㉡들떠 가슴이 부풀어 올랐다.

●낱말의 뜻을 짐작하며 읽기 ⑧

낱말	짐작한 뜻 예
철렁했다	놀라 가슴이 두근거렸다.
삼아도	대신 생각해도
들떠	마음이 가라앉지 않고 흥분돼서

막상 어떤 일에 실지로 이르러.
예 친구들과 실컷 놀았지만 막상 헤어지려니 아쉬웠습니다.

모범(模 본뜰 모, 範 법 범) 본받아 배울 만한 대상.
예 후배들에게 모범이 되도록 하겠습니다.

7 단원

41 '나'는 분홍색 쪽지를 받고 어떤 마음이 들었습니까? ( )

① 기말 과제 점수가 기대됐다.
② 기말 과제 점수가 걱정됐다.
③ 좋은 소식일 거 같아서 흐뭇했다.
④ 합격을 하건 안 하건 관심이 없었다.
⑤ 켈러 선생님이 자신의 글을 마음에 들어 했다는 생각이 들어 안심이 되었다.

42 ㉠에서 '내'가 깜짝 놀란 까닭은 무엇인지 쓰시오.

( )

43 켈러 선생님께서 '내'게 속삭이며 말한 내용으로 알맞은 것을 찾아 ○표를 하시오.

(1) 슐로스 할아버지에게 바치는 글에 아직도 자신의 감정이 드러나 있지 않아서 실망했다. ( )
(2) 슐로스 할아버지에게 바치는 글은 자신이 겪은 일 쓰기의 모범으로 삼아도 좋을 만큼 놀라웠다. ( )

핵심
44 ㉡'들떠'의 뜻을 짐작해 쓰시오.

( )

언덕길에서는 잠깐 멈추어 서서 슐로스 할아버지의 집을 올려다보았다.

"슐로스 할아버지! 지금은 사랑하는 아내와 함께 계시겠지요?" / 나는 거의 속삭이듯 물었다. 이런 생각만으로도 가슴이 따뜻해졌다.

나는 드디어 기말 과제 종이를 펼쳤다. 맨 위쪽 빈 공간에 빨간색 글씨가 가득했다.

'퍼트리샤, 맞춤법은 아직 손보아야(잘 매만지고 보살펴야) 할 곳이 많지만, 낱말에 날개가 달려 있구나. 채점 기준만 고집할 수 없을 정도로. 그래서…… 네게 글쓰기반 최초로 에이(A) 점수를 주마.'

중심 내용 켈러 선생님께서는 '나'의 글이 놀라웠다며 글쓰기반 최초로 에이(A) 점수를 주셨다.

⑪ 언제나 켈러 선생님을 떠올릴 때면, 내 가슴이 아릿하게 저려 온다.

훗날, 켈러 선생님은 내가 슐로스 할아버지에게 받은 유의어 사전을 가지고 기말 과제를 썼다는 사실에 굉장히 감동했다고 말했다. 나는 슐로스 할아버지가 유의어 사전 가장자리에 직접 적어 놓은 글들을 여전히 기억한다. 그 글들을 읽을 때마다 슐로스 할아버지가 내 곁에 있는 것만 같았다.

나는 분명히 '사랑'이라는 낱말을 썼지만, 그 낱말이 빚어낼 수 있는 모든 형태를 마지막 과제에 담았다. 지금도 슐로스 할아버지와 켈러 선생님을 생각하면 가슴이 벅찰 만큼 갖가지 낱말이 떠오른다. 왜냐하면 내가 늘 '존경하고 사랑해 마지않는' 두 분이니까.

중심 내용 '나'는 시간이 흘러도 늘 켈러 선생님과 슐로스 할아버지를 존경하고 사랑한다.

아릿하게 조금 마음이 고통스러운 느낌이 있게.
저려 가슴이나 마음 따위가 못 견딜 정도로 아파.
빚어낼 어떤 결과나 현상을 만들어 냄.
마지않는 앞말이 뜻하는 행동을 진심으로 함을 강조하여 나타내는 말.

45 켈러 선생님께서 '나'의 기말 과제에 에이(A) 점수를 주신 까닭으로 알맞은 것은 무엇입니까? ( )

① 모든 문장이 완벽해서
② 낱말에 날개가 달려 있어서
③ 맞춤법이 손보아야 할 곳이 없어서
④ 슐로스 할아버지와의 정을 생각해서
⑤ 슐로스 할아버지 일로 상심했을 것 같아 위로해 주려고

46 교과서 문제 이 이야기의 주제를 파악하는 데 도움이 되는 중요한 인물 두 명을 쓰시오.

( )

47 '내'가 46번 문제 답의 인물들을 생각하면 떠오르는 낱말을 두 가지 고르시오. (,)

① 질투 ② 사랑
③ 증오 ④ 불행
⑤ 존경

논술형

48 이 이야기의 주제를 생각하며 '나'에게 46번 문제 답의 인물들이 어떤 존재일지 빈칸에 알맞은 말을 생각하여 쓰시오.

• 깜깜한 바다를 밝혀 주는 등대처럼 ________

____

글을 요약하는 방법 알기

- 글을 어떻게 요약할지 생각하며 읽기

식물의 잎차례

• 글: 장 앙리 파브르 • 옮김: 추둘란 • 그림: 이제호

- **글의 종류**: 설명하는 글
- **글의 내용**: 식물이 줄기에 잎을 붙여 나가는 모양인 '잎차례'에는 '어긋나기', '마주나기', '돌려나기', '모여나기'가 있습니다.

❶ 사람들의 집 짓기와 식물의 집 짓기는 서로 같은 점도 있고 다른 점도 있습니다.

『집을 지을 때 건축가들은 설계도를 그린 뒤 그것을 바탕으로 집을 짓습니다. 이때 건축가는 집을 똑바로 세우려고 애씁니다. 사람들이 집을 지을 때 이토록 많은 정성을 기울이고 온갖 기술을 쓰는 일과 마찬가지로 식물도 질서 있게, 그리고 특별한 기술을 바탕으로 잎을 피웁니다.』

중심 내용 식물도 사람들의 집 짓기와 마찬가지로 질서 있게, 그리고 특별한 기술을 바탕으로 잎을 피운다.

❷ 식물이 특별한 기술을 바탕으로 잎을 피우는 이유는 햇빛과 그림자 문제 때문입니다. 위의 잎이 바로 아래 잎과 겹치면 위에 있는 잎의 그림자 때문에 아래 잎은 햇빛을 받지 못합니다. 『식물은 햇빛을 보지 못하면 살 수가 없지요. 그래서 어떻게 잎을 펼쳐야 햇빛을 잘 끌어모을까 고민합니다.

그럼 식물이 줄기에 어떤 모양으로 잎을 붙여 나가는지 그 기술을 알아보기로 할까요?』 줄기에 차례대로 잎을 붙여 나가는 모양을 '잎차례'라고 합니다.

중심 내용 식물은 햇빛과 그림자 문제를 고려해 잎을 피우는데, 줄기에 차례대로 잎을 붙여 나가는 모양을 '잎차례'라고 한다.

건축가 건축에 대한 전문적인 지식이나 기술을 가진 사람. 건축 계획, 건축 설계, 구조 계획, 공사 감리 따위의 일을 한다.
설계도(設 베풀 **설**, 計 셀 **계**, 圖 그림 **도**) 설계한 구조, 형상, 치수 따위를 일정한 규약에 따라서 그린 도면.
바탕 사물이나 현상의 근본을 이루는 기초.
기울이고 정성이나 노력 따위를 한곳으로 모으고.
온갖 이런저런 여러 가지의.
받지 빛, 볕, 열이나 바람 따위의 기운이 닿지.

1 글 ❶에 나타난 내용으로 알맞지 않은 것은 무엇입니까? (　　)

① 식물도 질서 있게 잎을 피운다.
② 건축가는 집을 똑바로 세우려고 애쓴다.
③ 식물은 특별한 기술을 바탕으로 잎을 피운다.
④ 사람들은 집을 지을 때 많은 정성을 기울인다.
⑤ 사람들의 집 짓기와 식물의 집 짓기는 비슷한 점이 없다.

2 식물이 어떻게 잎을 펼쳐야 할지 고민하는 까닭으로 알맞은 것은 무엇입니까? (　　)

① 꽃을 피우기 위해서이다.
② 강한 바람에 견디기 위해서이다.
③ 비가 언제 올지 모르기 때문이다.
④ 햇빛을 잘 끌어모으기 위해서이다.
⑤ 땅에 있는 영양분을 잘 흡수하기 위해서이다.

3 '잎차례'는 무엇을 말하는지 빈칸에 알맞은 말을 쓰시오.

• 줄기에 (　　　　　　　　　　) 모양을 '잎차례'라고 한다.

4 글 ❷ 다음에 이어질 내용으로 알맞은 것은 무엇입니까? (　　)

① 식물의 종류에 대해 알아보는 내용
② 나무의 크기에 대해 알아보는 내용
③ 잎차례의 종류에 대해 알아보는 내용
④ 꽃을 피우는 식물에 대해 알아보는 내용
⑤ 사람에게 유용한 잎에 대해 알아보는 내용

❸ 『먼저, 줄기 마디마다 잎을 한 장씩 피우되 서로 어긋나게 피우는 방법이 있습니다. 이것을 '어긋나기'라 합니다. 국수나무처럼 평행하게 어긋나기만 하는 식물이 있는가 하면, 해바라기처럼 소용돌이 모양으로 돌려나면서 어긋나는 식물도 있습니다.

중심 내용 줄기 마디마다 잎을 한 장씩 피우되 서로 어긋나게 피우는 '어긋나기'가 있다.

❹ 이와는 달리 줄기 한 마디에 잎 두 장이 마주 보는 '마주나기'도 있습니다. 단풍나무나 화살나무는 잎 두 장이 사이좋게 마주 보고 있습니다. 그리고 마주난 잎들이 마디마다 서로 어긋나지 않고 평행합니다.

중심 내용 줄기 한 마디에 잎 두 장이 마주 보는 '마주나기'가 있다.

❺ 그런가 하면 한 마디에 잎이 석 장 이상 돌려나는 잎차례가 있습니다. 이런 잎차례를 '돌려나기'라고 합니다. 갈퀴꼭두서니는 마디마다 잎이 여섯 장에서 여덟 장씩 돌려나기로 핍니다.

끝으로 소나무처럼 잎이 한곳에서 모여나는 ㉠'모여나기'가 있습니다.』

중심 내용 한 마디에 잎이 석 장 이상 돌려나는 '돌려나기'와 잎이 한곳에서 모여나는 '모여나기'가 있다.

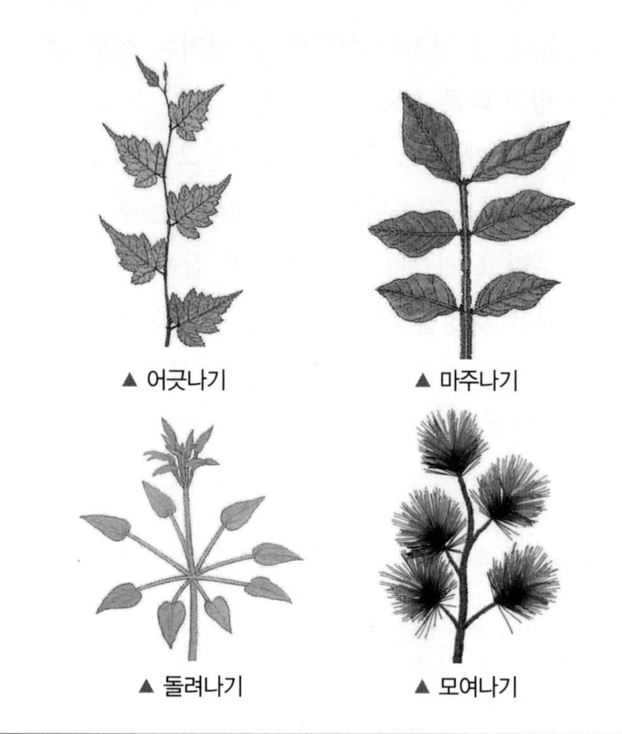

마디 대, 갈대, 나무 따위의 줄기에서 가지나 잎이 나는 부분.
평행하게 나란하게.
소용돌이 한 점을 중심으로 하나의 선이 둘레를 돌면서 뻗어 나가는 모양.

5 글 ❸의 내용에 맞게 빈칸에 알맞은 말을 쓰시오.

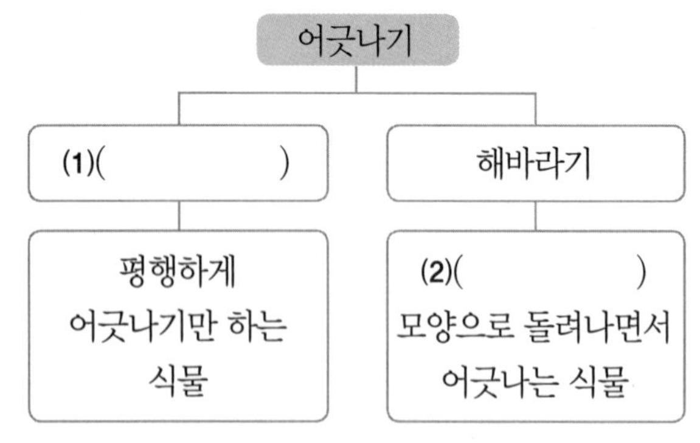

서술형

6 '마주나기'는 잎이 어떤 모양으로 나는 것인지 써 보시오.

7 다음 중 '돌려나기'로 잎을 피우는 식물은 무엇입니까? ( )

① 소나무 ② 국수나무
③ 단풍나무 ④ 화살나무
⑤ 갈퀴꼭두서니

8 ㉠'모여나기'에 해당하는 그림을 찾아 ○표를 하시오.

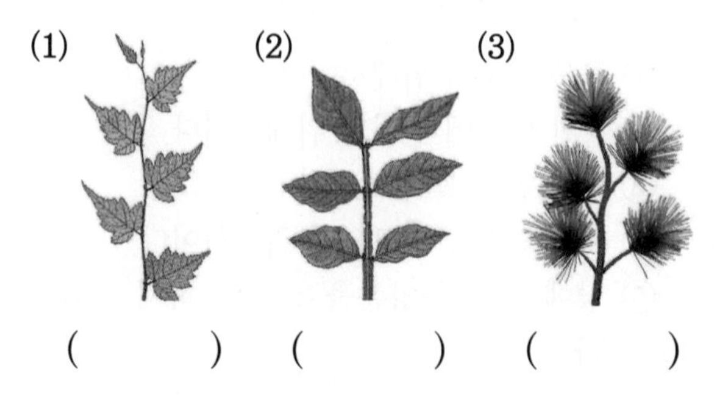

( ) ( ) ( )

○ 세 친구가 「식물의 잎차례」를 읽고 요약한 내용인 글 ㉮~㉰를 비교하며 읽기

㉮ 집을 지을 때 건축가들은 설계도를 그린 뒤 그것을 바탕으로 집을 짓습니다. 이때 건축가는 집을 똑바로 세우려고 애씁니다. 사람들이 집을 지을 때 이토록 많은 정성을 기울이고 온갖 기술을 쓰는 일과 마찬가지로 식물도 질서 있게, 그리고 특별한 기술을 바탕으로 잎을 피웁니다.

식물은 햇빛을 보지 못하면 살 수가 없지요. …….
(145~146쪽 「식물의 잎차례」의 대부분 내용인 『 』 부분이 그대로 들어가 있음.)

㉯ 식물이 특별한 기술을 바탕으로 잎을 피우는 이유는 햇빛과 그림자 문제 때문입니다. 위의 잎이 바로 아래 잎과 겹치면 위에 있는 잎의 그림자 때문에 아래 잎은 햇빛을 받지 못합니다.

• 글의 특징: 세 친구가 「식물의 잎차례」를 읽고 각각 다르게 요약하였습니다.

㉰ 식물의 자람에 영향을 주는 것은 햇빛입니다. 위의 잎이 바로 아래 잎과 겹치면 위에 있는 잎의 그림자 때문에 아래 잎은 햇빛을 받지 못하므로 식물은 다양한 모양으로 잎을 피웁니다. 줄기에 차례대로 잎을 붙여 나가는 모양인 '잎차례'로는 서로 어긋나게 피우는 '어긋나기', 줄기 한 마디에 잎 두 장이 마주 보는 '마주나기'가 있습니다. 한 마디에 잎이 석 장 이상 돌려나는 '돌려나기'도 있고, 잎이 한곳에서 모여나는 '모여나기'도 있습니다.

핵심
● 세 친구가 글을 요약한 방법

글	방법
글 ㉮	글이 길고 중요하지 않은 내용도 많이 들어가 있다.
글 ㉯	글이 너무 짧아서 중요한 내용이 드러나 있지 않다.
글 ㉰	중요한 내용이 잘 드러나게 글을 요약했다.

9 교과서 문제 **글을 요약하는 까닭을 바르게 말하지 못한 친구를 쓰시오.**

> 진영: 주어진 글의 내용을 잘 이해하기 위해서야.
> 수아: 주어진 글의 중심 내용을 잘 파악하기 위해서야.
> 강우: 주어진 글에서 쓰인 낱말의 다양한 뜻을 알아보기 위해서야.

( )

핵심
10 **글 ㉮~㉰ 가운데에서 「식물의 잎차례」의 중요한 내용이 잘 드러나게 요약한 글의 기호를 쓰시오.**

글 ( )

11 **10번 문제 답을 제외한 두 글이 요약 글로 적절하지 않은 까닭에 맞게 빈칸에 글의 기호를 쓰시오.**

• 글 (1)( )는 글이 길고 중요하지 않은 내용도 많이 들어가 있고, 글 (2)( )는 글이 너무 짧아서 중요한 내용이 드러나 있지 않다.

12 **다음 요약하기 평가 기준으로 알맞지 않은 것에 ×표를 하시오.**

(1) 글을 짧게 간추렸는가? ( )
(2) 사소한 내용은 삭제하고 중요한 내용만 간추렸는가? ( )
(3) 글의 중요한 내용을 이해할 수 있게 간추렸는가? ( )
(4) 글의 첫부분과 끝부분의 내용이 들어가게 간추렸는가? ( )

○ 글 ㉮의 내용을 ㉯처럼 요약하면 어떤 점이 좋을지 생각하기

• 글의 특징: 글 ㉮의 내용을 생각그물을 활용해 ㉯처럼 요약하였습니다.

㉮ 먼저, 줄기 마디마다 잎을 한 장씩 피우되 서로 어긋나게 피우는 방법이 있습니다. 이것을 '어긋나기'라 합니다. 국수나무처럼 평행하게 어긋나기만 하는 식물이 있는가 하면, 해바라기처럼 소용돌이 모양으로 돌려나면서 어긋나는 식물도 있습니다.

이와는 달리 줄기 한 마디에 잎 두 장이 마주 보는 '마주나기'도 있습니다. 단풍나무나 화살나무는 잎 두 장이 사이좋게 마주 보고 있습니다. 그리고 마주난 잎들이 마디마다 서로 어긋나지 않고 평행합니다.

그런가 하면 한 마디에 잎이 석 장 이상 돌려나는 잎차례가 있습니다. 이런 잎차례를 '돌려나기'라고 합니다. 갈퀴꼭두서니는 마디마다 잎이 여섯 장에서 여덟 장씩 돌려나기로 핍니다.

끝으로 소나무처럼 잎이 한곳에서 모여나는 '모여나기'가 있습니다.

㉯

잎차례
- 어긋나기: 국수나무, 해바라기
- 마주나기: 단풍나무, 화살나무
- 돌려나기: 갈퀴꼭두서니
- ㉠: 소나무

핵심

● 글을 요약한 방법

글	요약한 방법
㉯	글 ㉮의 중요한 내용을 생각그물을 활용해 요약했다.

⬇

좋은 점
글의 중요한 내용을 한눈에 파악할 수 있어 글의 핵심 내용을 잘 이해할 수 있다.

13 ㉯는 무엇을 활용하여 요약한 것인지 빈칸에 알맞은 말을 쓰시오.

• 글 ㉮의 중요한 내용을 (　　　　　) 을/를 활용해 요약했다.

14 ㉯에서 요약한 방법으로 알맞지 않은 것은 어느 것입니까? (　　)

① 중요한 내용으로 구성했다.
② 잎차례의 뜻을 알려 주었다.
③ 중심 낱말을 가운데에 두었다.
④ 각 잎차례 방법에 해당하는 식물도 적었다.
⑤ 잎차례 방법을 중심 낱말에 선으로 연결했다.

핵심 **15** ㉯와 같이 요약하면 좋은 점을 두 가지 고르시오. (　　,　　)

교과서 문제

① 쉬운 낱말을 사용할 수 있다.
② 글쓴이의 생각이 잘 드러난다.
③ 글의 핵심 내용을 잘 이해할 수 있다.
④ 중요한 내용을 한눈에 파악할 수 있다.
⑤ 원래 글의 세세한 내용까지 확인할 수 있다.

16 글 ㉮의 내용으로 보아, ㉠에 들어갈 말은 무엇일지 쓰시오.

(　　　　　　　　)

● 앞에서 배운 요약하기 평가 기준을 활용해 다음 글을 요약해 보기

㉠사람들은 많은 물건을 한꺼번에 나르려고 바구니를 이용한다. 그렇다면 동물들은 한꺼번에 먹이를 나르려고 무엇을 이용할까?

㉡다람쥐는 볼주머니를 이용한다. 볼주머니는 입안 좌우에 있는 큰 주머니를 말한다. 다람쥐는 먹이를 입에 넣은 다음 볼에 차곡차곡 담는데 밤처럼 너무 큰 먹이는 이빨로 잘라서 넣기도 한다. 다람쥐의 경우 도토리 같은 열매 열 개 이상을 볼주머니에 잠시 저장할 수 있다.

㉢원숭이도 볼주머니가 있다. 원숭이의 볼주머니에는 사과 한 개 정도가 들어갈 수 있는 공간이 있다. 원숭이는 먹이를 발견하면 대충 씹어 그곳에 잠시 저장한다. 그런 다음 다른 원숭이에게 먹이를 빼앗기지 않으려고 안전한 장소로 이동한 뒤 먹이를 조금씩 꺼내어 먹는다.

- **글의 종류**: 설명하는 글
- **글의 내용**: 다람쥐, 원숭이 같은 동물들은 먹이를 나르는 데 볼주머니를 이용합니다.

● 글을 요약해 보기 예 (핵심)

볼주머니에 먹이를 저장해 나르는 동물

다람쥐	원숭이
도토리 같은 열매 열 개 이상을 볼주머니에 잠시 저장해 먹이를 나른다.	먹이를 볼주머니에 잠시 저장해 안전한 장소로 이동해서 먹는다.

차곡차곡 물건을 가지런히 겹쳐 쌓거나 포개는 모양.
예 공사장에 벽돌이 차곡차곡 쌓여 있습니다.

발견(發 필 발, 見 볼 견) 미처 찾아내지 못하였거나 아직 알려지지 아니한 사물이나 현상, 사실 따위를 찾아냄.

17 이 글에서 여러 번 반복해서 나타나는 중심 낱말은 어느 것입니까? ( )

① 사과 ② 공간
③ 도토리 ④ 바구니
⑤ 볼주머니

18 이 글을 요약한다면 ㉠~㉢ 중 가장 중요하지 않은 내용을 찾아 기호를 쓰시오.

( )

핵심

19 이 글의 중심 낱말을 활용해 다음과 같이 내용을 정리할 때 빈칸에 알맞은 말을 각각 쓰시오.

볼주머니에 (1)( )을/를 저장해 나르는 동물

다람쥐	(2)( )
도토리 같은 열매 열 개 이상을 볼주머니에 잠시 저장해 먹이를 나른다.	먹이를 볼주머니에 잠시 저장해 (3)( )(으)로 이동해서 먹는다.

20 19번 문제에서 정리한 내용을 살펴보고, 잘한 점을 칭찬한 내용이 알맞지 않은 친구를 쓰시오.

장훈: 중요한 내용이 잘 드러나 있구나.
주영: 필요 없는 부분을 찾아 삭제했구나.
성진: 글의 전체 내용을 그대로 잘 옮겼구나.
세희: 사각형 그림을 활용해 중심 낱말을 중심으로 정리했구나.

( )

서술형

21 교과서 문제 19번 문제에서 정리한 내용을 바탕으로 하여 이 글을 요약해 쓰시오.

기본 3 + 실천 글의 구조에 따라 요약하고, 다른 과목의 교과서 요약하기

● 각 문단의 중심 내용을 생각하며 글 읽기

한지돌이

• 글: 이종철 • 그림: 이춘길

❶ 옛날 아주 먼 옛날에 사람들은, 오래 기억하고 싶은 일이나 함께 나누고 싶은 생각을 바위와 동굴 벽에 새기고 그렸대. 하지만 그렇게 새기고 그리는 건 쉽지 않았어. 게다가 바위나 동굴은 다른 곳으로 옮길 수도 없잖아. 땅바닥이나 나무토막에 그리기도 했지만 땅바닥에 그린 것은 금방 지워져 버렸고, 나무토막은 잃어버리기 일쑤였지.

그래서 사람들은 좀 더 쓰기 쉽고 그리기 편한 것, 옮기기 쉽고 간직하기 좋은 것을 찾았어. 흙을 빚어 점토판을 만들기도 하고, 나무를 쪼개 엮거나 풀 줄기 안쪽을 얇게 벗겨 겹쳐서 쓰기도 했어. 옷감이나 얇게 편 가죽을 사용하기도 했지. 그러다가 종이를 발명한 거야. 쓰고 그리기 쉽고, 가볍고 간직하기 좋은 종이를 말이야.

중심 내용 사람들은 좀 더 쓰기 쉽고 그리기 편한 것, 옮기기 쉽고 간직하기 좋은 것을 찾아 종이를 발명했다.

❷ 나는 종이 가운데 으뜸인 한국 종이, 한지야! 옛날 중국에서 최고로 친 고려지도, 일본에서 최고로 친 조선종이도 모두 나야. 그런데 내가 어떻게 만들어지는지 아니?

- **글의 종류**: 설명하는 글
- **글의 특징**: 종이가 만들어진 까닭, 한지가 만들어지는 과정, 한지의 쓰임새 등을 친구에게 말하듯이 설명하였습니다.

● **글의 구조에 따라 요약하기 ① 예**

글 ❶: 종이가 만들어진 까닭	사람들은 좀 더 쓰기 쉽고 그리기 편한 것, 옮기기 쉽고 간직하기 좋은 것을 찾아 종이를 발명했다.

핵심

일쑤 흔히 또는 으레 그러는 일.
간직하기 물건 따위를 어떤 장소에 잘 간수하여 두기.
점토판 점토를 이겨서 그 위에 갈대의 줄기 따위로 글씨를 쓰던 판.
친 어떤 상태라고 인정하거나 사실인 듯 받아들인.
최고 많은 것 가운데 가장 뛰어난 것

1 옛날에 사람들이 오래 기억하고 싶은 일이나 함께 나누고 싶은 생각을 표현한 방법입니다. 각 방법의 단점을 찾아 선으로 이으시오.

(1) 동굴 벽에 그리기 • • ① 금방 지워진다.

(2) 땅바닥에 그리기 • • ② 잃어버리기 쉽다.

(3) 나무토막에 그리기 • • ③ 그리기 어렵고 옮길 수 없다.

2 글 ❶에서 설명하는 내용은 무엇인지 빈칸에 알맞은 말을 쓰시오.

교과서 문제

• (   )이/가 만들어진 까닭

핵심 서술형

3 글 ❶의 내용을 요약해 써 보시오.

____

____

4 글 ❷에서 설명할 내용으로 알맞은 것은 무엇입니까? (   )

① 종이의 종류
② 한지의 역사
③ 한지의 쓰임새
④ 한지가 만들어지는 과정
⑤ 종이를 대체할 수 있는 것

기본 3 + 실천

제일 먼저 닥나무를 베어다 푹푹 찐 뒤, 나무껍질을 훌러덩훌러덩 벗겨서 물에 불려. 그러고는 다시 거칠거칠한 겉껍질을 닥칼로 긁어내고 보들보들 하얀 속껍질만 모아.

이렇게 모은 속껍질은 삶아서 더 보드랍게, 더 하얗게 만들어야 해. 먼저 닥솥에 물을 붓고 속껍질을 담가. 그리고 콩대를 태워 만든 잿물(재를 우려낸 물)을 붓고 보글보글 부글부글 삶아. 푹 삶은 다음에는 건져 내서 찰찰찰 흐르는 맑은 물에 깨끗이 씻어.

이제 보드랍고 하얗게 바랜 속껍질을 나무판 위에 올려놓고 닥 방망이로 찧어 가닥가닥 곱게 풀어야 해. 쿵쿵 쾅쾅! 솜처럼 풀어진 속껍질은 다시 물에 넣고 잘 풀어지라고 휘휘 저어. 그런 다음 닥풀을 넣고 다시 잘 엉겨 붙으라고 휘휘 저어 주지.

아, 한지를 물들이려면 지금 준비해야 해. 잇꽃으로 물들이면 붉은 한지 되고 치자로 물들이면 노랑, 쪽물은 파랑, 먹으로 물들이면 검은 한지 되지.

이번에는 엉겨 붙은 속껍질을 물에서 떠내야 해. 촘촘한 대나무 발(가늘고 긴 대를 줄로 엮어서 만든 물건)을 외줄에 걸어서 앞뒤로 찰방, 좌우로 찰방찰방 건져 올리면 물은 주룩주룩 빠지고 발 위에는 하얀 막(물건의 표면을 덮고 있는 얇은 물질)만 남아. 젖은 종이처럼 말이야. 이렇게 한 장 한 장 떠서 차곡차곡 쌓은 다음 무거운 돌로 하루 정도 눌러서 남은 물기를 빼.

마지막으로 차곡차곡 눌러둔 걸 한 장 한 장 떼어서 판판하게 말려야 해. 따뜻한 온돌 방바닥이나 판판한 벽에 쫙쫙 펴서 말리면 드디어 숨 쉬는 종이, 한지 완성!

중심 내용 종이 가운데 으뜸인 한지는 닥나무를 베어다 찌고, 속껍질을 이용해 만든다.

● 글의 구조에 따라 요약하기 ② 예 (핵심)

글 ❷: 한지가 만들어지는 과정
1. 닥나무를 푹 찌고, 겉껍질을 긁어내어 속껍질만 모은다.
2. 속껍질을 더 보드랍고 하얗게 만든다.
3. 속껍질을 나무판 위에 올려놓고 찧는다.
4. 풀어진 속껍질을 물에 넣고 젓고, 닥풀을 넣고 다시 젓는다.
5. 엉겨 붙은 속껍질을 물에서 떠내 한 장씩 쌓고 돌로 눌러 둔다.
6. 눌러 둔 한지를 한 장씩 떼어서 말린다.

닥나무 뽕나뭇과의 낙엽 활엽 관목. 높이는 3미터 정도이며, 어린잎은 먹을 것으로 쓰고, 껍질은 한지를 만드는 데 씀.

콩대 콩을 떨어내고 남은, 잎을 제외한 나머지 부분.

잇꽃 국화과의 두해살이풀. 높이는 1미터 정도이며, 잎은 어긋남.

5 이 글은 어떤 구조로 대상을 설명하는지 보기 에서 찾아 빈칸에 쓰시오.

보기
시간의 순서대로, 특징을 나열하여

• '먼저, 그러고는, 이제, 그런 다음, 마지막으로'와 같은 말로 보아 ( ) 설명하였다.

6 이 글의 내용으로 알맞지 않은 것은 무엇입니까? ( )

① 한지는 닥나무로 만든다.
② 한지는 흰색 한 가지이다.
③ 한지는 숨 쉬는 종이이다.
④ 한지를 만들 때 많은 정성이 들어간다.
⑤ 한지를 만들 때 닥칼, 대나무 발 등이 쓰인다.

핵심

7 글 ❷의 내용을 구조에 맞게 다음 틀에 정리할 때, 빈칸에 알맞은 말을 각각 쓰시오.

한지가 만들어지는 과정
1. (1)( )을/를 푹 찌고, 겉껍질을 긁어내어 속껍질만 모은다.
↓
2. 속껍질을 더 보드랍고 (2)( ) 만든다.
↓
3. 속껍질을 나무판 위에 올려놓고 (3)( ).
↓
4. 풀어진 속껍질을 물에 넣고 젓고, 거기에 (4)( )을/를 넣고 다시 젓는다.
↓
5. 엉겨 붙은 속껍질을 물에서 떠내 한 장씩 쌓고 (5)( )로 눌러 둔다.
↓
6. 눌러 둔 한지를 한 장씩 떼어서 말린다.

❸ 보기 좋게 글씨를 쓰고, 아름다운 그림을 그리는 데는 내가 제일이야! 가볍고 부드러우면서도 질겨서 천년이 가도 변하지 않거든.

나는 숨을 쉬니까 집 단장에도 좋아. 더운 날에는 찬 공기 들여 시원하게 하고, 추운 날에는 더운 공기 잡아 따뜻하게 하지. 또 습한(물기가 많아 축축한) 날은 젖은 공기 머금어 방 안을 보송보송하게 하고, 건조한 날은 젖은 공기 내놓아 방 안을 상쾌하게 하지. 따가운 햇볕을 은은하게(어슴푸레하며 흐릿하게) 걸러 주는 건 기본이고말고.

낡은 옷장에 나를 겹겹이 붙이면 새 옷장이 되고, 요리조리 모양 잡으면 안경집, 벼룻집, 갓집이 되지. 바늘, 실, 골무 같은 바느질 도구 넣는 ㉠반짇고리도 될 수 있어. 옷 만들 때는 옷본, 버선 만들 때는 버선본이 되고말고. 한겨울 옷 속에 나를 넣어 꿰매면 얼마나 따뜻하다고.

그뿐인가. 여기 보이는 게 전부 나로 만든 물건이야. 나를 새끼줄처럼 배배(여러 번 작게 꼬이거나 뒤틀린 모양) 꼬아 종이 노끈으로 만들어 엮으면 신발부터 붓통, 베개, 방석, 망태기가 되지. 옻칠하고 기름 먹이면 물 안 새는 표주박, 항아리, 요강도 되고말고. 저기 보이는 찻상, 구절판, 그릇은 물론이고, 팔랑팔랑 시원한 부채도 돼. 저 위에 걸려 있는 탈도 모두 나로 만든 거라고.

나는 흥겨운 놀이에도 빠지지 않아. 방패연, 가오리연이 되어 하늘을 훨훨 날 수도 있고, 제기가 되어 이리 펄쩍 저리 펄쩍 뛰기도 해. 풍물패 고깔 위에 알록달록 핀 예쁜 꽃도 바로 나야. 나는야 못하는 게 없는 재주꾼, 한지돌이!

나는 지금도 너희 곁에 있어.

내가 어디에 있는지 알아맞혀 볼래?

중심 내용 한지는 생활에서 다양하게 쓰이고 놀이용품으로 활용되기도 한다.

●글의 구조에 따라 요약하기 ③ 예 (핵심)

- 글 ❸: 한지의 쓰임새
  - 방 안 온도 및 습도 조절
  - 생활용품(안경집, 갓집, 버선본, 붓통, 표주박, 찻상, 부채, 탈 따위) 재료
  - 놀이용품(연, 제기, 고깔 장식 따위) 재료

단장(丹 붉을 단, 粧 단장할 장) 건물, 거리 따위를 손질하여 꾸밈.
망태기 물건을 담아 들거나 어깨에 메고 다닐 수 있도록 만든 그릇.
옻칠하고 옻나무에서 나는 끈끈한 물질을 이용해 가구나 나무 그릇 따위에 발라서 목재를 보호하고 윤이 나게 하고.

8 ㉠'반짇고리'의 뜻을 짐작해 쓰시오. (교과서 문제)

(　　　　　　　　　　　　)

핵심

9 글 ❸을 글의 구조에 따라 요약할 때 내용을 정리하기에 알맞은 틀을 찾아 ○표를 하시오.

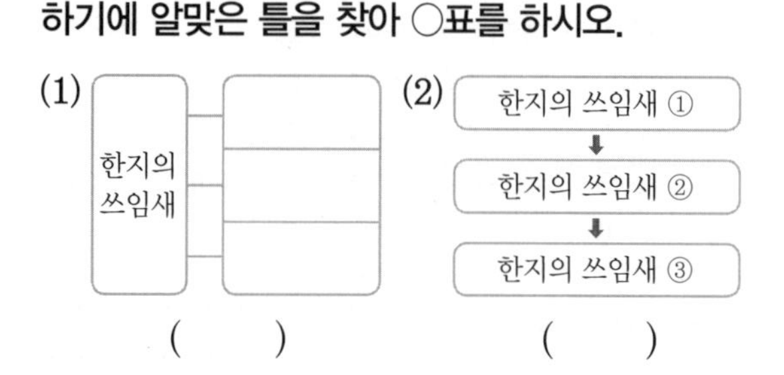

10 한지의 쓰임새로 알맞은 것을 모두 고르시오. (　,　,　)

① 농기구 재료　② 음식의 재료
③ 놀이용품 재료　④ 생활용품 재료
⑤ 방 안 온도 조절

11 다른 과목의 교과서를 읽고 요약하는 방법으로 알맞지 않은 것은 무엇입니까? (　　)

① 글의 구조를 파악하며 읽는다.
② 문단의 중심 내용을 간추린다.
③ 글의 구조에 알맞은 틀에 내용을 정리한다.
④ 정리한 내용은 중요한 내용이 잘 드러나도록 간결한 문장으로 쓴다.
⑤ 어려운 낱말이 나올 때마다 그 낱말의 뜻을 자세히 알려 주는 내용을 넣는다.

단원 마무리

7. 중요한 내용을 요약해요

낱말의 뜻을 짐작하며 읽어야 하는 까닭 알기

예 민찬이의 읽기 방법에서 낱말의 뜻을 짐작하며 읽어야 하는 까닭 알기

민찬이가 신문을 읽다가 뜻을 잘 모르는 낱말이 있을 때 한 읽기 방법	낱말의 뜻을 짐작하며 읽어야 하는 까닭
귀가 어둡다는 말은 무슨 뜻일까? 귀 색깔이 검은색이라는 뜻이겠지. 그냥 대충 읽어야겠다.	예 낱말의 뜻을 제대로 짐작하지 못하면 글의 내용을 잘 ❶ □□ 할 수 없습니다.

낱말의 뜻을 짐작하며 읽기

예 「존경합니다, 선생님」에서 낱말의 뜻을 짐작하며 읽기

낱말	짐작한 뜻 예	그렇게 짐작한 까닭 예
엄포	무섭게 으르는 짓	낱말의 뒷부분에 선생님께서 아이들에게 수업이 힘들 거라고 무섭게 말하는 상황이 나와서
❷ □□□□	아무렇게나 쓰기	낱말의 앞부분에 허둥지둥 종이를 꺼냈다는 상황이 나와서
마른침	긴장했을 때 삼키는 침	낱말의 앞부분에 선생님께서 호통을 치시는 긴장되는 상황이 나와서
❸ □□□	까다롭고 빈틈이 없는	낱말의 앞부분에 글쓰기반 수업에서 선생님의 까다로운 모습을 알 수 있는 상황이 나와서
쥐어짜도	골똘히 생각해도	낱말의 앞부분에 선생님께서 자신이 겪은 일을 써 오라고 했는데 낱말의 뒷부분에 주제가 하나도 떠오르지 않았다는 상황이 나와서

글의 구조에 따라 요약하기

예 「한지돌이」를 읽고 글의 구조에 따라 요약하기

글	설명하는 내용 예	요약하는 방법 예
글 ❶	종이가 만들어진 까닭	사소한 내용은 삭제하고, 중요한 내용을 간추립니다.
글 ❷	한지가 만들어지는 과정	한지가 만들어지는 과정을 ❹ □□의 순서대로 정리하여 간결한 문장으로 씁니다.
글 ❸	한지의 쓰임새	한지의 쓰임새를 나열하여 간결한 문장으로 씁니다.

단원 평가

★ 단원 평가 더 풀기 >> 평가 교재 38~43쪽

[1~3] 글을 읽고, 물음에 답하시오.

> 귀가 어두워 무슨 말을 해도 제대로 알아듣지 못하는 만화 주인공 '사오정'을 아시나요? 만화 주인공 사오정과 비슷한 사람이 우리 주변에 많이 생겨나고 있습니다. 사오정이 ㉠뜬금없는 말로 우리에게 재미와 웃음을 주지만 요즘에 사오정들은 귀 건강을 위협받는 아주 위험한 상황에 놓여 있습니다.

1 ㉠'뜬금없는'의 뜻을 짐작할 수 있는 부분을 찾아 밑줄을 그어 보시오.

2 ㉠'뜬금없는'과 바꾸어 쓸 수 있는 낱말을 두 가지 고르시오. (,)

① 엉뚱한 ② 솔직한 ③ 진실한
④ 올바른 ⑤ 황당한

서술형

3 이 글을 읽고 민찬이는 다음과 같은 생각을 했습니다. 민찬이에게 충고하는 말을 써 보시오.

> 귀가 어둡다는 말은 무슨 뜻일까? 귀 색깔이 검은색이라는 뜻이겠지. 그냥 대충 읽어야겠다.

____

____

4 다음 문장에서 '손'의 뜻을 바르게 짐작한 것을 찾아 선으로 이으시오.

(1)	간송 선생, 드디어 이것을 손에 넣으셨군요.	• • ①	어떤 일을 하는 데 드는 힘이나 노력
(2)	할아버지의 손에서 자란 제가 오늘 초등학교를 졸업합니다.	• • ②	사람의 영향력이 미치는 범위

[5~7] 글을 읽고, 물음에 답하시오.

> "첫 번째 과제는 수필이다. 내가 놀라 까무라칠 정도로 재미있는 글을 써 오도록. 내가 너희의 반짝이는 생각에 홀딱 빠질 만큼 대단한 작품을 써 보란 말이다. 너희가 이 수업을 들을 만한 자격이 있는지를 알아보려는 거니까! 주제는? 가족이나, 집에서 일어나는 일상생활에 대한 이야기라면 뭐든지 괜찮아."
> 우리는 허둥지둥 종이를 꺼내 ㉠끼적이기 시작했다.
> "아니, 아니! 여기서 말고!"
> 켈러 선생님의 호통에 우리는 바로 연필을 놓았다.
> "숙제란 말이다, 숙제! 세 쪽 가득 채워 오도록. 기한은 내일까지!"
> 나는 ㉡마른침을 꿀꺽 삼켰다.

5 켈러 선생님께서 내 주신 숙제는 무엇입니까? ( )

① 가족을 주제로 하여 시 쓰기
② 자유로운 형식으로 작품 쓰기
③ 유명한 수필을 찾아 옮겨 쓰기
④ 재미있는 이야기를 상상하여 쓰기
⑤ 일상생활에 대한 이야기를 수필로 쓰기

6 ㉠'끼적이기'의 낱말 뜻을 짐작할 수 있는 상황을 쓰시오.

( )

7 ㉡'마른침'의 뜻은 무엇이겠습니까? ( )

① 식욕이 돌아 나오는 침
② 긴장했을 때 삼키는 침
③ 멍하니 있다가 흘리는 침
④ 목이 말라 나오지 않는 침
⑤ 입이 다물어지지 않아 나오는 침

점수 / 점

[8~10] 글을 읽고, 물음에 답하시오.

"점수는 다 매겼단다. 꼭 집에 가서 펼쳐 보도록 해. 알겠지?"
나는 가만히 고개를 끄덕였다.
그 순간, 나는 깜짝 놀랐다. 켈러 선생님이 나를 꽉 끌어안은 것이다.
'마녀 켈러'가 나를 안아 주다니! 그러면서 켈러 선생님은 나직이 속삭였다.
"퍼트리샤, 슐로스 할아버지에게 바치는 글은 정말 놀라웠다. 자신이 겪은 일 쓰기의 모범으로 ㉠삼아도 좋을 만큼 말이다."
반으로 접힌 기말 과제 종이를 손에 꼭 쥐고 집으로 달려가는 내내, 나는 기대에 ㉡들떠 가슴이 부풀어 올랐다.

8 '내'가 깜짝 놀란 까닭은 무엇입니까? ( )

① 기말 과제 점수가 너무 좋아서
② 켈러 선생님께서 '나'를 안아 주셔서
③ 켈러 선생님께서 과제를 다시 내 주셔서
④ 켈러 선생님께서 과제 채점을 끝냈다고 하셔서
⑤ 켈러 선생님께서 '마녀 켈러'라는 별명을 알고 계셔서

9 ㉠'삼아도'의 뜻을 바르게 짐작한 것은 무엇입니까? ( )

① 정리해도 ② 부풀려도
③ 대신 생각해도 ④ 간단하게 줄여도
⑤ 자세히 설명해도

10 ㉡'들떠'와 같은 뜻으로 쓰인 것을 찾아 ○표를 하시오.

(1) 이사 갈 집 벽지가 들떠 있었다. ( )
(2) 엄마께서 화장이 들떴다며 속상해하셨다. ( )
(3) 내일 있을 여행을 생각하니 마음이 들떴다. ( )

11 다음은 요약하기 평가 기준입니다. 빈칸에 알맞은 말에 ○표를 하시오.

(1) 글을 (짧게 , 길게) 간추렸는가?
(2) (사소한 , 중요한) 내용은 삭제하고 (세부 , 중요한) 내용만 간추렸는가?
(3) 글의 중요한 내용을 (이해할 수 있게 , 드러나지 않게) 간추렸는가?

[12~13] 글을 읽고, 물음에 답하시오.

먼저, 줄기 마디마다 잎을 한 장씩 피우되 서로 어긋나게 피우는 방법이 있습니다. 이것을 '어긋나기'라 합니다. 국수나무처럼 평행하게 어긋나기만 하는 식물이 있는가 하면, 해바라기처럼 소용돌이 모양으로 돌려나면서 어긋나는 식물도 있습니다.
이와는 달리 줄기 한 마디에 잎 두 장이 마주 보는 '마주나기'도 있습니다. 단풍나무나 화살나무는 잎 두 장이 사이좋게 마주 보고 있습니다. 그리고 마주난 잎들이 마디마다 서로 어긋나지 않고 평행합니다.

12 이 글을 다음처럼 요약한다면 ㉠에 들어갈 내용을 쓰시오.

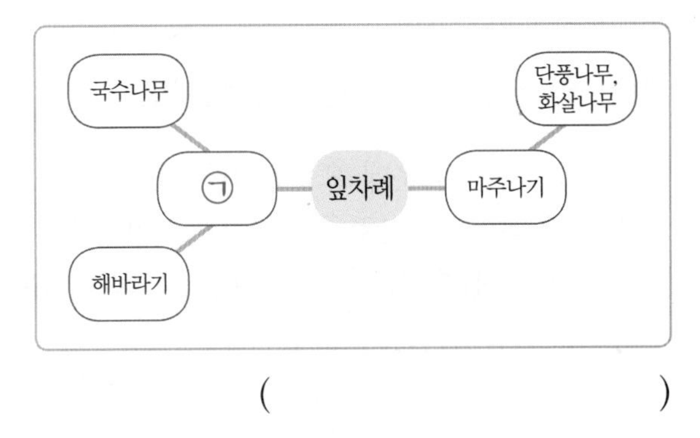

( )

서술형

13 12번 문제처럼 요약하면 좋은 점을 쓰시오.

[14~15] 다음을 보고, 물음에 답하시오.

볼주머니에 먹이를 저장해 나르는 동물

다람쥐	원숭이
도토리 같은 열매 열 개 이상을 볼주머니에 잠시 저장해 먹이를 나른다.	먹이를 볼주머니에 잠시 저장해 안전한 장소로 이동해서 먹는다.

14 이 내용은 글을 읽고 지영이가 요약한 것입니다. 요약한 방법에 맞게 빈칸에 알맞은 말을 쓰시오.

• '(   )에 먹이를 저장해 나르는 동물'을 중요한 내용이라고 생각하고 요약했다.

15 이 내용에서 알 수 있는 것은 어느 것입니까? (   )

① 원숭이가 사는 지역
② 다람쥐를 보호하는 방법
③ 원숭이가 먹는 먹이의 예
④ 사람과 동물이 먹이를 구하는 방법의 차이
⑤ 다람쥐가 볼주머니에 저장할 수 있는 먹이 양

[16~19] 글을 읽고, 물음에 답하시오.

㉮ 나는 종이 가운데 으뜸인 한국 종이, 한지야! 옛날 중국에서 최고로 친 고려지도, 일본에서 최고로 친 조선종이도 모두 나야. ㉠그런데 내가 어떻게 만들어지는지 아니?

제일 ㉡먼저 닥나무를 베어다 푹푹 찐 뒤, 나무껍질을 훌러덩훌러덩 벗겨서 물에 불려. ㉢그러고는 다시 거칠거칠한 겉껍질을 닥칼로 긁어내고 보들보들 하얀 속껍질만 모아.

㉯ ㉣마지막으로 차곡차곡 눌러둔 걸 한 장 한 장 떼어서 판판하게 말려야 해. 따뜻한 온돌 방바닥이나 판판한 벽에 쫙쫙 펴서 말리면 드디어 숨 쉬는 종이, 한지 완성!

16 이 글에서 설명하는 내용은 무엇인지 빈칸에 알맞은 말을 쓰시오.

• 한지가 만들어지는 (   )

17 ㉠~㉣ 중 이 글의 구조를 짐작하게 해 주는 말이 아닌 것의 기호를 쓰시오.

(   )

18 이 글의 구조에 대한 설명으로 알맞은 것의 번호를 쓰시오.

① 시간이나 공간의 순서에 따라 설명한다.
② 해결할 문제와 그에 대한 해결 방법을 제시한다.
③ 하나의 주제에 대해 몇 가지 특징을 늘어놓는다.
④ 두 대상의 공통점과 차이점을 중심으로 설명한다.

(   )

19 이 글을 글의 구조에 따라 요약할 때 내용을 정리하기에 알맞은 틀을 찾아 ○표를 하시오.

(1)

	㉮	㉯
공통점		
차이점		

(   )

(2)

순서 ①
↓
순서 ②
↓
순서 ③

(   )

논술형

20 사회 시간에 배운 '조선의 건국 과정'에 대한 글을 요약하려고 할 때 어떤 방법으로 요약할지 생각하여 쓰시오.

맞은 개수 / 개

서술형 평가

1 다음 밑줄 그은 낱말의 뜻을 짐작해 쓰시오.

상대 팀에게 한 골을 먹었다.

2 다음 글을 읽고, ㉠'깐깐한'을 사용한 예를 떠올려 한 문장으로 쓰시오.

"학교에서 가장 ㉠깐깐한 선생님한테 배우게 됐어요."
"설마 '마녀 켈러' 말이니?"

3 다음 글을 읽고, 켈러 선생님께서 글을 읽는 사람이 글쓴이의 진짜 감정을 느낄 수 있어야 한다고 말씀하신 까닭을 생각하여 쓰시오.

"퍼트리샤, 음, 그러니까 일단 슐로스 할아버지의 아내를 주제로 삼은 점은 적절했단다. 하지만 이 글에서 진실한 감정을 드러내는 낱말이 어디에 있지?" / 켈러 선생님은 나를 똑바로 보며 말을 이었다.
"글을 읽는 사람이 글쓴이의 '진짜' 감정을 느낄 수 있어야 해. 물론 평범한 방식으로는 절대 안 되지. 독자들이 전혀 예상하지 못한 방식으로, 깜짝 놀라도록. 한마디로 독창적이어야 한다는 말이야!"

4 다음 글의 내용을 요약하여 써 보시오.

㉮ 나는 숨을 쉬니까 집 단장에도 좋아. 더운 날에는 찬 공기 들여 시원하게 하고, 추운 날에는 더운 공기 잡아 따뜻하게 하지. 또 습한 날은 젖은 공기 머금어 방 안을 보송보송하게 하고, 건조한 날은 젖은 공기 내놓아 방 안을 상쾌하게 하지.
㉯ 그뿐인가. 여기 보이는 게 전부 나로 만든 물건이야. 나를 새끼줄처럼 배배 꼬아 종이 노끈으로 만들어 엮으면 신발부터 붓통, 베개, 방석, 망태기가 되지. 옻칠하고 기름 먹이면 물 안 새는 표주박, 항아리, 요강도 되고말고.
㉰ 나는 흥겨운 놀이에도 빠지지 않아. 방패연, 가오리연이 되어 하늘을 훨훨 날 수도 있고, 제기가 되어 이리 펄쩍 저리 펄쩍 뛰기도 해. 풍물패 고깔 위에 알록달록 핀 예쁜 꽃도 바로 나야. 나는야 못 하는 게 없는 재주꾼, 한지돌이!

5 다른 과목의 교과서를 읽고 다음 틀에 내용을 요약해 보시오.

⬇

⬇

⬇

교과서 문장으로 확인하는 핵심 낱말

● 다음 교과서 문장의 파란색 낱말 중에서 알맞은 것을 골라 인물들이 한 말을 완성하시오.

- 어쩐지 켈러 선생님이 **유독** 나만 노려보는 것 같았다.
- 나는 벌써부터 **진땀**이 났다.
- **단연코** 그 학생은 태어나서 그토록 엄하고 힘든 선생님은 만난 적이 없었어.
- 땅바닥에 그린 것은 금방 지워져 버렸고, 나무토막은 잃어버리기 **일쑤**였지.

정답 | ❶ 단연코 ❷ 유독 ❸ 일쑤 ❹ 진땀

역량 자료 찾아보기

우리말 지킴이

무엇을 배울까요?

- 우리말이 훼손된 사례 살펴보기

- 발표 주제를 생각하며 자료를 조사하고 구성하기
- 여러 사람 앞에서 조사한 내용 발표하기

- 우리말 바르게 사용하기를 알리는 만화 그리기

8 우리말 지킴이

1 우리말이 훼손된 사례 살펴보기

→ 필요한 경우에는 줄임 말을 사용할 수도 있습니다.

줄임 말을 사용합니다.	예 열공, 삼김
사물을 높이는 표현을 사용합니다.	예 사과주스 나오셨습니다.
외국어를 지나치게 많이 사용합니다.	예 한마음플라워

2 발표 주제를 생각하며 자료를 조사하고 구성하기

조사 주제 정하기	실제로 조사할 수 있는지, 조사 방법과 기간이 적절한지 주의합니다.
조사 대상과 조사 방법 정하기	조사 주제에 맞게 조사 대상을 정하고, '관찰, 설문지, 면담, 책이나 글' 등의 조사 방법을 정합니다.
발표할 준비 하기	시작하는 말, 전달하려는 내용, 끝맺는 말을 구성합니다. 시작하는 말: 모둠 이름, 조사 주제, 발표 제목 전달하려는 내용: 자료, 설명하는 말 끝맺는 말: 발표한 내용, 모둠의 의견이나 전망

3 여러 사람 앞에서 조사한 내용 발표하기

발표할 때 주의할 점	• 듣는 사람과 눈을 맞추며 바른 자세로 서서 발표합니다. • 알맞은 크기의 목소리와 적절한 속도로 발표합니다. • 자료는 모두가 볼 수 있고 알아보기 쉽게 제시합니다.
발표를 들을 때 주의할 점	• 발표 주제가 무엇인지 알아야 합니다. • 발표 내용이 주제와 관련 있는지 판단합니다. • 거짓인 내용은 없는지, 자료는 정확한 것인지 판단합니다.

→ 새롭게 알려 주는 내용이 무엇인지 집중하며 듣고, 발표자에게 빨리하라고 하거나 야유를 보내서는 안 됩니다.

4 우리말 바르게 사용하기를 알리는 만화 그리기

① 만화 주제와 만화의 내용이 자연스럽게 이어지도록 장면을 정합니다.
② 만화 제목을 쓰고 장면을 자유롭게 나눈 뒤에 등장하는 인물을 그립니다.
③ 등장인물에게 어울리는 표정과 몸짓을 잘 표현하고 말풍선을 넣습니다.

예 만화를 보고 인물의 표정이나 몸짓을 어떻게 나타냈는지 살펴보기

'삼김'이라는 줄임 말을 듣고 당황한 상황		딱딱한 표정으로 눈썹 사이를 찡그리는 모습을 그림.

핵심 개념 문제

정답과 해설 ● 30쪽

1 '사과주스 나오셨습니다'와 같은 [ ][ ]을/를 높이는 표현을 사용하지 않도록 합니다.

2 자료를 조사하는 방법에는 무엇이 있습니까?
( )

3 발표할 때는 듣는 사람과 [ ]을/를 맞추며 발표합니다.

4 발표를 들을 때는 발표 주제에만 신경 써서 듣습니다.
(○, ×)

5 우리말 바르게 사용하기를 알리는 만화를 그릴 때는 등장인물에게 어울리는 [ ][ ]과/와 몸짓을 잘 표현하고 말풍선을 넣습니다.

역량 활동

우리말이 훼손된 사례 살펴보기

우리말을 바르게 사용해야 할 부분 찾기

• **그림 설명**: 우리 주변에서 우리말이 훼손된 다양한 사례를 보여 주고 있습니다.

핵심

● 우리말이 훼손된 사례

우리말이 훼손된 사례 예	그렇게 생각한 까닭 예	자연스러운 표현 예
한마음플라워	외국어를 그대로 사용	한마음 꽃집
열공했더니, 삼김	줄임 말 사용	열심히 공부했더니, 삼각김밥
사과주스 나오셨습니다	사물을 높이는 표현 사용	사과주스 나왔습니다

역량

1 교과서 문제 **이 그림에 나타난 ㉠~㉥의 간판 이름을 자연스러운 우리말 간판 이름으로 바꾸어 써 보시오.**

(1) ㉠: (　　　　　　　　)
(2) ㉡: (　　　　　　　　)
(3) ㉢: (　　　　　　　　)
(4) ㉣: (　　　　　　　　)
(5) ㉤: (　　　　　　　　)
(6) ㉥: (　　　　　　　　)

2 **'열공했더니', '삼김'과 같은 표현을 사용할 때 일어날 수 있는 일로 알맞은 것에 ○표를 하시오.**

(1) 뜻이 통하지 않을 수 있다. (　　)
(2) 간결하지만 정확하게 표현할 수 있다. (　　)

핵심

3 **다음 중 높임 표현을 바르게 사용한 것은 어느 것입니까?** (　　)

① 여기 거스름돈이 있으세요.
② 예쁘신 꽃을 가져오셨네요.
③ 반려견이 정말 귀여우시네요.
④ 휴대 전화가 고장 나셨습니다.
⑤ 주문하신 사과주스 나왔습니다.

논술형

4 **우리 주변에서 '노잼'과 같이 우리말을 바르게 사용하지 못한 경우를 떠올려 써 보시오.**

기본 1 역량 활동

발표 주제를 생각하며 자료를 조사하고 구성하기

- 잘못된 우리말 사용 실태와 관련해 조사 주제를 정하기

• 글의 특징: 조사 주제를 정하는 과정입니다.

(1) 여진이가 정한 조사 주제가 적절한지 평가해 보세요.

잘못 사용하는 우리말을 조사해 보면 어떨까?

(2) 여진이가 정한 주제를 다음처럼 바꾸려고 할 때 어떤 문제가 있을지 이야기해 보세요.

우리나라 사람들이 하루 동안 잘못 사용하는 우리말을 찾아보면 어떨까?

㉠ 그것보다는 우리 지역의 모든 간판을 조사해 잘못된 표현을 찾아보면 어떨까?

(3) 우리말을 얼마나 잘못 사용하는지 알아보려고 할 때 자신이 조사하고 싶은 주제를 보기 처럼 써 보세요.

보기: 우리말이 있는데도 영어를 사용하는 예

(4) (3)에서 생각한 조사 주제를 친구들과 같이 살펴보고, 모둠별로 조사하고 싶은 주제를 골라 보세요.

조사 주제	

핵심

● 조사 주제 정하기

여진이가 정한 조사 주제
잘못 사용하는 우리말

⬇

조사 주제 바꾸기
• 우리나라 사람들이 하루 동안 잘못 사용하는 우리말 찾기 • 우리 지역의 모든 간판을 조사해 잘못된 표현 찾기

⬇

조사 주제의 기준
실제로 조사할 수 있는지, 조사 방법과 기간이 적절한지 주의해야 한다.

1 여진이가 제안한 조사 주제는 무엇인지 빈칸에 알맞은 말을 쓰시오.

• (　　　　　　　　) 우리말

2 (교과서 문제) ㉠의 조사 주제를 정하면 어떤 문제가 있을지 바르게 말한 내용은 무엇입니까? (　　)

① 무엇을 조사할지 구체적이지 않아.
② 잘못된 우리말 사용 실태와 상관없는 주제야.
③ 인터넷에 나온 내용이라 조사할 필요가 없어.
④ 조사하면서 다른 사람에게 피해를 줄 수 있어.
⑤ 모둠 친구들로만 우리 지역 모든 간판을 조사하기는 어려워.

핵심

3 조사 주제를 정할 때 주의할 점을 바르게 말하지 못한 친구를 찾아 쓰시오.

민우: 조사 방법이 적절한가?
진영: 조사 기간이 적절한가?
지훈: 실제로 조사할 수 있는가?
소라: 학교에서 조사할 수 있는가?

(　　　　　　　　)

역량

4 우리말을 얼마나 잘못 사용하는지 알아보려고 할 때 자신이 조사하고 싶은 주제를 보기 처럼 써 보시오.

보기: 우리말이 있는데도 영어를 사용하는 예

(　　　　　　　　)

기본 1

○ 조사 대상과 조사 방법을 정하기

우리 모둠은 '우리말이 있는데도 영어를 사용하는 예'를 조사하기로 했어. 영어를 무분별하게 사용하는 예로 무엇이 있을까?
❶

영어를 새긴 옷이 너무 많아.
방송에서 영어를 가장 많이 사용하는 것 같아.
❷

옷에 새긴 영어는 조사 대상으로 알맞지 않은 것 같아. 만약 옷이 수입된 것이라면 옷에 영어가 있는 것은 당연할지도 몰라.
이 가운데에서 어떤 것을 조사해 볼까?
❸

그럼 방송에서 영어를 얼마나 사용하는지 조사해 보자.
❺

• **그림 설명**: 여진이네 모둠이 조사 대상을 정하는 과정입니다.

핵심

● **조사 대상 정하기**

정한 방법	주제에 맞는 조사 대상을 생각하여 정했다.
조사 대상	방송에서 사용하는 영어

● **조사 방법 정하기**

관찰	현장에서 조사 대상을 직접 파악할 수 있지만 시간이 많이 걸린다.
설문지	여러 사람을 한꺼번에 조사할 수 있지만 답한 내용 외에는 자세한 내용을 알기 어렵다.
면담	자세한 정보를 수집할 수 있지만 시간이 오래 걸리고 원하는 인물과 면담을 하지 못할 수도 있다.
책이나 글	정확하고 다양한 정보를 얻을 수 있지만 내가 찾고 싶은 정보를 쉽게 찾지 못할 수도 있다.

5 옷에 새긴 영어가 조사 대상으로 적절하지 않다고 한 까닭을 쓰시오.

( )

6 조사 대상으로 방송에서 사용하는 영어를 정한 까닭을 <u>두 가지</u> 고르시오. (,)

① 해외 드라마가 인기가 많다.
② 방송은 아이들에게 영향을 많이 준다.
③ 해외 뉴스를 보면서 영어 공부를 한다.
④ 해외 방송을 인터넷에서 찾아볼 수 있다.
⑤ 조사한 결과를 방송사에 알려 주고 영어 사용을 자제해 달라고 요청할 수도 있다.

핵심

7 교과서 문제 **다음은 조사 방법 중 어떤 것의 장단점에 해당하는지 알맞은 것에 ○표를 하시오.**

• (관찰 , 설문지 , 면담)은/는 여러 사람을 한꺼번에 조사할 수 있지만 답한 내용 외에는 자세한 내용을 알기 어렵다.

서술형

8 교과서 문제 **조사 방법 중 '책이나 글'의 장단점을 생각해 쓰시오.**

(1) 장점	(2) 단점

○ 조사한 내용으로 발표할 준비를 하기

• 글의 특징: 발표할 원고를 구성하는 과정입니다.

● 발표할 원고를 구성하기

• 시작하는 말 구성하기

시작하는 말	우리 샛별 모둠에서는 영어를 지나치게 많이 사용하는 실태를 조사했습니다. 발표 제목은 「영어가 아름다운 우리말을 사라지게 해요」입니다.

• 전달하려는 내용 구성하기

자료	방송 프로그램 가운데에서 영어를 지나치게 많이 사용하는 동영상 보여 주기(출처: 샛별방송사 「다 같이 요리」 프로그램)
설명하는 말	샛별방송사에서 방송한 「다 같이 요리」 프로그램을 짧게 보여 드리겠습니다. 이 동영상에서 "김○○ 셰프 출연"이라는 자막이 보입니다. '셰프'는 요리사를 뜻하는 영어입니다. 또 프로그램에 나오는 출연자가 '메인 디시'라는 영어를 지나치게 많이 사용하는데 그것을 편집하지 않고 그대로 방송했습니다.

→ 자료를 보여 줄 때 출처를 말이나 글로 밝혀야 해요.

• 끝맺는 말 구성하기

끝맺는 말	지금까지 영어를 지나치게 많이 사용하는 실태를 발표했습니다. 아름다운 우리말을 보존할 수 있도록 우리말을 바르게 사용하는 습관을 기릅시다.

핵심

● 발표할 원고 구성하기

시작하는 말 구성하기	
예 우리 샛별 모둠에서는 영어를 지나치게 많이 ~.	모둠 이름, 조사 주제, 발표 제목 등이 들어간다.

⬇

전달하려는 내용 구성하기	
예 자료: 방송 프로그램 가운데에서 ~. 예 설명하는 말: 샛별방송사에서 방송한 ~.	자료와 설명하는 말이 들어가고, 자료를 보여 줄 때 저작자나 출처를 밝힌다.

끝맺는 말 구성하기	
예 지금까지 영어를 지나치게 많이 사용하는 실태를 ~.	발표한 내용, 모둠의 의견이나 전망이 들어간다.

9 발표할 원고에서 시작하는 말에 들어간 내용을 찾아 쓰시오.

(1) 모둠 이름	
(2) 조사 주제	
(3) 발표 제목	

핵심

10 발표 원고를 구성할 때 다음은 어디에 들어갈 내용인지 찾아 ○표를 하시오.

• '자료'와 '설명하는 말'은 (시작하는 말 , 전달하려는 내용 , 끝맺는 말)에 들어간다.

11 발표에 자료를 활용할 때 주의할 점으로 알맞지 않은 것은 어느 것입니까? ( )

① 저작자를 밝힌다.
② 과장된 내용을 쓰지 않는다.
③ 사실이 아닌 내용을 쓰지 않는다.
④ 발표 내용에 알맞은 자료를 고른다.
⑤ 인터넷에서 찾은 글은 출처를 표시하지 않는다.

12 발표할 원고에서 끝맺는 말에 나타난 모둠의 의견을 쓰시오.

( )

기본 2

여러 사람 앞에서 조사한 내용 발표하기

○ 발표할 때와 발표를 들을 때 주의할 점 알아보기

가
여진이가 발표 내용만 보며 발표하네.

나
지금까지 영어를 지나치게 많이 사용하는 실태를 발표했습니다.
말이 너무 빨라.
다
아름다운 우리말이 자리를 잃지 않도록…….
목소리가 잘 안 들려.

라
발표 주제가 무엇일까?
발표 내용이 주제와 관련 있나?
과장되거나 거짓인 내용은 없을까?
자료는 정확할까?

• **그림 설명:** 여진이가 다른 사람 앞에서 발표하는 모습입니다.

핵심

●발표할 때 주의할 점

그림 ㉮	듣는 사람과 눈을 맞추며 발표한다.
그림 ㉯	적절한 속도로 발표한다.
그림 ㉰	알맞은 크기의 목소리로 말한다.
그림 ㉱	보기 쉽게 자료를 제시한다.

●발표를 들을 때 주의할 점

그림 ㉱
• 발표 주제를 알고, 발표 내용이 주제와 관련 있는지 판단한다. • 과장되거나 거짓인 내용은 없는지, 자료는 정확한 것인지 판단한다.

8 단원

1 그림 ㉮~㉱의 발표하는 모습에 대한 설명을 찾아 선으로 이으시오.

(1) 그림 ㉮ •   • ① 알아듣지 못하게 작게 말한다.

(2) 그림 ㉯ •   • ② 한 화면에 너무 많은 내용을 제시한다.

(3) 그림 ㉰ •   • ③ 발표 내용만 보면서 읽듯이 발표한다.

(4) 그림 ㉱ •   • ④ 너무 빠른 속도로 발표한다.

서술형

2 그림 ㉱와 같이 자료를 보여 줄 때 어떤 표정과 몸짓을 하면 좋을지 생각하여 쓰시오.

____

____

핵심

3 발표할 때 주의할 점으로 알맞지 않은 것은 어느 것입니까? ( )

① 듣는 사람과 눈을 맞추며 발표해야 한다.
② 바른 자세로 서서 진지하게 발표해야 한다.
③ 자료는 작은 화면으로 보여 주고 바로 화면을 끈다.
④ 알맞은 크기의 목소리와 적절한 속도로 발표해야 한다.
⑤ 자료를 보여 주는 화면과 설명하는 말이 어긋나지 않도록 한다.

4 발표를 들을 때 주의할 점에 맞게 빈칸에 알맞은 말을 쓰시오.

(1) 발표 내용이 ( )와 관련 있는지 판단하며 듣는다.

(2) ( )은/는 정확한 것인지 판단하며 듣는다.

실천 우리말 바르게 사용하기를 알리는 만화 그리기

● 만화를 보고 인물의 표정이나 몸짓을 어떻게 나타냈는지 살펴보기

• **그림 내용**: 남자아이가 사용한 '삼김'이라는 줄임 말을 편의점 아저씨가 이해하지 못하였습니다.

핵심

● **만화에서 인물의 표정이나 몸짓을 나타낸 방법**

장면	그림 ❷
표현	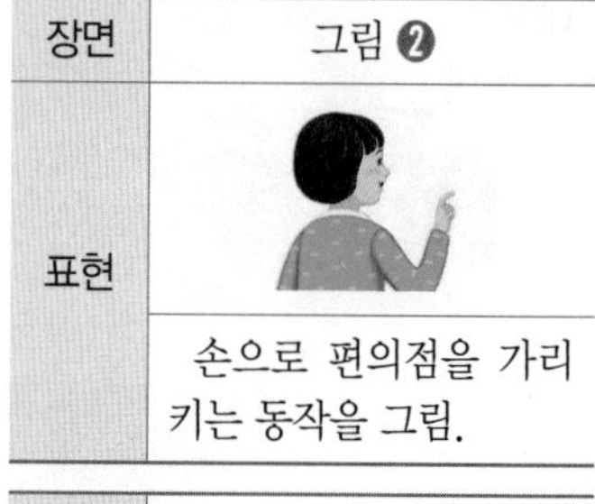 손으로 편의점을 가리키는 동작을 그림.
장면	그림 ❹
표현	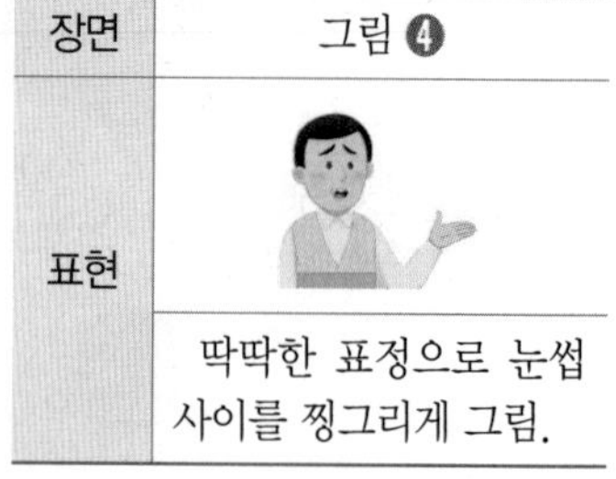 딱딱한 표정으로 눈썹 사이를 찡그리게 그림.
장면	그림 ❺
표현	이마 부분에 세로선을 여러 개 그림.

1 장면 ❷의 여자아이의 표정이나 몸짓의 표현으로 보아 ㉠에 어울리는 말은 어느 것이겠습니까? (　　)

① 시간이 안 돼.
② 난 삼김 안 먹어.
③ 저기 편의점이 있다.
④ 삼김이 무슨 뜻이야?
⑤ 편의점에 가기 싫은데…….

핵심

2 장면 ❹에서 '삼김'이라는 줄임 말을 들은 아저씨의 표정을 어떻게 표현했는지 쓰시오.

(　　　　　　　　　　　　　　　　)

3 장면 ❹의 아저씨의 표정과 말로 보아, 아저씨는 어떤 마음일지 쓰시오.

(　　　　　　　　　　　　　　　　)

4 장면 ❺에서 남자아이에 대한 설명으로 알맞지 않은 것은 어느 것입니까? (　　)

① 뒷머리를 만지는 동작을 했다.
② 화가 난 마음이 표정에 나타나 있다.
③ 줄임 말을 사용했다는 것을 느꼈다.
④ 이마 부분에 세로선이 여러 개 그려져 있다.
⑤ '삼김' 대신에 '삼각김밥'이라고 다시 말했다.

단원 마무리

준비

우리말이 훼손된 사례 살펴보기

예 우리말이 훼손된 사례를 보고 자연스러운 표현으로 고치기

외국어를 그대로 사용	❶ ☐☐ 말 사용	사물을 높이는 표현
한마음플라워	수업시간에 열공했더니 배고프다.	사과주스 나오셨습니다.
→ 한마음 꽃집	→ 열심히 공부했더니	→ 사과주스 나왔습니다.

기본

여러 사람 앞에서 조사한 내용 발표하기

예 발표할 때와 발표를 들을 때 주의할 점 알아보기

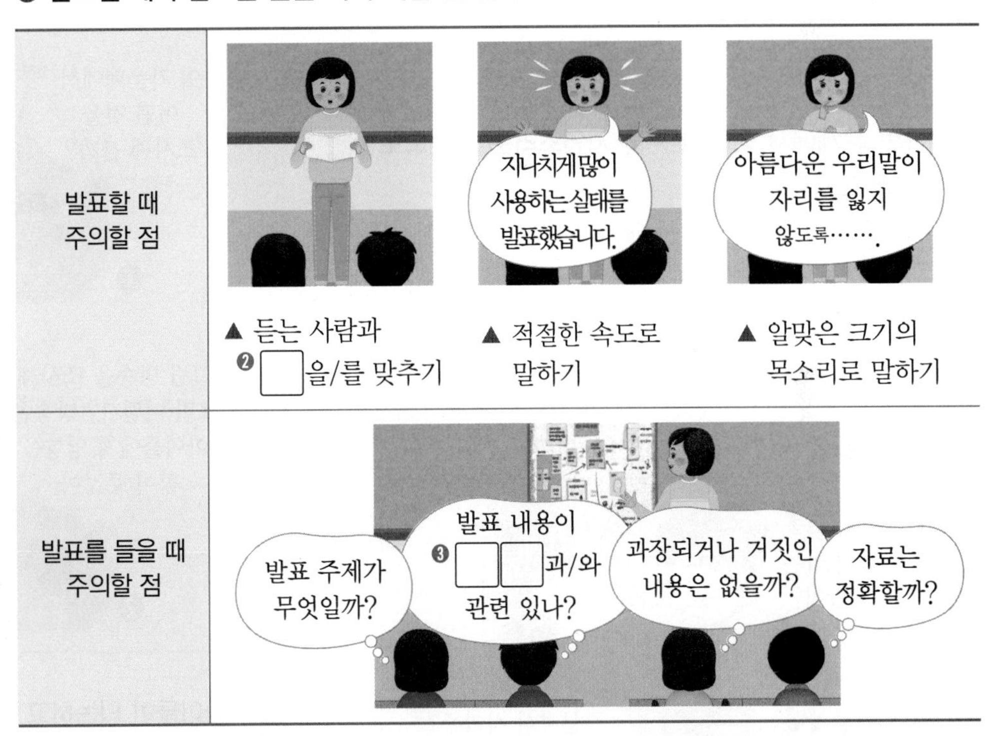
지나치게많이 사용하는실태를 발표했습니다.
아름다운 우리말이 자리를 잃지 않도록…….
발표 주제가 무엇일까?
발표 내용이 ❸ ☐☐과/와 관련 있나?
과장되거나 거짓인 내용은 없을까?
자료는 정확할까?

발표할 때 주의할 점	▲ 듣는 사람과 ❷ ☐을/를 맞추기	▲ 적절한 속도로 말하기	▲ 알맞은 크기의 목소리로 말하기
발표를 들을 때 주의할 점			

실천

우리말 바르게 사용하기를 알리는 만화 그리기

예 만화를 보고 인물의 표정이나 몸짓을 어떻게 나타냈는지 살펴보기

편의점을 발견함.	줄임 말을 듣고 당황함.	줄임 말을 사용했다는 것을 느낌.
❹ ☐으로 편의점을 가리키는 동작을 그림.	딱딱한 표정으로 눈썹 사이를 찡그리는 모습을 그림.	이마 부분에 세로선을 여러 개 그림.

단원 평가

★ 단원 평가 더 풀기 >> 평가 교재 44~49쪽

[1~2] 그림을 보고, 물음에 답하시오.

나도 배고픈데 편의점에서 삼김 사 먹을까?

1 이 그림에서 우리말을 바르게 사용해야 할 부분을 두 가지 고르시오. (,)

① 삼김 ② 배고픈데
③ 편의점에서 ④ 열공했더니
⑤ 수업 시간에

2 1번 문제에서 찾은 부분을 자연스러운 표현으로 고쳐 쓰시오.

( ), ( )

[3~5] 그림을 보고, 물음에 답하시오.

「거북이」라는 영화 봤어?

3 이 그림에 나타난 우리말이 훼손된 사례는 무엇입니까? ( )

① 사투리를 사용한다.
② 한자어를 사용한다.
③ 문장 부호를 생략한다.
④ 외국어를 무분별하게 사용한다.
⑤ 사람을 높이는 표현을 사용한다.

논술형

4 3번 문제 답과 같은 우리말이 훼손된 사례가 생기는 까닭을 생각하여 써 보시오.

5 이 그림에서 빨간색으로 쓰인 부분을 자연스러운 표현으로 고쳐 써 보시오.

(1) 노잼이었어: ( )
(2) 나오셨습니다: ( )

[6~7] 그림을 보고, 물음에 답하시오.

이 가운데에서 어떤 것을 조사해 볼까?
옷에 새긴 영어는 조사 대상으로 알맞지 않은 것 같아. 만약 옷이 수입된 것이라면 옷에 영어가 있는 것은 당연할지도 몰라.
❶
그럼 방송을 조사해 보면 어떨까? 방송은 아이들에게 영향을 많이 주잖아.
조사한 결과를 방송사에 알려 주고 영어 사용을 자제해 달라고 요청할 수도 있어.
❷

6 아이들이 의논하고 있는 것으로 알맞은 것은 무엇입니까? ( )

① 어떤 방법으로 조사할까?
② 조사 대상을 무엇으로 할까?
③ 조사 주제를 무엇으로 할까?
④ 조사 기간은 어느 정도로 할까?
⑤ 조사에 필요한 인원은 얼마나 될까?

7 다음 중 6번 문제 답을 의논하여 모두가 적절하다고 생각하고 있는 것을 찾아 ○표를 하시오.

(옷에 새긴 영어 , 방송에서 사용하는 영어)

점수 / 점

8 다음의 장단점을 가진 조사 방법으로 알맞은 것은 무엇입니까? (　　)

장점	단점
정확하고 다양한 정보를 얻을 수 있다.	내가 찾고 싶은 정보를 쉽게 찾지 못할 수도 있다.

① 관찰　② 면담
③ 설문지　④ 책이나 글
⑤ 전화 설문

[9~10] 글을 읽고, 물음에 답하시오.

우리 샛별 모둠에서는 영어를 지나치게 많이 사용하는 실태를 조사했습니다. 발표 제목은 「영어가 아름다운 우리말을 사라지게 해요」입니다.

9 이 내용으로 보아 발표할 원고 구성 중 어느 부분에 해당하는지 찾아 ○표를 하시오.

(시작하는 말 , 전달하려는 내용 , 끝맺는 말)

10 이 부분에 나타난 내용을 모두 고르시오. (　,　,　)

① 모둠 이름　② 조사 주제
③ 발표 제목　④ 모둠의 의견
⑤ 저작자나 출처

11 발표에 자료를 보여 줄 때 주의할 점을 써 보시오.

(　　　　　　　　)

[12~13] 그림을 보고, 물음에 답하시오.

아름다운 우리말이 자리를 잃지 않도록…….
목소리가 잘 안 들려.
1
2

12 그림 ❶과 ❷ 중에서 발표할 때 다음의 잘못을 하고 있는 것의 기호를 쓰시오.

한 화면에 너무 많은 내용을 제시한다.

(　　　　　　)

서술형

13 이 그림으로 보아 발표할 때 목소리의 크기를 어떻게 해야 할지 쓰시오.

14 발표할 때 발표 자료를 제시하는 방법을 바르게 말하지 못한 친구를 쓰시오.

민우: 자료는 모두가 볼 수 있도록 크게 마련하면 좋을 것 같아.
소희: 뒷자리에 있는 친구들이 보기 힘드니까 실물 자료는 제시하지 않는 게 좋아.

(　　　　　　)

8 단원

15 **발표를 들을 때 주의할 점으로 알맞지 않은 것은 어느 것입니까?** (　　)

① 발표 주제가 무엇인지 알아야 한다.
② 자료는 정확한 것인지 판단하며 듣는다.
③ 자료에 거짓인 내용은 없는지 판단하며 듣는다.
④ 발표 내용이 주제와 관련 있는지 판단하며 듣는다.
⑤ 발표를 듣기 지루하면 발표자에게 빨리하라고 재촉한다.

[16~18] 만화를 보고, 물음에 답하시오.

저기 편의점이 있다.
오! 들어가자.
편의점
삼김 두 개 있어요?
삼김이라니? 무슨 말인지 모르겠구나.
나도 줄임 말을 사용하지 말아야겠구나.
삼각김밥 주세요.

16 **편의점을 발견했을 때 여자아이의 몸짓을 어떻게 표현했는지 쓰시오.**

(　　　　　　　　　　　　　　　　　　　　)

17 **장면 ❸에 대한 설명으로 알맞은 것을 두 가지 고르시오.** (　　,　　)

① 고개를 젓는 동작을 그렸다.
② 아저씨는 '삼김'을 찾아 주었다.
③ 아저씨는 줄임 말을 듣고 당황했다.
④ 눈썹 사이를 찡그리는 모습을 그렸다.
⑤ 아저씨는 '삼김'이 무엇인지 알고 있다.

18 **아이들이 아저씨와의 일로 무엇을 느꼈을지 알맞은 것은 무엇입니까?** (　　)

① 어른을 공경해야겠다.
② 험담을 하지 말아야겠다.
③ 상대를 바라보며 말해야겠다.
④ 높임말을 제대로 사용해야겠다.
⑤ 줄임 말을 사용하지 말아야겠다.

19 **우리말 바르게 사용하기를 설명하는 만화를 그리는 방법으로 알맞지 않은 것은 어느 것입니까?** (　　)

① 만화 제목을 쓴다.
② 만화에 등장하는 인물을 그린다.
③ 등장인물의 표정과 몸짓을 표현한다.
④ 말풍선에 많은 내용을 담아 설명한다.
⑤ 만화 내용이 자연스럽게 이어지도록 한다.

20 **다음 빨간색으로 쓰인 부분을 올바른 우리말 표현으로 바꾸어 쓰시오.**

	(1) 이거 레알? → (　　　　　　　　)?
	(2) 휴대 전화가 다 팔리셨습니다. → (　　　　　　　　).

서술형 평가

정답과 해설 ● 33쪽

맞은 개수 / 개

1 다음과 같이 '열공했더니'나 '삼김'과 같은 표현을 자주 사용하면 어떤 문제가 생길지 쓰시오.

수업 시간에 열공했더니 배고프다.
나도 배고픈데 편의점에서 삼김 사 먹을까?

2 잘못된 우리말 사용 실태와 관련해 우리 모둠의 조사 주제를 다음과 같이 정하면 어떤 문제가 있을지 생각해 쓰시오.

우리 지역의 모든 간판을 조사해 잘못된 표현을 찾아보면 어떨까?

3 조사 방법 중 '관찰'의 장단점을 생각하여 쓰시오.

(1) 장점	(2) 단점

4 다음 그림에서 여진이에게 충고하는 말을 생각하여 쓰시오.

여진이가 발표 내용만 보며 발표하네.

5 다음 만화에서 줄임 말을 사용했다는 것을 느낀 남자아이의 표정과 몸짓을 어떻게 표현했는지 쓰시오.

삼김이라니? 무슨 말인지 모르겠구나.
나도 줄임 말을 사용하지 말아야겠구나.
삼각김밥 주세요.

8 단원

교과서 문장으로 확인하는 핵심 낱말

● 다음 교과서 문장의 파란색 낱말 중에서 알맞은 것을 골라 인물들이 한 말을 완성하시오.

- 우리말이 **훼손**된 사례 살펴보기
- 영어를 **무분별하게** 사용하는 예로 무엇이 있을까?
- 조사한 결과를 방송사에 알려 주고 영어 사용을 **자제**해 달라고 요청할 수도 있어.
- 아름다운 우리말을 **보존**할 수 있도록 우리말을 바르게 사용하는 습관을 기릅시다.

정답 | ❶ 훼손 ❷ 보존 ❸ 무분별하게 ❹ 자제

5-2 교과서에 실린 작품

저작자 및 출처의 표시

• 『한끝 초등 국어』는 다음 저작물의 교과서 수록 부분을 재인용하여 만들었습니다.

단원	제재 이름	지은이	나온 곳	한끝 쪽수
1	「니 꿈은 뭐이가?」	박은정	『니 꿈은 뭐이가?』, 웅진주니어, 2010.	17쪽
2	「줄다리기, 모두 하나 되는 대동 놀이」	문화재청 엮음	『어린이 문화재 박물관 2』, (주)사계절출판사, 2006.	29쪽
2	「줄다리기, 모두 하나 되는 대동 놀이」	조광현 그림	『어린이 문화재 박물관 2』, (주)사계절출판사, 2006.	30쪽
2	「조선의 냉장고 '석빙고'의 과학」	윤용현	『전통 속에 살아 숨 쉬는 첨단 과학 이야기』, (주)교학사, 2012.	32쪽
3	글 ㉮ (「영국 초등학교 1.6킬로미터 달리기 도입」)	방승언	『나우뉴스』, 2016. 3. 18.	54쪽
연극	「돌 장승 재판」		「모여라 딩동댕」, 한국교육방송공사, 2015.	82쪽
5	자료 ㉮	이정화	한국관광공사 / 대한민국 구석구석 누리집 (http://korean.visitkorea.or.kr)	93쪽
5	2번 활동		「지식 채널 이(e): 어느 독서광의 일기」, 한국교육방송공사, 2006.	96쪽
5	「마녀사냥」	이규희	『악플 전쟁』, 별숲, 2013.	97쪽
5	「마녀사냥」	한수진 그림	『악플 전쟁』, 별숲, 2013.	99쪽
6	자료 ㉯		『초·중등 진로 교육 현황 조사』, 한국직업능력개발원, 2017.	114쪽
6	「기계를 더 믿어요」	한상순	『뻥튀기는 속상해』, (주)푸른책들, 2009.	122쪽
6	「기계를 더 믿어요」	임수진 그림	『뻥튀기는 속상해』, (주)푸른책들, 2009.	122쪽

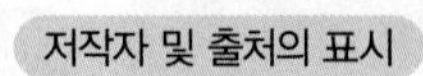

교과서에 실린 작품

단원	제재 이름	지은이	나온 곳	한끝 쪽수
7	「내 귀는 건강한가요」 (원제목: 「속삭이는 소리 안 들려도 난청? …… 하루 2시간 이어폰, 귀 건강 망쳐」)	박정환	『브릿지경제신문』, 2017. 6. 26.	131쪽
	「존경합니다, 선생님」	퍼트리샤 폴라코 글, 유수아 옮김	『존경합니다, 선생님』, 아이세움, 2015.	133쪽
	「존경합니다, 선생님」	퍼트리샤 폴라코 그림	『존경합니다, 선생님』, 아이세움, 2015.	133쪽
	「식물의 잎차례」	장 앙리 파브르 글, 추둘란 옮김	『파브르 식물 이야기』, (주)사계절출판사, 2011.	145쪽
	「식물의 잎차례」	이제호 그림	『파브르 식물 이야기』, (주)사계절출판사, 2011.	146쪽
	「한지돌이」	이종철	『한지돌이』, (주)보림출판사, 2017.	150쪽

MEMO

MEMO

한 권으로 끝내기!

교과서 학습부터 평가 대비까지 한 권으로 끝!

국어 공부의 진리입니다.

한끝과 함께 언제, 어디서든 즐겁게 공부해!

한끝으로 끝내고, 이제부터 활짝 웃는 거야!

15개정 교육과정

한솔 정답과 해설

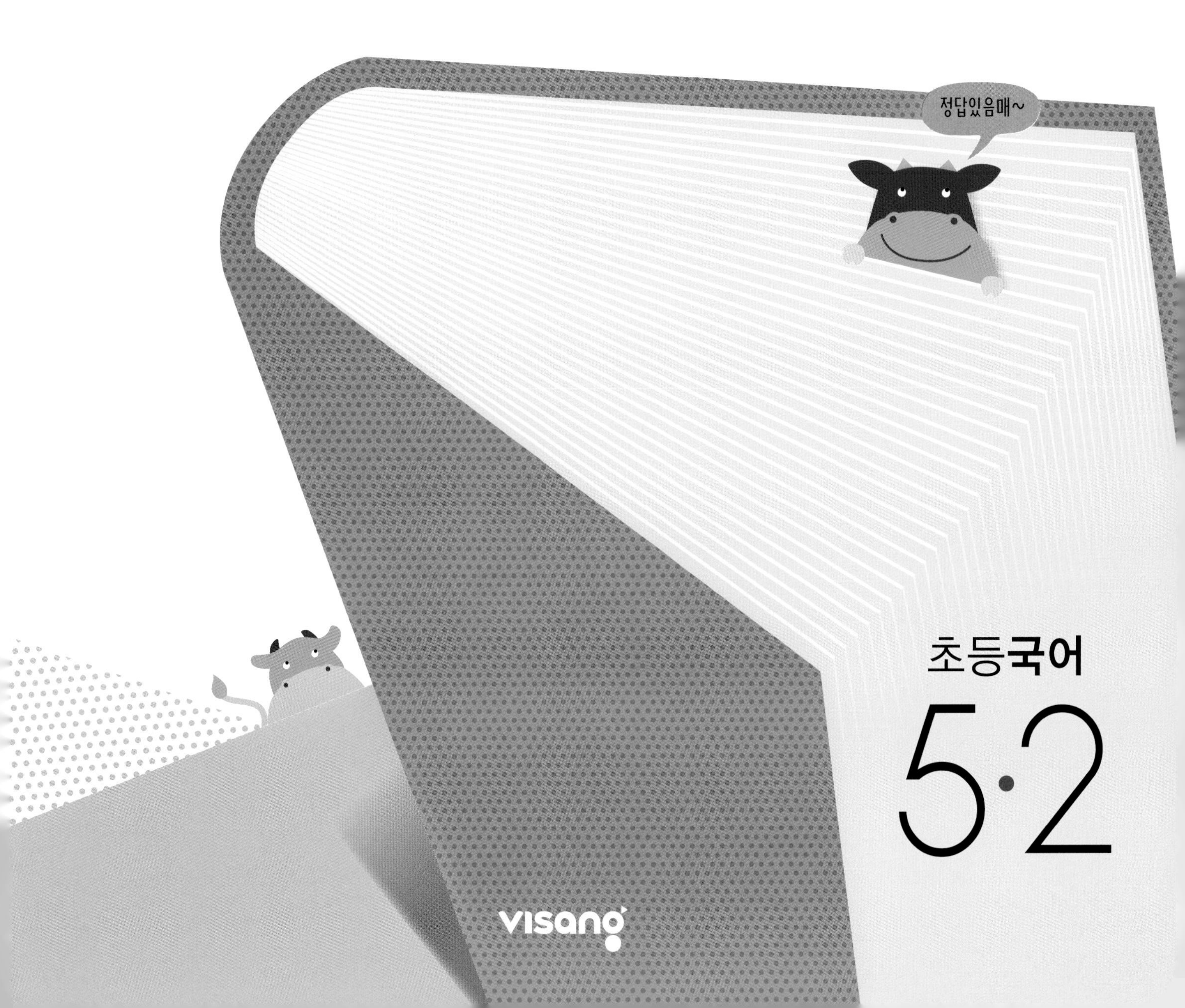

초등국어

5·2

visang

한끝

정답과 해설

초등 국어 5·2

• 진도 교재 ---------- 2
• 평가 교재 ---------- 34

1 마음을 나누며 대화해요

핵심 개념 문제 10쪽

1 공감 2 ○ 3 경청하기
4 ○ 5 상대

준비 공감하며 대화해야 하는 까닭 알기 11쪽

1 ⑤ 2 ④
3 예 힘내! 너는 그림을 열심히 그리니까 다음에는 꼭 뽑힐 거야.
4 (2) ×

1 대화할 때 듣는 사람은 말하는 사람을 바라보아야 하고, 말하는 내용에 관심을 가지고 귀 기울여 들어야 합니다.

2 지윤이가 명준이의 기분을 생각하지 않고 말했으므로 무시당하는 것 같아 화가 나고 기분이 안 좋을 것입니다.

3 명준이의 기분을 생각하여 힘이 날 수 있도록 격려의 말을 해 주는 것이 좋습니다.

> **채점 기준** 명준이의 기분을 생각하여 배려하는 말로 바꾸어 썼으면 정답으로 합니다.

4 공감하며 대화하면 상대의 마음을 알 수 있고, 상대와 기분 좋은 대화를 할 수 있습니다.

기본 ❶ 공감하며 대화하는 방법 알기 12~13쪽

1 ① 2 프라이팬이 잘 닦이지 않아서 등
3 ③ 4 (1) ㉮ (2) ㉰ (3) ㉯
5 (1) ○
6 예 여자아이가 자신의 말을 잘 들어 주고 마음을 알아주어 기분이 좋을 것이다. / 자신의 마음을 알아주어 고마울 것이다.
7 ⑤

1 프라이팬이 못 쓰게 된 것을 보고 놀라신 것입니다.

2 현욱이는 설거지를 하다가 프라이팬이 잘 닦이지 않아 철 수세미를 썼습니다.

3 엄마가 프라이팬이 망가졌다고 혼을 내지 않으시고 자신의 마음을 이해해 주셔서 고마운 마음이 들었을 것입니다.

4 ㉮에서는 상대의 말을 잘 들어 주었고, ㉯에서는 처지를 바꾸어 생각했고, ㉰에서는 현욱이의 기분을 고려해 말했습니다.

> **정답 친해지기** 공감하며 대화하는 방법
> - 상대의 말을 잘 들어 줍니다.
> - 서로의 감정을 소중하게 생각합니다.
> - 공감한 내용을 이야기합니다.

5 청소 구역을 바꾸면 좋겠다는 의견을 제시하였습니다.

6 여자아이는 남자아이의 말에 공감하며 대화하고 있습니다.

> **채점 기준** '여자아이가 자신의 말을 잘 들어 주고 마음을 알아주어 기분이 좋을 것이다.', '마음을 알아주어 고마울 것이다.' 등으로 썼으면 정답으로 합니다.

7 '경청하기' 단계에서는 눈을 맞추고 웃거나 고개를 끄덕이며 상황에 맞게 손짓을 합니다.

기본 ❷ 예절을 지키며 누리 소통망에서 대화하기 14~16쪽

1 예 단체 대화방에 공지를 올린 적이 있다.
2 ④ 3 ㉡ 4 ④
5 (1) ㉮ (2) ㉯ 6 (1) ㉡ (2) ㉢ (3) ㉠
7 ① 8 학교 9 (1) ○
10 ② 11 정욱

1 누리 소통망은 '소셜 네트워크 서비스[SNS]'를 다듬은 말로, 온라인에서 자유롭게 글이나 사진 따위를 올리거나 나누는 것을 말합니다.

> **정답 친해지기** 누리 소통망 대화
> 누리 소통망에서 상대와 나누는 대화를 말합니다.

2 여자아이는 친구를 직접 만나 사과할지, 전화로 사과할지 고민하고 있습니다.

3 직접 말하기에 어색하고 서먹서먹했을 때 누리 소통망 대화로 마음을 전할 수 있습니다.

4 누리 소통망 대화는 직접 하는 대화와 달리 멀리 떨어져 있는 사람과도 대화할 수 있습니다.

5 그림말을 너무 많이 사용하지 말고, 상대가 대화하고 싶은지 확인하고 말을 걸어야 합니다.

6 누리 소통망에서 그림 ❶은 공감한다는 것을 표현하는 방법을 생각하는 상황, 그림 ❷는 자신의 생각을 전하는 방법을 생각하는 상황, 그림 ❸은 자신의 느낌을 표현하는 방법을 생각하는 상황입니다.

7 누리 소통망에서 대화할 때 혼자서 너무 많은 말을 하지 않도록 해야 합니다.

8 다리를 다쳐 학교에 가지 못하자 자신의 마음을 누리 소통망으로 전했습니다.

9 선생님과 친구들은 남자아이에게 공감하는 말을 해 주었습니다.

10 누리 소통망에서는 얼굴을 볼 수 없으므로 상대의 말에 공감한다는 것을 댓글이나 그림말로 표현해야 합니다.

11 누리 소통망에서 상대의 말에 공감하며 대화하려면 상대의 처지에서 생각하고 공감하며 말합니다.

실천 이야기를 읽고 공감하며 대화 나누기 17~20쪽

1 ②	2 열일곱 살 때	3 ③
4 ②, ③	5 비행사	6 ③
7 ㉢	8 ①, ④	9 여자
10 ③, ⑤	11 ②, ⑤	12 ②, ④, ⑤
13 ④	14 (3) ○	

15 (1) 예 세계를 여행하고 책을 쓰는 사람이 되는 것 (2) 예 여행을 많이 다니고 관련 책을 열심히 읽겠다.

16 남준

1 한글을 홀로 깨친 '나'는 목사님의 도움으로 공짜로 학교를 다닐 수 있었습니다.

2 '내'가 열일곱 살 때 처음 비행기를 보았습니다.

3 비행기를 처음 본 조선 사람들은 비행기를 괴물이라고 생각하였습니다.

4 '나'는 비행기를 처음 본 날 너무 신났고 신기하고 놀라움에 기분이 들떠 있었습니다.

5 '나'는 비행기를 처음 본 날 비행사가 되고 싶다는 꿈이 생겼습니다.

6 당시는 일본이 조선을 다스리던 때였고, 조선 사람들은 나라를 되찾기 위해 노력했습니다. 비행기를 타고 일본과 싸웠다는 내용은 없습니다.

7 친구들과 거리로 몰려나와 소리쳤으며, 무기를 나르고 돈을 모으는 등 독립 운동을 했습니다.

8 우리나라에서 독립 운동을 하다 잡히면 죽을 수도 있고, 또 비행사가 되고 싶은 생각을 갖고 있었기 때문입니다.

9 당시는 여자에 대한 사회적인 차별이 있었습니다.

10 여자라는 이유로 비행 학교에 들어갈 수 없는 것을 공정하지 못하다고 느꼈을 것입니다.

11 자신이 꼭 하고 싶은 공부를 하는 것이고, 내 나라를 자유롭게 만들 수 있다는 꿈이 있었기 때문입니다.

12 '나'는 꿈을 이루기 위해 열심히 노력했습니다.

> **정답 친해지기** **'내'(권기옥)가 꿈을 이루기 위해 한 노력**
> - 비행 학교에 가려고 열심히 공부했습니다.
> - 당계요 장군을 만나고 그의 마음을 움직였습니다.
> - 비행 학교의 힘든 훈련을 이겨 냈습니다.

13 '나'는 꿈을 이루었기 때문에 기쁘고, 자랑스러우며, 자유롭다고 생각했을 것입니다.

14 '나'는 온 세상이 날 수 없다고 말해도 노력하면 날 수 있듯이 꿈을 향해 끝까지 노력하자고 말하고 있습니다.

15 자신이 이루고 싶은 꿈과 그 꿈을 이루기 위해 어떤 노력을 할지 씁니다.

> **채점 기준** 자신이 이루고 싶은 꿈을 쓰고, 그 꿈을 이루기 위한 노력을 썼으면 정답으로 합니다.

16 서로의 꿈에 대해 친구들과 공감하며 대화하려면 먼저 친구의 꿈이 무엇인지 경청하는 것이 중요하고, 친구의 꿈에 관심을 갖고 말해야 합니다.

단원 마무리 21쪽

❶ 기분 등 ❷ 경청 ❸ 정확하게

단원 평가 22~24쪽

1 (1) × **2** 관심

3 예 그래? 무슨 일이야? 어서 말해 봐.

4 ㉡, ㉢ **5** ②

6 예 현욱이가 실수를 해서 번거로운 일이 생겼지만 집안일을 도와주려는 착한 마음씨에 고마움을 느꼈기 때문이다.

7 처지를 바꾸어 생각하기

8 예 친구가 속상한 일이 있을 때 그 이야기를 잘 들어 주었어.

9 (1) ㉣ (2) ㉢ (3) ㉠ (4) ㉡

10 ⑤ **11** ④

12 친구에게 상처를 주는 말을 했다. 등

13 ③

14 예 나도 보고 싶어. 얼른 나아서 같이 놀자.

15 가영 **16** ④

17 당계요 (장군) **18** ⑤

19 여자가 자기 나라를 되찾으려고 왔으니 비행 학교에 꼭 들여보내라. 등

20 예 아픈 사람을 치료해 주는 의사

1 지윤이가 바쁘다고 하며 꼭 들어야 하느냐고 말하고 자기 일이 훨씬 중요하다고 말해서 기분이 좋지 않을 것입니다.

2 지윤이는 명준이가 하는 말에 관심을 가지고 귀 기울여 들어 주어야 했습니다.

3 지윤이는 명준이가 말하는 내용에 관심을 갖는 말을 해야 합니다.

4 공감하는 대화를 하면 기분 좋게 대화할 수 있습니다.

> 정답 친해지기 **공감하며 대화해야 하는 까닭**
> - 상대의 처지를 이해할 수 있기 때문입니다.
> - 처지를 바꾸어 생각하면 상대의 마음을 알 수 있기 때문입니다.
> - 상대에게 공감하며 말하면 기분 좋은 대화를 할 수 있기 때문입니다.
> - 대화를 즐겁게 이어 갈 수 있기 때문입니다.

5 현욱이는 부모님의 집안일을 도와드리려는 마음에서 설거지를 했습니다.

6 엄마는 현욱이의 마음을 이해하시고 화를 내지 않으셨으며 오히려 고맙다고 생각했습니다.

> 채점 기준 '집안일을 도와주려는 현욱이의 착한 마음씨에 고마움을 느꼈기 때문이다.' 등으로 썼으면 정답으로 합니다.

7 엄마는 현욱이 처지에서 생각하고 말했습니다.

8 상대의 말을 집중해서 들어 주고 상대의 처지가 되어 생각하며 상대의 기분을 고려해 듣거나 말한 경험을 씁니다.

> 채점 기준 공감하며 듣거나 말한 경험을 썼으면 정답으로 합니다.

9 공감하며 대화하는 방법 중 각각의 방법에 알맞은 활동을 생각해 봅니다.

10 말하는 사람의 처지가 되어 생각하며 말해야 합니다. 처지를 바꾸어 생각하며 말한 것을 찾습니다.

11 누리 소통망 대화는 직접 만나서 대화하는 것이 아니므로 얼굴 표정으로 대화의 분위기를 알기는 어렵습니다.

12 누리 소통망 대화는 상대의 얼굴이 안 보이기 때문에 더욱 예의 바르게 말하고, 다른 사람에게 마음의 상처를 주지 않도록 해야 합니다.

13 말하고 싶은 내용을 정확하게 전달하고 이상한 말이나 줄임 말을 쓰지 않습니다.

14 친구가 다쳐서 학교에 오지 못하는 상황을 생각해 공감하는 댓글을 써야 합니다.

15 상대의 말에 공감하며 대화하려면 상대의 상황이 되어 생각하고 말하는 것이 필요합니다.

16 '나'는 비행사가 되고 싶어 하였으므로 하늘을 나는 것을 두려워한 것은 아닙니다.

17 '나'는 비행 학교에 들어가고 싶어서 당계요 장군을 찾아갔습니다.

18 '나'는 당계요 장군에게 비행사가 되어 내 나라를 빼앗아 간 일본과 싸우려 한다고 말했습니다.

19 '내'가 비행 학교에 들어갈 수 있게 해 달라는 내용일 것입니다.

20 '내'가 비행사가 되는 꿈을 꾸고 비행사가 된 것처럼 자신은 어떤 꿈을 갖고 있는지 씁니다.

서술형 평가 25쪽

1 예 그랬구나. 내가 너처럼 그림 그리기를 좋아하면 나도 서운했을 것 같아.

2 예 상대의 말을 잘 들어 준다. / 서로의 감정을 소중하게 생각한다. / 말하는 사람의 처지가 되어 생각한다. / 상대의 기분을 고려해 말한다. / 공감한 내용을 이야기한다.

3 예 자신의 생각을 직접 말하기 어려울 때 / 많은 사람에게 알릴 것이 있을 때

4 (1) 예 만나지 않고도 대화할 수 있다. / 간편하게 내 생각을 전할 수 있다. / 급한 연락을 쉽게 할 수 있다. / 많은 사람에게 소식을 전할 수 있다.
(2) 예 대화의 분위기를 알 수 없다. / 글자를 일일이 입력하는 것이 불편하다. / 얼굴을 보지 않고 대화해서 어색하다.

5 예 대화방에 없는 친구를 험담하지 않는다.

1 명준이의 기분을 생각해 명준이를 위로하는 말을 하는 것이 좋습니다.

> **채점 기준** 명준이를 위로하는 말로 바꾸어 썼으면 정답으로 합니다.

2 공감하는 대화는 상대의 마음을 이해하고, 상대가 느끼는 감정과 같이 느끼며 귀 기울여 듣고, 상대를 배려하며 말하는 대화입니다.

> **채점 기준** 공감하며 대화하는 방법을 알맞게 썼으면 정답으로 합니다.

3 누리 소통망 대화는 얼굴을 보지 않고 글자로 대화합니다.

> **채점 기준** 누리 소통망을 사용해 대화하는 경우를 알맞게 썼으면 정답으로 합니다.

4 누리 소통망을 사용해 대화를 했던 경험을 떠올려 좋아진 점과 불편해진 점을 씁니다.

> **채점 기준** 누리 소통망을 사용해 대화하고 좋아진 점과 불편해진 점을 썼으면 정답으로 합니다.

5 누리 소통망에서 대화를 할 때 대화방에 없는 친구를 험담하면 안 됩니다.

> **채점 기준** 주어진 누리 소통망 대화를 읽고 친구들이 지켜야 할 예절을 썼으면 정답으로 합니다.

2 지식이나 경험을 활용해요

핵심 개념 문제 28쪽

1 ○ **2** 경험 **3** ㉠
4 ○ **5** 정확하고

준비 지식이나 경험을 활용해 글을 읽으면 좋은 점 알기 29~31쪽

1 줄다리기 등 **2** (3) ×
3 농한기 **4** 영채, 보연
5 상대의 기를 누르려고 등 **6** ⑤
7 ③ **8** ⑤
9 (1) 풍년 (2) 마음
10 예 제목에 있는 '대동'이라는 낱말 뜻을 정확히 몰랐는데 글 전체 내용과 나온 그림을 살펴보니 '여러 사람이 힘을 합치다'라는 뜻인 것 같다.
11 ㉢

1 줄다리기를 한 경험을 떠올려 쓴 것입니다.

2 영산 줄다리기는 줄다리기를 하기 전에 어른들보다 아이들이 먼저 겨룹니다.

3 음력 정월은 농사일을 잠시 쉬는 시기였기 때문에 함께 모여 줄을 만들 수 있는 시간이 있었습니다.

4 영채와 보연이가 말한 내용 외에도 지식이나 경험을 떠올려 읽으면 글 내용을 쉽게 이해할 수 있고, 글 내용을 깊이 이해할 수 있어 좋습니다.

5 줄을 당길 장소에 다다랐을 때에 양편에서는 상대의 기를 누르려고 있는 힘을 다하여 함성을 지릅니다.

6 용을 닮은 줄을 만들어 줄다리기를 한 까닭은 농사를 지을 때 물이 가장 중요한데, 용이 물을 다스리는 신이라고 생각해 용을 기쁘게 해야 풍년이 들 것이라고 믿었기 때문입니다.

7 그 밖에도 지식이나 경험을 활용해 글을 읽으면 글 내용을 깊이 이해할 수 있다는 좋은 점이 있습니다.

8 정월에 힘이 약해진 착한 신들을 돕기 위해서 여럿이 힘을 모아 윷놀이나 줄다리기를 했습니다.

9 줄다리기에는 풍년을 기원하며 마음을 모아 무사히 한 해 농사를 지으려는 조상들의 지혜가 담겨 있습니다.

10 줄다리기와 관련한 지식이나 줄다리기를 했을 때의 경험을 떠올려 씁니다.

> **채점 기준** 글을 읽으며 지식이나 경험을 활용해 떠올린 내용을 알맞게 썼으면 정답으로 합니다.

11 책을 고를 때 책 내용과 관련한 지식이나 경험을 떠올리며 읽을 수 있을지 생각합니다.

기본 ❶ 지식이나 경험을 활용해 글 읽기 32~34쪽

1 냉장고, 빙고 2 『삼국사기』 3 동빙고
4 예 조선 시대에는 빙고가 관청이었다는 사실이 신기하다.
5 (2) ○
6 여름과 겨울의 기온 차가 커서 7 경주
8 ②, ⑤ 9 ③, ⑤ 10 왕겨나 짚
11 예 온도가 높은 공기가 위로 올라가고 온도가 낮은 공기가 밑으로 가기 때문에 석빙고의 바닥은 낮은 온도를 유지했다. / 내부 바닥 한가운데에 배수로를 경사지게 파서 얼음에서 녹은 물이 밖으로 흐르도록 했다.

1 우리 조상들은 얼음을 봄·여름·가을까지 녹지 않게 빙고에 보관해 사용했습니다.

2 『삼국사기』의 기록으로 우리 조상들이 신라 시대에 얼음을 보관했다는 것을 알 수 있습니다.

3 동빙고는 왕실의 제사에 쓰일 얼음을 보관하는 역할을 했습니다.

4 이 글을 읽으며 떠오른 생각을 씁니다.

> **채점 기준** 글 내용과 관련 있는 생각을 썼으면 정답으로 합니다.

5 수진이는 글을 읽으며 '장빙'이라는 낱말의 뜻을 알게 되었습니다.

6 우리나라에 장빙 기술이 크게 발달한 까닭은 여름과 겨울의 기온 차가 크기 때문입니다.

7 석빙고는 현재 일곱 개가 남아 있는데 가장 완벽한 것은 경주의 석빙고입니다.

8 바깥 공기가 들어오는 것을 막기 위해 출입구의 동쪽을 담으로 막았고, 지붕에 구멍을 뚫었습니다.

9 태양열을 차단하기 위해 지붕에 잔디를 심었고, 내부 바닥 한가운데에 배수로를 경사지게 파서 얼음에서 녹은 물이 밖으로 흘러 나갈 수 있는 구조를 갖추어 과학적이라고 한 것입니다.

> **정답 친해지기** **석빙고가 과학적이라고 말하는 까닭**
> - 바깥 공기를 막기 위해 출입구 동쪽을 담으로 막고, 지붕에 구멍을 뚫어 더운 공기가 빠져나가도록 함.
> - 지붕에 잔디를 심어 태양열을 차단함.
> - 내부 바닥 한가운데에 배수로를 경사지게 파서 얼음에서 녹은 물이 밖으로 흐르도록 함.

10 얼음을 오랫동안 보관하기 위해 왕겨나 짚으로 싸 보관했다고 합니다.

11 과학 시간에 배운 지식을 활용하면 글의 내용을 더 잘 이해할 수 있습니다.

> **채점 기준** 과학 시간에 배운 '열의 이동'에 대한 내용과 관련 있는 내용을 썼으면 정답으로 합니다.

기본 ❷ 체험한 일을 떠올리며 감상이 드러나는 글 쓰기 35쪽

1 국립한글박물관 2 ③, ⑤
3 (1) ×
4 (1) 예 천마총 관람
(2) 예 천마가 하늘로 날아오를 것 같았다.

1 글쓴이는 국립한글박물관에 가서 한글 놀이터, 한글 배움터, 특별 전시실을 관람했습니다.

2 글쓴이는 국립한글박물관에서 한글 유물을 직접 볼 수 있어서 신기하고 즐거웠고, 한글을 더 생생하고 자세하게 배우는 기회를 얻어서 뿌듯했다고 체험한 일에 대한 감상을 썼습니다.

3 체험한 일을 쓸 때에는 본 것, 들은 것, 한 것 등을 자세히 풀어 씁니다.

4 체험한 일에 대한 감상이 드러나는 글을 쓸 때 먼저 체험과 감상의 내용을 간단히 정리해 봅니다.

> **채점 기준** '체험'에는 체험한 일을 쓰고, '감상'에는 체험한 일에 대한 감상을 썼으면 정답으로 합니다.

기본❸ 지식이나 경험을 활용해 함께 글 고치기 36쪽

1 국립한글박물관
2 (1) 민주 (2) 동호 (3) 유원 **3** ③
4 (3) ○

1 국립한글박물관에 간 일을 쓴 글입니다.

2 민주, 유원, 동호가 글에 대해 어떤 의견을 말했는지 다시 읽어 봅니다.

3 기분에 따라 말하면 안 되고 미리 정한 평가 기준에 따라 평가해야 합니다.

4 서로의 경험을 활용해서 글 내용을 생생하게 고칠 수 있고, 글쓴이가 잘못 이해하고 쓴 내용도 다른 친구들이 바르게 고쳐 줄 수 있어 좋습니다.

실천 지식이나 경험을 활용해 현장 체험학습 계획하기 37쪽

1 지식 **2** ⑤
3 예 가족과 함께 여행을 갔던 경험
4 (1) 예 국립민속박물관
(2) 예 우리나라 전통 문화유산과 조상의 생활 모습을 알 수 있어서
5 ③

1 친구들은 현장 체험학습을 계획할 때 지식이나 경험을 어떻게 활용할 수 있을지 이야기하고 있습니다.

2 간식을 먹는 횟수는 현장 체험학습을 계획할 때에 정할 것으로 알맞지 않습니다.

3 그 밖에 사회 시간이나 과학 시간에 배운 지식 등도 활용할 수 있습니다.

4 현장 체험학습도 어디까지나 학습이므로 그저 즐겁기만 한 곳이 아니라 모두가 함께 배울 수 있고 가치 있는 체험을 할 수 있는 곳이어야 함을 생각하며 적절한 장소를 생각합니다.

> **채점 기준** 현장 체험학습 장소를 쓰고, 그곳으로 정한 까닭을 알맞게 썼으면 정답으로 합니다.

5 발표에 사용하는 자료는 반드시 출처를 밝히고 사용해야 하므로 자료를 정리할 때 출처도 함께 기록해 두어야 합니다.

단원 마무리 38~39쪽

❶ 재미있게 ❷ 얼음 ❸ 감상
❹ 지식 ❺ 기준

단원 평가 40~42쪽

1 ①, ⑤ **2** (2) ○ **3** 재미있게
4 냉장고는 냉기나 얼음을 인공적으로 만드는 기계 장치이지만, 빙고는 겨울에 보관해 두었던 얼음을 봄·여름·가을까지 녹지 않게 효과적으로 보관하는 냉동 창고이다. 등
5 『고려사』 **6** (1) ㉡ (2) ㉠ **7** 장빙
8 경주 석빙고(의 구조) **9** 과학적
10 ①, ③
11 얼음을 오랫동안 보관하기 위해서 등
12 ㉢ **13** ②
14 한글 놀이터, 한글 배움터, 특별 전시실을 관람했다. 등
15 ㉡, ㉢ **16** 현정 **17** ①
18 (1) ×
19 예 내 경험으로는 지하철역에서 국립한글박물관까지 걸어가는 길 주변 건물의 모습이 인상 깊었다. 이런 부분을 덧붙이면 글이 더 생생하게 느껴질 것이다.
20 예 책에서 보았던 체험활동 내용

1 우리 조상들은 풍년이 들기를 바랐고 힘이 약해진 착한 신들을 돕기 위해서 줄다리기를 했습니다.

2 (2)가 예전에 배웠던 지식을 떠올리며 읽은 것입니다.

3 내가 아는 지식이 나오면 책을 더 재미있게 읽을 수 있어서 좋습니다.

4 냉장고는 냉기나 얼음을 인공적으로 만들 수 있는 기계 장치이고, 빙고는 얼음을 보관하는 냉동 창고입니다.

> **채점 기준** 냉장고와 빙고의 다른 점을 잘 정리하여 썼으면 정답으로 합니다.

5 『고려사』에 기록된 내용입니다.

6 글을 읽으며 새롭게 안 것과 짐작한 것을 떠올린 것입니다.

7 여름과 겨울의 기온 차가 큰 우리나라는 옛날부터 장빙 기술이 발달했습니다.

8 글쓴이는 경주 석빙고가 과학적인 구조라는 것을 설명하고 있습니다.

9 제시한 내용은 경주 석빙고가 과학적이라고 말할 수 있는 까닭입니다.

10 석빙고의 얼음을 왕겨나 짚으로 싸서 보관했다고 했습니다.

11 왕겨나 짚은 단열 효과를 높이고 얼음이 약간 녹을 때 주변 열도 흡수하므로 왕겨나 짚의 안쪽 온도가 낮아져 얼음을 오랫동안 보관할 수 있었다고 합니다.

12 과학 시간에 배운 지식을 활용해 글을 읽으면 이해하기 더 쉽습니다.

13 책을 읽을 때 궁금한 점은 다른 책 내용을 찾으면서 읽고, 내가 아는 내용과 책 내용을 비교하며 읽습니다.

> 정답 친해지기 **지식이나 경험을 활용해 글을 읽는 방법**
> - 글과 관련 있는 내용을 조사합니다.
> - 책을 고를 때 책 내용과 관련한 지식이나 경험을 떠올리며 읽을 수 있는지 생각합니다.
> - 글을 읽다가 잘 모르는 내용이 나오면 먼저 관련 있는 지식을 공부합니다.
> - 글을 골라 읽을 때에는 관련 있는 지식이나 경험이 많은 것으로 고릅니다.

14 글쓴이는 국립한글박물관에 간 일을 떠올려 글을 썼습니다.

15 ㉡, ㉢이 국립한글박물관을 관람한 일에 대한 감상을 쓴 것입니다.

16 체험한 일은 자세히 풀어 쓰고, 체험한 일에 대한 감상도 생생하게 전하도록 써야 합니다.

17 글 내용, 조직, 표현 등에 대한 의견을 듣고 글을 고치면 더 좋은 글이 될 수 있습니다.

18 미리 정한 평가 기준에 따라 생각하며 말해야 합니다.

19 단점만 말하지 말고 어떻게 고치면 좋을지 함께 말합니다.

> **채점 기준** 제시된 글을 읽고 고칠 점을 알맞게 썼으면 정답으로 합니다.

20 자신이 알고 있는 지식이나 경험을 활용해 현장 체험 학습 장소를 어디로 갈지 계획해 봅니다.

서술형 평가 43쪽

1 예 글 내용을 쉽게 이해할 수 있다. / 이미 아는 내용과 비교하며 글을 읽을 수 있다. / 글 내용에 흥미를 느낄 수 있다.

2 예 바깥 공기를 막기 위해 출입구 동쪽을 담으로 막고 지붕에 구멍을 뚫어 더운 공기가 빠져나가게 했다. / 지붕에 잔디를 심어 태양열을 차단했다. / 내부 바닥 한가운데에 경사지게 배수로를 파서 얼음에서 녹은 물이 밖으로 흘러 나가도록 했다.

3 예 주위보다 온도가 높은 공기가 위로 올라가고, 온도가 낮은 공기가 밑으로 간다는 사실을 과학 시간에 배운 적이 있다.

4 (1) 국립한글박물관에 가서 특별 전시실을 관람했다. 등
(2) 한글 유물을 직접 볼 수 있어서 신기하고 즐거웠다. 등

5 예 배운 지식을 활용하면 글 내용을 더 정확하고 자세하게 나타낼 수 있다. / 글쓴이가 잘못 이해하고 쓴 내용도 친구들이 바르게 고쳐 줄 수 있다.

1 글 내용을 깊이 이해할 수 있고, 글 내용이 더 오래 기억납니다.

> **채점 기준** 글을 읽을 때에 떠올린 생각이 글을 읽는 데 어떤 도움이 될지 알맞게 썼으면 정답으로 합니다.

2 얼음이 녹지 않게 어떤 구조를 갖추고 있는지 씁니다.

> **채점 기준** 글을 읽고 석빙고를 과학적이라고 말하는 까닭을 알맞게 썼으면 정답으로 합니다.

3 이미 알고 있는 지식이나 경험을 떠올려 씁니다.

> **채점 기준** 글을 읽으며 떠올린 지식이나 경험을 썼으면 정답으로 합니다.

4 국립한글박물관에 가서 특별 전시실을 관람했다는 내용과 관람 후 느낀 점을 각각 씁니다.

> **채점 기준** 글을 읽고 체험한 일과 체험한 일에 대한 감상을 알맞게 썼으면 정답으로 합니다.

5 함께 글 고치기를 하면 글의 내용, 조직, 표현에 대해 여러 의견을 들을 수 있어 좋습니다.

> **채점 기준** 쓴 글을 친구들과 함께 고치면 좋은 점을 알맞게 썼으면 정답으로 합니다.

3 의견을 조정하며 토의해요

진도 교재

핵심 개념 문제 46쪽

1 조정 2 문제 파악하기 3 문제점
4 ○ 5 도표

준비 의견을 조정해야 하는 까닭 알기 47~49쪽

1 ㉠ 2 (1) ① (2) ②
3 (1) 마스크가 몸에 해로운 미세 먼지를 막아 준다. 등 (2) 공기 청정기가 공기를 깨끗하게 해 준다. 등 4 지우 5 ③
6 토의 주제와 관련이 없다. 등
7 적극적인 태도 8 ㉡
9 (1) ③ (2) ① (3) ②
10 예 근거를 말하지 않고 주장만 했다. / 상대가 듣기 싫어 하는 말을 했다. / 토의에 적극적으로 참여하지 않았다.
11 예 토의 태도와 관련한 문제 12 규현

1 학생들은 날이 갈수록 심해지는 미세 먼지 문제에 어떻게 대처해야 할지 토의하고 있습니다.

2 민우는 마스크를 쓰고 생활해야 한다는 의견을, 소윤이는 학교 곳곳에 공기 청정기를 설치해야 한다는 의견을 냈습니다.

3 장면 ❷, ❸에 근거가 나와 있습니다.

4 민우와 소윤이는 상대의 의견을 비판하기만 했습니다.

5 '그깟 전기가 중요합니까? 정말 뭘 모르시는군요.'라고 상대의 기분을 배려하지 않고 예의를 지키지 않고 말했습니다.

6 미세 먼지 문제를 해결해야 한다는 주제와 관련이 없는 근거를 말했습니다.

7 박이슬 학생은 무관심한 태도를 보이고 있으므로 토의 과정에 적극적인 태도로 참여해야 합니다.

8 의견을 조정하지 않으면 토의를 원활하게 진행할 수 없고 말하는 사람들끼리 갈등이 생길 것이며 문제를 합리적으로 해결할 수 없습니다.

9 각 그림에 나타난 대화 내용이나 생각을 살펴봅니다.

10 자신의 경험을 떠올려 써 봅니다.

> **채점 기준** 토의 태도와 관련한 문제, 토의 진행과 관련한 문제, 의견 및 근거와 관련한 문제 중 한 가지와 관련한 경험을 떠올려 썼으면 정답으로 합니다.

11 자신의 경험이 어떤 유형의 문제인지 파악합니다.

12 모두가 만족하도록 의견을 하나로 모으는 것은 어려운 일이기 때문에 문제를 합리적으로 해결하려면 의견을 조정해야 합니다.

기본 1 토의 과정에서 의견을 조정하는 방법 알기 50~51쪽

1 의견 조정하기 2 ⑤
3 토의로 해결할 문제를 정확하게 파악하기 위해서이다. 등
4 ③, ⑤ 5 (1) ㉠ (2) ㉡
6 사회자의 질문이나 상대의 의견을 귀 기울여 듣는다. 등
7 주호 8 ③

1 친구들은 토의를 하면서 의견을 조정하고 있습니다.

2 미세 먼지 문제에 대처하는 방안을 마련하는 것을 토의하고 있었습니다.

3 토의로 해결해야 할 문제가 무엇인지를 정확하게 파악해야 의견을 조정할 수 있습니다.

4 장면 ❹에서 여자아이의 말을 살펴보면 할 일을 알 수 있습니다.

5 장면 ❽, ❾의 내용을 살펴봅니다.

6 준비에서는 상대를 무시하거나 토의 주제와 관련 없는 근거를 말하는 등 올바르지 않은 태도로 참여했지만 의견을 조정하기 위해 다시 시작한 회의에서는 올바른 태도로 참여했습니다.

> **채점 기준** 사회자의 질문이나 상대의 의견을 더 귀기울여 들었다는 내용을 썼으면 정답으로 합니다.

7 상대의 기분을 배려하며 말한 사람은 주호입니다.

8 상대를 배려하며 토의를 해야 합니다.

기본❷ 토의에서 자신의 의견을 뒷받침할 자료 찾아 읽기 52~53쪽

1 그림 ㉮에서는 아무런 자료 없이 의견을 말하고 있지만, 그림 ㉯에서는 신문 기사를 자료로 제시하고 있다. 등
2 사진, 도표 3 책 4 ⑤
5 ㉢
6 읽어야 할 자료가 너무 많았기 때문이다. 등
7 (1) ① (2) ② 8 정확한 등

1 그림 ㉮와 ㉯에서 남자아이가 발표할 때 무엇이 다른지 찾아봅니다.

채점 기준 그림 ㉮에서는 자료 없이 말했고, 그림 ㉯에서는 자료를 제시했다는 내용을 썼으면 정답으로 합니다.

2 사진이나 도표는 눈으로 확인하기 쉬운 자료이고, 보고서나 설문 조사는 글을 읽어야 상세한 정보를 얻을 수 있는 자료입니다.

보충 자료 **표나 도표 같은 자료의 장점**
구체적인 숫자를 간단히 확인할 수 있고, 얼마나 차지하는지, 어떻게 변하는지 알기 쉽게 확인할 수 있습니다.

3 그림 ㉮에서는 아무런 자료 없이 의견을 말하고 있지만, 그림 ㉯에서는 책을 자료로 제시하고 있습니다.

4 책, 보고서, 설문 조사 따위와 같은 자료를 제시하면 발표 내용 이외에도 더욱 풍부한 정보를 얻을 수 있다는 장점이 있습니다.

5 '초등학생 건강 적신호'라는 뉴스를 보고 건강한 학교생활을 하려면 틈새 시간을 어떻게 사용하는 것이 좋을지에 대해 토의를 하려고 합니다.

6 신문 기사와 책에 내용이 너무 많아서 곤란해했습니다.

채점 기준 관련 기사나 책이 너무 많았기 때문이라는 내용을 썼으면 정답으로 합니다.

7 자료에 따라 훑어 읽는 방법이 다릅니다.

보충 자료 **자료를 훑어 읽는 까닭**
자료 읽기에 필요한 시간과 노력을 절약하기 위해서입니다.

8 찾은 자료를 정리할 때에는 반드시 자료의 출처를 써야 합니다.

기본❸ 찾은 자료를 정리해 알기 쉽게 표현하기 54~55쪽

1 건강 달리기에 대한 자료 등
2 (1) ② (2) ① 3 ㉢ 4 ⑤
5 (1) ① (2) ② 6 ③, ⑤ 7 이해
8 ②

1 자료 ㉮, ㉯는 찬원이가 찾은, 건강 달리기에 대한 자료입니다.

2 자료 ㉮는 신문 기사이고, ㉯는 뉴스 보도입니다.

3 많은 내용을 글로만 설명해서 이해하기 쉽지 않기 때문에 쉽게 읽을 수 없습니다.

4 자료를 읽기 쉽게 요약하고 표나 도표를 이용해 표현합니다.

5 ㉰는 읽기 쉽게 요약해 글로 썼고, ㉱에서 아동 건강 문제는 도표로 나타냈고, 건강 달리기의 효과는 도형과 선, 화살표를 연결하여 나타냈습니다.

6 내용을 간단히 줄여 썼으며 도형과 선, 화살표를 이용해 서로 연결했습니다.

7 글로만 설명하는 것보다 이해하기 쉽고 기억에 오래 남을 수 있습니다.

8 제목과 내용의 글자 크기를 다르게 해야 합니다.

실천 의견을 조정하며 토의하기 56쪽

1 (1) ㉡ (2) ㉠ 2 ㉯
3 예 식판에 음식을 받을 때 못 먹는 음식을 미리 말씀드리고 조금만 받자.

1 각 그림 속 아이들의 대화 내용을 살펴봅니다.

2 음식물 쓰레기를 줄이기 위해 토의를 해야 하는 문제 상황은 그림 ㉯입니다.

3 제시된 내용을 읽고 일어날 수 있는 문제를 생각하여 의견을 조정해 봅니다.

채점 기준 자율 배식이 오히려 남기는 음식이 늘어나는 문제를 불러올 것이라는 예측을 보고 의견을 알맞게 조정하여 썼으면 정답으로 합니다.

단원 마무리 57쪽

❶ 문제 ❷ 조건 ❸ 예측
❹ 제목 ❺ 차례

단원 평가 58~60쪽

1 미세 먼지 문제에 대처하는 방안 등
2 (1) 민우 (2) 소윤 **3** ②
4 (1) ○ **5** 토의 주제 **6** ㉠
7 문제를 합리적으로 해결하려면 의견을 조정해야 한다. 등
8 (1) 4 (2) 3 (3) 1 (4) 2
9 의견을 실천했을 때 일어날 수 있는 문제를 생각해야 하기 때문이다. 등
10 ㉣ **11** 눈으로 확인하기 쉽다. 등
12 ⑤ **13** (2) ○
14 (1) 건강 달리기의 효과 (2) 집중력 향상
15 ㉡ **16** (1) ○ (2) ○
17 운동장 **18** 도담
19 결과 예측하기 **20** ⑤

1 '날이 갈수록 심해지는 미세 먼지에 어떻게 대처해야 할까요?'라는 말에서 토의 주제를 알 수 있습니다.

2 민우는 마스크를 쓰고 생활해야 한다는 의견을 냈고, 소윤이는 공기 청정기를 설치해야 한다는 의견을 냈습니다.

3 민우와 소윤이는 상대 의견의 장점은 생각하지 않고 비판만 했습니다.

4 상우는 상대를 무시하는 듯한 말을 했습니다.

5 미세 먼지 문제에 대처하기 위해 공기 청정기를 설치하거나 마스크를 썼을 때 미세 먼지 문제에 대처하기 좋은 점을 말해야 합니다.

6 토의 진행을 알맞게 하지 못해 생긴 문제입니다.

7 의견을 합리적으로 조정하지 않으면 참여자 모두가 동의하는 의견을 찾을 수 없게 되므로 반드시 의견을 조정해야 합니다.

> **채점 기준** 문제를 합리적으로 조정해야 하기 때문이라는 내용을 썼으면 정답으로 합니다.

8 그림에서 각각 무엇을 하고 있는지 살펴봅니다.

9 그림 ❸은 결과 예측하기 단계입니다.

> **채점 기준** 의견을 실천했을 때 어떤 문제가 일어날 수 있는지 예측해야 하기 때문이라는 내용을 썼으면 정답으로 합니다.

10 자신의 의견만 강하게 주장하면 안 되고 여러 의견을 듣고 조정하여 의견을 결정해야 합니다.

11 그림과 크게 쓰여 있는 글씨만 보고 미세 먼지 문제에 공기 청정기가 필요하다는 자료임을 눈으로 확인하기 쉽습니다.

12 그림에서는 신문 기사를 자료로 제시하고 있습니다.

13 찾고 싶은 자료와 관련한 낱말을 컴퓨터를 이용해 검색한 뒤 신문 기사나 뉴스의 제목을 중심으로 훑어 읽다가 의견을 뒷받침하는 기사문이나 보도문을 찾아 자세히 읽습니다. 필요한 내용을 정리하고 날짜, 신문 또는 방송 이름을 씁니다.

> **오답 피하기**
> (1)의 방법은 책에서 자료를 찾을 때 활용하는 방법입니다. 책의 앞부분에는 차례가 있기 때문에 차례를 살펴보면 책의 주요 내용과 흐름을 알 수 있습니다.

14 제목과 건강 달리기의 효과를 간단하게 씁니다.

보충 자료 도표에 담긴 의미

건강 달리기의 효과를 같은 높이로 연결한 까닭	세 가지 효과가 모두 똑같이 중요하기 때문입니다.
'건강'을 화살표로 연결한 까닭	'건강'이 가장 중요하게 생각하는 효과이기 때문입니다.

15 14번 문제 그림처럼 표현하면 글을 읽는 것보다 건강 달리기의 효과를 더 쉽고 빠르게 이해할 수 있습니다.

16 (1), (2) 내용 외에도 설명하려는 대상을 사진이나 그림으로 잘 나타냈는지, 자료를 이해하기 쉽고 간단하게 나타냈는지 살펴봐야 합니다.

17 운동장을 안전하게 사용하는 방법에 대해 토의해야 합니다.

18 도담이는 모두가 안전하게 운동장을 사용하는 방법을 의견으로 제시했습니다.

19 사용 시간을 정해서 사용한다는 의견대로 실천했을 때 일어날 수 있는 문제점을 예측했습니다.

20 의견을 뒷받침하는 자료를 마련해야 합니다.

서술형 평가

61쪽

1 문제를 해결하는 데 무관심한 태도를 보이고 있다. / 토의 과정에 적극적으로 참여하지 않았다. 등
2 의견에 대한 모든 토의 참여자의 생각을 알아보아야 하기 때문이다. 등
3 발표 내용 이외에도 더욱 풍부한 정보를 얻을 수 있다. 등
4 내용을 건너뛰며 읽으면서 의견을 뒷받침하는 내용을 찾는다. 등
5 (1) 사진이나 그림으로 나타내자. 등
(2) 도표로 나타내자. 등
6 예 먹기 싫은 음식을 가져가지 않아서 남는 음식이 오히려 더 많아질 것이다.

1 여자아이는 뭘 해도 상관없다고 대답했습니다.

채점 기준 무관심한 태도로 참여했다는 내용을 썼으면 정답으로 합니다.

2 모든 토의 참여자의 생각을 알아본 후 의견을 정해야 하기 때문입니다.

채점 기준 토의 참여자의 생각을 알아보아야 하기 때문이라는 내용을 썼으면 정답으로 합니다.

3 그림 나에서는 책 내용을 제시했습니다.

채점 기준 발표 내용 이외에도 풍부한 정보를 얻을 수 있다는 내용을 썼으면 정답으로 합니다.

4 차례를 살펴보며 내용을 건너뛰며 읽어야 합니다.

채점 기준 책의 내용을 건너뛰며 읽으면서 의견을 뒷받침하는 내용을 찾는다는 내용을 썼으면 정답으로 합니다.

5 직접 볼 수 있게 하고, 간단하게 볼 수 있게 하려면 어떻게 해야 하는지 생각해 봅니다.

채점 기준 (1)에는 사진이나 또는 그림 등으로 나타낸다는 내용을 쓰고, (2)에는 도표 등으로 나타낸다는 내용을 썼으면 정답으로 합니다.

6 음식물 쓰레기를 줄이기 위해 자율 배식을 하면 어떤 문제가 일어날지 생각해 봅니다.

채점 기준 자율 배식을 했을 때 어떤 일이 일어날지 자유롭게 예측해서 썼으면 정답으로 합니다.

4 겪은 일을 써요

핵심 개념 문제

64쪽

1 준비 2 시간 3 날씨 표현
4 ×

준비 호응 관계를 생각하며 겪은 일이 드러난 글 읽기

65~67쪽

1 문장 성분 2 도아 3 ④
4 (1) 자라는 (2) 느는 5 ③
6 ⑤ 7 밀려왔다 8 ④
9 그때 안방에서 아버지께서 부르셨다.
10 주어
11 문장의 뜻을 바르게 이해할 수 있기 때문이다. 등
12 내용 생성하기

1 문장 성분이란 주어, 목적어, 서술어와 같이 문장을 구성하는 부분을 말합니다.

2 과거의 시간을 나타내는 말인 '어제' 뒤에는 '-었다'라는 서술어를 써야 하므로 '주찬이는 어제 책을 세 시간 동안 읽었다'로 써야 합니다.

3 '할머니'는 웃어른이므로 '-께서'와 '주무신다'라는 높임 표현을 사용해야 합니다.

4 키는 자라는 것이고 몸무게는 느는 것인데 ㉢ 문장에서는 키와 몸무게가 모두 늘었다고 했습니다.

5 이 글은 윤서가 어제저녁에 집에서 있었던 일을 쓴 글입니다.

6 윤서는 용준이가 자신에게 장난을 걸다 머리를 부딪쳐 울었던 것인데 동생을 울렸다고 자신만 혼내시는 아버지 때문에 화가 났습니다.

7 어제 저녁에 있었던 과거의 일이므로 '졸음이 밀려왔다'로 고쳐 써야 합니다.

8 '별로'는 '좋아 보이지 않았다'와 같은 서술어가 어울립니다.

9 높임 표현을 생각하여 고쳐 씁니다. '아버지가'를 '아버지께서'로, '불렀다'를 '부르셨다'로 고쳐 써야 합니다.

10 '그만 나는 피식 웃어 버렸다.'로 고쳐 써야 합니다.

11 문장 성분의 호응이 이루어지도록 글을 써야 문장의 뜻을 바르게 이해할 수 있습니다.

채점 기준 제시된 답과 같이 썼으면 정답으로 합니다.

12 쓸 내용을 떠올리는 내용 생성하기 과정입니다.

기본 1 문장 성분의 호응 관계 알기 68쪽

1 (1) ㉢ (2) ㉡ (3) ㉠
2 별로, 전혀, 결코
3 '–지 않다, –지 못하다'와 같은 부정적인 서술어 등
4 (1) 좋아하지 않는 (2) 들어 보지 못한 (3) 행동이 아니라고 5 ③ 6 ㉡

1 ❶ 문장은 '할아버지'라는 높임의 대상을 나타내는 말과 호응하지 않는 '할아버지는'과 '밥', '먹고'라는 말을 썼고, ❷ 문장은 '어제저녁'이라는 시간을 나타내는 말과 호응하지 않는 '나간다'라는 서술어를 썼으며 ❸ 문장은 '까닭은'과 호응하지 않는 '생각한다'라는 서술어를 썼습니다.

2 '별로, 전혀, 결코'는 문장 성분의 호응 관계에 주의해야 할 낱말입니다.

3 ❶~❸ 문장은 '별로, 전혀, 결코'라는 낱말과 서술어가 어울리지 않는 문장입니다.

채점 기준 '–지 않다, –지 못하다'와 같은 부정적인 서술어라는 내용을 썼으면 정답으로 합니다.

4 '별로, 전혀, 결코'와 같은 낱말은 '–지 않다', '–지 못하다'와 같은 부정적인 서술어 또는 '안', '못'이 꾸며 주는 서술어와 호응합니다.

5 '느꼈다'는 '느낀 점'이라는 주어에 맞는 서술어가 아니므로 '느꼈다'를 주어와 호응하도록 '~것이다'라고 고쳐 써야 합니다.

6 '여간'은 '–지 않다', '–이 아니다'와 같은 서술어와 호응하므로 ㉡ 문장은 '내 짝꿍은 여간 자신감이 넘치는 것이 아니다.'로 써야 알맞습니다.

기본 2 겪은 일이 드러나게 글 쓰기 69쪽

1 ⑤ 2 ⑤ 3 찬영
4 (1) ㉢ (2) ㉠
5 예 꼼지락꼼지락, 희조는 이불 속에서 나올 생각을 안 한다.
6 ②

1 글쓰기를 계획할 때에는 목적, 읽는 사람, 주제, 글의 종류 등을 정해야 합니다.

2 ①~④는 겪은 일이 드러나는 글을 쓸 때 글감으로 알맞지 않은 내용입니다.

3 제시된 표와 같이 기초를 잘 세우면 좋은 글이 나올 수 있습니다.

4 (1)은 인물의 모습을 설명하며 시작한 글머리이고, (2)는 대화 글로 시작한 글머리입니다.

5 자신이 알고 있는 의성어나 의태어를 떠올려 글머리를 써 봅니다.

채점 기준 '사람이나 사물의 소리를 흉내 낸 말'인 의성어나 '사람이나 사물의 모양이나 움직임을 흉내 낸 말'인 의태어를 넣어 글머리를 썼으면 정답으로 합니다.

6 주제와 관련한 내용으로 글을 써야 합니다.

기본 3 매체를 활용해 겪은 일이 드러나는 글 쓰기 70~72쪽

1 ③ 2 글 3 ㉢
4 학급 누리집 5 ㉠, ㉢ 6 서희
7 (2) ○
8 친구 의견에서 반영할 부분을 생각한다. / 친구의 의견에서 반영하기 힘든 부분과 그 까닭을 생각한다. 등
9 ㉠ 10 ②, ⑤ 11 ①, ③, ⑤
12 예 발표 자료를 올리고 의견을 주고받을 수 있다.

1 어떤 매체를 활용하여 글을 쓸지 제일 먼저 정합니다.

2 학급에서 우리들이 쓴 글을 매체에 올리고 의견을 주고받을 것이라고 했습니다.

3 단체 대화방에 들어가려면 스마트폰이 있어야 하는데 스마트폰이 없는 친구들이 있다는 문제점이 있습니다.

4 반 학생이 모두 사용할 수 있는 학급 누리집을 활용할 매체로 정했습니다.

5 2단계 의 그림을 살펴보고 친구들이 잘못한 점을 떠올립니다.

6 무조건 그림을 많이 올려야 하는 것은 아닙니다.

7 친구가 쓴 글에서 고칠 부분을 쓴 내용입니다.

8 친구 의견에 대해 어떤 생각을 했고 반영할 부분은 무엇인지, 반영하기 힘든 부분은 무엇인지 등을 생각합니다.

> **채점 기준** 제시된 답 외에 친구의 글을 읽고 자신의 글에서 좀 더 달라졌으면 하는 부분을 생각한다는 내용을 썼어도 정답으로 합니다.

9 친구들과 나눈 의견을 바탕으로 글을 고쳐 씁니다.

10 글을 고쳐 쓴 뒤 자신이 처음 썼던 글과 달라진 점을 비교하고, 문장 성분의 호응이 잘 이루어졌는지, 글을 쓸 때 생각해야 할 점을 잘 해결했는지 확인합니다.

11 ①, ③, ⑤ 외에도 의견을 쉽게 주고받을 수 있고, 고칠 부분을 편하게 전할 수 있습니다.

12 매체를 활용해 토의나 토론을 하거나 발표 자료를 올리고 의견을 주고받는 등의 활동을 할 수 있습니다.

> **채점 기준** 매체를 통해 발표 자료를 올리거나 토의나 토론을 하는 등 학급에서 매체를 활용해서 할 수 있는 것을 떠올려 썼으면 정답으로 합니다.

실천 우리 반 글 모음집 만들기 73쪽

1 (1) ② (2) ① 2 (1) ○ 3 ①, ②, ④
4 ⑤

1 ㉮, ㉰는 손으로 직접 그림을 그리고 글을 쓴 것이고, ㉯, ㉱는 컴퓨터로 편집한 것입니다.

2 제시된 내용은 ㉮와 ㉰ 같이 손으로 직접 그림을 그리고 글을 써서 글 모음집을 만들었을 때의 장단점입니다.

3 글 모음집을 만들기 전에는 만드는 목적, 만드는 방법, 들어갈 내용, 읽을 사람, 분량, 펴낼 시기, 제목, 글의 종류 등을 정해야 합니다.

4 다른 반 글 모음집과 비슷하게 만들지 말고 반의 특색이 드러나고 목적에 알맞게 만들어야 합니다.

단원 마무리 74~75쪽

❶ 준비 ❷ 내용 ❸ 고쳐쓰기
❹ 주어 ❺ 때문이다 ❻ 높임
❼ 진지 ❽ 시간 ❾ 나갔다
❿ 수정

단원 평가 76~78쪽

1 ⑤ 2 ① 3 내용 조직하기
4 ㉢, ㉤, ㉣, ㉠, ㉡ 5 높임
6 ④ 7 ③
8 읽지 않는 편이다
9 예 책을 읽으면 지식도 생기고 재미도 있기 때문이다. 10 ㉡
11 (1) 예 친구, 부모님 (2) 예 가족의 사랑
12 (1) 예 어머니의 한숨 / 어머니께서 한숨을 쉬시는 까닭이 궁금함. (2) 예 설 명절을 힘들게 준비하시는 어머니의 모습 / 명절에 대한 부모님과의 대화 / 달라진 우리 집 추석의 모습 (3) 예 생각이 달라진 까닭
13 (1) ㉠ (2) ㉡ (3) ㉢ 14 (3) ×
15 ㉠, ㉢ 16 ①, ②, ③ 17 ㉠
18 유성
19 할머니께서 동생에게 밥을 먹이신다. / 준혁이는 어제 숙제를 하지 않았다. / 그 까닭은 부지런한 사람이 성공하는 경우가 많기 때문이다. / 준혁이는 결코 알지 못할 것이다. 등 20 ⑤

1 과거의 일이므로 '졸음이 밀려왔다'로 고쳐야 합니다.

2 '나는'과 '웃어 버렸다'가 서로 호응합니다.

3 윤서는 글을 쓸 내용을 나누고 있으므로 내용 조직하기 과정에 해당합니다.

4 경험이 드러나는 글을 쓸 때에는 어떻게 쓸지 생각하고, 어떤 내용을 쓸지 정한 뒤, 글 내용을 조직하여 글을 쓰고, 쓴 글을 고칩니다.

5 높임의 대상을 나타내는 '할아버지'에 알맞게 '께서', '진지를', '잡수시고'로 바꿔 써야 합니다.

6 '여간'은 '-지 않다', '-이 아니다'와 같은 부정적인 서술어와 호응하므로 '~어려운 일이 아니다.'라고 써야 합니다.

7 '전혀'라는 낱말에는 '–지 않다', '–지 못하다'와 같은 서술어가 호응합니다.

8 '별로~ –지 않다'로 호응이 되어야 바른 문장이 됩니다.

9 책을 많이 읽는 것이 좋은 것이라고 생각한 까닭을 '~기 때문이다.'라는 형태로 씁니다.

> **채점 기준** 책을 많이 읽으면 좋은 점을 '~기 때문이다'라는 형태로 썼으면 정답으로 합니다.

10 '선생님'은 웃어른이므로 높임 표현인 '강조하신다'를 사용한 ㉡이 알맞습니다.

11 자신이 겪은 일 중에 글로 쓰고 싶은 것을 고르고 그 글을 읽는 사람과 주제는 무엇인지 떠올려 봅니다.

> **보충 자료**
> 주제는 자신이 글로 나타내고 싶은 생각을 말합니다. 좋은 주제와 제목은 읽는 사람의 관심을 끌어 읽고 싶은 생각이 들게 합니다.

12 글을 쓸 때 기초를 잘 세워야 좋은 글이 나올 수 있기 때문에 글을 쓰기 전에 글 내용을 조직해야 합니다.

> **채점 기준** 자신이 쓰고 싶은 겪은 일을 처음, 가운데, 끝으로 나누어 간단하게 정리해 썼으면 정답으로 합니다.

13 글을 시작하는 첫 부분을 글머리라고 하며 글머리는 글의 전체 인상을 만들어 주는 중요한 역할을 합니다.

14 학급 친구들과 의견을 주고받아야 하므로 반 학생이 모두 사용할 수 있어야 합니다.

15 친구의 의견에서 잘한 점은 칭찬하고 고칠 부분은 말해 줍니다.

16 칭찬하는 말을 편하게 전할 수 있고, 한 사람이 쓴 글을 여러 사람이 동시에 읽고 의견을 쓸 수 있습니다.

17 ㉠은 컴퓨터로 편집한 표지이고, ㉡은 손으로 직접 그림을 그리고 글을 쓴 표지입니다.

18 유성이가 말한 내용은 글 모음집을 만들고 난 뒤에 평가할 일입니다.

19 문장 성분의 호응이 알맞은 것끼리 골라 문장을 만들어 봅니다.

> **채점 기준** 제시된 답 중 한 가지를 썼으면 정답으로 합니다.

20 '전혀'는 '화를 내지 않았다'와 호응합니다.

서술형 평가

79쪽

1 키는 자라는 것이고 몸무게는 느는 것인데 '늘었다'라는 서술어만 썼다. 등

2 우리가 환경을 보호해야 하는 까닭은 환경 파괴의 피해가 결국 우리에게 돌아오기 때문이다.

3 (1) 생각하지 않았다 등
(2) '결코'는 '–지 못하다', '–지 않다'라는 서술어와 호응하기 때문이다. 등

4 예 "주찬아, 그만하고 나와."
금방 게임을 시작했는데 엄마께서는 또 화가 난 목소리로 부르신다.

5 의견을 쉽게 주고받을 수 있다. / 한 사람이 쓴 글을 여러 사람이 동시에 읽고 의견을 쓸 수 있다. / 글을 고치기에 편리하다. / 칭찬하는 말이나 고칠 부분을 편하게 전할 수 있다. 등

6 예 전자책과 같은 형식으로 만들거나 그림과 사진을 활용해 영상으로 제작하여 모음집을 만들 수 있다.

1 '키'와 '몸무게'에 호응하는 서술어를 구별해 써야 합니다.

> **채점 기준** 제시된 답과 같이 썼으면 정답으로 합니다.

2 주어와 서술어의 호응 관계가 잘못된 문장입니다.

> **채점 기준** 제시된 답과 같이 썼으면 정답으로 합니다.

3 '결코'와 '생각했다'가 호응이 맞지 않는 문장입니다.

> **채점 기준** (1)에는 '생각하지 않았다'라고 쓰고, (2)에는 '결코'는 '–지 않다, –지 못하다'와 같은 부정적인 서술어나 '안', '못'이 꾸며 주는 서술어와 호응한다는 내용을 썼으면 정답으로 합니다.

4 대화 글을 제일 앞에 넣어 내용을 시작합니다.

> **채점 기준** 대화 글을 넣어 시작했으면 정답으로 합니다.

5 매체를 사용하여 글을 썼을 때를 떠올리며 써 봅니다.

> **채점 기준** 제시된 답 중 두 가지를 썼으면 정답으로 합니다.

6 글 모음집을 만드는 다양한 방법을 떠올려 봅니다.

> **채점 기준** 자신이 만들 수 있는 방법을 떠올려 썼으면 정답으로 합니다.

연극 단원 함께 연극을 즐겨요

연극 준비 연극의 특성 살펴보기 82쪽

1 비단 2 원님 3 (1) ○ (3) ○
4 예 비단 장수, 원님, 포졸들 5 극본

연극 연습 1 마음이나 생각을 몸짓으로 표현하기 83쪽

1 기쁨 등 2 ○ 3 당황스러움 등
4 (1) ○ 5 (1) 무서움 (2) 즐거움

연극 연습 2 자신이 되고 싶은 인물을 떠올리며 즉흥 표현 하기 84쪽

1 즉흥 2 예 시간 여행자
3 (2) ○ 4 몸짓

연극 실연 이야기의 장면을 표현하며 재미 느끼기 85~86쪽

1 예 『흥부 놀부』에서 흥부가 박을 타는 장면
2 ○ 3 목소리
4 (1) ○ 5 소품 6 예 북
7 ○ 8 연극

단원 평가 88~89쪽

1 (1) 배우 (2) 극본 (3) 관객
2 (1) ○
3 (1) 예 검정색 (2) 예 머릿속이 까매져서 아무 생각도 안 났어.
4 ③, ④ 5 나 6 ①
7 ㉡ 8 ①, ③
9 (1) 예 북
(2) 예 비가 오는 장면을 표현할 때 북을 이용하면 좋겠어. 북을 작게 치면 빗방울이 내리는 소리 같을 거야.
10 ⑤

1 연극을 할 때 극본, 배우, 관객이 있어야 합니다.

2 남자아이가 종이를 찢어 웃고 있는 표정을 만든 것으로 보아 기쁜 감정을 표현했다는 것을 알 수 있습니다.

3 감정을 잘 드러낼 수 있는 색깔을 쓰고, 문장을 만들어 씁니다.

> **채점 기준** 당황스러움을 잘 나타내는 색깔을 쓰고, 그 색깔을 넣어 문장을 만들어 썼으면 정답으로 합니다.

4 우산을 여러 개 펼치고 앉아 있는 아이에게서 편안함과 아늑함을 느낄 수 있습니다.

5 인물의 몸짓과 표정으로 보아 그림 나의 인물이 기쁘고 즐거운 감정을 표현하고 있다는 것을 알 수 있습니다. 그림 가의 인물은 표정과 몸짓에서 무서워하는 감정을 느낄 수 있습니다.

6 즉흥 표현은 생각이나 느낌을 자유롭게 떠오르는 대로 말이나 행동, 표정으로 나타내는 활동을 말합니다.

7 걸레로 바닥을 닦는 장면을 말과 몸짓으로 표현했습니다.

8 형님과 아우가 서로의 낟가리에 볏단을 옮겨 놓은 것을 알고 감격하는 장면입니다.

9 비가 오는 장면을 표현할 때 필요한 소품을 생각하고 어떻게 활용할지 씁니다.

> **채점 기준** 비가 오는 장면을 표현할 소품을 쓰고, 어떻게 활용할지 썼으면 정답으로 합니다.

10 인상 깊은 장면을 연극으로 표현하면서 느낀 점을 이야기하고 있습니다.

5 여러 가지 매체 자료

핵 심 개 념 문 제 92쪽

1 인쇄 2 인터넷 매체 자료
3 ○ 4 정보 5 ×

준비 여러 가지 매체 자료 알기 93쪽

1 (1) ② (2) ① (3) ③
2 (1) 사진 (2) 장면 (3) 동영상 3 솔아, 지완
4 (1) ㉡ (2) ㉠ (3) ㉢

1 ㉮~㉰는 각각 어떤 매체 자료인지 살펴봅니다.

2 인쇄 · 영상 · 인터넷 매체 자료의 특성을 생각해 보고, ㉮~㉰를 읽을 때 어떤 부분을 집중해 읽어야 할지 살펴봅니다.

정답 친해지기

	매체	읽는 방법
㉮ 신문	인쇄 매체 자료	글과 사진을 모두 살펴봄.
㉯ 텔레비전 영상물	영상 매체 자료	장면과 어우러지는 음악이나 연출 기법의 의미를 생각하며 읽음.
㉰ 휴대 전화 문자 메시지	인터넷 매체 자료	사진과 동영상, 문자를 함께 보며 읽음.

3 신문에 사진이나 그림 자료가 없다고 해서 글 내용을 이해할 수 없는 것은 아닙니다.

4 영화는 영상 매체 자료(㉯), 잡지는 인쇄 매체 자료(㉮), 누리 소통망[SNS]은 인터넷 매체 자료(㉰)입니다.

기본 1 매체 자료의 특성을 생각하며 알맞은 방법으로 읽기 94~95쪽

1 ⑤ 2 중요한 시험을 앞두고도 자신의 시간을 쪼개어 아픈 사람들을 돌보아 주었기 때문이다. 등 3 (1) ② (2) ① (3) ③
4 태도 5 의과 시험에 합격하는 것 등
6 사건 7 ③
8 내용을 더 깊이 있게 이해할 수 있다. 등

1 주인공은 의과 시험을 보러 한양에 가야 했지만 환자들이 몰려들자 선뜻 떠나지 못하고 진료를 했습니다.

2 주인공이 밤을 새워 가며 환자들을 돌보자 마을 사람들이 고마워했습니다.

채점 기준 주인공이 중요한 시험을 앞두고도 아픈 사람들을 돌보아 주었기 때문이라는 내용을 썼으면 정답으로 합니다.

3 인물이 처한 ㉠~㉢의 상황을 어떻게 표현하고 있는지 장면 ❶~❸을 살펴봅니다.

4 장면 ❶에서 비장한 느낌의 음악이 나온다면 주인공의 희생적인 태도가 강조될 것입니다.

5 ㉠의 인물은 자신이 의과 시험에 합격할 수 있게 도와달라는 의미로 내의원에게 뇌물을 건넸습니다.

6 사건을 일으키는 인물임을 보여 주기 위해 카메라가 뇌물을 주는 인물에게 가까이 다가간 것입니다.

7 뇌물을 주고받는 일이 옳지 못하다는 것을 나타내기 위해 긴장감이 느껴지는 배경 음악을 사용하는 것이 어울립니다.

8 영상 매체 자료의 표현 방법에 주의를 기울이며 읽으면 내용을 더 깊이 있게 이해할 수 있습니다.

기본 2 알맞은 방법으로 매체 자료를 읽고 주요 내용 정리하기 96쪽

1 (1) ㉡ (2) ㉠
2 예 자기 자신의 부족한 점에 실망하거나 포기하지 않고 꾸준히 노력하는 자세를 본받을 만하다.
3 (1) ② (2) ①

1 영상 시작(❶)에서는 이야기의 시작을 알리며 묵묵히 노력하는 인물의 모습이 강조되므로 ㉡이 어울립니다. 영상 전환(❷)에서는 김득신의 우스꽝스러우면서도 안타까운 모습이 강조되므로 ㉠이 어울립니다.

2 김득신의 삶에 대한 자료를 읽고 그에게서 본받을 점을 생각해 봅니다.

채점 기준 꾸준히 노력해서 자신의 한계를 극복한 김득신의 모습에서 본받을 점을 찾아 알맞게 썼으면 정답으로 합니다.

3 책은 인쇄 매체 자료, 기록 영화는 영상 매체 자료입니다. 매체의 특성에 맞게 자료를 읽는 방법을 생각해 봅니다.

기본 3 매체 자료의 특성을 생각하며 이야기를 읽고 현실 세계와 비교하기 97~101쪽

1 ③ **2** (1) 흑설 공주 (2) 민서영 / 서영이
3 민서영이 흑설 공주의 글에 대한 반박 글을 올렸다. 등 **4** ㉠, ㉡ **5** 인터넷 카페
6 ③ **7** (2) ○
8 자신(흑설 공주)의 글에 반박할 증거를 내놓는 것 등
9 ① **10** ② **11** ③
12 (1) 의사 (2) 디자이너
13 카페 가입자들이 흑설 공주를 비난했다. 등
14 예 친구의 일에 관심을 가지는 것이 나쁜 것은 아니지만 적절하지 않은 근거를 바탕으로 판단하려는 것 같다.
15 (1) ○ **16** (1) 정보 (2) 자세
17 세형, 진호 **18** (1) 부정확 (2) 공격 등
19 예 흑설 공주와 서영이의 싸움을 멈추기 위해 두 사람이 쓰는 글에 관심을 갖지 말자고 댓글을 쓸 것 같다. **20** ②

1 민주는 미라가 핑공 카페에서 '흑설 공주'라는 계정으로 활동하며 거짓말을 한다는 것을 알고 있었습니다.

2 흑설 공주가 올린 서영이가 거짓으로 부모님 이야기를 한다는 거짓 글 때문에 사건이 시작되었습니다.

3 서영이는 흑설 공주가 올린 거짓 글에 잠자코 있지 않고 자기 입장을 밝히는 반박 글을 올렸습니다.

> **채점 기준** 민서영이 흑설 공주의 글에 대한 반박 글을 올렸다는 내용을 썼으면 정답으로 합니다.

4 서영이는 흑설 공주가 누구인지 모릅니다.

5 등장인물들은 '핑공 카페'라는 인터넷 카페에서 글을 올리며 이야기를 나누고 있습니다.

6 '은하수'는 서영이의 글을 읽은 뒤에 흑설 공주가 거짓 글을 올렸다고 생각하고 흑설 공주를 비방했습니다.

7 아이들은 흑설 공주와 민서영 중 누구 말이 진실인지 모르고 자기 의견을 썼습니다. (1)의 내용은 댓글에서 알 수 없습니다.

8 서영이가 흑설 공주의 글이 모두 사실이 아니라고 글을 올리자 흑설 공주는 서영이에게 그걸 반박할 증거를 내놓으라고 했습니다.

9 민주는 서영이가 아무것도 아닌 일에 휘말린 것이 딱하고 가엾다고 생각했습니다.

10 ㉠ 문장 뒤에 민주가 짐작한, 서영이가 빠르게 반박 글을 올린 까닭이 나와 있습니다.

11 서영이는 부모님의 직업을 알 수 있는 사진을 올리고 사진 설명을 했을 뿐 부모님이 어떻게 살아오셨는지는 밝히지 않았습니다.

12 서영이가 올린 글에서 부모님의 직업을 알 수 있습니다.

13 서영이가 증거 사진을 올리자 카페 가입자들이 흑설 공주를 비난했습니다.

14 아이들은 적절하지 않은 근거를 바탕으로 사건을 판단하고 있습니다.

> **채점 기준** 아이들이 쓴 댓글에 대한 자신의 생각을 알맞게 썼으면 정답으로 합니다.

15 '허수아비'의 말에서 자신이 누구인지 드러내지 않고도 글을 쓸 수 있는 인터넷 매체의 특성을 알 수 있습니다.

16 인터넷 매체를 바르게 이용하는 방법을 생각하며 빈칸에 알맞은 말을 씁니다.

17 이 이야기에서 다른 사람이 올린 자료를 원저작자의 허락을 받지 않고 사용한 인물은 나오지 않습니다.

18 '마녀사냥'의 뜻을 생각해 보고 이야기에 이 제목을 붙인 까닭을 짐작해 봅니다.

> **보충 자료** **'마녀사냥'의 의미**
> 15세기 이후 이교도를 박해하는 수단으로 쓰였던 방법입니다. 요즘에는 뜻이 다른 사람을 따돌리는 현상에 '마녀사냥'이라는 표현을 쓰기도 합니다.

19 흑설 공주와 서영이의 진실 싸움이 벌어졌을 때 핑공 카페 가입자들이 어떤 행동을 했는지 살펴보고 자신이라면 어떻게 했을지 생각해 봅니다.

> **채점 기준** 핑공 카페 가입자들이 흑설 공주와 민서영의 싸움을 구경만 한 것을 보고, 자신이라면 어떻게 행동했을지 알맞게 썼으면 정답으로 합니다.

20 친구의 말에 적극적으로 반응하는 것이 대화 예절을 지키는 태도입니다.

실천 알리고 싶은 인물 소개하기 102쪽

1 (1) 예 동화 작가 권정생 (2) 예 우리가 작가 권정생의 작품을 많이 접하기 때문에 작가에 대해 알면 좋겠다는 생각이 들었다.
2 희민, 혜진 **3** ㉠, ㉢, ㉣
4 인물의 어린 시절 / 인물이 이룬 업적 등

1 여러 사람에게 알리고 싶은 인물을 정하고 그 까닭을 생각해 봅니다.

> **채점 기준** 자신이 알리고 싶은 인물과 그 인물을 알리고 싶은 까닭을 알맞게 썼으면 정답으로 합니다.

2 나래가 궁금한 점을 찾으려면 영상 매체나 인터넷 매체에서 자료를 찾는 것이 알맞습니다.

3 영상 매체 자료를 볼 때에는 자막, 효과음, 화면 장치 등을 주의 깊게 살펴보아야 합니다.

4 자신이 조사한 인물과 관련한 정보 가운데 무엇을 소개하고 싶은지 떠올려 봅니다.

단원 마무리 103쪽

❶ 연출 ❷ 인쇄 ❸ 거짓
❹ 책

단원 평가 104~106쪽

1 인터넷 **2** (1) ○ (2) ○
3 (1) 시각 정보 (2) 화면 구성 **4** ②, ④
5 ㉠ **6** ③ **7** 상호
8 ③ **9** (1) ○ (2) ○
10 흑설 공주(미라), 민서영 **11** ②
12 ⑤ **13** 댓글 **14** 진호
15 민서영
16 인터넷에 남의 사생활을 퍼뜨리지 말아야 한다. 등
17 (부모님) 사진 **18** (1) 응원 등 (2) 비난 등
19 (1) 예 김마리아 (2) 예 해외에서 독립운동을 하신 분들을 소개한 책을 도서관에서 빌려 읽는다.
20 영상 매체 자료

1 휴대 전화 문자 메시지는 인터넷 매체 자료입니다.

2 인터넷 매체 자료는 정보를 전달할 때 인쇄 매체 자료와 영상 매체 자료에서 사용하는 방식을 모두 사용합니다.

3 인터넷 매체 자료를 읽을 때에는 인쇄 매체 자료와 영상 매체 자료의 읽기 방법을 모두 사용하는 것이 좋습니다.

4 영상 매체 자료는 장면과 어우러지는 음악이나 장면 표현 방법의 의미를 생각하며 읽어야 합니다.

5 ㉮의 장면에서는 환자를 치료하는 모습을 연달아 제시하였습니다.

6 ㉯의 장면에는 비장한 느낌의 음악이 어울립니다.

7 인물의 어떤 점을 소개할 것인지에 따라 인물의 가치관이나 인물의 독특한 행동을 조사할 수도 있습니다.

8 ③의 내용은 이 글에서 알 수 없습니다.

9 영상 시작 부분에서 차분한 느낌의 음악을 사용한다면 (1), (2)의 효과가 나타날 것입니다.

10 이 이야기는 흑설 공주(미라)와 서영이의 갈등으로 내용이 전개되고 있습니다.

11 민주는 흑설 공주가 미라라는 것을 알면서도 밝히지 못했고, 흑설 공주의 글에 반박 글을 올린 서영이의 용기가 부러웠다는 것으로 보아 소심한 성격입니다.

12 미라는 '흑설 공주'라는 계정으로 자신이 누구인지 밝히지 않고 거짓 글을 썼습니다.

13 아이들은 댓글 형식의 짧은 글로 의견을 썼습니다.

14 아이들은 흑설 공주와 민서영 중 누구의 말이 진실인지 알지 못하면서 멋대로 판단하고 있습니다.

15 ㉠'본인'은 민서영을 가리킵니다.

16 '기쁜 나무'는 인터넷에 남의 사생활을 퍼뜨리는 행동은 나쁘다고 했습니다.

17 글 ㉮에서 서영이가 글과 함께 부모님 사진을 올렸다는 것을 알 수 있습니다.

18 서영이가 올린 증거 사진을 본 카페 가입자들은 서영이를 응원하면서 흑설 공주를 비난했습니다.

19 알리고 싶은 인물을 골라 어떤 매체를 활용하여 인물에 대해 조사하면 좋을지 생각해 봅니다.

> **채점 기준** (1), (2)의 내용을 모두 알맞게 썼으면 정답으로 합니다.

20 제시된 내용은 영상 매체 자료의 특징입니다.

서술형 평가

107쪽

1 (1) 신문(인쇄 매체 자료) (2) 사진과 글을 잘 살펴보며 읽는다. 등
2 뇌물을 주고받는 일이 옳지 못하다는 것을 나타내기 위해서이다. 등
3 다른 사람에게 예의를 갖추어 글을 쓴다. / 다른 사람이 올린 자료를 함부로 갖다 쓰지 않는다. 등
4 부정확한 내용을 근거로 누군가를 공격하는 현상을 다루었기 때문이다. 등
5 다른 사람의 말이 끝나기 전에 끼어들지 않는다. / 혼자 너무 길게 말하지 않는다. 등

1 신문과 같은 인쇄 매체 자료는 글, 사진, 그림을 활용하여 전하려는 내용을 표현하므로 이 부분에 집중해서 읽어야 합니다.

채점 기준 (1)에는 인쇄 매체 자료라고 쓰고, (2)에는 인쇄 매체 자료를 읽는 방법을 알맞게 썼으면 정답으로 합니다.

2 뇌물을 주고받는 상황에서 긴장감이 느껴지는 음악을 사용한 의도를 생각해 봅니다.

채점 기준 뇌물을 건네는 장면에 긴장감이 느껴지는 배경 음악을 사용하여 나타내려고 한 바를 알맞게 썼으면 정답으로 합니다.

3 인물들의 말과 행동을 보고 인터넷 매체에 글을 쓸 때 주의할 점을 생각해 봅니다.

채점 기준 인터넷 매체에 글을 쓸 때 주의할 점을 알맞게 썼으면 정답으로 합니다.

4 '마녀사냥'의 뜻을 떠올려 보고, 인터넷 카페에서 진실 싸움을 하는 현상이 '마녀사냥'과 어떤 관련이 있을지 생각해 봅니다.

채점 기준 부정확한 내용을 근거로 누군가를 공격하는 현상을 다루었기 때문이라는 내용과 비슷하게 썼으면 정답으로 합니다.

5 이밖에 '이야깃거리와 관련 있는 내용을 말한다.', '친구의 말을 무시하거나 친구의 말에 기분 나쁘게 대꾸하지 않는다.' 등이 있습니다.

채점 기준 대화할 때 지켜야 하는 예절을 알맞게 썼으면 정답으로 합니다.

6 타당성을 생각하며 토론해요

핵심 개념 문제

110쪽

1 토론 2 타당 3 ○
4 반론하기 5 주장 펼치기

준비 토론이 필요한 경우 알기

111~112쪽

1 예 휴대 전화 사용을 두고 부모님과 의견이 달랐을 때 토론으로 문제를 해결했다.
2 (1) ② (2) ① 3 (2) ○ 4 (1) ㉢ (2) ㉠
5 학교에서 인사말을 "착한 사람이 되겠습니다."로 하는 문제 등
6 (1) ② (2) ① 7 ④, ⑤ 8 정환

1 다른 사람과 의견이 달랐을 때 토론으로 문제를 합리적으로 해결한 경험을 떠올려 봅니다.

채점 기준 토론으로 문제를 해결한 경험을 구체적으로 썼으면 정답으로 합니다.

2 그림 가, 나를 살펴보고 각각 어떤 문제가 있는지 찾아봅니다.

3 그림 가, 나의 사람들은 문제에 대해 서로 다른 의견을 보이고 있습니다.

4 여자아이와 선생님은 학교 운동장을 외부인에게 개방하는 문제에 대해 상반된 입장을 보이고 있습니다.

5 두 친구는 학교에서 인사말을 "착한 사람이 되겠습니다."로 하는 문제에 대해 대화하며 자신의 의견을 밝히고 있습니다.

채점 기준 두 친구가 나누는 대화 주제를 알맞게 썼으면 정답으로 합니다.

6 수아는 학교 인사말이 어색하다고 생각하고 있고, 지후는 학교 인사말이 뜻깊다고 생각하고 있습니다.

7 그림 가에서 지후는 자신이 옳다고 우기기보다는 자신의 의견에 대한 타당한 근거를 들어 말하고 있습니다.

8 토론은 일상생활에서 겪는 불편한 일이나 어려운 점을 해결할 때 필요합니다.

기본 ❶ 글을 읽고 근거 자료의 타당성 평가하기 113~114쪽

1 ③ 2 ⑤
3 (1) 대상 (2) 연예인 (3) 출처
4 수미 5 ⑤
6 ㉡ 자료는 해당 분야 전문가의 말이기 때문이다. 등 7 주제 등
8 (1) ○ (2) ○

1 글쓴이는 학생들이 자신이 희망하는 직업을 유행에 따라 결정하는 현상에 의문을 제기하며 글을 시작했습니다.

2 이 글에는 '우리 반 친구들이 희망하는 직업'을 설문한 조사 자료가 사용되었습니다.

3 '우리 반 친구들'은 조사 대상이고, 응답이 가장 많은 항목은 '연예인'이었습니다. 이 자료의 출처는 '글쓴이의 반 친구들을 대상으로 한 설문 조사 결과'입니다.

4 ㉠ 자료는 글쓴이의 반 친구들 32명만을 조사한 결과로, 조사 범위가 좁아서 모든 학생의 희망 직업을 대표하는 자료라 보기 어렵습니다.

5 ㉠, ㉡의 면담 자료는 모두 글쓴이의 주장을 뒷받침합니다.

6 학생보다는 해당 분야의 전문가를 면담한 자료가 더 믿을 만한 자료라 할 수 있습니다.

> **채점 기준** 해당 분야 전문가를 면담한 자료가 더 믿을 만하기 때문이라는 내용을 썼으면 정답으로 합니다.

7 이 글은 학생들이 유행에 따라 직업을 고르려는 것을 문제로 보고 유행보다는 자신의 흥미와 적성, 특기를 바탕으로 직업을 고르려고 노력해야 한다는 주장을 펼치고 있습니다. 따라서 글쓴이의 주장을 뒷받침하려면 학생들을 대상으로 설문한 조사 결과가 적절합니다. **보기** 는 '학부모가 희망하는 자녀 직업'을 조사한 자료로 조사 대상이 학생이 아닌 학부모이고, 글쓴이의 주장을 뒷받침하지 않기 때문에 이 글의 근거 자료로 활용할 수 없습니다.

8 근거 자료를 평가할 때에는 주장을 뒷받침하는 자료인지, 출처가 정확하고 조사 대상과 범위가 적절한지, 믿을 만한 전문가의 의견인지 등을 확인해야 합니다.

기본 ❷ 토론 절차와 방법 알기 115~120쪽

1 학급 임원은 반드시 필요하다. 2 반대편 토론자
3 ㉡ 4 필요하다 5 ①, ②
6 (1) ② (2) ① 7 근거 8 세영
9 ㉠, ㉡ 10 ⑤
11 찬성편(상대편)의 주장 12 ①, ④
13 오히려 모든 학생이 학급 임원을 경험할 수 있도록 돌아가면서 하는 게 좋지 않을까요?
14 (1) ○ 15 (1) 설문 조사 (2) 다른 학교
16 (1) ㈏ (2) ㈎ 17 ②, ③
18 (1) 요약 (2) 질문 (3) 자료
19 (1) 선거 (2) 경험
20 (2) ○ (3) ○ 21 학급 임원 선거
22 ㈏, ㈎, ㈐ 23 ②, ⑤ 24 ④
25 (2) ×

1 사회자의 말에서 토론 주제를 알 수 있습니다.

2 토론에는 토론을 진행하는 사회자와 주제에 대한 의견이 대립하는 찬성편 토론자, 반대편 토론자가 있습니다.

3 글 ❶에서는 찬성편이 근거를 들어 주장을 펼치고 있습니다.

4 찬성편은 두 가지 근거를 들어 학급 임원은 반드시 필요하다는 주장을 펼치고 있습니다.

5 글 ❶에서 찬성편이 제시한 첫 번째 근거는 ②이고, 두 번째 근거는 ①입니다.

6 반대편이 제시한 근거와 이를 뒷받침하는 자료를 찾아봅니다.

7 토론에서는 근거를 들어 주장을 펼치는데, 이때 구체적인 자료를 제시하면 상대편이 자기편의 주장에 대한 근거가 믿을 만하다고 생각하게 됩니다.

8 토론을 할 때 면담 자료를 제시할 수도 있지만 반드시 이러한 자료가 있어야 하는 것은 아닙니다.

9 토론에서는 사회자의 진행에 따라 발언 기회가 주어질 때에만 말해야 합니다. 토론을 들을 때에는 상대의 주장과 근거가 적절한지 판단하며 듣습니다.

10 글 ❸의 사회자의 말에서 반론하기 절차에서 할 일을 알 수 있습니다.

11 반론을 펼치기 전에 상대편의 주장을 요약하여 말하면 반론을 효과적으로 펼칠 수 있습니다.

12 글 ❸에 제시된 반대편의 반론에서 알 수 있습니다.

13 반대편은 찬성편이 제시한 근거가 타당하지 않다고 지적하며 모든 학생이 학급 임원을 돌아가면서 하는 게 좋지 않을지 질문했습니다.

14 찬성편은 반대편의 질문에 (1)과 같이 답변했습니다.

15 글 ❹의 찬성편의 말에서 알 수 있는 사실입니다.

16 ㉠은 찬성편이 제기한 반론에서 인정한 점이고, ㉡은 찬성편의 질문에 대한 답변입니다.

17 반론하기 절차에서 서로 질문하면 상대편이 제시한 주장과 근거 자료가 타당하지 않다는 것과 자기편의 주장이 더 타당하다는 것을 얻을 수 있습니다.

18 이 토론의 반론하기 절차에서 이루어진 내용을 살펴보며 빈칸에 들어갈 말을 생각해 봅니다.

19 찬성편은 자기편의 주장을 요약한 다음에 그에 대한 근거를 제시했습니다.

20 글 ❺에 나온 찬성편의 발언에서 찾을 수 있습니다.

21 찬성편의 근거를 뒷받침하는 자료가 어떤 면에서 주장과 근거의 타당성을 높여 주는지 생각해 봅니다.

22 반대편은 자기편의 주장을 요약한 다음, 그에 대한 근거와 설명이나 뒷받침 자료를 차례로 발언했습니다.

23 ㉠ 뒤에 주장에 대한 근거가 나와 있습니다.

24 반대편은 한두 사람이 학급 임원이 될 필요는 없다면서 여러 학생이 돌아가며 학급 임원을 맡는 방법을 제안했습니다.

25 상대편 주장이 아닌 자기편 주장의 장점을 정리해야 합니다.

기본❸ 주제를 정해 토론하기 121쪽

1 ②
2 (1) 예 초등학생은 교복을 입으면 안 된다고 생각한다. (2) 예 각자의 개성을 존중해야 하기 때문이다.
3 (1) ㉢, ㉣ (2) ㉠, ㉡ **4** 자료

1 토론 주제는 의견이 대립하는 논제를 두고 찬성과 반대로 나뉘어 서로를 설득하고 반박할 수 있는 것이어야 합니다.

2 토론 주제에 대해 자신은 찬성하는지, 반대하는지 입장을 정하고, 그렇게 생각한 구체적인 까닭을 써 봅니다.

> **채점 기준** (1)에는 토론 주제에 대한 자신의 생각을, (2)에는 토론 주제에 대해 (1)과 같이 생각한 까닭을 알맞게 썼으면 정답으로 합니다.

3 찬성편은 '초등학생도 교복을 입어야 한다.'는 주장을, 반대편은 '초등학생은 교복을 입으면 안 된다.'는 주장을 할 것입니다. 각각의 주장과 관련한 내용을 찾아봅니다.

4 자기편 주장을 뒷받침할 수 있는 자료와 상대편 반론을 반박할 수 있는 자료를 찾아야 합니다.

실천 글을 읽고 독서 토론 하기 122쪽

1 ② **2** ⑤ **3** 소담
4 (1) ○

1 고모는 시장 상인이 돌려주는 거스름돈은 확인하면서 현금 지급기에서 나오는 돈은 세어 보지도 않습니다. 즉 이 시는 사람보다 기계를 더 믿는 세상을 주제로 쓴 것입니다.

2 이 시는 사람과 기계에 대해 이야기하고 있으므로 ⑤가 독서 토론 주제로 가장 적절합니다.

3 소담이는 시의 주제를 잘못 이해하고 토론에 맞지 않는 의견을 말했습니다.

> **정답 친해지기**
> 독서 토론을 할 때에는 읽은 책의 내용이나 주제를 바르게 이해하고, 토론 주제에 알맞은 의견과 까닭을 말합니다.

4 독서 토론을 할 때에는 상대의 의견을 존중하며 그것의 좋은 점을 수용하는 열린 자세로 임해야 합니다.

단원 마무리 123쪽

❶ 출처 ❷ 뒷받침 ❸ 선거
❹ 기준

단원 평가

124~126쪽

1 (2) ○ 2 (1) ② (2) ①
3 인사말
4 (1) ㉡ (2) 예 ㉡과 같이 자신의 의견을 타당한 근거를 들어 말하는 것이 문제 해결에 도움이 되기 때문이다.
5 (1) 유행 (2) 흥미 6 선우
7 주장 펼치기 8 (1) ○ 9 찬성편
10 (1) 주장 (2) 반박
11 누구나 학급을 위해 봉사할 수 있다. 등
12 예 학급 임원을 뽑는 기준에 문제가 있다고 보는 우리 학교 선생님을 면담한 결과
13 ①, ②, ④ 14 (1) 설명 (2) 타당성
15 수현 16 ㉠, ㉢, ㉡
17 규칙, 절차 18 까닭 / 근거
19 예 더 다양한 관점에서 글을 이해할 수 있었다.
20 ⑤

1 지아의 말에서 아이들이 이야기하고 있는 문제 상황을 알 수 있습니다.

2 소영이는 단속 카메라를 다는 것이 문제 해결에 도움이 된다는 의견을, 상진이는 도움이 되지 않는다는 의견을 보이고 있습니다.

3 설아와 규민이가 선생님께 "착한 사람이 되겠습니다."라고 말한 것과 설아의 말에서 대화 주제를 알 수 있습니다.

4 의견이 대립될 때 자신이 옳다고 우기기보다 타당한 근거를 들어 말해야 자신의 의견을 상대가 받아들이기 쉽습니다.

> **채점 기준** (1)에는 ㉡을 쓰고, (2)에는 자신의 의견을 타당한 근거를 들어 말하는 것이 문제 해결에 도움이 되기 때문이라는 내용을 썼으면 정답으로 합니다.

5 글쓴이는 자신이 희망하는 직업을 유행에 따라 결정하는 일에 의문을 제기하며 어떻게 직업을 선택해야 하는지 말하고 있습니다.

6 일반 학생을 면담한 자료보다 해당 분야의 전문가를 면담한 자료가 더 믿을 만합니다.

7 이 글은 토론의 시작 부분인 주장 펼치기에 해당합니다.

8 반대편에서 제시한 설문 조사 결과 내용을 보면 학급 임원을 뽑는 기준이 올바르다고 보기 어렵다는 근거를 제시했음을 알 수 있습니다.

9 제시된 면담 자료는 학급 임원이 반드시 필요하다는 찬성편 주장에 대한 근거 자료로 알맞습니다.

10 반론하기에서 반대편이 찬성편의 주장에 대한 반론과 질문을 하면 찬성편은 반대편의 질문에 대한 답변과 반박을 합니다.

11 반대편은 학급을 위해 봉사하는 것을 전체 학생이 다 할 수 있다는 것을 들어 학급 임원이 반드시 필요하다는 찬성편의 주장에 반론을 제기했습니다.

12 찬성편은 반대편에서 제시한 설문 조사 결과가 다른 학교에서 조사한 것이라 했으므로, 반대편은 우리 학교의 상황을 보여 줄 수 있는 자료를 제시할 수 있습니다.

> **채점 기준** 우리 학교의 상황에서 학급 임원을 뽑는 기준이 올바르지 않다는 것을 보여 줄 수 있는 자료를 썼으면 정답으로 합니다.

13 사회자가 주장 다지기 절차를 소개하고 찬성편이 발언하고 있습니다. 토론에서 주장을 다지는 방법으로 알맞은 것은 ①, ②, ④입니다.

14 ㉠은 찬성편 주장에 대한 설명이나 뒷받침하는 자료로 학급 임원 선거의 중요성을 되짚고 있습니다.

15 반론을 효과적으로 하려면 반론을 펼치기 전에 상대편의 주장을 요약해서 말해야 합니다.

16 주제를 정해 토론할 때 어떤 차례로 토론을 준비하면 좋을지 생각해 봅니다.

17 토론을 할 때에는 토론의 규칙과 절차를 지키며 각자 맡은 역할에 따라 토론해야 합니다.

18 독서 토론을 할 때 자신의 의견을 알맞게 말하는 방법을 생각해 봅니다.

19 이밖에 글에 대한 이해가 더 깊어질 수 있고, 친구들의 의견을 듣고 자신이 생각하지 못한 것들을 알 수도 있습니다.

> **채점 기준** 독서 토론을 하고 난 뒤에 느낄 수 있는 점을 알맞게 썼으면 정답으로 합니다.

20 토론할 때 서로 다투면 문제를 해결하기 어렵습니다.

서술형 평가 127쪽

1 조사 범위가 적절하지 않아 전체 초등학생의 희망 직업을 대표한다고 보기가 어렵다. 등
2 자료의 출처가 없다. / 조사 시기와 조사 대상을 정확히 알 수 없다. 등
3 (1) 반론하기 (2) 상대편의 주장을 요약한다. / 상대편의 주장이 타당하지 않다는 것을 밝히기 위한 질문을 한다. / 주장에 대한 근거나 그에 대한 자료가 타당하지 않다는 것을 밝힌다. 등
4 (1) 초등학생은 교복을 입으면 안 된다. 등
(2) • 예 각자의 개성을 존중해야 한다.
• 예 교복은 불편한 점이 많다.
5 토론 과정에서 자신의 주장과 근거를 명확하게 정리할 수 있다. 등

1 조사 대상이 글쓴이의 반 친구들 32명에 그쳐서 모든 학생의 의견을 대표한다고 보기 어렵습니다.

> **채점 기준** 설문 조사의 대상이나 범위에 대한 내용을 썼으면 정답으로 합니다.

2 설문 자료를 평가하는 기준에는 '주장을 뒷받침하는가?', '자료의 출처가 정확한가?', '조사 대상과 범위가 적절한가?' 등이 있습니다.

> **채점 기준** 제시된 자료는 출처가 없고 조사 시기와 조사 대상을 정확히 알 수 없다는 내용을 알맞게 썼으면 정답으로 합니다.

3 제시된 내용을 보고 토론에서 반론하는 방법을 생각해 봅니다.

> **채점 기준** (1)에 반론하기 절차를 쓰고, (2)에 이 절차에서 토론하는 방법을 알맞게 썼으면 정답으로 합니다.

4 토론 주제에 대한 반대편의 주장은 무엇일지 생각해 보고, 주장을 뒷받침할 근거를 찾아봅니다.

> **채점 기준** (1)에는 토론 주제에 대한 반대편의 주장을, (2)에는 알맞은 근거를 썼으면 정답으로 합니다.

5 이밖에 '문제 해결에 더 나은 방법이 무엇인지 결정하는 데 도움이 된다.', '자신과 생각이 다른 사람의 의견도 이해할 수 있다.' 등이 있습니다.

> **채점 기준** 토론하면 좋은 점을 알맞게 썼으면 정답으로 합니다.

7 중요한 내용을 요약해요

핵심 개념 문제 130쪽

1 ○ 2 앞뒤 3 ○
4 중요한 5 틀

준비 낱말의 뜻을 짐작하며 읽어야 하는 까닭 알기 131~132쪽

1 (1) ② (2) ①
2 낱말의 뜻을 제대로 짐작하지 못해서 글의 내용을 잘 이해할 수 없다. 등
3 ③, ⑤ 4 엉뚱한 / 황당한 등
5 (1) 방해물 (2) 도움 6 ③
7 (1) ② (2) ①
8 예 어떤 마음이나 감정을 품다.

1 민찬이는 '어두워'의 뜻을 잘못 짐작했습니다.

2 민찬이는 뜻을 잘 모르는 낱말이 있을 때 대충 읽어야겠다고 생각해서 낱말의 뜻을 잘못 짐작했습니다.

> **채점 기준** 민찬이와 같이 낱말의 뜻을 제대로 짐작하지 못했을 때 생기는 문제를 바르게 썼으면 정답으로 합니다.

3 낱말의 뜻을 짐작하는 방법에는 낱말의 앞뒤 내용을 살펴보는 것과 친숙한 낱말로 바꾸어 보는 것이 있습니다.

4 '뜬금없는'의 앞뒤 내용을 살펴보고, 어떤 낱말로 바꾸었을 때 문장의 뜻이 자연스러운지 살펴봅니다.

5 '걸림돌'은 '일을 해 나가는 데에 걸리거나 막히는 장애물', '힘'은 '일이나 활동에 도움이나 의지가 되는 것'의 뜻으로 쓰였습니다.

6 귀를 건강하게 하는 방법으로 귀의 안쪽을 자주 씻어 주라는 내용은 나타나 있지 않습니다.

7 (1)에서는 '상징'으로, (2)에서는 '사람'으로 바꾸어 써도 문장의 의미가 자연스럽습니다.

8 '먹은'을 '품은'으로 바꾸어 써도 문장의 뜻이 자연스럽습니다.

기본❶ 낱말의 뜻을 짐작하며 읽기 133~144쪽

1 글쓰기반 수업 첫날 2 ④
3 ④
4 (1) 예 누가 있는 줄을 알 만한 소리
(2) 예 무섭게 으르는 짓
(3) 예 성질이나 기세가 날카로워
5 (2) ○ 6 ③
7 예 긴장했을 때 삼키는 침
8 ④ 9 ⑤ 10 ③
11 ④
12 예 몹시 어떤 일이 하고 싶었다.
13 ⑤ 14 ④ 15 ①, ⑤
16 유의어 17 유의어 사전
18 켈러 선생님께서 칠판에 적은 낱말을 대신 할 수 있는 낱말을 유의어 사전에서 가장 많이 찾아야 한다. 등
19 예 비웃는 태도로 놀렸다.
20 ② 21 가장 소중하게 여기는 물건
22 ④ 23 정국
24 자신의 마음과 감정을 듬뿍 담아 글을 써서 등
25 ⑤
26 예 상대의 마음에 들려는 글이 아니라, 자신의 진실한 감정이 담긴 글을 쓰는 것이다.
27 글쓰기 형식 28 수민 29 ③
30 (3) ○
31 계단에서 넘어진 이웃집 할머니를 돕는 성금 모금 바자회에 내놓을 쿠키를 다 같이 만들기 위해서 등
32 ③ 33 ⑤
34 예 자기 손으로 직접
35 예 슐로스 할아버지께서는 왜 켈러 선생님에게 감사한 마음이 들었나요?
36 ③ 37 은정
38 예 꼴도 보기 싫으니 어서 나가.
39 ③
40 슐로스 할아버지를 사랑하는 마음 등
41 ②
42 켈러 선생님께서 '나'를 꽉 끌어안아 주셔서 등
43 (2) ○
44 예 마음이 가라앉지 않고 흥분돼서
45 ②
46 켈러 선생님과 슐로스 할아버지
47 ②, ⑤
48 예 '나'(퍼트리샤)의 삶을 밝혀 주는 스승이다.

1 글쓰기반 수업 첫날, 켈러 선생님을 만난 일로 이야기를 시작했습니다.

2 켈러 선생님께서는 "오늘부터, 나는 너희 한 사람 한 사람을 완전히 훈련시켜서 진짜 멋진 작가로 만들어 줄 생각이다."라고 말씀하셨습니다.

3 어쩐지 켈러 선생님이 유독 '나'만 노려보는 것 같았고, 매처럼 매서워 보였습니다.

4 낱말의 앞뒤 상황이나 다른 낱말을 대신 넣어 보면서 뜻을 짐작해 봅니다.

5 허둥지둥 종이를 꺼냈다는 상황 뒤에 낱말이 나왔으므로 (2)와 바꾸어 쓰는 것이 어울립니다.

6 켈러 선생님께서 호통을 치시면서 내일까지 숙제를 해 오라는 긴장되는 상황이 나타나 있습니다.

7 '마른침'이라는 말이 나온 앞부분의 상황을 보면 '긴장했을 때 삼키는 침'이라고 뜻을 짐작할 수 있습니다.

8 슐로스 할아버지께서 '나'를 보고 옆에 앉으라고 계단 옆자리를 두드리고 말을 거는 행동에서 '나'와 친한 사이임을 알 수 있습니다.

9 '깐깐하다'는 행동이나 성격 따위가 까다로울 만큼 빈틈이 없다는 뜻입니다.

10 켈러 선생님께서 호통을 치시는 모습이 앞에서 나오고, '마녀'라고 했으므로 무서운 선생님이라는 뜻의 별명임을 짐작할 수 있습니다.

11 '나'는 숙제에 대해 '진짜 잘 써야 할 텐데!'라고 생각했습니다. 정말 잘하고 싶고, 걱정스러운 마음입니다.

12 낱말의 앞부분에 '내'가 글을 잘 썼다고 생각하는 내용에서 '내'가 무척 발표하고 싶어 한다는 것을 짐작할 수 있습니다.

13 켈러 선생님께서는 '내'가 발표한 글을 듣고 '내' 예상과는 달리 숨소리가 점점 거칠어졌습니다.

14 켈러 선생님께서는 '사랑'이라는 낱말을 아무 대상에게나 사용한 퍼트리샤의 글을 보고 낱말 하나하나의 차이를 이해해야 한다고 하셨습니다.

15 켈러 선생님께서는 낱말은 감정을 전해 주지만 낱말 하나하나가 가진 차이를 이해해야 한다고 하셨습니다.

16 켈러 선생님께서는 아이들이 유의어가 무엇인지 알지 못하자 유의어의 뜻을 알아보라고 하셨습니다.

17 슐로스 할아버지께서 찾아 주신 '유의어 사전'에 대한 설명입니다.

18 켈러 선생님께서는 유의어 사전을 뒤져 각 낱말을 대신 할 수 있는 낱말을 최대한 많이 찾아보라고 했고, 낱말을 가장 많이 찾은 사람은 금요일 쪽지 시험이 면제라고 하셨습니다.

> **채점 기준** 금요일 쪽지 시험을 면제 받는 조건을 파악하여 각 낱말을 대신 할 수 있는 낱말을 가장 많이 찾은 사람이라는 내용으로 썼으면 정답으로 합니다.

19 낱말의 뒷부분에 남자아이 두 명이 비웃는 태도로 놀리며 말하는 내용이 나와 있습니다.

20 어떤 날은 교실에서, 또 다른 날은 교실 밖에서 훈련은 다양하게 이루어졌다고 했습니다.

21 어른 한 명을 골라 그분이 가장 소중하게 여기는 물건을 알아 오는 것이 '그날 숙제'의 내용입니다.

22 '나'는 평소에 슐로스 할아버지를 좋아하고 편하게 생각하기 때문에 인터뷰할 어른으로 정했을 것입니다.

23 아내의 사진이 담긴 액자를 소중히 여기는 할아버지를 인터뷰하면서 아내를 사랑하고 보고 싶어 하는 할아버지의 마음을 느꼈을 것입니다.

24 '나'는 자신의 마음과 감정을 듬뿍 담아 글을 써서 이번에는 자신의 글이 켈러 선생님 마음에 쏙 들 거라고 생각했습니다.

25 켈러 선생님께서는 슐로스 할아버지의 아내를 주제로 삼은 점은 적절했지만 진실한 감정을 드러내는 낱말이 없다고 평가했습니다.

26 켈러 선생님께서 글쓰기에서 강조하신 내용에 이 이야기의 주제가 담겨 있습니다.

> **채점 기준** 진실한 감정이 담긴 글을 써야 된다는 것을 강조하신 것을 알고 이 이야기의 주제를 알맞은 내용으로 썼으면 정답으로 합니다.

27 켈러 선생님께서는 가장 자신 있는 글쓰기 형식 한 가지를 골라 글을 쓰는 것이 마지막 과제라고 하셨습니다.

28 뜻을 잘 모르는 낱말의 첫소리가 아니라 낱말이 쓰인 앞뒤 상황을 보면 그 뜻을 짐작할 수 있습니다.

29 켈러 선생님께서는 '내' 글이 여전히 감정이 드러나지 않고 있다며 자신이 겪은 일을 써 왔으면 좋겠다고 하셨습니다.

30 이 이야기에서 '쥐어짜다'는 이리저리 따져 골똘히 생각한다는 뜻으로 쓰였습니다.

> **오답 피하기**
> (1) 비가 내려 흠뻑 젖은 옷을 쥐어짜서 널어 놓았다.: 억지로 쥐어서 비틀거나 눌러 액체 따위를 꼭 짜내다.
> (2) 감기에 걸려 목이 잠겨서 소리를 쥐어짜서 인사를 했다.: 안 나오는 목소리를 억지로 내다.

31 이웃에 사는 할머니가 계단에서 넘어져 뼈가 부러지는 바람에, 할머니를 돕는 성금 모금 바자회에 내놓을 쿠키를 다 같이 만들기 위해서 '나'는 친구 세 명과 함께 슐로스 할아버지 집에 모인 것입니다.

> **채점 기준** 친구 세 명과 '내'가 슐로스 할아버지 집에 모인 까닭을 바르게 파악하여 썼으면 정답으로 합니다.

32 슐로스 할아버지께서 알고 있는 켈러 선생님의 일화를 말해 주고 있습니다.

33 '그 학생'은 슐로스 할아버지의 아들로 켈러 선생님의 도움을 받아 대학을 가서 훌륭한 기자가 되었으므로 켈러 선생님께 고마운 마음을 갖게 되었을 것입니다.

> **정답 친해지기**
> ① 시카고에서 가장 큰 신문사에 들어갔다고 했습니다.
> ② 물론 글 쓰는 사람이 되었다고 했습니다.
> ③ 슐로스 할아버지께서 그 학생이 바로 우리 아들이라고 하셨습니다.
> ④ 미국 최고의 권위를 자랑하는 보도 부문 퓰리처상까지 받았다고 했습니다.

34 낱말의 앞뒤에 켈러 선생님께서 학비를 마련해 준 내용이 나타나 있습니다.

35 '나', '켈러 선생님', '슐로스 할아버지' 등 이야기에서 인물의 생각, 행동, 가치관에 관련된 질문을 생각해 봅니다.

> **채점 기준** 인물의 생각, 행동, 가치관 등을 이해하는 데 도움을 줄 수 있는 질문을 잘 만들어 썼으면 정답으로 합니다.

36 슐로스 할아버지께서 심장 마비로 돌아가셔서 어머니께서 학교로 찾아와 '나'에게 그 소식을 알려 주셨습니다.

37 '상심한'이라는 낱말 앞부분에 슐로스 할아버지가 돌아가신 내용이 나오므로 '슬픈'이라는 뜻으로 짐작하는 것이 알맞습니다.

38 '꼴'은 모양새나 행태를 낮잡아 이르는 말입니다.

> **채점 기준** '꼴'의 뜻을 바르게 짐작하여 '꼴'을 사용한 예를 잘 떠올려 썼으면 정답으로 합니다.

39 '나'는 집에 돌아와 자기 책상에 앉아 정신없이 글을 썼습니다.

40 '나'는 글을 쓰면서 오로지 슐로스 할아버지를 사랑하는 '내' 마음이 잘 표현되었기를 바랄 뿐이라고 했습니다.

41 '나'는 켈러 선생님께서 보내신 분홍색 쪽지를 받고 '합격을 못 하게 되면 어쩌지?'라고 생각하며 기말 과제 점수를 걱정했습니다.

42 '나'는 무섭게 보였던 켈러 선생님께서 자신을 꽉 끌어안아서 깜짝 놀랐습니다.

43 켈러 선생님께서는 '나'를 꽉 끌어안으며 "퍼트리샤, 슐로스 할아버지에게 바치는 글은 정말 놀라웠다. 자신이 겪은 일 쓰기의 모범으로 삼아도 좋을 만큼 말이다."라고 속삭이셨습니다.

44 이 이야기에서 '들뜨다'는 마음이 가라앉지 않고 흥분된다는 뜻입니다.

45 켈러 선생님께서는 맞춤법은 아직 손보아야 할 곳이 많지만, 낱말에 날개가 달려 있다고 하시면서 '나'에게 글쓰기반 최초로 에이(A) 점수를 준다고 하셨습니다.

46 이 이야기에는 '나'와 관련하여 켈러 선생님과 슐로스 할아버지가 중요한 인물로 나옵니다.

47 '나'는 켈러 선생님과 슐로스 할아버지를 '존경하고 사랑해 마지않는' 두 분이라고 했습니다.

48 깜깜한 바다를 밝혀 주는 등대처럼 '나'(퍼트리샤)의 삶을 밝혀 준다고 표현할 수 있습니다.

> **채점 기준** 이 이야기의 주제를 생각하며 켈러 선생님과 슐로스 할아버지가 '나'에게 어떤 존재일지 문장에 어울리게 썼으면 정답으로 합니다.

기본❷ 글을 요약하는 방법 알기 145~149쪽

1 ⑤　2 ④
3 차례대로 잎을 붙여 나가는
4 ③　5 (1) 국수나무 (2) 소용돌이
6 줄기 한 마디에 잎 두 장이 마주 보게 난다. 등
7 ⑤　8 (3) ○　9 강우
10 ㉰　11 (1) ㉮ (2) ㉯
12 (4) ×　13 생각그물　14 ②
15 ③, ④　16 모여나기　17 ⑤
18 ㉠
19 (1) 먹이 (2) 원숭이 (3) 안전한 장소
20 성진
21 예 사람들이 바구니를 이용해 물건을 나르는 것처럼 볼주머니를 이용해 먹이를 나르는 동물들이 있다. 다람쥐는 도토리 같은 열매 열 개 이상을 볼주머니에 잠시 저장해 먹이를 나른다. 원숭이도 먹이를 볼주머니에 잠시 저장해 안전한 장소로 이동해서 먹는다.

1 사람들의 집 짓기와 식물의 집 짓기는 서로 같은 점도 있고 다른 점도 있다고 했습니다.

2 식물은 햇빛을 보지 못하면 살 수가 없어서 어떻게 잎을 펼쳐야 햇빛을 잘 끌어모을까 고민한다고 했습니다.

3 줄기에 차례대로 잎을 붙여 나가는 모양을 '잎차례'라고 합니다.

4 잎차례가 무엇인지 말하고 있으므로 잎차례에 대한 구체적인 내용이 글 ❷ 다음에 이어질 것임을 예상할 수 있습니다.

5 '어긋나기' 방법으로 잎을 피우는 식물 중 '국수나무'는 평행하게 어긋나기만 하고, '해바라기'는 소용돌이 모양으로 돌려나면서 어긋난다고 했습니다.

6 '마주나기'는 줄기 한 마디에 잎 두 장이 마주 보게 나는 잎차례입니다.

> **채점 기준** 글에서 '마주나기'가 무엇인지 잘 찾아 썼으면 정답으로 합니다.

7 '소나무'는 '모여나기'로, '국수나무'는 '어긋나기'로, '단풍나무', '화살나무'는 '마주나기'로 잎을 피우는 식물에 해당합니다.

진도 교재

8 잎이 한곳에서 모여난 '모여나기'에 해당하는 그림을 찾습니다.

> **오답 피하기**
> (1) '어긋나기'에 해당하는 그림입니다.
> (2) '마주나기'에 해당하는 그림입니다.

9 글을 요약하는 까닭은 글의 내용을 잘 이해하고, 중심 내용을 잘 파악하기 위해서입니다.

10 글 ㉰가 중요한 내용을 잘 담아 중요한 내용이 잘 드러나게 글을 요약했습니다.

11 글 ㉮는 「식물의 잎차례」 글의 내용을 거의 다 옮겨 적다시피 했고, 글 ㉯는 내용을 너무 줄여서 중요한 내용을 파악하기 힘듭니다.

12 중요한 내용을 중심으로 요약하므로 글의 첫부분과 끝부분의 내용이 간추릴 때 꼭 들어가야 할 필요는 없습니다.

13 생각그물을 활용해 글 ㉮의 내용을 요약했습니다.

14 중심 낱말을 가운데에 적고 잎차례 방법과 중요 낱말을 선으로 연결해 적었습니다.

15 생각그물을 활용해 낱말 중심으로 요약하면 중요한 내용을 한눈에 파악할 수 있어 글의 핵심 내용을 잘 이해할 수 있습니다.

16 잎차례 방법대로 요약하고 있으므로 '모여나기'가 들어가야 알맞습니다.

17 볼주머니를 이용해 먹이를 나르는 동물들을 말하고 있습니다.

18 볼주머니를 이용해 먹이를 나르는 동물에 대한 내용이 중요한 내용이므로 ㉠ 내용이 가장 중요하지 않습니다.

19 글에서 중심 낱말을 찾아 해당하는 내용을 빈칸에 씁니다.

20 글의 전체 내용을 그대로 옮기지 않고 중요한 내용을 중심으로 정리했습니다.

21 중요한 내용이 드러나게 중심 낱말을 잘 연결하여 씁니다.

> **채점 기준** 요약하기 평가 기준에 맞게 글에서 중요한 내용을 이해할 수 있도록 잘 요약하여 썼으면 정답으로 합니다.

기본③+실천 글의 구조에 따라 요약하고, 다른 과목의 교과서 요약하기 150~152쪽

1 (1) ③ (2) ① (3) ② **2** 종이
3 예 사람들은 좀 더 쓰기 쉽고 그리기 편한 것, 옮기기 쉽고 간직하기 좋은 것을 찾아 종이를 발명했다.
4 ④ **5** 시간의 순서대로
6 ②
7 (1) 닥나무 (2) 하얗게 (3) 찧는다 (4) 닥풀 (5) 돌
8 예 바느질 도구를 넣는 상자
9 (1) ○ **10** ③, ④, ⑤ **11** ⑤

1 종이를 발명하기 전에 옛날 사람들이 종이 대신에 사용한 물건들의 단점을 찾아봅니다.

2 종이가 만들어진 까닭을 설명하고 있습니다.

3 글 ❶은 종이가 만들어진 까닭을 설명하는 내용입니다. 중심 내용을 찾아 간추려 씁니다.

> **채점 기준** 종이가 만들어진 까닭을 중요한 내용이 드러나게 잘 요약해 썼으면 정답으로 합니다.

4 글 ❷에서 '그런데 내가 어떻게 만들어지는지 아니?'라고 했으므로 한지가 만들어지는 과정을 설명하는 내용이 이어질 것입니다.

5 한지가 만들어지는 과정을 시간의 순서대로(차례대로) 설명하였습니다.

6 한지는 여러 가지 색으로 만들 수 있습니다.

> **정답 친해지기** **한지의 여러 가지 색**
> • 잇꽃으로 물들이면 붉은 한지 됩니다.
> • 치자로 물들이면 노랑 한지 됩니다.
> • 쪽물로 물들이면 파랑 한지 됩니다.
> • 먹으로 물들이면 검은 한지 됩니다.

7 한지가 만들어지는 과정에 맞는 말을 찾아 씁니다.

8 낱말의 앞뒤 내용이나 상황에서 뜻을 짐작해 봅니다.

9 글 ❸은 한지의 쓰임새를 나열하고 있으므로 (1)의 틀이 내용을 정리하기에 알맞습니다.

10 한지는 방 안 온도 및 습도를 조절하고, 생활용품이나 놀이용품의 재료로 쓰입니다.

11 어려운 낱말의 뜻을 자세히 알려 주는 내용을 넣게 되면 요약한 내용이 길어질 수 있으므로 알맞지 않습니다.

단원 마무리

153쪽

❶ 이해 ❷ 끼적이기 ❸ 깐깐한
❹ 시간

단원 평가

154~156쪽

1 우리에게 재미와 웃음을 주지만
2 ①, ⑤
3 예 낱말의 뜻을 제대로 짐작하며 글을 읽어야 글의 내용을 잘 이해할 수 있어.
4 (1) ② (2) ① **5** ⑤
6 허둥지둥 종이를 꺼내는 상황 등
7 ② **8** ② **9** ③
10 (3) ○
11 (1) 짧게 (2) 사소한, 중요한 (3) 이해할 수 있게
12 어긋나기
13 예 글의 중요한 내용을 한눈에 파악할 수 있어 글의 핵심 내용을 잘 이해할 수 있다.
14 볼주머니 **15** ⑤ **16** 과정 등
17 ㉠ **18** ① **19** (2) ○
20 예 조선의 건국 과정을 시간 흐름에 따라 요약할 것이다.

1 '우리에게 재미와 웃음을 주지만'이라는 내용에서 뜻을 짐작할 수 있습니다.

2 '엉뚱한', '황당한'과 바꾸어 써도 문장의 뜻이 자연스럽습니다.

3 낱말의 뜻을 제대로 짐작하지 못하면 글의 내용을 잘 이해할 수 없으므로 제대로 짐작하며 읽으라는 말을 해 주는 것이 좋습니다.

> **채점 기준** 낱말의 뜻을 제대로 짐작하며 글을 읽어야 된다는 내용으로 썼으면 정답으로 합니다.

4 (1)에서는 '권한'으로, (2)에서는 '노력'으로 바꾸어 써도 문장의 뜻이 자연스럽습니다.

5 가족이나, 집에서 일어나는 일상생활에 대한 이야기를 주제로 내일까지 수필을 써 오라는 과제를 내 주셨습니다.

6 아이들이 허둥지둥 종이를 꺼냈다는 상황에서 '끼적이기'가 아무렇게나 글씨를 쓴다는 뜻임을 짐작할 수 있습니다.

7 '마른침'은 애가 타거나 긴장했을 때 입 안이 말라 무의식중에 힘들게 삼키는 아주 적은 양의 침을 뜻합니다.

8 엄하기만 하던 켈러 선생님께서 '나'를 꽉 끌어안아 주셔서 '나'는 깜짝 놀랐습니다.

9 '삼다'는 어떤 대상을 다른 대상으로 되게 하다는 뜻입니다.

10 '들뜨다'는 마음이 가라앉지 않고 흥분된다는 뜻으로 쓰였습니다.

11 글을 짧게 간추리고, 사소한 내용은 삭제하고 중요한 내용만 간추리고, 글의 중요한 내용을 이해할 수 있게 간추려야 합니다.

12 국수나무와 해바라기는 '어긋나기'로 잎을 피우는 식물에 해당합니다.

13 생각그물로 요약하면 글의 중요한 내용을 한눈에 파악할 수 있다는 좋은 점이 있습니다.

> **채점 기준** 중심 낱말을 활용하여 생각그물로 정리하여 요약하면 좋은 점을 바르게 썼으면 정답으로 합니다.

14 '볼주머니에 먹이를 저장해 나르는 동물'을 중심으로 요약한 내용입니다.

15 다람쥐는 도토리 같은 열매 열 개 이상을 볼주머니에 잠시 저장해 먹이를 나른다고 나타나 있습니다.

16 이 글에서는 한지가 만들어지는 과정을 말하고 있습니다.

17 '먼저', '그러고는', '마지막으로'는 시간 순서나 과정 순서를 나타내는 말입니다.

18 이 글은 한지가 만들어지는 과정을 시간의 순서대로 설명하고 있습니다.

19 이 글은 시간의 순서대로 설명한 글이므로 (2)의 틀이 어울립니다.

20 글의 구조에 알맞은 틀을 생각하여 어떻게 요약할지 생각하여 씁니다.

> **채점 기준** '조선의 건국 과정'을 어떻게 요약하면 좋을지 알맞게 생각하여 썼으면 정답으로 합니다.

서술형 평가 157쪽

1 예 경기에서 점수를 잃다.
2 예 과일 가게 주인은 깐깐한 손님을 만나 고생하고 있었습니다.
3 예 글에는 글쓴이가 전하고자 하는 진실한 마음이 담겨 있어서 글을 읽는 사람은 그런 글쓴이의 마음을 파악하는 것이 중요하기 때문이다.
4 예 한지는 쓰임새도 많다. 방 안 온도와 습도를 조절하는 데 사용하고, 붓통, 표주박 따위의 생활용품이나 연, 제기, 고깔 장식 따위의 놀이용품을 만들 때도 사용한다.
5 예 조선의 건국 과정
고려 말 신진 사대부들이 개혁으로 경제적 기반을 마련하고 농민 생활을 안정시킴. → 이성계를 비롯한 신흥 무인 세력들과 신진 사대부들이 위화도 회군으로 권력을 잡음. → 정몽주처럼 새 왕조 수립을 반대한 세력을 제거하고, 토지 제도 개혁을 마무리함. → 이성계가 왕위에 올라 조선을 세움.

1 '경기에서 점수를 잃다'라는 뜻으로 쓰였습니다.

채점 기준 '먹다'를 '경기에서 점수를 잃다'라는 뜻으로 짐작하여 썼으면 정답으로 합니다.

2 '깐깐한'은 '행동이나 성격 따위가 까다로울 만큼 빈틈이 없다'라는 뜻으로 쓰였습니다.

채점 기준 '깐깐한'의 뜻을 바르게 짐작하여 '깐깐하다'를 사용한 예를 잘 떠올려 썼으면 정답으로 합니다.

3 켈러 선생님께서 생각하시는 좋은 글이 무엇인지 파악해 봅니다.

채점 기준 켈러 선생님께서 말씀하신 내용을 잘 파악하여 까닭을 적절히 썼으면 정답으로 합니다.

4 글에 나온 한지의 쓰임새를 나열하여 요약해 봅니다.

채점 기준 글에 나온 한지의 쓰임새를 나열하여 요약해 썼으면 정답으로 합니다.

5 시간이나 공간의 순서에 따라 설명하는 글을 찾아 틀에 맞게 요약해 씁니다.

채점 기준 시간이나 장소의 순서대로 설명하는 글에 어울리는 틀인 것을 알고 잘 요약해 썼으면 정답으로 합니다.

8 우리말 지킴이

핵심 개념 문제 160쪽

1 사물
2 관찰, 설문지, 면담, 책이나 글 등
3 눈　　4 ×　　5 표정

준비 우리말이 훼손된 사례 살펴보기 161쪽

1 (1) 예 북적북적 서점
(2) 예 한마음 꽃집
(3) 예 독특한 반려동물 가게
(4) 예 여러분을 위한 음식점
(5) 예 멋진 옷
(6) 예 달콤한 찻집
2 (1) ○　　3 ⑤
4 예 '심쿵'이라는 말을 친구들이 자주 쓰고 있다.

1 우리말이 있는데도 외국어 그대로 간판 이름에 사용한 경우와 표기를 잘못한 경우 등을 자연스러운 우리말 간판 이름으로 바꾸어 봅니다.

2 우리는 간단하게 표현할 수 있어서 줄임 말을 사용하지만 줄임 말은 원래의 뜻을 알지 못하는 사람에게 뜻이 통하지 않을 수 있습니다.

정답 친해지기 **우리말이 훼손된 사례**
- 줄임 말을 사용합니다.
- 사물을 높이는 표현을 사용합니다.
- 외국어를 지나치게 많이 사용합니다.

3 ①~④는 사물이나 동식물을 높이고 있습니다.

오답 피하기
① 여기 거스름돈이 있어요. (○)
② 예쁜 꽃을 가져오셨네요. (○)
③ 반려견이 정말 귀엽네요. (○)
④ 휴대 전화가 고장 났습니다. (○)

4 '노잼'은 영어와 한글 줄임 말을 혼합해 만든 말입니다.

채점 기준 우리 주변에서 우리말을 바르게 사용하지 못한 경우를 잘 떠올려 썼으면 정답으로 합니다.

기본 ❶ 발표 주제를 생각하며 자료를 조사하고 구성하기 162~164쪽

1 잘못 사용하는 **2** ⑤
3 소라
4 예 높임 표현을 잘못 사용하는 예
5 수입된 옷에 영어가 있는 것은 당연하기 때문이다. 등
6 ②, ⑤ **7** 설문지
8 (1) 정확하고 다양한 정보를 얻을 수 있다. 등
(2) 내가 찾고 싶은 정보를 쉽게 찾지 못할 수도 있다. 등
9 (1) 샛별 모둠
(2) 영어를 지나치게 많이 사용하는 실태
(3) 영어가 아름다운 우리말을 사라지게 해요
10 전달하려는 내용 **11** ⑤
12 우리말을 바르게 사용하는 습관을 기릅시다. 등

1 여진이는 잘못된 우리말 사용 실태와 관련해 조사 주제로 "잘못 사용하는 우리말을 조사해 보면 어떨까?"라고 말했습니다.

2 지역의 모든 간판을 찾는 건 아이들이 실제로 조사하기 힘듭니다.

3 조사 주제를 정할 때 조사 장소가 학교인지를 살펴볼 필요는 없습니다.

4 우리말을 얼마나 잘못 사용하는지 알아보기 위한 조사 주제를 생각하여 씁니다.

5 수입된 옷에 영어가 있는 것은 당연하기 때문에 옷에 새긴 영어는 조사 대상으로 알맞지 않은 것 같다고 했습니다.

6 주제에 맞는 조사 대상을 생각하고 아이들에게 영향을 많이 주는 것으로 범위를 좁혀 정했습니다.

7 설문지 조사 방법의 장점과 단점에 대한 내용입니다.

8 '책이나 글'에서 조사하면 정확하고 다양한 정보를 얻을 수 있지만 내가 찾고 싶은 정보를 쉽게 찾지 못할 수도 있습니다.

> **채점 기준** '책이나 글'로 조사했을 때 장단점을 바르게 썼으면 정답으로 합니다.

9 시작하는 말에 들어간 모둠 이름, 조사 주제와 발표 제목을 찾아 씁니다.

10 발표 원고를 구성할 때 전달하려는 내용에서 '자료'와 '설명하는 말'이 들어가야 합니다.

11 자료를 제시할 때에는 저작자나 출처를 밝혀서 저작권을 침해하지 않아야 합니다.

12 모둠의 의견으로 "아름다운 우리말을 보존할 수 있도록 우리말을 바르게 사용하는 습관을 기릅시다."라는 내용이 들어가 있습니다.

기본 ❷ 여러 사람 앞에서 조사한 내용 발표하기 165쪽

1 (1) ③ (2) ④ (3) ① (4) ②
2 예 자신 있는 표정을 지으며 손으로 화면을 가리키면 좋을 것 같다.
3 ③ **4** (1) 주제 (2) 자료

1 각 그림에서 발표할 때 잘못한 점을 찾아봅니다.

2 자료를 보여 줄 때 어울리는 표정과 몸짓을 생각하여 씁니다.

> **채점 기준** 발표에서 자료를 보여 줄 때 알맞은 표정과 몸짓을 바르게 썼으면 정답으로 합니다.

3 자료는 큰 화면으로 보여 주고 한참 볼 수 있도록 화면을 켜 두어야 듣는 사람이 자료를 잘 볼 수 있습니다.

4 발표 내용이 주제와 관련 있는지, 자료는 정확한 것인지 판단하며 들어야 합니다.

실천 우리말 바르게 사용하기를 알리는 만화 그리기 166쪽

1 ③
2 딱딱한 표정으로 눈썹 사이를 찡그리는 모습을 그렸다. 등
3 당황스럽다. 등 **4** ②

1 손으로 편의점을 가리키는 동작을 그렸으므로 "저기 편의점이 있다."라는 말이 어울립니다.

2 아저씨의 표정은 딱딱하고, 눈썹 사이는 찡그려져 있습니다.

3 아저씨는 '삼김'이 무슨 뜻인지 몰라 당황스러운 마음입니다.

4 줄임 말을 사용했다는 것을 느낀 남자아이를 표현하기 위해 이마 부분에 세로선을 여러 개 그리고, 뒷머리를 만지는 동작을 그렸습니다.

단원 마무리

167쪽

❶ 줄임 ❷ 눈 ❸ 주제 ❹ 손

단원 평가

168~170쪽

1 ①, ④
2 열심히 공부했더니, 삼각김밥
3 ④
4 예 외국어를 쓰면 고급스러워 보인다는 편견 때문이다.
5 (1) 재미가 없었어 (2) 나왔습니다
6 ②
7 방송에서 사용하는 영어
8 ④
9 시작하는 말
10 ①, ②, ③
11 출처를 밝힌다. 등
12 그림 ❷
13 모두가 들을 수 있는 목소리 크기로 말한다. 등
14 소희
15 ⑤
16 손으로 편의점을 가리키는 동작을 그렸다. 등
17 ③, ④
18 ⑤
19 ④
20 (1) 진짜야
(2) 팔렸습니다

1 '열공했더니', '삼김'은 줄임 말로 우리말을 바르게 사용해야 할 부분입니다.

2 '열공'은 '열심히 공부', '삼김'은 '삼각김밥'을 줄여서 쓴 말입니다.

3 'sweet카페', '노잼', '사과주스 나오셨습니다'가 우리말이 훼손된 사례입니다.

4 외국어를 무분별하게 사용하게 된 까닭을 생각하여 씁니다.

채점 기준 우리말이 훼손된 사례가 생기는 까닭을 바르게 짐작하여 썼으면 정답으로 합니다.

5 훼손된 우리말을 자연스러운 표현으로 바르게 고쳐 씁니다.

6 어떤 것을 조사할지 의논하고 있으므로 조사 대상을 정하는 과정에 대한 그림입니다.

7 만약 옷이 수입된 것이라면 옷에 영어가 있는 것은 당연하니까 옷에 새긴 영어는 조사 대상으로 알맞지 않은 것 같다고 했습니다.

8 책이나 글에서 조사하는 방법의 장단점입니다.

9 발표할 원고 구성 중 시작하는 말에 해당되는 부분입니다.

10 모둠 이름, 조사 주제, 발표 제목을 차례대로 소개하고 있습니다.

11 발표에 자료를 보여 줄 때에는 저작자나 출처를 밝혀서 저작권을 침해하지 않아야 합니다.

12 그림 ❶은 듣는 사람이 알아듣지 못하게 작게 말했습니다.

13 너무 작게 말하면 듣는 사람이 알아듣기 힘듭니다.

채점 기준 발표할 때는 모두가 들을 수 있는 알맞은 목소리 크기로 말해야 된다는 내용으로 썼으면 정답으로 합니다.

14 뒷자리에 있는 친구들까지 볼 수 있도록 실물 자료는 조금 높이 들어서 보여 줄 수 있습니다.

15 발표를 들을 때 발표자에게 빨리하라고 하거나 야유를 보내서는 안 됩니다.

16 편의점을 발견했다는 뜻으로 손으로 편의점을 가리키는 동작을 그렸습니다.

17 '삼김'이라는 말을 듣고 무슨 말인지 몰라 당황한 아저씨의 표정을 딱딱한 표정으로 눈썹 사이를 찡그리는 모습을 그렸습니다.

18 '삼김'이라는 말을 아저씨가 알아듣지 못해 대화가 매끄럽지 못하였으므로 줄임 말을 사용하지 말아야겠다고 느꼈을 것입니다.

19 만화는 너무 많은 내용을 넣지 않고 쉽게 풀어서 표현합니다.

20 우리말이 훼손된 사례를 올바른 우리말 표현으로 바꾸어 씁니다.

서술형 평가 171쪽

1 예 줄임 말은 원래의 뜻을 알지 못하는 사람에게 뜻이 통하지 않을 수 있다.
2 예 우리 지역의 간판이 너무 많아서 실제로 조사하기가 힘들 수 있다.
3 (1) 현장에서 조사 대상을 직접 파악할 수 있다. 등
(2) 시간이 많이 걸린다. 등
4 예 듣는 사람과 눈을 맞추며 발표해야 해.
5 이마 부분에 세로선을 여러 개 그렸다. / 뒷머리를 만지는 동작을 그렸다. 등

1 '열공했더니'나 '삼김'과 같은 줄임 말은 어떤 말을 줄였는지 알지 못하면 뜻을 알기 어렵습니다.

채점 기준 줄임 말을 사용했을 때 생길 문제를 바르게 썼으면 정답으로 합니다.

2 조사 주제를 정할 때에는 실제로 조사할 수 있는지, 조사 방법과 기간이 적절한지 주의해야 합니다. 우리 지역의 모든 간판을 조사해 잘못된 표현을 찾는 것이 실제로 가능한지 생각해 봅니다.

채점 기준 조사 주제를 정하는 기준을 바탕으로 하여 실제로 조사하기 힘들 수 있다는 내용으로 썼으면 정답으로 합니다.

3 '관찰' 방법으로 조사하면 현장에서 조사 대상을 직접 파악할 수 있지만 단점으로 시간이 많이 걸릴 수도 있습니다.

채점 기준 '관찰'로 조사했을 때 장단점을 바르게 썼으면 정답으로 합니다.

4 발표할 때에는 듣는 사람과 눈을 맞추며 자신 있는 태도로 발표해야 합니다.

채점 기준 발표할 때 바른 자세를 알고 듣는 사람과 눈을 맞추거나 듣는 사람을 바라본다는 내용으로 썼으면 정답으로 합니다.

5 잘못을 깨달은 마음을 표현하기 위해 이마 부분에 세로선을 여러 개 그리고, 뒷머리를 만지는 동작을 그렸습니다.

채점 기준 만화에서 남자아이의 표정과 몸짓을 표현한 방법을 바르게 썼으면 정답으로 합니다.

1 마음을 나누며 대화해요

단원평가 1회 2~3쪽

1 ③, ⑤ 2 ⑤
3 예 그래? 무슨 일이야? 어서 말해 봐.
4 프라이팬 5 ①, ④ 6 ②
7 예 직접 하는 대화는 얼굴을 보고 말로 대화하지만, 누리 소통망 대화는 직접 만나지 않고 글자로 대화한다.
8 ㉠ 9 ④, ⑤ 10 ④

1 지윤이는 명준이의 말을 귀 기울여 듣지 않았고, 말하는 내용에 관심을 갖지 않았습니다.

2 지윤이의 말을 들은 명준이는 지윤이가 자신을 무시하는 것 같아 화가 났을 것이고, 지윤이와 말을 하기 싫어졌을 것입니다.

3 공감하는 대화를 하려면 먼저 상대방의 말을 귀 기울여 들어 주어야 합니다.

> **채점 기준** 명준이의 말에 귀 기울이고, 명준이가 하는 말에 관심을 갖는 내용을 썼으면 정답으로 합니다.

4 현욱이가 프라이팬을 철 수세미로 닦아 프라이팬 바닥이 벗겨져 못 쓰게 되었기 때문입니다.

5 엄마는 현욱이의 말을 경청하고, 현욱이 처지에서 생각하며 공감하면서 말씀하셨습니다.

6 그림 속 여자아이는 친구에게 어떻게 사과할지 고민하다 스마트폰 메신저를 이용해 사과하는 말을 전하였습니다.

7 그 밖에도 누리 소통망 대화는 컴퓨터나 스마트폰이 있어야 한다는 점에서 직접 하는 대화와 다릅니다.

> **채점 기준** 직접 하는 대화와 누리 소통망 대화의 다른 점을 썼으면 정답으로 합니다.

8 누리 소통망 대화를 할 때 그림말이나 줄임 말을 너무 많이 쓰면 전하고자 하는 내용을 정확히 전달할 수 없습니다.

9 비행사가 되고 싶었던 '나'는 억울하고, 여자라서 안 된다는 것이 공정하지 못하다고 생각했을 것입니다.

10 "내 나라를 빼앗아 간 일본과 싸우려고요!"라는 '나'(권기옥)의 말을 듣고 당계요 장군은 '내'가 비행 학교에 들어갈 수 있도록 편지를 써 주었습니다.

단원평가 2회 4~5쪽

1 ㉯ 2 ② 3 ㉠
4 ①
5 엄마가 자신을 이해해 주고 자신과 공감하며 대화를 나누었기 때문이다. 등
6 ④, ⑤ 7 ㉠ 8 ②
9 ②, ③, ⑤
10 예 저는 학생을 가르치는 선생님이 되고 싶어요. 선생님이 되기 위해서 열심히 책도 읽고 경험도 많이 쌓을 거예요.

1 ㉮에서 지윤이는 명준이의 처지를 고려하지 않고 말하여 명준이의 기분을 상하게 했지만, ㉯에서 지윤이는 명준이의 처지를 고려하며 말했습니다.

2 ㉮에서 명준이는 지윤이의 말을 듣고 무시당하는 것 같아 화가 났을 것입니다.

3 공감하며 대화하면 상대의 처지를 이해할 수 있으므로 기분 좋은 대화를 할 수 있습니다.

4 ㉠에서 엄마는 현욱이 처지에서 생각해 말하였고, ㉡에서 엄마는 현욱이의 기분을 고려해 공감하며 말하였습니다.

5 현욱이의 실수로 프라이팬이 망가졌지만 엄마가 집안일을 도와주려고 한 현욱이의 마음을 이해해 주고 배려하며 말했기 때문입니다.

> **채점 기준** '엄마가 자신을 이해해 주고 자신과 공감하며 대화를 나누었기 때문이다.' 등의 내용으로 썼으면 정답으로 합니다.

6 '경청하기'는 말하는 사람에게 주의를 기울여 집중해서 듣기, '처지를 바꾸어 생각하기'는 말하는 사람의 처지가 되어 생각하기, '공감하며 말하기'는 상대의 기분을 고려해 말하기입니다.

7 누리 소통망 대화에서 그림말을 사용할 수는 있지만 지나치게 많이 사용하면 하고 싶은 말을 잘 전달할 수 없습니다.

8 누리 소통망에서 상대의 말에 공감하며 대화하려면 고마운 상황에서는 고맙다는 표현을 하는 것이 좋습니다.

9 '나'는 비행기를 처음 탄 날, 세상이 아름답다고 느꼈고, 자유롭다고 생각했으며 꿈을 이루어 기뻤습니다.

10 자신이 이루고 싶은 꿈을 쓰고, 그 꿈을 이루려고 어떤 노력을 하면 좋을지 씁니다.

채점 기준 자신의 꿈과 그 꿈을 위해 어떤 노력을 할지 썼으면 정답으로 합니다.

서술형평가 6쪽

1 예 그랬구나. 내가 너처럼 그림 그리기를 좋아하면 나도 서운했을 것 같아.
2 예 그래. 네 말은 청소 구역을 바꾸자는 의견이구나.
3 예 만나지 않고도 대화할 수 있다. / 많은 사람에게 소식을 전할 수 있다.
4 예 미안해. 갑자기 너무 급하게 물어볼 것이 생겨서 그랬어.
5 예 보고 싶어, 친구야. 건강한 모습으로 만나자!

1 지윤이는 명준이의 기분을 생각하며 말하지 않았으므로 명준이의 기분을 생각해 명준이를 위로해 주어야 합니다.

채점 기준	점수
명준이의 말에 공감하는 말로 알맞게 바꾸어 쓴 경우	6점

2 상대방의 이야기를 경청할 때에는 말하는 사람에게 주의를 기울여 집중해서 듣습니다. 말이나 행동으로 맞장구치고, 상대의 말을 반복해 줍니다.

채점 기준	점수
제시한 답과 비슷한 답을 쓴 경우	6점

3 누리 소통망 대화는 글자로 대화를 나누는 것이므로 상대를 직접 만나지 않고도 대화를 주고받을 수 있다는 좋은 점이 있습니다.

채점 기준	점수
누리 소통망 대화의 좋은 점을 알맞게 쓴 경우	6점

4 친구가 원하지 않는데 대화방에 초대해 불편해하는 상황이므로, 먼저 불편한 마음이 들게 한 점에 대해 사과하고 친구가 이해할 수 있도록 초대한 까닭을 자세히 설명해야 합니다.

채점 기준	점수
친구에게 사과하는 말을 알맞게 쓴 경우	6점

5 다친 친구를 격려하고 응원해 줄 수 있는 말을 떠올려 써 봅니다.

채점 기준	점수
누리 소통망 대화를 하는 상황을 생각하여 공감하는 말을 알맞게 쓴 경우	6점

정답 친해지기 **누리 소통망 대화를 하는 방법**
- 상대의 말에 공감하며 대화합니다.
- 상대의 상황이 되어 생각하고 말합니다.

수행평가 7쪽

1 예 부모님의 일을 도와드리려다가 프라이팬을 철 수세미로 닦아서 못 쓰게 만들었다.
2 예 엄마가 현욱이의 처지를 이해하고 공감하는 대화를 해 주셨기 때문이다.
3 (1) 예 상대의 말을 경청한다.
(2) 예 처지를 바꾸어 생각한다. / 상대에게 공감하며 말한다.

1 현욱이는 부모님이 안 계시는 동안 집안일을 도와드리려고 설거지를 했는데 프라이팬을 철 수세미로 닦아서 오히려 프라이팬을 못 쓰게 만들었습니다.

채점 기준	점수
현욱이가 잘못한 일을 잘 파악하여 쓴 경우	10점

2 엄마는 실수를 한 현욱이에게 화를 내지 않으시고, 현욱이의 처지를 이해하고 공감하며 말씀하셨습니다.

채점 기준	점수
현욱이의 마음이 변한 까닭을 알맞게 쓴 경우	10점

3 공감하는 대화를 하기 위해서는 상대의 말을 경청하고, 처지를 바꾸어 생각해 보고, 공감하며 말해야 합니다.

채점 기준	점수
현욱이와 엄마의 대화에서 알 수 있는 공감하는 말하기 방법을 바르게 쓴 경우	10점

2 지식이나 경험을 활용해요

단원평가 1회 8~9쪽

1 ③ 2 (2) ○
3 (1) 동빙고 (2) 서빙고 4 ②
5 예 내가 아는 내용과 책 내용을 비교하며 읽는다. / 책을 읽을 때 궁금한 점은 다른 책이나 자료를 찾아 가며 읽는다.
6 ⑤ 7 ㉡, ㉢
8 체험한 일을 자세히 풀어 쓴다. / 체험할 때의 생각이나 느낌을 떠올려 체험한 일에 대한 감상을 생생하게 전하도록 쓴다. 등
9 민주 10 ②

1 우리 조상들의 가장 큰 소망은 풍년이었고, 농사가 잘 되려면 물이 가장 중요하다고 생각했습니다. 그러므로 물을 다스리는 신인 용을 기쁘게 하면 풍년이 들 거라고 믿었습니다.

2 지식이나 경험을 활용해 글을 읽으면 글 내용을 쉽게 이해할 수 있고, 글 내용에 흥미를 느낄 수도 있습니다.

> **정답 친해지기** **지식이나 경험을 활용해 글을 읽으면 좋은 점**
> - 이미 아는 내용에 새롭게 안 내용을 더하니 글 내용이 더 오래 기억됩니다.
> - 글 내용을 더 잘 이해할 수 있습니다.
> - 글 내용에 더 집중할 수 있습니다.

3 글의 앞부분에서 조선 시대 동빙고와 서빙고의 역할을 설명하고 있습니다. 동빙고에는 왕실의 제사에 쓸 얼음을 보관했고, 서빙고에는 음식 저장용, 식용, 의료용으로 쓸 얼음을 보관해 왕실과 고급 관리들에게 공급했습니다.

4 ②는 글을 읽고 짐작한 것에 해당하는 내용이고, 나머지는 글을 읽고 새롭게 안 내용들입니다.

5 글을 읽기 전에 여러 가지 질문을 떠올려 본 뒤 떠올렸던 질문을 생각하며 글을 읽는 것도 좋은 방법입니다.

> **채점 기준** '내가 아는 내용과 책 내용을 비교하며 읽는다' 등으로 제시한 답과 비슷하게 썼으면 정답으로 합니다.

6 글쓴이가 국립한글박물관에 가서 '한글 놀이터', '한글 배움터', '특별 전시실'을 관람하고 그에 대한 감상을 쓴 글입니다.

7 ㉠은 특별 전시실을 관람한 일을 쓴 것입니다.

8 체험할 때 느낀 감동을 과장하지 말고 느낀 만큼 솔직하게 씁니다.

> **채점 기준** '체험한 일을 자세히 풀어 쓴다.', '체험한 일에 대한 감상을 생생하게 전한다.' 등으로 썼으면 정답으로 합니다.

9 민주는 자신의 경험을 활용해서 글에 대한 의견을 말했고, 동호는 겪은 일에 대한 감상을 충분히 쓰는 것이 좋겠다는 의견을 말했습니다.

10 체험학습 장소를 추천할 때, 체험학습 장소를 친구들에게 설명할 때, 체험학습 활동 계획을 세울 때 경험이나 지식을 활용할 수 있습니다.

단원평가 2회 10~11쪽

1 (1) 정월 (2) 농사 2 ④
3 ④ 4 (1) 냉장고 (2) 빙고
5 예 얼음을 나누어 주는 법이 있었다니 신기하다.
6 ② 7 ⑤ 8 ②, ③
9 예 '발끝이 닿은 장소'보다는 '발길이 닿은 장소'가 더 자연스럽다.
10 예 관람 시간, 활동

1 봄기운이 시작되는 정월에 풍년을 기원하고, 줄다리기라는 큰 행사를 치르면서 마을 사람들이 마음을 한데 모아 무사히 한 해 농사를 지으려는 지혜가 담겨 있다고 했습니다.

2 윤지는 궁금한 내용을 생각하면서 글을 읽어서 글의 내용에 더 집중할 수 있었을 것입니다.

3 내가 이미 아는 내용에 새롭게 안 내용을 더하면 글 내용을 더 오래 기억할 수 있습니다.

4 냉장고는 냉기나 얼음을 인공적으로 만드는 기계 장치이지만, 빙고는 겨울에 보관해 두었던 얼음을 봄·여름·가을까지 녹지 않게 효과적으로 보관하는 냉동 창고입니다.

5 '신라 신대에 얼음 창고에 관한 일을 맡아보던 '빙고전'이라는 기관이 있었다니 신기해.' 등과 같이 새롭게 안 것을 떠올릴 수도 있고, '빙고는 얼음을 보관하는 창고라는 뜻인 것 같아.'와 같이 내용을 짐작할 수도 있습니다.

채점 기준 글의 내용에 알맞게 '알고 싶은 것', '짐작한 것', '새롭게 안 것'을 썼으면 정답으로 합니다.

6 체험한 일을 떠올리며 감상이 드러나는 글을 쓸 때에는 체험한 일을 자세히 풀어 쓰는 것이 좋습니다.

정답 친해지기 **체험과 감상이 드러나는 글을 쓰는 방법**
- 인상 깊은 체험을 중심으로 쓰되, 내용이 잘 드러나게 자세히 풀어 씁니다.
- 체험한 뒤 감상을 쓰려면 그때의 생각이나 느낌을 떠올려 봐야 합니다.
- 체험할 때 느낀 감동을 과장하지 말고 느낀 만큼 솔직하게 씁니다.

7 첫 번째 문단에는 글쓴이가 체험한 일이, 두 번째 문단에는 글쓴이가 체험한 일에 대한 감상이 나타나 있습니다.

8 함께 글을 읽고 의견을 말해 함께 고치는 활동은 경우에 따라 글을 쓴 사람이 기분 나쁠 수 있고 글을 쓴 사람의 의도와 다르게 고칠 수도 있으므로, 미리 평가표를 만들어 그에 따라 의견을 말하고 너무 심하게 비난하며 말하지 않도록 주의합니다.

정답 친해지기 **다른 사람이 쓴 글에 대한 의견을 말하는 방법**
- 글 내용에서 보충해야 할 부분을 말합니다.
- 읽는 사람의 처지에서 이해하기 쉬운 방향으로 말합니다.
- 글의 목적이 분명한지 살펴보고 말합니다.

9 다른 사람이 쓴 글을 읽고 의견을 말할 때에는 단점만 쓰지 말고 어떻게 고치면 좋을지를 함께 제시하는 것이 좋습니다.

채점 기준 내용, 조직, 표현 등에서 고칠 점을 알맞게 썼으면 정답으로 합니다.

10 현장 체험학습을 계획할 때에 활용할 수 있는 자신의 지식이나 경험을 떠올려 정해야 할 내용을 써 봅니다. 현장 체험학습도 어디까지나 학습이므로 그저 즐겁기만 한 곳이 아니라 모두가 함께 배울 수 있고 가치 있는 체험을 할 수 있는 곳이어야 함을 생각하며 적절한 장소를 생각합니다.

서술형 평가 12쪽

1 예 글 내용을 쉽게 이해할 수 있다. / 글 내용에 흥미를 느낄 수 있다. / 글 내용을 깊이 이해할 수 있다.
2 예 경주에 있는 석빙고에 간 적이 있다. 무덤처럼 생겼는데 어떻게 냉장고의 역할을 하는지 궁금했다.
3 예 석빙고 안쪽의 화강암은 고체로서 주변의 열을 전달하는 역할을 한다. / 내부 바닥 한가운데에 배수로를 경사지게 파서 얼음에서 녹은 물이 밖으로 흐르도록 했다. / 온도가 높은 공기가 위로 올라가고 온도가 낮은 공기가 밑으로 가기 때문에 석빙고의 바닥은 낮은 온도를 유지했다.
4 (1) 예 천마총 관람
(2) 예 천마가 하늘로 날아오를 것 같았다.
5 예 문장 중간중간에 감상을 넣어 주면 글쓴이가 어떻게 느꼈는지 알 수 있어서 좋을 것 같다.

1 지식이나 경험을 떠올려 읽으면 글 내용을 쉽게 이해하고, 흥미를 느낄 수 있습니다.

채점 기준	점수
제시한 답과 비슷한 답을 쓴 경우	6점

정답 친해지기 **지식이나 경험을 활용해 글을 읽으면 좋은 점**
- 글을 읽을 때 더욱 집중할 수 있습니다.
- 지식이나 경험이 더 풍부해지는 것 같아서 기분이 좋습니다.

2 자신의 지식이나 경험을 떠올리며 글을 읽고, 잘 모르는 낱말 뜻이나 글의 내용 등 알고 싶은 내용을 생각해 씁니다.

채점 기준	점수
글의 내용과 관련하여 '더 알고 싶은 것'을 쓴 경우	6점

3 배운 지식을 활용해 글을 읽으면 글을 쉽게 이해할 수 있습니다.

채점 기준	점수
과학 시간에 배운 내용을 활용해 이해한 내용을 알맞게 쓴 경우	6점

4 인상 깊은 체험을 떠올려 체험한 내용과 체험한 일에 대한 감상을 씁니다.

채점 기준	점수
체험 내용과 감상의 내용을 구별하여 잘 쓴 경우	6점

5 글 내용에 대해 보충할 부분을 말하거나 고치면 좋겠다고 생각하는 표현이 있다면 어떻게 고칠지 말해 줍니다. 이때 너무 심하게 비난하며 말하지 않도록 주의합니다.

채점 기준	점수
글을 읽고 고칠 점을 알맞게 쓴 경우	6점

수행평가 13쪽

1 열로 데워진 공기와 출입구에서 들어오는 바깥의 더운 공기가 지붕의 구멍으로 빠져나가기 때문에 등

2 (1) 예 석빙고 지붕에 구멍이 있다는 것 / 석빙고의 구조
(2) 예 다른 나라에도 석빙고와 같은 시설이 있을까?

3 예 온도가 높은 공기가 위로 올라가고 온도가 낮은 공기가 밑으로 가는 원리에 따라 석빙고의 바닥이 낮은 온도를 유지하도록 만들었다는 사실이 놀랍다.

1 석빙고는 열로 데워진 공기와 출입구에서 들어오는 바깥의 더운 공기가 지붕의 구멍으로 빠져나가기 때문에 빙실 아래의 찬 공기가 오랫동안 머물 수 있어 얼음이 적게 녹는 것입니다.

채점 기준	점수
지붕에 구멍을 뚫은 까닭을 파악하여 잘 쓴 경우	10점

2 이 글에서 석빙고에 대해 새롭게 안 것과 석빙고나 얼음을 보관하는 방법 등 궁금한 것을 각각 한 가지씩 써 봅니다.

채점 기준	점수
글의 내용과 관련한 내용을 쓴 경우	10점

3 석빙고는 온도가 높은 기체가 위로 올라간다는 성질을 이용하여 지붕에 구멍을 뚫어 내부의 온도를 차갑게 유지했습니다.

채점 기준	점수
제시된 지식을 활용하여 글을 읽고 생각한 것이나 느낀 점을 알맞게 경우	10점

3 의견을 조정하며 토의해요

단원평가 1회 14~15쪽

1 ② 2 (2) ○
3 토의를 원활하게 진행할 수 없다. / 말하는 사람들끼리 갈등이 생긴다. / 문제를 합리적으로 해결할 수 없다. 등
4 문제 5 ㉠, ㉢ 6 ①
7 ㉢ 8 ㉯
9 글을 읽는 것보다 더 쉽고 빠르게 이해할 수 있기 때문이다. 등 10 ⑤

1 두 친구가 상대 의견의 장점을 받아들이지 않고 비판하기만 하였습니다.

2 토의를 할 때에는 상대에게 예의를 지켜 말해야 하는데 상우는 상대를 무시하는 듯한 말을 하고 있습니다.

3 토의에서 의견을 조정하지 않으면 문제를 해결할 수 없고, 서로 기분만 상할 수 있습니다.

> **채점 기준** 제시된 답과 비슷한 내용을 썼으면 정답으로 합니다.

4 친구들은 토의로 해결하려는 문제가 무엇이었는지부터 정확히 파악하고 있습니다.

5 의견 실천에 필요한 조건 따지기 단계입니다.

6 아리는 '건강 달리기를 하자.'라는 의견을 뒷받침하기 위해 달리기가 건강에 효과가 있다는 자료를 제시하려고 신문 기사를 찾아보았습니다.

7 제목을 훑어 읽으면 자료 읽기에 필요한 시간과 노력을 절약할 수 있습니다. 훑어 읽기를 통해 찾은 의견을 뒷받침하는 기사는 자세히 읽어야 합니다.

8 ㉮는 자료를 찾아 읽기 쉽게 글로 요약한 것이고, ㉯는 자료를 좀 더 알기 쉽게 도표, 도형과 선, 화살표 등으로 표현한 것입니다.

9 그림이나 도표 등을 이용해 자료를 나타내면 이해하기 쉽고 기억에 오래 남을 수 있습니다.

> **채점 기준** 글을 읽는 것보다 더 쉽고 빠르게 이해할 수 있다는 내용을 썼으면 정답으로 합니다.

10 ⑤는 토의 주제를 정하기 위해 할 일입니다.

단원평가 2회 16~17쪽

1 서준　2 ⑤
3 토의 태도와 관련한 문제　4 ㉢, ㉣, ㉠, ㉡
5 의견과 발언에 집중한다. / 해결 방안을 끝까지 알아본다. / 자신의 생각을 적극적으로 표현한다. / 결정한 의견에 따른다. 등
6 ④　7 ②　8 (2) ○
9 간단히 읽을 수 있도록 요약한다. 등
10 (1) 의견 (2) 자료 등

1 그림 ❶과 ❷에서는 토의 주제와 관련 없는 근거를 들어 말하였습니다.

2 토의 과정에서 문제를 해결하는 데에 무관심한 태도를 지니는 것은 바람직하지 않습니다. 토의에 적극적으로 참여해야 합니다.

3 그림 속 장면에서는 상대를 무시하는 듯한 말을 하고, 토의 과정에 적극적으로 참여하지 않는 태도로 말을 하고 있으므로 토의 태도와 관련한 문제가 일어난 것입니다.

4 토의에서 의견을 조정하는 과정은 '문제 파악하기→의견 실천에 필요한 조건 따지기→결과 예측하기→반응 살펴보기' 차례로 정리할 수 있습니다.

5 의견을 조정할 때에는 제시된 답과 같은 태도로 참여해야 합니다.

채점 기준 제시된 답 중에서 한 가지를 썼으면 정답으로 합니다.

6 그림 ❶에서는 아무런 자료 없이 의견을 말하고 있지만 그림 ❷에서는 신문 기사를 자료로 제시하고 있습니다.

7 글은 내용을 하나하나 읽어야 하므로 눈으로 확인하기 쉽고 빠르게 이해할 수 있는 자료로 보기 어렵습니다.

8 제시된 자료는 많은 내용을 글로만 설명했기 때문에 이해하기 쉽지 않습니다.

9 많은 내용을 글로만 설명하면 읽기 어렵기 때문에 간단히 읽을 수 있도록 요약하고, 좀 더 알기 쉽도록 표나 도표 등을 활용해 표현합니다.

채점 기준 제시된 답과 비슷한 내용을 썼으면 정답으로 합니다.

10 토의를 할 때에는 의견을 조정하는 방법을 알고 있어야 하며, 토의 주제와 관련한 의견과 의견을 뒷받침하는 다양한 자료를 마련해야 합니다.

서술형평가 18쪽

1 상대에게 예의를 지켜 말해야 한다. 등
2 자료를 찾아 의견을 뒷받침했다. 등
3 (1) 공기 청정기를 설치하면 비용이 많이 들 수 있다. 등
(2) 마스크가 일회용이라 쓰레기 문제가 일어날 수 있다. 등
4 (1) 찾은 책의 차례를 살펴본다. 등
(2) 내용을 건너뛰며 읽으면서 의견을 뒷받침하는 내용을 찾는다. 등
5 중요한 내용을 요약했나요? / 설명하려는 대상을 사진이나 그림으로 잘 나타냈나요? 등

1 상우는 상대를 무시하는 듯한 말을 했습니다.

채점 기준	점수
상대에게 예의를 지키며 말해야 한다는 내용과 비슷한 내용을 쓴 경우	6점

2 친구들은 의견을 뒷받침하기 위해 신문 기사와 책과 같은 자료를 제시했습니다.

채점 기준	점수
자료를 찾아 의견을 뒷받침했다는 내용을 쓴 경우	6점

3 의견을 조정할 때에는 의견대로 실천했을 때의 결과를 예측해야 합니다.

채점 기준	점수
(1)에는 공기 청정기를 설치할 때 비용이 많이 들 수 있다는 내용을 쓰고, (2)에는 마스크가 일회용이라 쓰레기 문제가 일어날 수 있다는 내용을 쓴 경우	6점
(1)과 (2) 중 한 가지만 알맞게 쓴 경우	3점

4 주호는 책이 많아 한꺼번에 읽기 힘든 상황입니다. 차례를 보면 책의 주요 내용과 흐름을 알 수 있으므로 차례를 살펴보고 차례에 따라 건너뛰며 읽을 수 있습니다.

채점 기준	점수
(1)에는 책의 차례를 살펴본다는 내용을 쓰고, (2)에는 내용을 건너뛰며 읽으며 의견을 뒷받침하는 내용을 찾는다는 내용을 쓴 경우	6점
(1)과 (2) 중 한 가지만 알맞게 쓴 경우	3점

5 이외에도 보기 쉽게 자료를 배치했는지도 검토해야 합니다.

채점 기준	점수
제시된 답과 풀이의 내용 중 두 가지를 알맞게 쓴 경우	6점

수행평가 19쪽

1 음식물 쓰레기가 너무 많다. / 음식을 먹고 싶은 만큼 받고 싶다. 등
2 (1) 예 자율 배식을 하면 음식물 쓰레기가 줄어들 것이다.
(2) 예 자신이 먹고 싶은 만큼만 음식을 가져가기 때문에 음식물 쓰레기가 생기지 않을 것이다.
3 (1) 예 자율 배식을 하면 먹기 싫은 음식을 가져가지 않아서 남는 음식이 오히려 더 많아질 것이다.
(2) 예 식판에 음식을 받을 때 못 먹는 음식을 미리 말씀드리고 조금만 받자.

1 같은 상황이지만 한 친구는 음식물 쓰레기가 너무 많이 남는다고 생각했고, 다른 친구는 먹고 싶은 음식을 마음껏 못 받는다고 생각했습니다.

채점 기준	점수
제시된 답 중에서 한 가지를 쓴 경우	5점

2 급식 시간에 음식물 쓰레기를 줄일 수 있는 방법을 생각하여 자신의 의견과 근거를 씁니다.

채점 기준	점수
(1)에는 주제에 알맞게 자신의 의견을 쓰고, (2)에는 의견에 알맞은 근거를 쓴 경우	10점
(1)에는 의견을 알맞게 썼지만 (2)의 근거가 적절하지 않은 경우	5점

3 토의에서 의견을 조정할 때에는 자신이 제시한 의견을 실천했을 때에 나타날 수 있는 문제점을 예측하고, 자신의 의견을 조정합니다.

채점 기준	점수
(1)과 (2) 모두 2번 문제에서 답한 의견에 알맞게 결과를 예측하고, 의견을 조정하여 쓴 경우	15점
(1)과 (2) 중 한 가지만 알맞게 쓴 경우	7점

4 겪은 일을 써요

단원평가 1회 20~21쪽

1 ③ 2 수연 3 ⑤
4 ④
5 나는 책 읽기를 별로 좋아하지 않는 편이다. 등
6 ⑤ 7 ① 8 서윤
9 예 스마트폰이 없는 친구들이 있을 수 있다.
10 ⑤

1 '별로' 뒤에는 '-지 않다'와 같은 서술어가 이어져야 합니다. '문을 열어 보라고 하시는데 어머니의 표정이 별로 좋아 보이지 않았다.'와 같이 고쳐 써야 바른 문장이 됩니다.

2 높임의 대상에 따른 서술어가 잘못되었으므로 높임의 대상에 어울리는 서술어로 고쳐야 합니다.

3 글쓰기 과정에서 '내용 조직하기'는 쓸 내용을 나누는 단계로, 여자아이는 쓸 내용을 어떻게 나눌지 생각하고 있습니다.

4 '어제저녁'은 과거의 시간을 나타내는 말이므로, '나갔다'와 같이 과거에 한 행동을 나타내는 서술어와 호응합니다.

5 '별로'는 '-지 않다, -지 못하다'와 같은 부정적인 서술어 또는 '안', '못'이 꾸며 주는 서술어와 호응하는 낱말입니다.

채점 기준 제시된 답과 같이 고쳐 썼으면 정답으로 합니다.

6 ⑤ 문장은 주어와 서술어의 호응, '여간'이라는 낱말과 '~이 아니다'라는 말의 호응이 모두 알맞게 이루어진 문장입니다.

오답 피하기 **문장 성분의 호응 관계를 알맞게 고쳐 쓰기**

번호	고쳐 쓰기
①	날씨가 그다지 덥지 않다.
②	나는 게임하는 것을 별로 좋아하지 않는다.
③	나는 지호의 생각을 도저히 이해할 수 없다.
④	선생님께서는 우리에게 항상 협동을 강조하신다.

7 "괜찮아."와 같은 대화 글로 글머리를 시작하고 있습니다.

8 글을 쓴 장소와 시간이 드러날 필요는 없고, 주제와 관련한 내용으로 글을 써야 합니다.

보충 자료 글을 쓸 때 생각할 점

처음	읽는 사람이 흥미를 느낄 수 있는 제목과 글머리를 정했는지 생각합니다.
가운데	• 읽는 사람이 이해할 수 있도록 쓰는지 생각해야 합니다. • 재미있게 읽을 수 있는 방법을 찾아 쓰는지 생각해야 합니다. • 주제와 관련한 여러 가지 내용으로 쓰는지 생각해야 합니다. • 글을 조직한 대로 짜임새 있게 쓰며 문단을 나누는지 생각해야 합니다.
끝	글의 내용이 완결되고 주제가 잘 드러나는지 생각해야 합니다.

9 '단체 대화방'은 스마트폰이나 컴퓨터를 통해 의견을 주고받는 것입니다.

채점 기준 '스마트폰이 없는 친구들이 있을 수 있다.'거나 '올린 글을 빨리 보지 않으면 다시 찾기 어렵다.'거나 '정해진 시간 외에도 지나치게 자주 올려서 수업에 방해가 된다.' 등을 자유롭게 떠올려 썼으면 정답으로 합니다.

10 가, 나는 글 모음집의 표지이고, 다, 라는 글 모음집 내용입니다. 가, 다는 손으로 직접 그림을 그리고 글을 썼고, 나, 라는 컴퓨터로 글과 그림을 편집했습니다.

단원평가 2회 22~23쪽

1 (3) ○ **2** 웃어 버렸다
3 고쳐쓰기 단계로, 글을 다 쓴 뒤 글을 고쳐 쓴다. 등
4 ③, ④ **5** ④ **6** ⑤
7 ④ **8** (1) ① (2) ③ (3) ②
9 지민
10 예 그동안 학습한 내용을 정리하고 발표할 수 있는 기회를 가지기 위해서이다. / 글쓰기 능력을 향상하기 위해서이다.

1 높임의 대상에 따른 서술어가 잘못된 문장이므로 '그때 안방에서 아버지께서 부르셨다.'와 같이 고쳐야 합니다.

2 '웃어 버렸다'에 대한 주어가 잘못된 문장이므로 주어 '웃음이'를 '나는'으로 고쳐 써야 합니다.

3 글쓰기 과정에서 '고쳐쓰기'는 글을 고치는 단계로, 여자아이는 글의 어떤 부분을 어떻게 고칠지 생각하고 있습니다.

채점 기준 제시된 답과 같은 내용을 썼으면 정답으로 합니다.

4 밑줄 그은 '할아버지께서는'은 높임의 대상을 나타내는 말로, 이 말에 호응하지 않는 말인 '밥을'과 '먹고'를 각각 '진지를'과 '잡수시고, 드시고' 등으로 고쳐 써야 합니다.

5 '그다지', '결코', '별로', '전혀'와 같은 낱말은 '-지 않다, -지 못하다'와 같은 부정적인 서술어 또는 '안', '못'이 꾸며 주는 서술어와 호응합니다.

오답 피하기 문장 성분의 호응 관계 살펴보기

번호	낱말	호응하는 서술어
①	그다지	~지 않다.
②	결코	~한 적이 없다.
③	별로	~ 편은 아니다.
⑤	전혀	~ 없는 사람이다.

6 '내일'이라는 시간을 나타내는 말은 '갈 것이다'라는 서술어와 호응합니다.

7 글로 표현하기에 좋은 경험이나 생각은 주제가 잘 드러나고 내용을 자세히 풀어 쓸 수 있으며 글을 읽는 사람이 흥미를 느낄 만한 것입니다.

8 (1)은 인물 설명으로 시작한 글머리이고, (2)는 '꼼지락꼼지락'이라는 의태어로 시작한 글머리입니다. (3)은 "가는 날이 장날"이라는 속담으로 시작한 글머리입니다.

9 글을 고쳐 쓸 때에는 처음에 썼던 글을 복사해서 붙인 뒤 고쳐 쓸 부분을 찾아 고치고 저장해야 합니다.

10 이밖에도 글 모음집을 만들면 스스로 자신의 생활과 글을 돌아볼 수도 있습니다.

채점 기준 제시된 답과 같이 글 모음집을 만드는 까닭을 각자 떠올려 썼으면 정답으로 합니다.

서술형 평가 24쪽

1 '키가 자랐다'와 '몸무게가 늘었다'처럼 주어와 호응하는 서술어가 다르다. 등
2 문장 성분의 호응이 바르게 이루어지도록 글을 써야 문장의 뜻을 바르게 이해할 수 있기 때문이다. 등
3 '별로, 전혀, 결코'와 같은 낱말과 서술어가 어울리지 않기 때문이다. 등
4 (1) 나는 책 읽기를 별로 좋아하지 않는 편이다. 등
(2) 선생님 말씀은 전혀 들어 보지 못한 내용이었다. 등
(3) 나는 친구가 거짓말을 한 것이 결코 바른 행동이 아니라고 생각한다. 등
5 (1) 예 대화 글로 시작하기
(2) 예 "주찬아, 그만하고 나와."
금방 게임을 시작했는데 엄마께서는 또 화가 난 목소리로 부르신다.
6 제목, 들어갈 내용과 차례, 분량, 읽을 사람 등을 정해야 한다. 등

1 키는 자라는 것이고 몸무게는 느는 것입니다.

채점 기준	점수
제시된 답과 비슷한 내용을 쓴 경우	5점

2 문장 성분의 호응이 바르게 이루어지지 않은 글을 보면 어떤지 떠올려 봅니다.

채점 기준	점수
제시된 답과 비슷한 내용을 쓴 경우	5점

3 '별로, 전혀, 결코'와 같은 낱말은 '–지 않다, –지 못하다'와 같은 부정적인 서술어 또는 '안', '못'이 꾸며 주는 서술어와 호응합니다.

채점 기준	점수
제시된 답과 비슷한 내용을 쓴 경우	5점

4 서술어를 고쳐 써 호응이 자연스러운 문장을 만듭니다.

채점 기준	점수
(1)~(3) 모두 제시된 답과 같이 알맞게 쓴 경우	5점
(1)~(3) 중 두 가지만 알맞게 쓴 경우	3점
(1)~(3) 중 한 가지만 알맞게 쓴 경우	1점

5 자신이 고른 방법에 맞게 글머리를 씁니다.

채점 기준	점수
(1)에는 자신이 쓰고 싶은 방법을 골라 쓰고, (2)에는 그 방법에 알맞게 글머리를 쓴 경우	5점

6 제시된 답 외에도 글의 종류, 만드는 목적, 펴낼 시기, 만드는 방법 등을 정해야 하고 필요한 역할도 정해야 합니다.

채점 기준	점수
제시된 답과 풀이의 내용 중 세 가지 이상을 쓴 경우	5점

수행 평가 25쪽

1 (1) 내용 생성하기 (2) 내용 조직하기
(3) 표현하기 (4) 고쳐쓰기
2 (1) 예 놀이공원으로 떠나는 가족 여행
(2) 예 집안일에 힘들어 하시는 어머니
(3) 예 친구들과 함께 축구한 일
(4) 예 현장체험 학습에서 친구들과 도자기를 만든 일
3 (1) 예 퇴근하고 오신 어머니께서 잔뜩 쌓인 설거지를 하시며 힘들어 하시는 모습을 보았다.
(2) 예 다음 날 학교에 갔다 와서 스스로 집안 청소를 했다. / 어머니께서 퇴근하고 오셔서 깨끗해진 집을 보고 깜짝 놀라셨다.
(3) 예 앞으로 집안일을 자주 도와 드려야겠다고 생각했다.

1 겪은 일을 글로 쓸 때에는 글쓰기 계획을 세워 쓸 내용을 생성하고 조직한 뒤, 글로 표현하고 쓴 내용을 고쳐 씁니다.

채점 기준	점수
(1)~(4) 모두 제시된 답과 같은 차례로 쓴 경우	5점

2 가족과 있었던 일과 우정과 관련한 일 중에서 기억에 남는 일을 떠올려 씁니다.

채점 기준	점수
(1)과 (2)에는 가족과 있었던 일을 떠올려 쓰고, (3)과 (4)에는 우정과 관련한 일을 떠올려 쓴 경우	10점
(1)~(4) 중 세 가지만 알맞게 쓴 경우	7점
(1)~(4) 중 두 가지만 알맞게 쓴 경우	5점
(1)~(4) 중 한 가지만 알맞게 쓴 경우	2점

3 '처음 – 가운데 – 끝'에 들어갈 알맞은 내용을 조직합니다.

채점 기준	점수
자신이 선택한 겪은 일을 '처음–가운데–끝부분'으로 알맞게 조직해서 쓴 경우	15점
(1)~(3) 중 두 가지만 알맞게 쓴 경우	10점
(1)~(3) 중 한 가지만 알맞게 쓴 경우	5점

5 여러 가지 매체 자료

단원평가 1회 26~27쪽

1 (1) ② (2) ① 2 ④ 3 인터넷

4 (1) ○

5 예 영상 매체 자료는 장면 표현, 효과음과 같은 다양한 표현 방법을 활용하므로 이러한 표현 방법에 주의를 기울이며 감상해야 한다.

6 ④, ⑤ 7 흑설 공주, 민서영 / 서영이

8 ③

9 다른 사람의 말이 끝나기 전에 끼어들지 않는다. / 이야깃거리와 관련 있는 내용을 말한다. 등

10 (1) ○ (2) ○

1 ㉮는 신문으로 인쇄 매체 자료에 해당하고, ㉯는 텔레비전 영상물로 영상 매체 자료에 해당합니다.

2 ㉮와 같은 인쇄 매체 자료의 내용을 잘 이해하려면 글과 사진을 함께 보며 읽어야 합니다.

3 인터넷 매체 자료는 인쇄 매체 자료와 영상 매체 자료에서 사용하는 방식(글, 그림, 사진, 영상)을 모두 활용해 내용을 전달한다는 특징이 있습니다.

4 이 장면에서는 주인공이 밤새도록 환자를 치료하는 상황을 표현하려고 치료 장면을 연달아 보여 주었습니다.

5 영상 매체 자료를 볼 때에는 장면 표현과 효과음 따위에 주의를 기울여야 합니다.

> **채점 기준** 장면 표현, 효과음 등에 주의하며 읽는다는 내용을 썼으면 정답으로 합니다.

6 ④, ⑤는 영상 매체에서 찾은 자료를 알맞은 방법으로 읽은 것입니다.

> **오답 피하기**
> ①, ② 인쇄 매체 자료는 글로 표현한 내용을 머릿속으로 떠올리며 꼼꼼히 읽어야 합니다.
> ③ 인터넷 매체 자료는 글, 사진과 같은 시각 자료와 영상에 담긴 정보를 함께 살펴보며 읽어야 합니다.

7 흑설 공주가 핑공 카페에 민서영과 관련한 거짓 글을 올리면서 일어난 이야기를 그리고 있습니다.

8 아이들은 서영이의 글을 읽고 저마다 다른 의견을 말했습니다.

9 이밖에 친구의 말을 무시하거나 친구의 말에 기분 나쁘게 대꾸하지 않고, 혼자 너무 길게 말하지 않는다는 답을 할 수 있습니다.

> **채점 기준** 대화할 때 지켜야 하는 예절을 알맞게 썼으면 정답으로 합니다.

10 (3)은 인물에 대해 매체에서 조사하는 방법과 조사하는 내용 모두 알맞지 않습니다.

단원평가 2회 28~29쪽

1 지우 2 ⑤

3 (1) 영화 (2) 누리 소통망[SNS]

4 (1) ○

5 뇌물을 주는 인물이 사건을 일으킨다는 것을 나타내기 위해서이다. 등

6 ③ 7 인터넷 카페(핑공 카페)

8 ③ 9 (2) ○

10 예 백범 김구 선생에 대해 알리고 싶다. 우리나라의 독립을 위해 백범 김구 선생이 한 일과 그의 삶을 여러 사람에게 알려 주고 싶기 때문이다.

1 ㉮와 같은 영상 매체 자료는 장면과 어우러지는 음악이나 장면을 연출한 기법의 의미를 생각하며 읽어야 합니다.

2 ㉯는 인터넷 매체 자료로, 인쇄 매체 자료와 영상 매체 자료에서 사용하는 방식을 모두 활용해 정보를 전달합니다.

3 ㉮는 영상 매체 자료로 '영화'와 성격이 비슷하고, ㉯는 인터넷 매체 자료로 '누리 소통망[SNS]'과 성격이 비슷합니다.

4 이 장면에서 비장한 느낌의 음악을 사용하면 인물의 희생적인 태도가 강조될 것입니다.

5 사건을 일으키는 인물이라는 것을 보여 주려고 카메라가 가까이 다가간 것입니다.

> **채점 기준** 인물이 사건을 일으킨다는 것을 나타내기 위해서라는 내용과 비슷하게 썼으면 정답으로 합니다.

6 민찬이가 자료를 찾아 읽은 방법은 인쇄 매체 자료를 읽기에 알맞습니다.

7 '핑공 카페'라는 인터넷 카페에 흑설 공주가 서영이와 관련한 거짓 글을 올렸고, 이에 서영이가 반박 글을 올리면서 이야기가 전개되고 있습니다.

8 서영이가 흑설 공주의 글에 대한 반박 글을 올리자 카페 가입자들이 흑설 공주를 비난했습니다.

9 인물들이 이야기를 나누는 공간, 인물들이 나눈 이야기의 내용과 관련한 경험을 찾아봅니다.

10 여러 사람에게 알리고 싶은 인물을 한 명 고르고, 그 인물을 알리고 싶은 까닭을 정리하여 써 봅니다.

채점 기준 매체에서 조사하여 여러 사람에게 알리고 싶은 인물과 그 인물을 알리고 싶은 까닭을 알맞게 썼으면 정답으로 합니다.

서술형 평가 30쪽

1 (1) 글, 그림, 사진 등을 사용한다. 등 (2) 글, 그림, 사진이 주는 시각 정보를 잘 살펴본다. 등

2 인물이 주위를 두리번거리는 모습을 가까이 보여 준다. 등

3 (1) 예 정약용 (2) 예 정약용에 대한 기록 영화 (3) 예 항상 곁에 필기도구를 두고 깨달음이 있을 때마다 기록을 했다.

4 부정확한 내용을 근거로 누군가를 공격하는 현상을 다루었기 때문이다. 등

5 상대가 보이지 않더라도 예의를 갖추어 대화한다. 등

1 신문과 같은 인쇄 매체 자료는 글, 그림, 사진을 사용해 정보를 전달하므로 이 부분에 주의하며 읽어야 합니다.

채점 기준	점수
(1)에는 인쇄 매체 자료의 정보 전달 방법을, (2)에는 인쇄 매체 자료를 읽는 방법을 모두 알맞게 쓴 경우	6점
(1)과 (2) 가운데 한 가지만 알맞게 쓴 경우	3점

2 인물이 이상한 낌새를 느끼는 상황을 잘 표현할 수 있는 장면 표현이나 효과음 등을 떠올려 봅니다.

채점 기준	점수
인물이 무엇인가 이상하다고 느끼는 상황을 잘 표현할 수 있는 연출 기법을 알맞게 쓴 경우	6점

3 매체 자료의 종류에 알맞은 읽기 방법으로 인물에 대한 자료를 읽고 내용을 정리해 봅니다.

채점 기준	점수
(1)~(3)의 내용을 모두 알맞게 쓴 경우	6점
(1)~(3) 가운데 두 가지만 알맞게 쓴 경우	3점

4 '마녀사냥'은 15세기 이후 이교도를 박해하는 수단으로 쓰였던 방법인데, 요즘에는 뜻이 다른 사람을 따돌리는 현상에 '마녀사냥'이라는 표현을 쓰기도 합니다.

채점 기준	점수
이야기의 제목이 '마녀사냥'인 까닭을 이야기 내용과 관련지어 알맞게 쓴 경우	6점

5 인터넷 카페는 인터넷 매체로, 이름과 얼굴을 모르는 수많은 사람들이 글을 올리는 공간이므로 더욱 예의를 지켜야 하고, 정보를 찾을 때에는 거짓된 내용이 없는지 꼼꼼하게 따져 봐야 합니다.

채점 기준	점수
인터넷 매체인 인터넷 카페를 바르게 이용하는 방법을 알맞게 쓴 경우	6점

수행 평가 31쪽

1 (1) 예 허준 (2) 예 허준의 가치관, 허준이 이룬 업적

2 (1) 예 허준의 위인전을 찾아 읽는다. / 허준을 소개한 자료를 인터넷으로 조사한다.
(2) 예 허준의 위인전을 읽으면 허준의 가치관과 업적을 자세하게 알 수 있다. / 인터넷을 활용하면 허준에 대한 자료를 쉽고 빠르게 찾을 수 있다.

3 (1) 예 인물에 대한 정보를 정확하고 자세하게 알 수 있다.
(2) 예 책을 끝까지 읽으려면 시간이 오래 걸린다.
(3) 예 인물의 이야기를 쉽게 이해할 수 있고 흥미를 느낄 수 있다.
(4) 예 인물의 이야기가 사실이 아닌 꾸며 낸 것일 수도 있다.
(5) 예 글, 사진, 영상 등의 정보를 쉽고 빠르게 찾을 수 있다.
(6) 예 올라온 정보가 잘못된 것일 수 있고, 다른 사람이 올린 자료를 함부로 사용하면 저작권을 침해할 수 있다.

1 여러 사람에게 알리고 싶은 인물을 떠올려 보고, 인물에 대해 소개하고 싶은 점을 정리해 봅니다.

채점 기준	점수
(1)에는 알리고 싶은 인물을, (2)에는 인물에 대해 소개하고 싶은 점을 모두 알맞게 쓴 경우	5점

2 인쇄 매체 자료, 영상 매체 자료, 인터넷 매체 자료의 특성을 생각하여 인물에 대한 자료를 찾는 데 가장 적절한 매체를 고릅니다.

채점 기준	점수
(1)에는 인물에 대한 자료를 찾을 때 활용할 매체를, (2)에는 그 매체를 고른 까닭을 알맞게 쓴 경우	10점
(1)은 알맞게 썼으나 (2)에 그 매체를 고른 까닭은 미흡하게 쓴 경우	5점

3 인쇄 매체 자료(책)는 정확하고 자세하게 정보를 알 수 있지만 다 읽으려면 시간이 많이 필요합니다. 영상 매체 자료(연속극, 영화)는 흥미롭게 접근할 수 있지만 사실이 아닌 꾸며진 내용일 수 있습니다. 인터넷 매체 자료(누리집)는 정보를 쉽고 빠르게 찾을 수 있지만 정보의 옳고 그름을 판단하는 능력이 필요합니다.

채점 기준	점수
(1)~(6)의 내용을 모두 알맞게 쓴 경우	15점
(1)~(6) 가운데 서너 가지만 알맞게 쓴 경우	10점
(1)~(6) 가운데 한두 가지만 알맞게 쓴 경우	5점

6 타당성을 생각하며 토론해요

단원평가 1회 32~33쪽

1 ④ **2** ㉡ **3** 근거
4 (1) 직업 (2) 유행
5 예 ㉡이 더 믿을 만한 근거 자료이다. 해당 분야 전문가의 말이기 때문이다.
6 ① **7** 주장 펼치기 **8** ①, ③
9 예 인공 지능 시대에 사람의 가치는 낮아질 것인가. **10** 희영

1 지후와 수아는 학교에서 인사말을 "착한 사람이 되겠습니다."라고 하는 문제에 대해 대화를 나누고 있습니다.

2 지후처럼 자신의 의견을 주장하려고 상대의 기분을 상하게 하면 문제를 해결하기보다 서로 다투게 될 것입니다.

3 자신의 의견을 주장할 때에는 타당한 근거를 들어 말해야 합니다.

> **정답 친해지기** **타당한 근거를 들어 말하면 얻을 수 있는 효과**
> • 서로 근거를 대며 자신의 의견을 나눌 수 있습니다.
> • 상대의 주장과 그 근거가 옳은지 따져 가며 문제 해결 방법을 찾아볼 수 있습니다.

4 이 글에서 글쓴이가 반복하여 강조하고 있는 주장은 무엇인지 찾아봅니다.

5 글쓴이는 자신의 주장을 뒷받침하기 위해 면담 자료를 사용했습니다. 글 ㉮에서는 학생을 면담한 자료를, 글 ㉯에서는 직업 평론가와 면담한 자료를 제시하였습니다. ㉠, ㉡의 면담 자료 모두 주장을 뒷받침하는 내용이기는 하나, ㉡의 면담 대상이 해당 분야의 전문가이므로 좀 더 믿을 만합니다.

> **채점 기준** ㉡이 더 믿을 만한 근거 자료라는 것과 그 까닭을 모두 알맞게 썼으면 정답으로 합니다.

6 찬성편은 같은 지역 초등학교를 대상으로 설문한 조사 결과를, 반대편은 한 매체에서 설문 조사를 한 자료를 제시했습니다.

7 찬성편과 반대편이 각각 토론 주제에 대한 주장을 펼치고 있습니다.

8 주장 펼치기 절차에서는 근거를 들어 주장을 펼치고, 근거와 관련한 구체적인 자료를 제시합니다.

> **오답 피하기**
> ②, ⑤ 반론하기 절차에서 하는 일입니다.
> ④ 주장 다지기 절차에서 하는 일입니다.

9 이 시의 주제는 '사람보다 기계를 더 믿는 세상'입니다. 시의 주제와 관련해 이야기해 볼 만한 토론 주제를 생각해 봅니다.

> **채점 기준** 이 시의 주제인 '사람보다 기계를 더 믿는 세상'과 관련 있는 토론 주제를 썼으면 정답으로 합니다.

10 희영이는 시의 주제를 잘못 이해하고 토론 주제에 맞지 않는 자신의 경험을 말했습니다.

단원평가 2회 34~35쪽

1 지아 2 부정적 3 ㉡
4 ④
5 조사 범위가 적절하지 않아 전체 초등학생의 희망 직업을 대표한다고 보기가 어렵다. 등
6 ⑤ 7 (1) 여러 학생 (2) 학급 임원
8 ②
9 예 아버지께서 운전하실 때 아는 길로 안 가시고, 자동차 길 도우미가 안내한 길을 따라 가신 적이 있다. 10 ⑤

1 학교 운동장을 외부인에게 개방하는 문제에 대해 지아는 부정적인 입장이고, 선생님은 긍정적인 입장입니다.

2 수아는 새로운 인사말이 어색한 까닭을 적절한 근거를 들어 말하고 있습니다.

3 ㉡과 같이 자신의 의견을 근거를 들어 말해야 상대의 주장과 그 근거가 옳은지 따져 가며 문제 해결 방법을 찾아볼 수 있습니다.

4 '우리 반 친구들이 희망하는 직업' 설문 조사 자료의 조사 대상은 글쓴이의 반 친구들입니다.

5 근거 자료의 평가 기준인 '자료가 믿을 만한지, 출처가 정확한지, 조사 범위가 적절한지, 주장을 뒷받침하는지' 등을 생각하며 설문 조사 자료를 평가합니다.

채점 기준 설문 조사의 대상이나 범위에 대한 내용을 썼으면 정답으로 합니다.

6 찬성편은 반대편에서 제기한 반론을 반박하려고 학급 임원을 뽑는 기준에 문제가 있다면 그 문제를 해결하면 된다고 말했습니다.

7 반대편의 발언에서 찾아봅니다.

8 토론 주제를 정한 뒤에는 주제에 대한 토론 참여자의 입장을 정해야 합니다.

9 사람보다 기계를 더 믿는 것을 보거나 직접 경험한 적이 있는지 떠올려 봅니다.

채점 기준 이 시와 비슷한 경험을 떠올려 알맞게 썼으면 정답으로 합니다.

10 시의 주제를 바르게 이해하고 토론 주제에 알맞은 의견과 까닭을 말해야 합니다.

서술형평가 36쪽

1 예 쓰레기통 주변에 버려진 쓰레기가 너무 많아서 쓰레기통을 없애는 것이 나을지에 대해 의견이 나뉘는 경우
2 설문 조사 자료와 면담 자료이다. 등
3 (1) 예 조사 범위가 적절한지 확인한다. (2) 예 해당 분야 전문가를 면담한 것인지 따져 본다.
4 상대편이 제시한 주장과 근거 자료가 타당하지 않다는 것 / 자기편의 주장이 더 타당하다는 것 등
5 예 글을 더 깊게 이해할 수 있다.

1 주변에서 일어난 일들을 보고 '왜 이런 일이 생겼을까?', '이것을 바꿀 수는 없을까?'라고 생각해 봐야 토론이 이루어질 수 있습니다.

채점 기준	점수
일상생활에서 토론이 필요한 경우를 알맞게 쓴 경우	6점

2 글쓴이는 자신의 주장을 뒷받침하기 위해 가에서는 설문 조사 자료를, 나에서는 직업 평론가 ○○○ 씨와 면담한 자료를 제시했습니다.

채점 기준	점수
설문 조사 자료와 면담 자료 모두 쓴 경우	6점

3 설문 자료를 평가할 때에는 자료가 믿을 만한지, 출처가 정확한지, 조사 범위가 적절한지 등을 생각하고, 면담 자료를 평가할 때에는 자료가 주장을 잘 뒷받침하는지, 해당 분야의 전문가를 면담한 것인지 등을 따져 봅니다.

채점 기준	점수
(1), (2)의 내용을 모두 알맞게 쓴 경우	6점
(1), (2) 가운데 한 가지만 알맞게 쓴 경우	3점

4 반론하기 절차에서는 상대편의 주장과 근거가 타당하지 않다는 것을 밝히기 위해 서로 질문을 합니다.

채점 기준	점수
상대편이 제시한 주장과 근거 자료가 타당하지 않다는 것과 자기편의 주장이 더 타당하다는 것을 얻고자 했다는 내용을 모두 알맞게 쓴 경우	6점
제시된 답 가운데 한 가지만 알맞게 쓴 경우	3점

5 이밖에 '더 다양한 관점에서 글을 이해할 수 있다.' 등의 답을 할 수 있습니다.

채점 기준	점수
독서 토론을 하면 좋은 점을 알맞게 쓴 경우	6점

수행평가 37쪽

1 예 학교 운동장을 외부인에게 개방해야 한다.

2 (1) 예 학교 운동장을 외부인에게 개방하는 것에 찬성한다. / 학교 운동장을 외부인에게 개방하는 것에 반대한다.

(2) 예 학교는 국가에서 만든 공공시설이기 때문에 주민의 편의를 위해 개방해야 한다. / 학교를 외부인에게 개방하면 학교의 주인인 학생이 학교 시설을 마음껏 사용하지 못한다.

3 (1) 예 학교 운동장을 개방하면 학교에 쓰레기가 많아질 것이다. / 학교 운동장을 개방하지 않으면 지역 사람들이 운동할 공간이 없다.

(2) 예 학교 시설을 아껴 쓰고 쓰레기를 버리지 않을 것을 약속하면 된다. / 지역 사람들이 아무 때나 학교에 들어온다면 범죄 위험이 높아지기 때문에 학생들이 더 큰 피해를 입을 수 있다.

1 제시된 대화 상황은 학교 운동장을 외부인에게 개방한 뒤에 쓰레기가 많아져서 학생들이 불편을 겪는 모습을 보여 줍니다.

채점 기준	점수
학교 운동장을 외부인에게 개방하는 문제와 관련한 토론 주제를 쓴 경우	10점

2 학교 운동장을 외부인에게 개방하는 문제에 대해 자신은 어떻게 생각하는지 찬성 또는 반대의 입장을 정합니다. 그리고 정한 입장에 알맞은 주장과 근거를 생각해 봅니다.

채점 기준	점수
토론 주제에 대한 자신의 주장과 그에 대한 근거를 모두 알맞게 쓴 경우	10점
토론 주제에 대한 자신의 주장은 알맞게 썼으나 그에 대한 근거는 미흡하게 쓴 경우	5점

3 토론 주제에 대한 찬성 또는 반대 의견에 따라 상대편이 펼칠 것으로 예상되는 반론과 그에 대한 우리 편의 반박을 생각해 봅니다. 주장을 할 때에는 반드시 타당한 근거를 함께 제시해야 합니다.

채점 기준	점수
우리 편의 주장과 관련해 상대편이 펼칠 것으로 예상되는 반론과 그에 대한 우리 편의 반박을 모두 알맞게 쓴 경우	10점
우리 편의 주장과 관련해 상대편이 펼칠 것으로 예상되는 반론은 알맞게 썼으나 그에 대한 우리 편의 반박은 미흡하게 쓴 경우	5점

7 중요한 내용을 요약해요

단원평가 1회 38~39쪽

1 낱말의 뜻을 제대로 짐작하지 못해서 글의 내용을 잘 이해할 수 없다. 등

2 (1) ③ (2) ① (3) ② **3** ③

4 ②

5 긴장을 했을 때 삼키는 침 등

6 ㉡ **7** (1) ○ **8** ③

9 ②

10 예 주제에 대한 특징을 나열하는(늘어놓는) 방법으로 소개했다.

1 낱말의 뜻을 제대로 짐작하고 정확히 알아보아야 글의 내용을 잘 이해할 수 있게 됩니다.

> **채점 기준** 낱말의 뜻을 제대로 짐작하지 못한 것을 알고 생길 문제를 알맞게 썼으면 정답으로 합니다.

2 낱말의 앞뒤 내용을 살펴보거나, 이미 아는 친숙한 낱말로 바꾸었을 때 문장의 뜻이 자연스러운지 생각해 볼 수도 있습니다.

3 낱말을 건너뛰고 글을 읽으면 글의 내용을 이해하기 어려워집니다.

4 집으로 돌아오는 내내 '나'는 줄곧 숙제 생각만 하며 '진짜 잘 써야 하는데!'라고 생각했습니다.

5 '마른침'이라는 낱말이 나온 앞부분 상황을 보면, 켈러 선생님께서 내일까지 숙제를 해 오라고 호통을 치시고 있고, 그 상황에서 긴장감이 느껴집니다.

6 ㉠은 글이 너무 짧아서 중요한 내용이 드러나 있지 않습니다.

> **정답 친해지기** **글을 요약하는 방법**
> - 글을 짧게 간추립니다.
> - 사소한 내용은 삭제하고 중요한 내용만 간추립니다.
> - 글에서 중요한 내용을 이해할 수 있게 간추립니다.

7 글을 요약할 때는 사소한 부분을 삭제하여 중요한 내용이 잘 드러나게 간추려야 합니다.

8 글의 내용을 그대로 옮겨 쓰는 것이 아니라 정리해 요약해야 합니다.

9 이 글에서는 한지의 다양한 쓰임새를 설명하고 있습니다.

10 한지의 쓰임새를 나열하는(늘어놓는) 방법으로 내용을 소개하고 있습니다.

> **채점 기준** 한지의 쓰임새를 나열하여 소개한 것을 알고 알맞은 내용을 썼으면 정답으로 합니다.

단원평가 2회 40~41쪽

1 ㉢ **2** ③ **3** (1) ② (2) ①
4 ⑤
5 (1) 골똘히 생각하다. 등
(2) 낱말의 앞부분에 선생님께서 자신이 겪은 일을 써 오라고 했는데, 낱말의 뒷부분에 주제가 하나도 떠오르지 않았다는 상황이 나왔기 때문이다. 등
6 ⑤ **7** ④, ⑤ **8** 중요한 내용
9 ①
10 예 한지를 만드는 과정을 시간의 순서에 따라 설명하는 글이므로 알맞은 틀을 그려 내용을 정리한 뒤, 정리한 내용을 바탕으로 하여 중요한 내용이 잘 드러나게 간결한 문장으로 쓴다.

1 낱말의 앞뒤 내용을 자세히 살펴보면 낱말의 뜻을 짐작할 수 있습니다.

2 '뜬금없는'과 바꾸어 써도 문장의 뜻이 자연스러운 낱말을 찾아봅니다.

3 그림의 내용과 낱말이 쓰인 문장을 살펴 낱말의 뜻을 짐작하여 봅니다.

4 켈러 선생님은 퍼트리샤에게 글쓰기에서 자신의 진실한 감정이 담긴 글을 쓰는 것이 중요하다고 말씀하셨습니다.

5 낱말과 비슷한 뜻의 낱말을 떠올려 보거나 낱말의 앞뒤 상황을 살펴 뜻을 짐작해 볼 수 있습니다.

> **채점 기준** 낱말의 뜻을 짐작하는 방법에 맞게 '쥐어짜도'의 뜻을 잘 짐작하고 그렇게 짐작한 까닭도 잘 썼으면 정답으로 합니다.

6 글을 읽고 요약하는 까닭은 주어진 글의 내용을 잘 이해하고, 주어진 글의 중심 내용을 잘 파악하기 위해서입니다.

7 이 밖에도 '글을 짧게 간추렸는가?' 등을 평가 기준으로 세울 수 있습니다.

8 글의 내용에 알맞은 글의 구조 틀을 떠올려 정리하면 글의 중요한 내용을 한눈에 파악할 수 있어 글의 핵심 내용을 잘 이해할 수 있습니다.

9 한지를 만드는 과정을 순서에 맞게 차례대로 설명하고 있습니다.

10 글의 구조를 파악하여 중심 내용을 찾아 간결하게 정리하도록 합니다.

> **채점 기준** 시간의 순서에 따라 설명한 글임을 알고 요약하는 방법을 알맞게 썼으면 정답으로 합니다.

서술형평가 42쪽

1 (1) 마음이 가라앉지 않고 흥분되다. 등
(2) 낱말의 앞부분에 퍼트리샤가 기말 과제를 칭찬 받은 상황이 나왔기 때문이다. 등
2 (1) 도토리 같은 열매 열 개 이상을 볼주머니에 잠시 저장해 먹이를 나른다. 등
(2) 먹이를 볼주머니에 잠시 저장해 안전한 장소로 이동해서 먹는다. 등
3 바느질 도구를 넣는 상자 등
4 방 안 온도와 습도를 조절하는 데 사용하고, 안경집, 벼룻집, 갓집, 반짇고리 따위의 생활용품을 만들 때 사용된다. 등
5 예 조선의 건국 과정은 고려 말 신진 사대부들이 개혁으로 경제적 기반을 마련하고 농민 생활을 안정시키는 것으로 시작되었다. 그리고 이성계를 비롯한 신흥 무인 세력들과 신진 사대부들이 위화도 회군으로 권력을 잡았다. 이후에 정몽주처럼 새 왕조 수립을 반대한 세력을 제거하고, 토지 제도 개혁을 마무리하였다. 그리하여 1392년 이성계가 왕위에 올라 조선을 세웠다.

1 낱말의 뜻을 짐작하며 글을 읽으려면 뜻을 잘 모르는 낱말의 앞뒤 상황을 살펴보거나 해당 낱말의 뜻과 비슷하거나 반대인 낱말을 대신 넣어 볼 수도 있습니다.

채점 기준	점수
'들떠'의 뜻을 바르게 짐작하여 쓰고, 그렇게 짐작한 까닭을 낱말의 뜻을 짐작하는 방법에 맞게 쓴 경우	6점
(1)과 (2) 중 한 가지만 바르게 쓴 경우	3점

2 중심 낱말을 이용해 알맞은 글의 구조 틀을 떠올려 정리합니다.

채점 기준	점수
다람쥐와 원숭이의 볼주머니에 대한 중요한 내용을 중심으로 잘 요약하여 쓴 경우	6점
(1)과 (2) 중 한 가지만 바르게 쓴 경우	3점

3 낱말의 앞부분에 나오는 '바느질 도구 넣는'이라는 말을 통해 뜻을 짐작할 수 있습니다.

채점 기준	점수
글에서 쓰인 '반짇고리'의 뜻을 잘 짐작하여 쓴 경우	6점

4 한지의 쓰임새를 정리하여 중요한 내용이 잘 드러나도록 간결한 문장으로 씁니다.

채점 기준	점수
한지의 쓰임새를 중요한 내용을 중심으로 잘 요약하여 쓴 경우	6점
한지의 쓰임새를 요약하였으나 다소 중요한 내용이 빠진 경우	3점

5 알맞은 글을 골라 글의 구조를 생각하며 요약하는 방법을 적용해 요약하여 씁니다.

채점 기준	점수
사회나 과학 교과서의 글을 중요한 내용을 중심으로 잘 요약하여 쓴 경우	6점

수행평가 43쪽

1 예 한지를 만드는 과정을 설명하는 글이다.
2 시간의 순서에 따라 (차례대로) 소개했다. 등
3 예 한지를 만드는 과정은 먼저, 닥나무를 베어다 쪄서 겉껍질을 긁어내어 보드라운 속껍질만 모은다. 속껍질을 삶고 씻어서 나무판 위에 올려놓고 찧는다. 그리고 풀어진 속껍질을 물에 넣어 젓고, 거기에 닥풀을 넣어 다시 젓는다. 엉겨 붙은 속껍질을 물에서 떠내 한 장씩 쌓아 누른 다음, 그것을 한 장씩 떼어 판판하게 말리면 한지가 완성된다.

1 이 글은 한지를 만드는 과정을 차례대로 설명한 글입니다.

채점 기준	점수
한지를 만드는 과정이라는 내용이 들어가게 쓴 경우	5점

2 이 글은 한지를 만드는 과정을 시간의 순서대로 설명하고 있습니다.

채점 기준	점수
한지를 만드는 과정을 차례대로 설명한 것을 알고 '시간의 순서'나 '차례대로'라고 쓴 경우	5점

3 글을 요약할 때에는 중요한 내용이 잘 드러나게 요약해 씁니다. 요약한 글을 읽었을 때 중요한 내용을 한눈에 파악할 수 있게 핵심 내용을 잘 요약해야 합니다.

채점 기준	점수
한지를 만드는 과정의 순서대로 중요한 내용을 중심으로 잘 요약하여 쓴 경우	20점
한지를 만드는 과정을 요약하였으나 다소 중요한 내용이 빠진 경우	10점

8 우리말 지킴이

단원평가 1회 44~45쪽

1 ⑤
2 (1) 예 북적북적 서점
(2) 예 한마음 꽃집
(3) 예 독특한 반려동물 가게
3 예 줄임 말은 원래의 뜻을 알지 못하는 사람에게 뜻이 통하지 않을 수 있다.
4 우리말이 있는데도 영어를 사용하는 예
5 ③ **6** ⑤ **7** ①
8 ㉠, ㉢ **9** ④
10 예 줄임 말을 사용하지 말자.

1 바꾸어 쓸 수 있는 우리말이 있는데도 외국어를 사용한 간판들입니다.

2 같은 뜻을 지닌 우리말을 떠올려 간판 이름을 바꾸어 써 봅니다.

3 '열공했더니'는 '열심히 공부했더니', '삼김'은 '삼각김밥'을 줄여서 사용한 말입니다.

채점 기준 줄임 말을 자주 사용하면 어떤 문제가 생길지 알맞게 썼으면 정답으로 합니다.

4 여진이는 '우리말이 있는데도 영어를 사용하는 예'를 조사하기로 했다고 말하였고 영어를 무분별하게 사용하는 예로 무엇이 있는지 물었습니다.

5 여진이네 모둠에서 정한 '방송에서 사용하는 영어'는 조사 주제에 맞고 실제로 조사할 수 있는 대상입니다.

6 '관찰'은 현장에서 조사 대상을 직접 파악할 수 있으나 시간이 많이 걸리고, '면담'은 자세한 정보를 수집할 수 있으나 시간이 오래 걸리고 원하는 인물과 면담을 하지 못할 수도 있습니다. '책이나 글'은 정확하고 다양한 정보를 얻을 수 있지만 내가 찾고 싶은 정보를 쉽게 찾지 못할 수도 있습니다.

7 ②와 ③은 '시작하는 말'에, ④와 ⑤는 '끝맺는 말'에 들어가야 할 내용입니다. '전달하려는 내용'에 자료와 설명하는 말이 들어갑니다.

8 자료를 제시할 때 한 화면에 너무 많은 내용을 제시하면 알아보기 어렵고, 자료를 보여 줄 때에도 듣는 사람을 바라보며 발표해야 합니다.

9 이마 부분에 세로선을 여러 개 그리고, 뒷머리를 만지는 동작을 그렸습니다.

10 아이들이 사용한 줄임 말을 알아듣지 못하시는 아저씨를 통해 줄임 말을 사용하지 말자는 주제를 알 수 있습니다.

채점 기준 만화 내용을 통해 만화 주제를 잘 짐작하여 썼으면 정답으로 합니다.

단원평가 2회 46~47쪽

1 ④ 2 예 재미가 없었어.
3 ④ 4 ③
5 예 발표 내용에 알맞은 자료를 적절히 골랐는지 확인한다. / 인터넷에서 찾은 글이나 사진 자료를 사용할 때 출처를 표시했는지 확인한다.
6 (1) ③ (2) ② (3) ①
7 예 한 화면에 너무 많은 내용을 제시하고 있다.
8 ⑤ 9 ④
10 (1) 딱딱한 등 (2) 눈썹

1 '나오셨습니다'는 사과주스를 높인 표현으로, 이와 같이 사물을 높이는 표현은 우리말 규칙에 맞지 않는 표현이므로 '나왔습니다'와 같이 고쳐야 합니다. '주문하신'은 손님을 높이는 표현이므로 알맞습니다.

2 '노잼이었어'는 영어 'no'와 우리말 '재미'의 줄임 말인 '잼'을 섞어 만든 말입니다.

3 현장에서 조사 대상을 직접 파악할 수 있는 장점과 시간이 많이 걸린다는 단점이 있는 조사 방법은 '관찰'입니다.

4 발표할 원고에서 모둠의 의견과 전망은 끝맺는 말에 넣었습니다.

5 이 밖에도 자료를 잘 활용했는지 점검할 때 사실이 아닌 내용이나 과장된 내용을 쓰지 않았는지 확인해야 합니다.

채점 기준 발표에 맞는 자료인지, 저작권을 침해하지 않았는지 등과 관련하여 점검할 내용을 썼으면 정답으로 합니다.

6 그림 가에서는 발표 원고만 보고 읽듯이 발표하고 있고, 그림 나에서는 너무 빠른 속도로 발표하였습니다. 그림 다에서는 듣는 사람이 알아듣지 못하게 작게 말하였습니다.

7 발표 자료를 제시하며 발표할 때에 자료는 모두가 볼 수 있게 크게 마련하는 것이 좋습니다.

채점 기준 발표하는 화면에 너무 많은 내용이 담긴 것을 알고 여진이가 발표 자료를 제시할 때 잘못한 점을 적절히 썼으면 정답으로 합니다.

8 발표를 들을 때에는 발표 내용이 주제와 관련 있는지 판단하며 들어야 합니다.

오답 피하기
① 자료가 정확한 것인지 판단해야 합니다.
② 발표 주제가 무엇인지 알아야 합니다.
③ 발표자에게 빨리하라고 하지 않습니다.
④ 발표 내용 전체를 집중해서 듣습니다.

9 '삼김 두 개 있어요?'라는 남자아이의 말을 듣고 아저씨는 '삼김이라니? 무슨 말인지 모르겠구나.'라고 대답하였습니다.

10 아저씨의 당황한 마음을 딱딱한 표정으로 눈썹 사이를 찡그리는 모습을 통해 표현했습니다.

서술형평가 48쪽

1 예 외국어를 쓰면 고급스러워 보인다는 편견 때문이다.

2 예 "휴대 전화가 고장 나셨습니다."라는 말을 들은 적이 있다.

3 실제로 조사할 수 있는지, 조사 방법과 기간이 적절한지 주의한다. 등

4 예 지금까지 영어를 지나치게 많이 사용하는 실태를 발표했습니다. 아름다운 우리말을 보존할 수 있도록 우리말을 바르게 사용하는 습관을 기릅시다.

5 (1) 듣는 사람과 눈을 맞추며 바른 자세로 진지하게 발표한다. 등
(2) 발표 주제를 알고, 발표 내용이 주제와 관련 있는지 판단하며 듣는다. / 과장되거나 거짓인 내용은 없는지, 자료는 정확한 것인지 판단하며 듣는다. 등

1 간판 이름에 외국어를 무분별하게 사용하는 사례가 나타나 있습니다.

채점 기준	점수
외국어로 된 표현을 쓰는 까닭을 알맞게 쓴 경우	6점

2 외국어를 무분별하게 사용하는 경우, 우리말 규칙에 맞지 않는 말을 쓰거나 우리말을 바르게 표기하지 않는 경우 등을 떠올려 봅니다.

채점 기준	점수
우리말을 바르게 사용하지 못한 경우가 무엇인지 알고 그 예를 적절히 생각하여 쓴 경우	6점

3 조사 주제는 실제로 조사할 수 있는 것, 조사 방법과 기간이 적절한 것을 정해야 합니다.

채점 기준	점수
조사 주제를 정할 때 주의할 점을 알맞게 쓴 경우	6점

4 끝맺는 말에서는 발표한 내용을 정리하고, 모둠의 의견이나 전망을 밝힙니다.

채점 기준	점수
발표할 원고에서 끝맺는 말에 들어가는 내용을 알고 알맞은 내용으로 쓴 경우	6점

정답 친해지기 발표할 원고 구성하기

시작하는 말	모둠 이름, 조사 주제, 발표 제목
전달하려는 내용	자료, 설명하는 말

5 발표할 때 태도, 알맞은 목소리 크기, 표정과 몸짓, 자료 제시 방법 등을 생각하고, 발표를 들을 때 판단하며 들어야 하는 점을 생각합니다.

채점 기준	점수
발표할 때와 발표를 들을 때 주의할 점을 알고 정확히 쓴 경우	6점
(1)과 (2) 중 한 가지만 바르게 쓴 경우	3점

수행평가 49쪽

1 (1) 예 설문지
(2) 예 여러 사람을 한꺼번에 조사할 수 있다.
(3) 예 답한 내용 외에는 자세한 내용을 알기 어렵다.

2 (1) 예 솔까말 / 예 열공
(2) 예 솔직히 말해서 / 예 열심히 공부

3 예 친구들과 대화할 때 '솔까말', '열공' 등의 줄임 말을 재미있다고 생각해서 많이 사용했다. 그런데 말을 재미로 줄여 사용하면 의사소통이 어렵고 우리말이 훼손될 수 있다는 것을 깨달았다. 우리말을 지키기 위해 줄임 말을 사용하지 말아야겠다.

1 우리 반 아이들이 사용하고 있는 줄임 말을 조사하기에 알맞은 방법을 하나 정해 장점과 단점을 써 보도록 합니다. 우리 반 아이들이 사용하고 있는 줄임 말을 조사하는 것이므로 '책이나 글'은 알맞지 않습니다.

채점 기준	점수
조사 방법을 하나 정하여 (1)~(3)의 내용을 모두 정확히 쓴 경우	10점
(1)~(3) 중 두 가지를 바르게 쓴 경우	6점
(1)~(3) 중 한 가지를 바르게 쓴 경우	3점

2 주위에서 흔히 사용하는 줄임 말 사례를 찾아 바른 표현으로 고쳐 써 봅니다.

채점 기준	점수
우리 반 아이들이 사용하고 있는 줄임 말을 쓰고, 그 줄임 말을 바른 표현으로 고쳐 쓴 경우	10점
(1)과 (2) 중 한 가지만 바르게 쓴 경우	5점

3 줄임 말을 사용하는 실태를 보고, 느낀 점을 쓰도록 합니다.

채점 기준	점수
줄임 말을 조사한 내용을 보면서 생각하거나 느낀 점을 알맞게 쓴 경우	10점

중간 평가

50~52쪽

1 ②	2 (2) ○	3 ㉯
4 ③	5 소미	6 알고 싶은 것

7 궁금한 내용을 생각하면서 글을 읽어서 글 내용에 더 집중할 수 있었을 것이다. 등

8 한글 놀이터, 한글 배움터, 특별 전시실

9 ② 10 ③

11 (해결하려는) 문제 파악하기

12 자료	13 (3) ○	14 ⑤
15 ㉢	16 ②	17 별로

18 문을 열어 보라고 하시는데 어머니의 표정이 별로 좋아 보이지 않았다. 등

19 ⑤ 20 ②

1 지윤이는 명준이의 기분을 생각하지 않고 자신의 생각을 솔직히 말해 명준이의 기분을 상하게 하였습니다.

2 지윤이가 명준이를 배려하지 않고 말하여 명준이는 기분이 나빠졌을 것입니다.

3 지윤이는 ㉮에서 명준이를 배려하지 않고 말했지만, ㉯에서는 명준이를 배려하며 말했습니다.

4 전하고 싶은 생각은 상대가 불쾌하지 않게 정확히 말해야 합니다.

5 누리 소통망에서 공감하며 대화하려면 상대의 처지를 생각하고 공감하며 말합니다. 또, 말하고 싶은 내용을 정확하게 전달하고, 혼자서 너무 많이 말하지 않습니다.

6 윤지는 글을 읽으며 또 다른 무형 문화재에는 무엇이 있는지 궁금해했습니다.

7 지식이나 경험을 활용해 글을 읽으면 글 내용에 더 집중할 수 있고, 글 내용을 더 쉽고 깊이 있게 이해할 수 있습니다.

채점 기준 '글 내용에 더 집중할 수 있다.', '글 내용을 더 쉽게 이해할 수 있다.' 등의 내용으로 썼으면 정답으로 합니다.

8 글쓴이가 국립한글박물관의 한글 놀이터, 한글 배움터, 특별 전시실을 관람한 일과 그 일에 대한 감상이 드러나 있습니다.

9 글의 앞부분에 글쓴이가 체험한 일이 나타나 있고, ㉠에 글쓴이가 체험한 일에 대한 감상이 나타나 있습니다.

10 인상 깊은 체험을 중심으로 쓰되, 내용이 잘 드러나게 자세히 풀어 쓰고, 체험에 대한 생각이나 느낌이 생생하게 전달되도록 씁니다.

정답 친해지기 **체험과 감상이 드러나는 글을 쓰는 방법**

체험한 일을 쓸 때	체험할 때 글쓴이가 본 것, 들은 것, 한 것 등을 자세히 풀어 씁니다.
체험한 일에 대한 감상을 쓸 때	체험할 때 느낀 감동을 과장하지 말고 느낀 만큼 솔직하게 쓰고, 그 때의 생각이나 느낌이 잘 드러나도록 씁니다.

11 그림 ❶, ❷에서 해결하려는 문제가 무엇인지 정확하게 파악하고 있습니다.

12 그림 ❺, ❻에서 친구들은 의견을 뒷받침하는 자료를 제시하고 있습니다.

13 의견 실천에 필요한 조건을 따진 뒤에는 의견대로 실천했을 때의 결과를 예측해야 합니다.

14 의견을 조정할 때에는 적극적인 태도로 토의 과정에 스스로 참여해야 합니다.

15 표나 도표를 이용해서 자료를 정리하면 글을 읽는 것보다 더 쉽고 빠르게 이해할 수 있습니다.

16 '표현하기' 단계에서는 직접 글을 씁니다.

17 '별로, 결코, 전혀'와 같은 낱말은 '-지 않다, -지 못하다'와 같은 부정적인 서술어나 '안', '못'이 꾸며 주는 서술어와 호응하는 낱말입니다.

18 '별로'라는 낱말과 뒤의 서술어가 어울리지 않는 문장이므로 '별로'라는 말에 호응하는 서술어로 고쳐 씁니다.

채점 기준 제시된 답과 같은 내용을 썼으면 정답으로 합니다.

19 ⑤ 문장은 높임 표현도 알맞게 썼고, 주어와 서술어의 호응도 알맞으며 '전혀'라는 낱말과 '~적이 없는 내용이었다'라는 서술어의 호응도 알맞습니다.

오답 피하기

번호	바르게 고쳐 쓴 문장
①	날씨가 그다지 춥지 않다.
②	할아버지께서는 얼른 진지를 잡수셨다.
③	나는 책 읽기를 별로 좋아하지 않는 편이다.
④	어제저녁 아버지와 함께 산책을 나갔다.

20 비가 내리는 날씨를 실감 나게 표현한 글머리입니다.

중간 이후 기말 평가 53~55쪽

1 인쇄 매체 자료
2 ㉢ 3 ② 4 ⑤
5 ④ 6 (1) 유행 (2) 흥미
7 이 글에서 사용한 면담 자료는 주장을 뒷받침하지만 학생을 면담한 것으로, 믿을 만한 근거 자료라 보기 어렵다. 등
8 ⑤ 9 학급 임원은 반드시 필요하다.
10 ③, ⑤ 11 (1) 주장 (2) 근거
12 반론하기 13 ③
14 엉뚱한 / 황당한 등
15 자신이 겪은 일 쓰기
16 ⑤ 17 잎차례
18 중요한 내용이 잘 드러나게 글을 요약했다. 등
19 ②
20 '나오셨습니다'는 사과주스를 높이는 표현으로, 우리말 규칙에 맞지 않다. 등

1 신문은 글, 그림, 사진 등으로 정보를 전달하는 인쇄 매체 자료입니다.

2 이와 같은 인쇄 매체 자료를 읽는 방법으로 알맞은 것은 ㉢입니다. ㉠, ㉡은 소리, 자막 등 여러 가지 연출 방법을 사용하여 정보를 전달하는 영상 매체 자료를 읽는 방법으로 알맞습니다.

3 글, 그림, 사진 등으로 정보를 전달하는 인쇄 매체 자료에 해당하는 것은 '잡지'입니다. '영화, 드라마'는 영상 매체 자료이고, '누리 소통망[SNS], 휴대 전화 문자 메시지'는 인터넷 매체 자료입니다.

4 영상 매체 자료는 효과음이나 음악을 넣거나 화면에 특별한 장치를 사용해 인물이나 상황을 극적으로 표현합니다. 따라서 장면 표현을 잘 살피고 소리에 대한 정보를 탐색하며 읽어야 합니다.

5 친구들과 대화할 때에는 혼자서만 너무 길게 말하거나 한두 문장으로 짧게 말하지 않습니다. 그리고 다른 사람의 말이 끝날 때까지 기다렸다가 말해야 합니다. 또한 대화 내용에 집중하며 대화 주제와 관련 있는 내용을 말해야 합니다.

6 글쓴이가 주장하는 내용을 찾아보면 직업의 선택은 유행이 아닌 자신의 적성, 흥미, 특기를 고려해 이루어져야 한다는 것임을 알 수 있습니다.

7 제시된 면담 자료는 주장을 뒷받침하는 내용이기는 하나, 해당 분야 전문가의 말이 아닙니다.

채점 기준 제시된 평가 기준에 따라 글에 사용된 면담 자료를 알맞게 평가하여 썼으면 정답으로 합니다.

8 설문 조사 자료를 평가할 때에는 주장을 뒷받침하는 자료인지, 자료의 출처가 믿을 만한지, 조사 범위가 적절한지 등을 생각해야 합니다.

9 사회자가 토론을 시작하며 토론 주제를 말했습니다.

10 찬성편은 근거를 들어 주장을 펼쳤고, 근거와 관련해 구체적인 자료를 제시했습니다.

11 찬성편이 근거와 함께 그것을 뒷받침하는 구체적인 설문 조사 결과를 제시한 까닭을 생각해 봅니다.

12 제시된 내용은 토론 절차 가운데 반론하기에서 할 일입니다.

13 낱말의 뒷부분 내용으로 보아, '(귀가) 잘 들리지 않아'와 같이 뜻을 짐작해 볼 수 있습니다.

14 낱말의 뒷부분에 나오는 '우리에게 재미와 웃음을 주지만'이라는 내용을 통해 '뜬금없는'의 뜻을 짐작해 봅니다.

15 켈러 선생님께서는 퍼트리샤의 글이 감정이 잘 드러나지 않으니 자신이 겪은 일을 써 왔으면 좋겠다고 하셨습니다.

16 '쥐어짜도'라는 말이 나온 앞뒤 상황을 살펴보거나 비슷한 말로 바꾸어 생각해 보면 낱말의 뜻을 짐작할 수 있습니다.

17 줄기에 차례대로 잎을 붙여 나가는 모양을 '잎차례'라고 합니다.

18 글에서 중요한 내용을 이해할 수 있게 간추린 글입니다.

19 '유니크펫숍'은 같은 뜻을 지닌 우리말이 있는데도 외국어를 그대로 사용한 것으로 '독특한 반려동물 가게' 등으로 고쳐 쓸 수 있습니다.

20 '나오셨습니다'는 사물을 높이는 표현으로, '나왔습니다'와 같이 고쳐 써야 합니다.

채점 기준 '나오셨습니다'가 사물을 높이는 표현인 것을 알고, 잘못된 점을 파악하여 문제가 되는 까닭을 적절히 썼으면 정답으로 합니다.

전 범위 **기말 평가** 56~58쪽

1 ② 2 (2) ○ 3 ③

4 예 빙고는 얼음을 보관하는 창고라는 뜻인 것 같다.

5 ㉢ 6 토의 진행

7 (1) 낱말 (2) 제목 8 ③

9 ㉡ 10 그만 나는 피식 웃어 버렸다. 등

11 ④ 12 성아 13 주장 다지기

14 ④

15 예 사람이 스스로 할 수 있는 일도 기계에 의존하는 일이 갈수록 많아지고 있다. 부모님께서도 운전을 하실 때 아는 길이어도 자동차 길 도우미의 안내를 받는 경우가 많다고 하셨다.

16 슬픈 마음 등 17 ②

18 ④ 19 ③ 20 ②

1 엄마는 현욱이의 처지를 생각해 공감하며 말씀하셨습니다.

2 ㉠에서 엄마는 집안일을 도와주려고 설거지를 열심히 한 현욱이의 처지를 생각하며 말하고 있습니다.

3 글을 읽고 '장빙'이라는 낱말의 뜻을 새롭게 알게 되었습니다.

4 글의 내용을 바탕으로 짐작해 볼 수 있는 내용을 썼다면 모두 정답입니다.

> **채점 기준** 글의 내용을 통해 짐작할 수 있는 내용을 썼으면 정답으로 합니다.

5 인상 깊은 체험을 중심으로 쓰되, 체험한 내용이 잘 드러나게 자세히 씁니다.

6 제시된 장면에는 토의 진행에서 의견 조정 시간이 부족해서 의견을 조정하지 못한 문제가 나타나 있습니다.

7 컴퓨터를 이용해 신문 기사를 검색할 때에는 찾고 싶은 자료와 관련한 낱말을 검색하고 제목을 중심으로 훑어 읽다가 의견을 뒷받침하는 글을 자세히 읽습니다.

8 글씨는 학급 친구들이 모두 알아볼 수 있는 크기로 써야 합니다.

9 ㉡은 '웃음이'와 '웃어 버렸다'의 호응이 잘못된 문장입니다.

10 ㉡은 주어와 서술어의 호응이 잘못된 문장이므로 제시된 답과 같이 고쳐 씁니다.

11 민서영이 흑설 공주의 글에 대한 반박 글을 올린 일이 원인이 되어 카페 가입자들이 흑설 공주를 비난하게 되었습니다.

12 인터넷 카페와 같은 인터넷 매체를 이용할 때에는 올라온 정보가 옳고 그른지 판단할 수 있어야 합니다.

13 토론에서 주장을 펼친 뒤에는 반론을 하고, 주장을 다지며 토론을 마무리합니다.

14 말하는 이는 사람보다 기계를 더 믿는 고모의 행동을 보고 문제라고 생각하고 있습니다.

15 사람보다 기계를 더 믿는 것을 보거나 직접 경험한 일을 구체적으로 씁니다.

> **채점 기준** 이 시의 주제와 관련한 자신의 경험을 구체적으로 썼으면 정답으로 합니다.

16 슐로스 할아버지가 돌아가셔서 슬픈 마음에 눈물을 흘리고 있습니다.

17 '꼴 보기 싫다'라는 표현에서 짐작할 수 있습니다.

18 요약하기는 글에서 사소한 내용은 삭제하고 중요한 내용만 간추려 글의 중요한 내용을 이해할 수 있게 쓴 것이므로 제목을 새롭게 바꿀 필요는 없습니다.

19 ③을 제외한 나머지는 모두 우리말을 바르게 사용하지 못한 경우에 해당합니다.

20 시작하는 말에는 '모둠 이름, 조사 주제, 발표 제목' 등이 들어갑니다.

MEMO

MEMO

한·끝·시·리·즈 교과서 학습부터 평가 대비까지 한 권으로 끝! 국어 공부의 진리입니다.

대표전화 1544-0554
주소 경기도 과천시 과천대로2길 54

비상 누리집에서 더 많은 정보를 확인해 보세요.

http://book.visang.com/

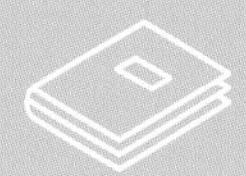

15개정 교육과정

한끝 평가 교재

단원 평가 대비

- 단원 평가 2회
- 서술형 평가
- 수행 평가

중간·기말 평가 대비

- 중간 평가
- 기말 평가(중간 이후)
- 기말 평가(전 범위)

초등국어

5-2

 책 속의 가접 별책 (특허 제 0557442호)

'평가 교재'는 본책에서 쉽게 분리할 수 있도록 제작되었으므로 유통 과정에서 분리될 수 있으나 파본이 아닌 정상제품입니다.

visang

ABOVE IMAGINATION
우리는 남다른 상상과 혁신으로
교육 문화의 새로운 전형을 만들어
모든 이의 행복한 경험과 성장에 기여한다

한끝

평가 교재

초등 국어 5·2

단원 평가

1 마음을 나누며 대화해요 2
2 지식이나 경험을 활용해요 8
3 의견을 조정하며 토의해요 14
4 겪은 일을 써요 20
5 여러 가지 매체 자료 26
6 타당성을 생각하며 토론해요 32
7 중요한 내용을 요약해요 38
8 우리말 지킴이 44

중간·기말 평가

- 중간 평가 50
- 기말 평가(중간 이후) 53
- 기말 평가(전 범위) 56

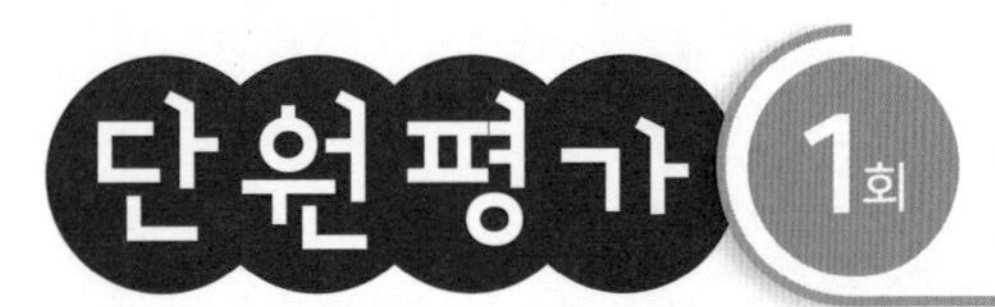
단원평가 1회

1. 마음을 나누며 대화해요

[1~3] 그림을 보고, 물음에 답하시오.

지윤아, 너에게 할 말이 있어.
㉠나 지금 바쁜데, 내가 꼭 들어야 하니?
명준
지윤
뭐라고?
네 이야기보다는 내 일이 훨씬 중요해.

1 **지윤이가 명준이와 대화하며 잘못한 점을 두 가지 고르시오.** (,)

① 혼자서만 말을 했다.
② 명준이가 무슨 말을 할지 캐물었다.
③ 명준이의 말을 귀 기울여 듣지 않았다.
④ 명준이가 하고 싶지 않은 말을 하게 했다.
⑤ 명준이가 말하는 내용에 관심을 갖지 않았다.

2 **지윤이의 말을 들은 명준이의 기분은 어떠했겠습니까?** ( )

① 지윤이에게 미안했을 것이다.
② 지윤이에게 고마웠을 것이다.
③ 지윤이의 지나친 간섭에 불편했을 것이다.
④ 지윤이의 말을 듣고 고민이 해결되었을 것이다.
⑤ 지윤이에게 무시당하는 것 같아 화가 났을 것이다.

논술형

3 **지윤이가 명준이의 말에 공감하는 대화가 되도록 ㉠의 말을 바꾸어 쓰시오.**

____

____

[4~5] 글을 읽고, 물음에 답하시오.

저녁 늦게 부모님께서 돌아오셨다.
"너무 늦어서 미안하구나. 잘 있었니?"
"예. 저희가 저녁도 차려 먹고 설거지도 했어요."
"설거지까지? 우리 현욱이 다 컸네."
흐뭇한 얼굴로 부엌을 둘러보시던 엄마께서 놀란 표정으로 물으셨다.
"현욱아, 혹시 프라이팬도 닦았니?"
"예. 제가 철 수세미로 문질러 깨끗이 닦았어요."
"뭐라고? 철 수세미로 문질렀다는 말이니?"
"예. 수세미로는 잘 닦이지 않아서 철 수세미를 썼어요."
엄마는 한숨을 한 번 쉬시고는 다시 웃음을 띠고 말씀하셨다.
"우리 아들이 집안일을 도와주려는 마음으로 설거지를 열심히 했구나. 그렇지만 금속으로 프라이팬 바닥을 긁으면 바닥이 벗겨져서 못 쓰게 된단다."
엄마의 말씀을 듣고 나니 부모님의 일을 도와드렸다는 생각에 뿌듯했던 나는 금세 부끄러워졌다.
"죄송해요, 엄마. 집안일을 도와드리려다가 오히려 프라이팬만 망가뜨렸어요."
엄마는 웃으며 나를 꼭 안아 주셨다.
"미안해하지 않아도 돼. 집안일을 도와주려고 한 현욱이 마음이 엄마는 정말 고마워."

4 **엄마가 부엌을 둘러보고 놀라신 까닭은 무엇인지 빈칸에 알맞은 말을 쓰시오.**

• (   )이/가 망가졌기 때문이다.

5 **엄마가 현욱이와 대화하며 하신 일을 두 가지 고르시오.** (,)

① 공감하며 말하기
② 상대방의 잘못 꾸짖기
③ 상대방의 말 듣지 않기
④ 처지를 바꾸어 생각하기
⑤ 상대방의 기분 생각하지 않기

5학년 반 점수
이름

1 단원

[6~7] 그림을 보고, 물음에 답하시오.

6 그림 속 여자아이가 친구에게 누리 소통망을 사용해 대화한 까닭은 무엇이겠습니까? ( )

① 먼저 사과하기 싫어서
② 직접 말로 하기는 부끄러워서
③ 친구가 만나고 싶어 하지 않아서
④ 친구가 누리 소통망 대화를 더 좋아해서
⑤ 자신의 화난 마음을 친구에게 자세히 전하려고

서술형

7 그림 속 여자아이가 사용한 누리 소통망 대화와 직접 하는 대화의 다른 점을 한 가지만 쓰시오.

8 누리 소통망 대화를 할 때 주의할 점을 찾아 기호를 쓰시오.

> ㉠ 말하고 싶은 내용을 정확하게 전달한다.
> ㉡ 내용이 재미있도록 그림말을 많이 쓴다.
> ㉢ 대화가 간결해지도록 줄임 말만 써서 말한다.

( )

[9~10] 글을 읽고, 물음에 답하시오.

> 중국의 중학교부터 들어갔어. 2년 반 만에 영어와 중국어를 다 배웠지. 중국의 비행 학교를 찾아갔어.
> ㉠"여자는 들어올 수 없소!"
> 여자는 날 수 없다네? 중국에서도.
> 나는 윈난성의 장군 당계요를 찾아갔어.
> 배 타고 기차 타고 걷고 또 걸어갔어야.
> 앞만 바라보며 드넓은 중국 땅을 가로질러 갔어야.
> 당계요 장군은 많이 놀랐지.
> "여자가 어떻게 여기 왔나?"
> "세상을 돌고 돌아 왔어요."
> "여자가 왜 여기 왔나?"
> "하늘을 날고 싶어서요."
> "여자가 왜 비행사가 되려 하나?"
> "내 나라를 빼앗아 간 일본과 싸우려고요!"
> "…… 좋다!"
> 당 장군은 비행 학교에다 편지를 썼어. 여자가 자기 나라를 되찾으려고 왔으니 꼭 들여보내라고 썼어.

9 '내'가 ㉠"여자는 들어올 수 없소!"라는 말을 들었을 때 기분이 어땠을지 두 가지 고르시오. (,)

① 무섭다. ② 신기하다.
③ 피곤하다. ④ 억울하다.
⑤ 공정하지 못하다.

10 당계요 장군이 '내'가 비행 학교에 가도록 도와준 까닭은 무엇이겠습니까? ( )

① '내'가 똑똑해 보여서
② '나'의 아버지도 비행사여서
③ '내'가 중국에서 계속 살기를 바라서
④ 나라를 되찾으려는 마음에 공감해서
⑤ 당계요 장군에게 '나'와 같은 딸이 있어서

단원평가 2회 1. 마음을 나누며 대화해요

[1~2] 글을 읽고, 물음에 답하시오.

가 명준: 지난번 질서 지키기 그림 대회에서 내가 그린 그림이 뽑히지 않아서 무척 서운했어.
지윤: (시큰둥하게) 그게 그렇게 중요한 일이니?
명준: (　　　㉠　　　) 뭐? 네가 내 기분을 어떻게 아니? 너는 친구의 기분은 조금도 생각하지 않니? 어떻게 그렇게 말을 해?
지윤: 왜 그래? 내 생각에는 별것 아닌 것 같아.
나 명준: 지난번 질서 지키기 그림 대회에서 내가 그린 그림이 뽑히지 않아서 무척 서운했어.
지윤: 그랬구나. 내가 너처럼 그림 그리기를 좋아하면 나도 서운했을 것 같아.
명준: 맞아. 나는 그림 그리기를 좋아하니까 그게 더 아쉬웠어. 지윤이 네가 내 마음을 알아주는구나.
지윤: 누구나 좋아하는 것은 열심히 하잖아? 나도 그런걸. 그런데 아깝게 뽑히지 못하면 아쉬울 거야.

1 **가, 나 중 상대방의 처지를 고려하며 대화하고 있는 것의 기호를 쓰시오.**

(　　　　　　　　　)

2 **㉠에 들어갈, 명준이의 목소리를 나타내는 말로 알맞은 것은 어느 것입니까?** (　　)

① 즐거운 목소리로　② 화내는 목소리로
③ 힘없는 목소리로　④ 신나는 목소리로
⑤ 겁먹은 목소리로

3 **공감하며 대화해야 하는 까닭이 아닌 것을 찾아 기호를 쓰시오.**

㉠ 자신의 입장을 알릴 수 있기 때문이다.
㉡ 대화를 즐겁게 이어 갈 수 있기 때문이다.
㉢ 처지를 바꾸어 생각하면 상대의 마음을 알 수 있기 때문이다.

(　　　　　　　　　)

[4~5] 글을 읽고, 물음에 답하시오.

엄마께서 놀란 표정으로 물으셨다.
"현욱아, 혹시 프라이팬도 닦았니?"
"예. 제가 철 수세미로 문질러 깨끗이 닦았어요."
"뭐라고? 철 수세미로 문질렀다는 말이니?"
"예. 수세미로는 잘 닦이지 않아서 철 수세미를 썼어요."
엄마는 한숨을 한 번 쉬시고는 다시 웃음을 띠고 말씀하셨다.
"㉠우리 아들이 집안일을 도와주려는 마음으로 설거지를 열심히 했구나. 그렇지만 금속으로 프라이팬 바닥을 긁으면 바닥이 벗겨져서 못 쓰게 된단다."
엄마의 말씀을 듣고 나니 부모님의 일을 도와드렸다는 생각에 뿌듯했던 나는 금세 부끄러워졌다.
"죄송해요, 엄마. 집안일을 도와드리려다가 오히려 프라이팬만 망가뜨렸어요."
엄마는 웃으며 나를 꼭 안아 주셨다.
"㉡미안해하지 않아도 돼. 집안일을 도와주려고 한 현욱이 마음이 엄마는 정말 고마워."
엄마의 말씀을 듣고 내 마음은 한순간에 봄눈 녹듯 풀렸다.

4 **㉠, ㉡에서 알 수 있는, 공감하는 말하기 방법에 대해 바르게 설명한 것은 무엇입니까?** (　　)

① ㉠에서는 처지를 바꾸어 생각하였다.
② ㉠에서는 자신의 처지를 설명하였다.
③ ㉠에서는 상대의 기분을 고려하지 않았다.
④ ㉡에서는 상대의 기분을 고려하지 않았다.
⑤ ㉡에서는 자신의 마음을 말하지 않고 상대의 말을 경청하기만 했다.

서술형

5 **현욱이 마음이 한순간에 봄눈 녹듯 풀린 까닭은 무엇일지 쓰시오.**

5학년 반 점수

이름

1 단원

6 공감하며 대화하는 방법과 그 활동 내용을 바르게 짝지은 것을 두 가지 고르시오. (,)

① 경청하기 – 상대의 기분을 고려해 말하기
② 공감하며 말하기 – 말이나 행동으로 맞장구 치기
③ 공감하며 말하기 – 전하고 싶은 생각을 정확히 말하기
④ 경청하기 – 말하는 사람에게 주의를 기울여 집중해서 듣기
⑤ 처지를 바꾸어 생각하기 – 말하는 사람의 처지가 되어 생각하기

7 ㉠~㉢ 중 누리 소통망에서 대화를 나눌 때 예절을 지키지 않은 부분은 무엇인지 기호를 쓰시오.

㉠
㉡그림말이 너무 많으니까 보기에 어지럽다.
㉢그래, 이것은 좀 너무했다.

( )

8 누리 소통망에서 상대의 말에 공감하며 대화하지 못한 친구는 누구입니까? ( )

① 경민: 상대의 상황이 되어 생각해 보았어.
② 영주: 부끄러워서 고맙다는 표현은 하지 않았어.
③ 진희: "힘내, 잘할 수 있어!"와 같이 격려하는 말을 해 주었어.
④ 주은: 상대에게 공감한다는 것을 보여 주려고 잘 듣고 있다는 그림말을 보냈어.
⑤ 성아: 말을 하는 중간중간 "그렇구나." 같은 말로 잘 듣고 있다는 것을 표현했어.

[9~10] 글을 읽고, 물음에 답하시오.

> 처음으로 비행기를 타는 날. 비행기에 올라타서 배운 대로 움직였지. 훌쩍! 날아올라, 깜짝! 너무 놀라 비행기가 부릉부릉, 눈앞이 기우뚱기우뚱. 잘 날다가 뚝 떨어지기도 해. 펑 터지기도 해. 조종간을 꽉, 이를 악물었지.
> '진짜로 날고 있나?'
> 얼른 아래를 내려다봤더니…….
> 아름다워!
> 끝없는 산과 들과 강물이, 두 발목을 딱 붙들던 온 세상이 눈앞에서 너울너울 춤을 추네.
> "이 세상아! 내 날개를 봐. 정말 자유로워. 구름을 뚫고 온몸이 날아올라."
> 내 이름은 권기옥. 사람들이 그러지, 처음으로 하늘을 난 우리나라 여자라고.
> 나는 하늘을 훨훨 날고 싶었어야. 온 세상이 너더러 날 수 없다고 말해도 날고 싶다면 이 세상 끝까지 달려가 보라. 어느 날 니 몸이 훨훨 날아오를 거야. 니 꿈을 좇으며 자유롭게 살게 될 거야.
> ㉠보라, 니 꿈은 뭐이가?

9 '내'가 비행기를 처음 탔을 때 어떤 마음이 들었을지 세 가지 고르시오. (, ,)

① 외롭다고 생각했다.
② 자유롭다고 생각했다.
③ 꿈을 이룬 것이 기뻤다.
④ 다시는 날고 싶지 않았다.
⑤ 세상이 아름답다고 느꼈다.

논술형

10 ㉠과 같은 질문을 받는다면 어떤 답을 할지, 그리고 그 꿈을 위해 어떤 노력을 할지 쓰시오.

서술형 평가 1. 마음을 나누며 대화해요

5학년 반	점수
이름	/30점

1 다음 대화가 서로 공감하는 대화가 되도록 ㉠을 바꾸어 쓰시오. [6점]

명준: 지난 번 질서 지키기 그림 대회에서 내가 그린 그림이 뽑히지 않아서 무척 서운했어.
지윤: ㉠그게 그렇게 중요한 일이니?

2 공감하며 대화하는 방법에 맞게 빈 말풍선에 들어갈 말을 쓰시오. [6점]

경청하기

청소 구역을 번갈아 가며 바꾸는 것이 어떨까? 다른 일도 경험하면 좋을 것 같아.

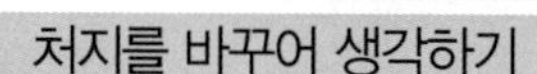

넓은 구역을 청소하는 학생은 힘든 일을 오랫동안 하게 돼.

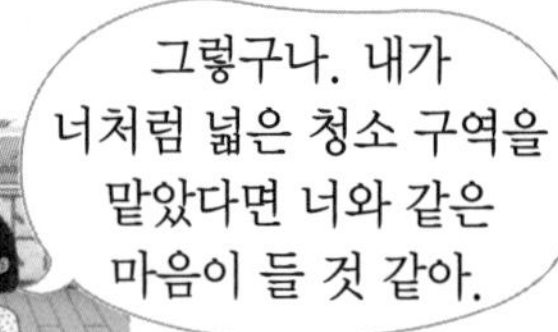

그렇구나. 내가 너처럼 넓은 청소 구역을 맡았다면 너와 같은 마음이 들 것 같아.

3 누리 소통망 대화를 하면 좋은 점을 두 가지 쓰시오. [6점]

•

•

4 다음 누리 소통망 대화에서 밑줄 그은 부분을 예절에 맞게 고쳐 쓰시오. [6점]

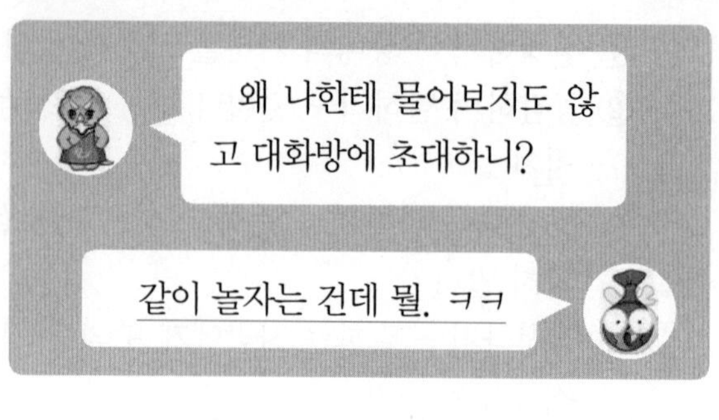

왜 나한테 물어보지도 않고 대화방에 초대하니?
같이 놀자는 건데 뭘. ㅋㅋ

5 다음 그림 속 남자아이의 친구가 되어, 누리 소통망 대화의 ㉠에 들어갈 공감하는 말을 쓰시오. [6점]

빨리 학교에 가고 싶다. 다들 어떻게 지낼까?
그래, 누리 소통망으로 연락해 볼까?
빨리 나아서 학교에 가고 싶어. 모두 보고 싶어요. (ㅠ.ㅠ)
얼른 나아서 건강하게 돌아오렴.
㉠
선생님, 고맙습니다. 빨리 나을게요. 모두 정말 고마워. (^^/)

수행평가 1. 마음을 나누며 대화해요

5학년 반 | 점수
이름 | /30점

관련 성취 기준	상대가 처한 상황을 이해하고 공감하며 대화하는 태도를 지닌다.
평가 목표	공감하며 대화하는 방법을 안다.

1 단원

[1~3] 공감하며 대화하는 방법을 생각하며 글을 읽어 봅시다.

저녁 늦게 부모님께서 돌아오셨다.
"너무 늦어서 미안하구나. 잘 있었니?" / "예, 저희가 저녁도 차려 먹고 설거지도 했어요."
"설거지까지? 우리 현욱이 다 컸네."
흐뭇한 얼굴로 부엌을 둘러보시던 엄마께서 놀란 표정으로 물으셨다.
"현욱아, 혹시 프라이팬도 닦았니?"
"예. 제가 철 수세미로 문질러 깨끗이 닦았어요."
"뭐라고? 철 수세미로 문질렀다는 말이니?"
"예. 수세미로는 잘 닦이지 않아서 철 수세미를 썼어요."
엄마는 한숨을 한 번 쉬시고는 다시 웃음을 띠고 말씀하셨다.
"우리 아들이 집안일을 도와주려는 마음으로 설거지를 열심히 했구나. 그렇지만 금속으로 프라이팬 바닥을 긁으면 바닥이 벗겨져서 못 쓰게 된단다."
엄마의 말씀을 듣고 나니 부모님의 일을 도와드렸다는 생각에 뿌듯했던 나는 금세 부끄러워졌다.
"죄송해요, 엄마. 집안일을 도와드리려다가 오히려 프라이팬만 망가뜨렸어요."
엄마는 웃으며 나를 꼭 안아 주셨다.
"미안해하지 않아도 돼. 집안일을 도와주려고 한 현욱이 마음이 엄마는 정말 고마워."
엄마의 말씀을 듣고 내 마음은 한순간에 봄눈 녹듯 풀렸다.

1 이 글에서 현욱이가 잘못한 일은 무엇인지 쓰시오. [10점]

2 현욱이의 마음이 다음과 같이 변한 까닭은 무엇인지 쓰시오. [10점]

프라이팬을 망가뜨려 부끄럽고 죄송스러움. → 마음이 봄눈 녹듯 풀림.

3 현욱이와 엄마의 대화에서 알 수 있는 공감하며 대화하는 방법을 두 가지 쓰시오. [10점]

(1)

(2)

단원평가 1회 2. 지식이나 경험을 활용해요

[1~2] 글을 읽고, 물음에 답하시오.

> **풍년을 기원하는 줄다리기**
> 우리 조상들은 왜 줄을 만들어 서로 당기는 놀이를 했을까요? 그것은 농사와 관련이 깊어요. 오랜 세월 동안 농사를 지어 온 우리 조상들의 가장 큰 소망은 풍년이었어요. 농사가 잘되려면 물이 가장 중요하고요. 그런데 우리 조상들은 용이 물을 다스리는 신이라고 생각했답니다. 그래서 용을 닮은 줄을 만들고 흥겹게 줄다리기를 해서 용을 기쁘게 하려고 했어요. 물의 신인 용을 즐겁고 기쁘게 해야 풍년이 들 테니까요.

1 **조상들이 용을 닮은 줄을 만들어 줄다리기를 한 까닭은 무엇입니까?** ( )

① 용은 출세와 부를 상징하기 때문에
② 용이 아이들을 지켜 준다고 생각해서
③ 용이 물을 다스리는 신이라 생각해서 용을 기쁘게 하면 풍년이 들 것이라고 믿어서
④ 용이 땅을 다스리는 신이라 생각해서 용을 기쁘게 하면 풍년이 들 것이라고 믿어서
⑤ 용이 무서운 병을 옮기는 신이라고 생각해서 용을 즐겁게 하면 무서운 병에 안 걸릴 것이라고 믿어서

2 **다음은 글을 읽으며 윤지가 떠올린 생각입니다. 다음 생각이 글을 읽는 데 어떤 도움이 되었을지 찾아 ○표를 하시오.**

> 윤지: 우리나라의 민속놀이 가운데 풍물놀이도 풍년을 기원하며 많이 해 왔다고 배웠어.

(1) 글 내용을 모두 외울 수 있다. ( )
(2) 글 내용을 깊이 이해할 수 있다. ( )
(3) 글을 읽지 않아도 내용을 알 수 있다. ( )

[3~4] 글을 읽고 물음에 답하시오.

> 조선 시대에는 서울 한강가에 얼음 창고를 만들었는데, 동빙고와 서빙고를 두었다. 동빙고는 왕실의 제사에 쓰일 얼음을 보관했고, 서빙고는 음식 저장용, 식용, 또는 의료용으로 쓸 얼음을 왕실과 고급 관리들에게 공급했다. 조선 시대의 빙고는 정식 관청이었으며, 얼음의 공급 규정을 법으로 엄격히 규정할 만큼 얼음의 공급을 중요하게 여겼다.
> 한겨울의 얼음을 보관했다가 쓰는 기술을 장빙이라고 했다. 우리나라는 여름과 겨울의 기온차가 커서 옛날부터 장빙 기술이 크게 발달했다.

3 **동빙고와 서빙고 중 다음과 같은 역할을 한 것은 무엇인지 각각 쓰시오.**

(1) 왕실의 제사에 쓸 얼음을 보관했다.
( )

(2) 음식 저장용, 식용, 또는 의료용으로 쓸 얼음을 왕실과 고급 관리들에게 공급했다.
( )

4 **글을 읽고 새롭게 안 것에 해당하는 내용이 아닌 것은 어느 것입니까?** ( )

① 조선 시대에는 빙고가 정식 관청이었네.
② 빙고는 얼음을 보관하는 창고일 것 같아.
③ 동빙고와 서빙고는 조선 시대에 있던 얼음 창고구나.
④ 조선 시대에는 얼음을 나누어 주는 법이 존재했구나.
⑤ '장빙'은 '한겨울의 얼음을 보관했다가 쓰는 기술'이라는 뜻이구나.

서술형

5 **지식이나 경험을 활용해 글을 읽는 방법을 한 가지만 쓰시오.**

____

____

5학년 반 점수

이름

[6~8] 글을 읽고, 물음에 답하시오.

> 상설 전시실 바로 위에는 '한글 놀이터'와 '한글 배움터' 그리고 '특별 전시실'이 있었다. 아이들이 놀면서 한글을 배울 수 있는 '한글 놀이터', 한글에 익숙하지 않은 사람들을 위해 마련한 '한글 배움터'는 모두 체험과 놀이를 하면서 한글을 이해하도록 만들어졌다는 점이 흥미로웠다. ㉠'특별 전시실'에서는 국립한글박물관 개관 기념 특별전을 진행했는데, '세종 대왕, 한글문화 시대를 열다'라는 기획 아래 세종 대왕의 업적과 일대기, 세종 시대의 한글문화, 세종 정신 따위를 주제로 한 전통적인 유물과 이를 현대적으로 해석한 현대 작가의 작품을 만날 수 있었다.
>
> ㉡박물관을 관람하면서 책과 화면으로만 봤던 한글 유물을 직접 볼 수 있어서 신기하고 즐거웠다. 그뿐만 아니라 날마다 세 번씩 운영하는 해설이 있는 관람 프로그램을 활용하면 더 많은 지식을 쌓으며 관람할 수 있겠다는 생각이 들었다. ㉢이번 관람으로 국어 시간에 배웠던 한글을 더 생생하고 자세하게 배우는 소중한 기회를 얻어서 무척 뿌듯했다.

6 글쓴이가 체험한 일은 무엇입니까? ( )

① 세종 대왕 위인전을 읽었다.
② 세종 대왕의 무덤인 영릉에 다녀왔다.
③ 국립한글박물관에서 한글에 대한 연극을 관람했다.
④ '한글 배움터'에서 선생님께 한글에 대한 수업을 들었다.
⑤ 국립한글박물관의 '한글 놀이터', '한글 배움터', '특별 전시실'을 관람했다.

7 ㉠~㉢ 중, 글쓴이가 체험한 일에 대한 감상이 드러난 부분을 두 가지 찾아 기호를 쓰시오.

(,)

서술형

8 이 글과 같이 체험한 일에 대한 감상이 드러나는 글을 쓰는 방법을 한 가지만 쓰시오.

____

____

9 다음 글을 읽고 자신의 경험을 활용해 글에 대한 의견을 말한 친구는 누구인지 쓰시오.

> 국립한글박물관을 찾았다. 국립한글박물관은 '한글'로만 기록한 한글 자료와 한글을 활용한 작품들을 전시해 놓은 곳이다. 국립한글박물관은 용산 국립중앙박물관 옆에 있다. 우리 가족은 집 근처에서 지하철을 타고 가서 '박물관 나들길'을 이용해 박물관까지 걸어갔다. 이정표를 따라 걷다 보니 큰 박물관 건물이 눈에 들어왔다.

> 동호: 문장 중간중간에 감상을 넣어 주면 글쓴이가 어떻게 느꼈는지 알 수 있어서 좋을 것 같다. 체험에 비해 감상이 부족해 보인다.
>
> 민주: 내 경험으로는 지하철역에서 국립한글박물관까지 걸어가는 길 주변 건물의 모습이 인상 깊었다. 글에 이런 부분을 덧붙이면 글이 더 생생하게 느껴질 것이다.

( )

10 현장 체험학습을 계획할 때 지식이나 경험을 어떻게 활용할지에 대해 말하였습니다. 다음 중 알맞지 않은 것은 무엇입니까? ( )

① 이동 경로를 정할 때 내 경험을 떠올려 보면 좋아.
② 내가 가 본 곳은 또 갈 필요가 없으므로 추천하지 않아.
③ 활동을 계획할 때에도 지식이나 경험을 활용할 수 있어.
④ 책에서 보았던 체험활동 내용을 친구들에게 추천할 수도 있어.
⑤ 체험학습 장소를 친구들에게 설명할 때 수업 시간에 배운 지식을 활용하면 좋아.

2 단원

단원평가 2회 2. 지식이나 경험을 활용해요

[1~2] 글을 읽고, 물음에 답하시오.

조상들은 대보름이면 모든 일을 제쳐 두고 줄다리기 준비에 정성을 쏟았어요. 그리고 마을 사람이 모두 함께 줄다리기를 했지요. 온 마을이 참여해서 집집마다 짚을 거두고 놀이에 필요한 돈과 일손을 내어 줄을 만들어 놀이를 한다는 게 생각처럼 쉬운 일은 아니랍니다. 그런데도 해마다 거르는 법이 없었어요. 여기에는 봄기운이 시작되는 정월에 풍년을 기원하고, 줄다리기라는 큰 행사를 치르면서 마을 사람들이 마음을 한데 모아 무사히 한 해 농사를 지으려는 지혜가 담겨 있어요. 영산 줄다리기는 1969년에 국가 무형 문화재 제26호로 지정되었답니다.

1 **줄다리기에 담긴 조상들의 지혜는 무엇인지 빈칸에 각각 알맞은 말을 쓰시오.**

봄기운이 시작되는 (1)(　　　　　　)에 풍년을 기원하고, 큰 행사를 치르면서 마을 사람들이 마음을 한데 모아 무사히 한 해 (2)(　　　　　　)을/를 지으려는 지혜가 담겨 있다.

2 **윤지가 글을 읽으며 한 다음 생각이 글을 읽는 데 어떤 도움이 되었겠습니까?** (　　)

윤지: 또 다른 국가 무형 문화재에는 무엇이 있는지 궁금해.

① 글의 내용을 짐작하며 읽어 글이 더 재미있었을 거야.
② 자신이 아는 내용을 떠올리며 읽느라 글을 더 빨리 읽었을 거야.
③ 모르는 낱말을 생각하며 읽느라 낱말 뜻을 잘 알 수 있었을 거야.
④ 궁금한 내용을 생각하면서 읽어 글의 내용에 더 집중할 수 있었을 거야.
⑤ 글의 내용과 관련 없는 생각을 하느라 글의 내용을 잘 이해할 수 없었을 거야.

3 **지식이나 경험을 활용해 글을 읽으면 좋은 점이 아닌 것은 어느 것입니까?** (　　)

① 글 내용에 흥미를 느낄 수 있다.
② 글 내용을 쉽게 이해할 수 있다.
③ 글 내용을 깊이 이해할 수 있다.
④ 글 내용을 빨리 잊어버릴 수 있다.
⑤ 글 내용을 끝까지 집중해서 읽을 수 있다.

[4~5] 글을 읽고, 물음에 답하시오.

현대인의 생활필수품인 냉장고는 냉기나 얼음을 인공적으로 만드는 기계 장치이지만, 빙고는 겨울에 보관해 두었던 얼음을 봄·여름·가을까지 녹지 않게 효과적으로 보관하는 냉동 창고이다. 우리나라에서 얼음을 보관하기 시작했다는 기록은 『삼국사기』에 나타난다. 또한 신라 시대 때에는 얼음 창고에 관한 일을 맡아보던 '빙고전'이라는 기관이 있었다고 한다. 고려 시대에 얼음을 보관하여 사용한 기록은 『고려사』에 나타나는데, 음력 4월에 임금에게 얼음을 진상한 기록이 있고 또 법으로 해마다 6월부터 입추까지 신하들에게 얼음을 나누어 준 기록이 있다.

4 **냉장고와 빙고의 다른 점을 떠올려 다음 설명에 해당하는 것을 각각 쓰시오.**

(1) 냉기나 얼음을 인공적으로 만드는 기계 장치 (　　　　　　)
(2) 겨울에 보관해 두었던 얼음을 봄·여름·가을까지 녹지 않게 효과적으로 보관하는 냉동 창고 (　　　　　　)

서술형

5 **이 글을 읽고, '알고 싶은 것', '짐작한 것', '새롭게 안 것' 가운데 한 가지 내용을 떠올려 쓰시오.**

5학년 반 | 점수
이름

6 **체험한 일을 떠올리며 감상이 드러나는 글을 쓰는 방법으로 알맞지 않은 것은 어느 것입니까?** ( )

① 인상 깊은 체험을 중심으로 쓴다.
② 체험한 일을 간단하고 짧게 요약해 쓴다.
③ 체험할 때의 생각이나 느낌을 떠올려 쓴다.
④ 체험한 일에 대한 생각이나 느낌이 생생하게 전달되도록 쓴다.
⑤ 체험할 때 본 것, 들은 것, 한 것 등을 자세히 풀어 쓴다.

7 **다음 글에서 글쓴이가 체험한 일에 대한 감상은 무엇입니까?** ( )

> '특별 전시실'에서는 국립한글박물관 개관 기념 특별전을 진행했는데, '세종 대왕, 한글문화 시대를 열다'라는 기획 아래 세종 대왕의 업적과 일대기, 세종 시대의 한글문화, 세종 정신 따위를 주제로 한 전통적인 유물과 이를 현대적으로 해석한 현대 작가의 작품을 만날 수 있었다.
> 박물관을 관람하면서 책과 화면으로만 봤던 한글 유물을 직접 볼 수 있어서 신기하고 즐거웠다.

① 특별 전시실을 관람했다.
② 현대 작가의 작품을 관람했다.
③ 세종 대왕의 업적을 알게 됐다.
④ 책과 화면을 통해 한글 유물을 봤다.
⑤ 한글 유물을 직접 볼 수 있어서 신기하고 즐거웠다.

8 **글을 읽고 고칠 점에 대한 자신의 의견을 말할 때에 주의할 점을 두 가지 고르시오.** (,)

① 읽는 사람이 이해하기 어렵게 말한다.
② 미리 정한 평가 기준을 생각하며 말한다.
③ 고칠 점과 함께 좋은 점에 대한 의견도 제시한다.
④ 의견을 말할 때에 상대의 기분은 고려하지 않고 말한다.
⑤ 글쓴이가 어떻게 고쳐야 할지 정확히 알 수 있게 비난하며 말한다.

2 단원

논술형

9 **다음 글을 읽고 어떻게 고치면 좋을지 생각하여 글에 대한 의견을 한 가지만 쓰시오.**

> 처음 발끝이 닿은 장소는 2층 '한글이 걸어온 길' 상설 전시실이었다. 전시실 이름처럼 '한글이 걸어온 길'을 주제로 마련한 상설 전시실은 총 3부로 구성되었다. 1부 주제는 '새로 스물여덟 자를 만드니'로, 세종 25년 한글이 그 모습을 드러내던 때를 살펴볼 수 있었고, 2부 주제는 '쉽게 익혀서 편히 쓰니'이며, 마지막으로 3부 주제는 '세상에 널리 펴져 나아가니'이다. 상설 전시실의 이름이 한글의 역사를 잘 말해 주는 것 같았다.

10 **지식이나 경험을 활용해 현장 체험학습을 계획할 때에 정해야 할 것을 한 가지만 쓰시오.**

> 식사 계획, 이동 경로, ( )

서술형평가 2. 지식이나 경험을 활용해요

5학년 반	점수
이름	/30점

1 '줄다리기'에 대한 글을 읽고 다음과 같이 떠올린 지식이나 경험이 글을 읽는 데 어떤 도움이 되는지 쓰시오. [6점]

> 줄다리기하는 줄의 굵기가 15센티미터 정도일 것이라고 생각했는데 영산 줄다리기는 그것보다 열 배나 더 굵은 줄을 사용하는 놀이라니 놀라워.

[2~3] 글을 읽고, 물음에 답하시오.

> 보물 제66호인 경주 석빙고는 1738년에 만들었으며, 입구에서부터 점점 깊어져 창고 안은 길이 14미터, 너비 6미터, 높이 5.4미터이다. 석빙고는 온도 변화가 적은 반지하 구조로 한쪽이 긴 흙무덤 모양이며, 바깥 공기가 들어오지 않도록 출입구의 동쪽은 담으로 막고 지붕에는 구멍을 뚫었다.
>
> 지붕은 이중 구조인데 바깥쪽은 열을 효과적으로 막아 주는 진흙으로, 안쪽은 열전달이 잘되는 화강암으로 만들었다. 천장은 반원형으로 기둥 다섯 개에 장대석이 걸쳐 있고, 장대석을 걸친 곳에는 밖으로 통하는 공기구멍이 세 개가 나 있다. 이 구멍은 아래쪽이 넓고 위쪽은 좁은 직사각형 기둥 모양인데, 이렇게 함으로써 바깥에서 바람이 불 때 빙실 안의 공기가 잘 빠져나온다. 즉, 열로 데워진 공기와 출입구에서 들어오는 바깥의 더운 공기가 지붕의 구멍으로 빠져나가기 때문에 빙실 아래의 찬 공기가 오랫동안 머물 수 있어 얼음이 적게 녹는 것이다.

2 이 글을 읽고 자신의 지식이나 경험을 활용해 더 알고 싶은 것을 한 가지만 쓰시오. [6점]

3 다음 과학 시간에 배운 내용을 이 글을 이해할 때에 어떻게 활용할 수 있는지 쓰시오. [6점]

> 과학 시간에 배운 '열의 이동'
>
> 고체: 열이 고체 물질을 따라 온도가 높은 곳에서 낮은 곳으로 이동함.
>
> 액체: 주위보다 온도가 높은 액체가 위로 올라가고 위에 있던 액체가 아래로 내려오면서 열이 이동함.
>
> 기체: 주위보다 온도가 높은 기체가 위로 올라가고 온도가 낮은 기체가 아래로 내려오면서 열이 이동함.

4 체험한 일을 떠올리며 감상이 드러나는 글을 쓸 때에 글에 들어갈 체험과 감상의 내용을 간단히 쓰시오. [6점]

(1) 체험	(2) 감상

5 다음 글을 읽고 고칠 점에 대한 의견을 쓰시오. [6점]

> 국립한글박물관을 찾았다. 국립한글박물관은 '한글'로만 기록한 한글 자료와 한글을 활용한 작품들을 전시해 놓은 곳이다. 국립한글박물관은 용산 국립중앙박물관 옆에 있다. 우리 가족은 집 근처에서 지하철을 타고 가서 '박물관 나들길'을 이용해 박물관까지 걸어갔다.

수행평가 2. 지식이나 경험을 활용해요

5학년 반	점수
이름	/30점

관련 성취 기준	읽기는 배경지식을 활용하여 의미를 구성하는 과정임을 이해하고 글을 읽는다.
평가 목표	지식이나 경험을 활용해 글을 읽을 수 있다.

[1~3] 지식이나 경험을 떠올리며 글을 읽어 봅시다.

보물 제66호인 경주 석빙고는 1738년에 만들었으며, 입구에서부터 점점 깊어져 창고 안은 길이 14미터, 너비 6미터, 높이 5.4미터이다. 석빙고는 온도 변화가 적은 반지하 구조로 한쪽이 긴 흙무덤 모양이며, 바깥 공기가 들어오지 않도록 출입구의 동쪽은 담으로 막고 ㉠지붕에는 구멍을 뚫었다.

지붕은 이중 구조인데 바깥쪽은 열을 효과적으로 막아 주는 진흙으로, 안쪽은 열전달이 잘 되는 화강암으로 만들었다. 천장은 반원형으로 기둥 다섯 개에 장대석이 걸쳐 있고, 장대석을 걸친 곳에는 밖으로 통하는 공기구멍이 세 개가 나 있다. 이 구멍은 아래쪽이 넓고 위쪽은 좁은 직사각형 기둥 모양인데, 이렇게 함으로써 바깥에서 바람이 불 때 빙실 안의 공기가 잘 빠져나온다. 즉, 열로 데워진 공기와 출입구에서 들어오는 바깥의 더운 공기가 지붕의 구멍으로 빠져나가기 때문에 빙실 아래의 찬 공기가 오랫동안 머물 수 있어 얼음이 적게 녹는 것이다. 또한 지붕에는 잔디를 심어 태양열을 차단했고, 내부 바닥 한가운데에 배수로를 5도 경사지게 파서 얼음에서 녹은 물이 밖으로 흘러 나갈 수 있는 구조를 갖추어 과학적이다.

1 ㉠과 같이 한 까닭이 무엇인지 찾아 쓰시오. [10점]

2 이 글을 읽고 '새롭게 안 것'과 '알고 싶은 것'을 각각 한 가지씩 쓰시오. [10점]

(1) 새롭게 안 것	
(2) 알고 싶은 것	

3 다음과 같은 과학 시간에 배운 지식을 활용하여 이 글을 읽고 생각한 것이나 느낀 점을 쓰시오. [10점]

기체: 주위보다 온도가 높은 기체가 위로 올라가고 온도가 낮은 기체가 아래로 내려오면서 열이 이동함.

단원평가 1회 3. 의견을 조정하며 토의해요

[1~3] 대화를 읽고, 물음에 답하시오.

사회자: 날이 갈수록 심해지는 미세 먼지에 어떻게 대처해야 할까요?
민우: 마스크를 쓰고 생활합니다. 마스크가 몸에 해로운 미세 먼지를 막아 주기 때문입니다.
소윤: 학교 곳곳에 공기 청정기를 설치합니다. 공기 청정기가 공기를 깨끗하게 해 줄 것입니다.
㉠ 민우: 공기 청정기가 없는 곳은 어떻게 하나요? 그럼 공기 청정기가 설치된 곳에서만 지내야 하나요?
소윤: 마스크를 쓰는 것은 안 불편한 줄 아십니까? 마스크를 쓰면 답답하고 숨을 쉬기 어렵습니다.
아연: 하루 종일 공기 청정기를 켜 놓으면 전기 소모가 많을 수 있습니다.
상우: ㉡미세 먼지를 걸러야 하는데 그깟 전기가 중요합니까? 정말 뭘 모르시는군요.

1 미세 먼지에 대처하는 방안에 대해 토의하는 내용 중 ㉠에 나타난 문제는 무엇입니까? ( )

① 상대의 의견을 듣기만 했다.
② 상대의 의견을 비판하기만 했다.
③ 상대의 의견에서 장점만 찾았다.
④ 자기 의견의 장점을 강조해 말했다.
⑤ 상대의 의견을 무조건 따르기만 했다.

2 ㉡에서 상우가 토의를 할 때 무엇을 잘못했는지를 찾아 ○표를 하시오.

(1) 상대 의견을 무조건 칭찬했다. ( )
(2) 상대를 무시하는 듯한 말을 했다. ( )
(3) 토의 주제와 관련 없는 의견을 냈다. ( )

서술형

3 친구들이 토의를 하면서 의견을 조정하지 않는다면 어떤 일이 일어날지 쓰시오.

____

____

[4~5] 그림을 보고, 물음에 답하시오.

의견을 모으지 않으면 갈등이 더 심해질 것 같습니다.
의견을 조정할 필요가 있습니다.
동의합니다. 처음에 우리가 토의로 해결하려고 했던 문제는 무엇이었죠?
1
미세 먼지에 대처하는 방안을 마련하는 것입니다.
2
그렇군요. 토의로 해결하려는 문제를 정확히 파악해야 했습니다.
3
맞아요. 그리고 의견을 실천하려면 무엇이 필요한지 따질 필요가 있겠군요. 자세한 자료를 찾아 각자 의견을 뒷받침해 봅시다.
4

4 의견을 조정하기 위해 그림 ❶, ❷에서 친구들이 한 일은 무엇인지 빈칸에 알맞은 말을 쓰시오.

• 해결하려는 ( )을/를 정확히 파악했다.

5 그림 ❹의 단계에서 해야 할 일을 두 가지 골라 기호를 쓰시오.

㉠ 자료를 찾아 의견을 뒷받침한다.
㉡ 의견대로 실천했을 때 결과를 생각한다.
㉢ 문제를 해결하기에 적합한 의견인지 생각한다.

( )

5학년 반 점수
이름

3 단원

[6~7] 그림을 보고, 물음에 답하시오.

건강한 학교생활을 하려면 틈새 시간을 어떻게 사용해야 할까요?
건강 달리기를 하면 어떨까?
아리
짧은 시간이라도 날마다 달리기를 하면 건강에 효과가 있다는 자료를 찾고 싶어.
신문 기사를 찾아보자.
관련 기사가 정말 많구나! 이 많은 것을 언제 다 읽어 보지?

6 아리가 '건강 달리기를 하자.'라는 의견을 뒷받침하기 위해 제시하려는 자료는 무엇입니까? ( )

① 달리기가 건강에 효과가 있다는 자료
② 달리기를 하는 방법을 설명하는 자료
③ 달리기의 역사에 대해 설명하는 자료
④ 빠르게 달리는 요령을 알려 주는 자료
⑤ 달리기를 할 때 주의할 점에 대한 자료

7 그림 ❹에서 아리는 찾은 자료를 어떻게 읽어야 하는지 기호를 쓰시오.

㉠ 모든 기사문을 자세히 읽는다.
㉡ 검색 목록의 앞부분에 나오는 기사문만 자세히 읽는다.
㉢ 제목을 중심으로 훑어 읽다가 의견을 뒷받침하는 기사문을 찾아 자세히 읽는다.

( )

[8~9] 내용을 읽고, 물음에 답하시오.

㉮ [아동 건강 문제]
- 세계보건기구: 아동 비만은 21세기 최대 건강 문제 가운데 하나
- 교육부: 우리나라 초중고 비만 학생은 100명당 약 17명(2017년 기준)

[건강 달리기의 효과]
- 비만 문제를 해결할 수 있다.
- 집중력이 향상되고, 우울증과 불안감이 줄어든다.

㉯ 아동 건강 문제 / 건강 달리기의 효과

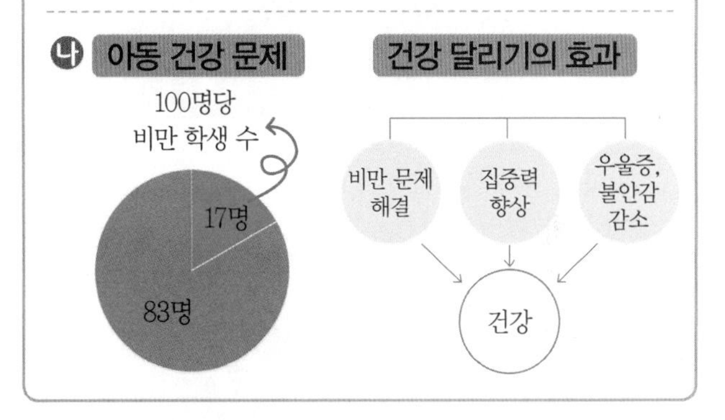
100명당
비만 학생 수
17명
83명
비만 문제 해결
집중력 향상
우울증, 불안감 감소
건강

8 건강 달리기에 대한 글을 읽고 정리한 ㉮, ㉯ 중 자료를 좀 더 알기 쉽게 표현한 것은 무엇인지 기호를 쓰시오.

( )

논술형

9 문제 8번의 답과 같이 자료를 표현하면 효과적인 까닭은 무엇인지 쓰시오.

10 토의 절차 중 '의견 모으기' 단계에서 할 일이 아닌 것은 무엇입니까? ( )

① 반응을 살펴본다.
② 결과를 예측해 본다.
③ 문제를 정확히 파악한다.
④ 의견 실천에 필요한 조건을 따진다.
⑤ 우리 주변에서 해결해야 할 문제를 찾아본다.

단원평가 2회 3. 의견을 조정하며 토의해요

[1~2] 그림을 보고, 물음에 답하시오.

공기 청정기를 설치하면 쓰고 난 마스크를 버리지 않아도 되니 환경을 보호할 수 있습니다.
마스크를 쓰면 추운 겨울에도 얼굴을 따뜻하게 할 수 있습니다.
좀처럼 의견이 좁혀지지 않는군요. 박이슬 님의 의견은 어떻습니까?
예? 아, 뭐 저는 뭘 해도 상관없습니다.

1 그림 ❶~❺는 미세 먼지에 대처하는 방안에 대해 토의하며 의견을 모으는 장면입니다. 그림 ❶, ❷에 나타난 문제점을 알맞게 말한 친구를 쓰시오.

> 승민: 아무도 의견을 말하지 않았어.
> 하진: 상대의 의견을 비판하기만 했어.
> 서준: 토의 주제와 관련 없는 근거를 말했어.

( )

2 그림 ❺에서 박이슬 학생이 토의를 할 때 잘못한 점은 무엇입니까? ( )

① 다른 친구들의 의견을 무시했다.
② 의견만 말하고 근거는 말하지 않았다.
③ 상대에게 예의를 지키지 않고 말했다.
④ 상대 의견의 장점을 받아들이지 않았다.
⑤ 토의 과정에 적극적으로 참여하지 않았다.

3 다음 그림은 토의에서 의견을 조정하고 있는 장면입니다. 다음에서 일어난 문제는 의견을 조정할 때 일어날 수 있는 문제 가운데 무엇에 해당하는지 보기 에서 찾아 쓰시오.

정말 아무것도 모르시는군요.
에이, 그게 말이나 됩니까?
예? 아, 저는 뭘 하든 상관없습니다.

> 보기
> 토의 진행과 관련한 문제,
> 토의 태도와 관련한 문제,
> 의견 및 근거와 관련한 문제

( )

4 토의에서 의견을 조정하는 과정을 보기 에서 차례대로 골라 기호를 쓰시오.

> 보기
> ㉠ 결과 예측하기
> ㉡ 반응 살펴보기
> ㉢ 문제 파악하기
> ㉣ 의견 실천에 필요한 조건 따지기

( ) → ( ) → ( ) → ( )

서술형

5 의견을 조정하는 과정에서 필요한 태도를 한 가지 쓰시오.

5학년 반 점수
이름

3 단원

6 그림 ❶과 ❷의 다른 점은 무엇입니까? ( )

학교 곳곳에 공기 청정기를 설치합니다. 공기 청정기가 공기를 깨끗하게 해 줄 것입니다.
심해지는 미세 먼지, 이제는 공기 청정기가 필수
학교 곳곳에 공기 청정기를 설치합니다. 신문 기사에 실린 전문가의 의견에 따르면 공기 청정기가 공기를 깨끗하게 해 준다고 합니다.

① 그림 ❶에서는 자신 있는 태도로 말했고, 그림 ❷에서는 자신 없는 태도로 말했다.
② 그림 ❶에서는 공기 청정기를 설치하자고 했고, 그림 ❷에서는 마스크를 쓰자고 했다.
③ 그림 ❶에서는 공기 청정기 설치를 반대했고, 그림 ❷에서는 공기 청정기 설치를 찬성했다.
④ 그림 ❶에서는 아무런 자료 없이 의견을 말했고, 그림 ❷에서는 신문 기사를 자료로 제시했다.
⑤ 그림 ❶에서는 의견을 뒷받침하는 자료로 책을 제시했고, 그림 ❷에서는 신문 기사를 제시했다.

7 다음 자료 가운데 눈으로 확인하기 쉽고, 빠르게 이해할 수 있는 자료로 보기 어려운 것은 무엇입니까? ( )

① 표 ② 글 ③ 그림
④ 사진 ⑤ 도표

[8~9] 글을 읽고, 물음에 답하시오.

교육부에 따르면 2017년을 기준으로 우리나라 초중고 비만 학생은 100명당 약 17.3명인데 해마다 꾸준히 증가하고 있다.
영국의 한 초등학교에서 실시한 건강 달리기 프로그램이 성공을 거두어 큰 관심을 끌고 있다. 이 학교는 날마다 적절한 시간을 정해 1.6킬로미터를 달리게 하고 있다. 학생들을 관찰한 □□대학의 ○ 박사는 "이 학교의 학생들에게는 비만 문제가 보이지 않는다."라고 했다.
미국 일리노이주의 한 학교 역시 건강 달리기로 하루를 시작한다. 이 학교의 학생들은 건강은 물론 집중력도 향상되었고, 우울증과 불안감은 줄어들었다고 한다.

8 이 글은 찬원이가 건강 달리기에 대한 자료로 찾은 신문 기사입니다. 이 자료를 쉽게 읽을 수 없다면, 그 까닭은 무엇일지 ○표를 하시오.

(1) 사실이 아닌 내용이 섞여 있어서 ( )
(2) 많은 내용을 글로만 설명해 이해하기 쉽지 않아서 ( )
(3) 글의 내용을 너무 짧게 요약해 정보를 얻기 쉽지 않아서 ( )

서술형
9 찬원이가 찾은 자료를 읽기 쉽게 하려면 어떻게 해야 할지 쓰시오.

10 토의 과정에 올바르게 참여했는지 평가할 때 살펴볼 내용을 떠올리며 빈칸에 알맞은 말을 쓰시오.

의견 조정 과정에 스스로 참여하며, 토의 주제와 관련한 (1)( )과/와 의견을 뒷받침하는 (2)( )을/를 다양하게 마련해 상대를 배려하며 말했는지 살펴본다.

서술형 평가 3. 의견을 조정하며 토의해요

5학년 반	점수
이름	/30점

1 다음 토의 내용에서 상우는 어떤 태도로 말해야 하는지 알맞은 토의 태도를 쓰시오. [6점]

> 아연: 하루 종일 공기 청정기를 켜 놓으면 전기 소모가 많을 수 있습니다.
> 상우: 미세 먼지를 걸러야 하는데 그깟 전기가 중요합니까? 정말 뭘 모르시는군요.

____

____

[2~3] 그림을 보고, 물음에 답하시오.

맞아요. 그리고 의견을 실천하려면 무엇이 필요한지 따질 필요가 있겠군요. 자세한 자료를 찾아 각자 의견을 뒷받침해 봅시다.
❶

잠시 뒤

심해지는 미세 먼지, 이제는 공기 청정기가 필수.
❷

❸

만약 의견을 실천한다면 어떤 결과가 따를까요? 의견대로 실천했을 때 일어날 문제점을 예측해 봅시다.
❹

공기 청정기를 설치하는 데 비용이 많이 들 수 있습니다.
❺

미세 먼지 마스크는 일회용이라 쓰레기 문제가 일어날 수 있습니다.
❻

2 미세 먼지에 대처하는 방안을 마련하기 위한 토의 내용 중, 그림 ❷, ❸에서 친구들이 의견 실천에 필요한 조건을 따지기 위해 한 일을 쓰시오. [6점]

____

____

3 그림 ❺, ❻에서 친구들은 다음 의견을 실천했을 때 일어날 수 있는 문제점을 어떻게 예측했는지 각각 쓰시오. [6점]

공기 청정기를 설치하자.	(1)
마스크를 사용하자.	(2)

4 주호가 찾은 자료를 알맞게 읽는 방법을 떠올려 빈칸에 각각 알맞은 내용을 쓰시오. [6점]

주호
교실에서 식물을 기르면 공기가 깨끗해진다는 자료를 찾고 싶어.
❶
책을 찾아보자.
❷
읽어야 할 책이 많구나. 이것을 언제 다 읽지?
❸

찾고 싶은 자료와 관련한 책을 찾는다.

→ (1) ______________________________

→ (2) ______________________________

→ 의견을 뒷받침하는 내용을 좀 더 자세히 읽는다.

→ 필요한 내용을 정리하고 글쓴이와 출판사를 쓴다.

5 보기 의 내용 이외에 자료를 알기 쉽게 표현했는지 검토해 볼 내용을 두 가지 쓰시오. [6점]

> 보기 자료를 이해하기 쉽고 간단하게 나타냈나요?

• ______________________________

• ______________________________

수행평가 3. 의견을 조정하며 토의해요

5학년	반	점수
이름		/30점

관련 성취 기준	의견을 제시하고 함께 조정하며 토의한다.
평가 목표	의견을 조정하며 토의를 할 수 있다.

[1~3] 우리 주변에서 해결해야 할 문제를 생각하며 그림을 봅시다.

음식물 쓰레기가 정말 많구나!
더 먹고 싶은데 번번이 더 달라고 할 수도 없고…….

1 그림에서 해결해야 할 문제는 무엇인지 쓰시오. [5점]

2 보기 의 주제로 토의를 할 때, 자신의 의견과 근거를 쓰시오. [10점]

보기: 급식 시간에 음식물 쓰레기를 줄일 수 있는 방법

(1) 의견	
(2) 근거	

3 2번 문제에서 답한 의견대로 실천했을 때의 결과를 예측하고, 자신의 의견을 조정하여 쓰시오. [15점]

(1) 결과 예측하기	
(2) 의견 조정하기	

단원평가 1회 4. 겪은 일을 써요

[1~2] 글을 읽고, 물음에 답하시오.

> 용준이가 문을 똑똑 두드렸다.
> "누나야, 문 열어 봐."
> "싫어."
> 나는 앞으로 용준이와 놀아 주지 않겠다고 다짐했다. 한참 있다가 어머니께서 오셨다. ㉠문을 열어 보라고 하시는데 어머니의 표정이 별로 좋아 보였다. 나는 혼이 날까 봐 살짝 문을 열었다.
> "윤서야, 너 좋아하는 연속극 해."
> "일기 쓸래요."
> ㉡그때 안방에서 아버지가 불렀다.
> "윤서야, 이리 와 봐."
> 나는 입을 쭉 내밀고 절대 앉기 싫다는 표정으로 아버지 옆에 앉았다.
> "왜 울었어?"
> "잘못은 용준이가 했는데 저만 야단맞아서요."
> "서러웠니?"
> "예."
> "윤서가 다 컸다고 아빠가 쉽게 생각했어. 미안하구나."

1 ㉠의 문장에서 잘못된 점은 무엇입니까? (　　)

① 문장에 주어가 없다.
② 문장에 서술어가 없다.
③ '별로'라는 말과 뒤의 서술어가 어울리지 않는다.
④ 시간을 나타내는 말과 뒤의 서술어가 어울리지 않는다.
⑤ 높임의 대상을 나타내는 말과 뒤의 서술어가 어울리지 않는다.

2 ㉡의 문장을 문장 성분의 호응이 바르게 이루어지도록 고친 친구를 쓰시오.

> 진아: 그때 안방에서 아버지께서 불렀다.
> 수연: 그때 안방에서 아버지께서 부르셨다.
> 병민: 그때 안방에서 아버지께서 부를 것이다.

(　　　　　　　　)

3 다음 그림에서 여자아이가 생각한 내용은 글쓰기 과정 중 어느 단계에 해당합니까? (　　)

일이 있었던 차례대로 글을 쓸까? 아니면 일이 생긴 까닭, 내 느낌, 화해한 일 세 부분으로 나누어 쓸까?
쓸 내용 가운데에서 비슷한 내용을 묶어 볼까?
이 내용은 끝부분에 써야 내 생각이 잘 드러날 것 같아.

① 계획하기　② 표현하기
③ 고쳐쓰기　④ 내용 생성하기
⑤ 내용 조직하기

4 다음 문장의 밑줄 그은 부분을 빨간색 글씨로 고친 까닭은 무엇입니까? (　　)

> 어제저녁 우리 가족은 함께 동네 공원으로 산책을 나간다.
> → 나갔다

① 우리 가족이 함께 간 장소를 알 수 없어서
② 주어와 목적어의 호응 관계가 알맞지 않아서
③ 주어와 서술어의 호응 관계가 알맞지 않아서
④ 시간을 나타내는 말과 서술어의 호응 관계가 알맞지 않아서
⑤ 높임의 대상을 나타내는 말과 서술어의 호응 관계가 알맞지 않아서

서술형

5 문장 성분의 호응 관계에 주의하여 다음 문장을 바르게 고쳐 쓰시오.

> 나는 책 읽기를 별로 좋아하는 편이다.

5학년 반	점수
이름	

6 다음 중 문장 성분의 호응 관계가 바른 문장은 무엇입니까? (　　)

① 날씨가 그다지 덥다.
② 나는 게임하는 것을 별로 좋아한다.
③ 나는 지호의 생각을 도저히 이해할 수 있다.
④ 선생님께서는 우리에게 항상 협동을 강조한다.
⑤ 그 숙제를 해내는 일은 여간 어려운 일이 아니다.

7 다음 글에서 글머리를 시작한 방법은 무엇입니까? (　　)

> "괜찮아."
> 드디어 유나가 입을 열었다.

① 대화 글로 시작하기
② 날씨 표현으로 시작하기
③ 인물 설명으로 시작하기
④ 의성어나 의태어로 시작하기
⑤ 속담이나 격언으로 시작하기

8 다음 중 겪은 일이 드러난 글을 고쳐 쓸 때 살펴볼 내용을 알맞게 말한 친구를 쓰시오.

> 예진: 글을 쓴 장소와 시간이 잘 드러났는지 살펴봐야 해.
> 서윤: 글의 내용 전개가 적절하며 글이 잘 마무리됐는지도 살펴보면 좋아.
> 도원: 주제와 관련이 없어도 친구들이 좋아할 만한 내용을 썼는지 살펴보는 게 중요해.

(　　　　　　)

논술형

9 매체를 활용해 겪은 일이 드러나는 글을 쓰고 의견을 주고받으려고 합니다. 학급에서 사용할 매체를 정할 때, 다음 매체로 정한다면 어떤 문제가 생길지 예측하여 쓰시오.

> 단체 대화방

____

____

10 글 모음집 가~라에 대한 설명으로 알맞지 않은 것은 무엇입니까? (　　)

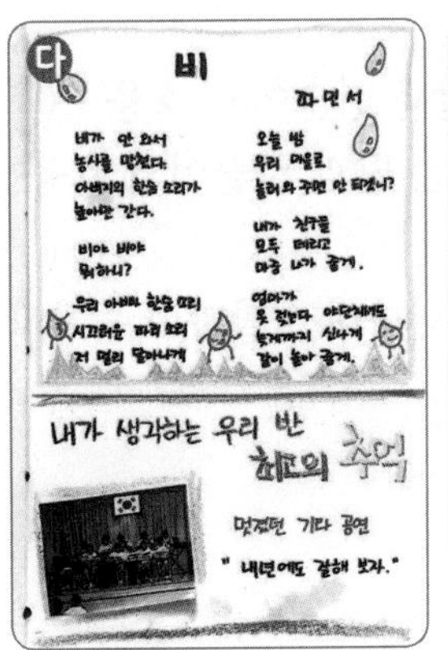

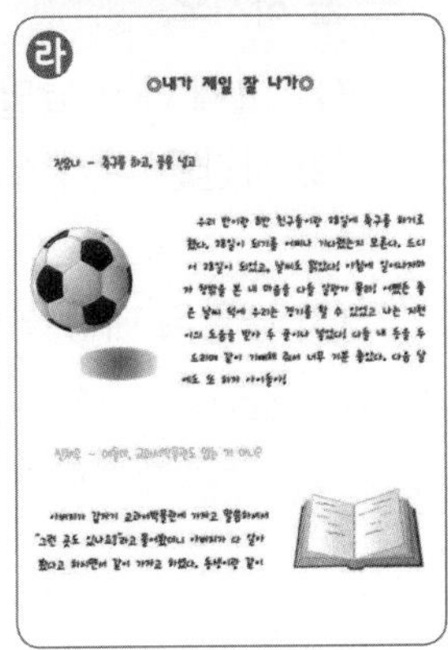

① 가는 손으로 직접 그림을 그리고 글을 쓴 것이다.
② 나는 컴퓨터로 편집한 것이다.
③ 가, 나는 글 모음집의 표지이다.
④ 다는 손 글씨로 내용을 쓴 것이다.
⑤ 라는 내용을 컴퓨터로 편집하고 그림은 손으로 그린 것이다.

단원평가 2회 4. 겪은 일을 써요

[1~2] 글을 읽고, 물음에 답하시오.

> ㉠그때 안방에서 아버지가 불렀다.
> "윤서야, 이리 와 봐."
> 나는 입을 쭉 내밀고 절대 앉기 싫다는 표정으로 아버지 옆에 앉았다.
> "왜 울었어?"
> "잘못은 용준이가 했는데 저만 야단맞아서요."
> "서러웠니?"
> "예."
> "윤서가 다 컸다고 아빠가 쉽게 생각했어. 미안하구나."
> "……."
> "용준이 너 이리 와."
> 아버지의 호령에 용준이가 똥 마려운 아이처럼 쭈뼛쭈뼛 다가왔다.
> "누나……, 미안."
> 용준이가 씩 웃으며 나를 쳐다보았다. 웃음이 나오려는 것을 참고 아버지 쪽으로 얼굴을 돌렸는데 아버지께서 손으로 하트 모양을 만들고 계셨다. ㉡그만 웃음이 피식 웃어 버렸다. 아버지께서도 웃으셨다. 내 마음이 녹아 버렸다.

1 ㉠에서 문장 성분의 호응이 잘못된 점을 찾아 ○표를 하시오.

(1) '그때'라는 낱말과 서술어의 호응 ( )

(2) 시간을 나타내는 말과 서술어의 호응 ( )

(3) 높임의 대상을 나타내는 말과 서술어의 호응 ( )

2 ㉡의 문장에서 다음 밑줄 그은 부분이 잘못된 까닭은 무엇인지 빈칸에 들어갈 알맞은 말을 이 글에서 찾아 쓰시오.

> 그만 웃음이 피식 웃어 버렸다.

• '( )'과/와 호응하지 않는다.

서술형

3 다음 그림에서 여자아이가 생각한 내용은 글쓰기의 과정 중 어느 단계에 해당하는지 쓰고, 그 단계에서 어떤 일을 하는지 쓰시오.

읽는 사람이 이해하기 어려운 내용은 없을까?
문장 성분의 호응이 바르지 않은 부분은 없는지 살펴봐야지.
문장을 좀 더 간결하고 정확하게 쓰려면 어떻게 고쳐야 할까?

____

____

4 다음 문장에서 밑줄 그은 부분과 호응 관계가 알맞지 않아서 고쳐 써야 하는 부분을 두 가지 고르시오. (,)

> 할아버지께서는 얼른 밥을 다 먹고 또 일하러 나가셨다.

① 또 ② 얼른 ③ 밥을
④ 먹고 ⑤ 나가셨다

5 다음 문장 속 밑줄 그은 낱말 중에서 호응하는 서술어가 따로 있는 낱말이 아닌 것은 무엇입니까? ( )

① 날씨가 그다지 덥지 않다.
② 나는 결코 거짓말을 한 적이 없다.
③ 동생은 별로 활동적인 편은 아니다.
④ 나는 달리기를 할 때 자주 넘어진다.
⑤ 그 사람은 전혀 본 적 없는 사람이다.

5학년 반 점수

이름

6 문장 성분의 호응 관계를 생각했을 때 다음 빈칸에 들어갈 알맞은 말은 무엇입니까? ( )

나는 내일 가족과 함께 ______________

① 놀이공원에 놀러 갔다.
② 놀이공원에 놀러 가셨다.
③ 놀이공원에 놀러 갔었다.
④ 놀이공원에 놀러 갔었구나.
⑤ 놀이공원에 놀러 갈 것이다.

7 겪은 일을 글로 쓰기 위해 떠올린 내용 중 글로 표현하기에 가장 좋은 것은 무엇입니까? ( )

① 누구나 경험할 만한 것
② 주제가 잘 드러나지 않는 것
③ 내용을 자세히 풀어 쓸 수 없는 것
④ 글을 읽는 사람이 흥미를 느낄 만한 것
⑤ 장소나 등장인물의 변화가 너무 많은 것

8 다음 글은 각각 어떤 방법으로 글머리를 시작하고 있는지 해당하는 방법을 찾아 선으로 이으시오.

	글		방법
(1)	키가 작고 눈이 동그란 그 친구는 항상 웃는 아이였다.	①	인물 설명으로 시작하기
(2)	꼼지락꼼지락, 희조는 이불 속에서 나올 생각을 안 한다.	②	속담이나 격언으로 시작하기
(3)	"가는 날이 장날"이라더니 해변은 축제 때문에 사람들로 가득했다.	③	의성어나 의태어로 시작하기

9 매체를 활용해 겪은 일이 드러나는 글 쓰기를 하는 방법에 대해 바르게 말하지 못한 친구를 쓰시오.

주희: 가장 먼저 의견 조정하기 과정으로 활용할 매체를 정해야 해.
성미: 매체를 활용해 글을 쓰거나 의견을 나눌 때에는 읽기 쉽게 글자 크기나 줄 간격 등을 조정하고 저작권을 침해하지 않아야 해.
유정: 매체를 활용해 글을 쓴 뒤에 매체를 활용해 친구가 쓴 글에 대한 의견을 나누어 볼 수 있어.
지민: 친구들과 나눈 의견을 바탕으로 글을 고쳐 쓸 때에는 처음 썼던 글은 지우고 새롭게 글을 다시 써야 해.

( )

논술형

10 다음과 같은 글 모음집을 만드는 까닭은 무엇인지 쓰시오.

____

____

4 단원

서술형 평가 4. 겪은 일을 써요

5학년 반	점수
이름	/30점

1 다음 문장에서 문장 성분의 호응 관계가 잘못된 점은 무엇인지 쓰시오. [5점]

키와 몸무게가 늘었다.

2 문장 성분의 호응이 바르게 이루어지도록 글을 써야 하는 까닭을 쓰시오. [5점]

[3~4] 문장을 읽고, 물음에 답하시오.

❶ 나는 책 읽기를 별로 좋아하는 편이다.
❷ 선생님 말씀은 전혀 들어 본 내용이었다.
❸ 나는 친구가 거짓말을 한 것이 결코 바른 행동이라고 생각한다.

3 ❶~❸ 문장이 잘못된 까닭은 무엇인지 쓰시오. [5점]

4 ❶~❸ 문장의 밑줄 그은 부분을 고쳐 알맞은 문장으로 쓰시오. [5점]

(1) ❶	
(2) ❷	
(3) ❸	

5 겪은 일이 드러나게 글을 쓰려고 합니다. 보기 에 있는 글머리를 시작하는 방법 가운데 한 가지를 골라 쓰고, 그 방법으로 글머리를 쓰시오. [5점]

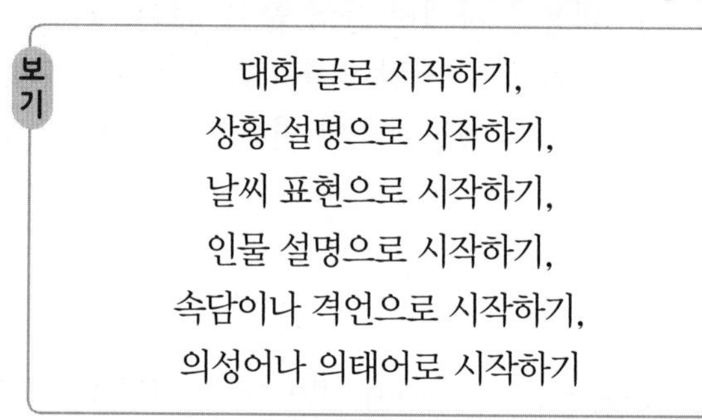
보기
대화 글로 시작하기,
상황 설명으로 시작하기,
날씨 표현으로 시작하기,
인물 설명으로 시작하기,
속담이나 격언으로 시작하기,
의성어나 의태어로 시작하기

(1) 방법	
(2) 글머리 쓰기	

6 글 모음집을 만들기 전에 정해야 할 것을 세 가지 이상 쓰시오. [5점]

4. 겪은 일을 써요

5학년	반	점수
이름		/30점

관련 성취 기준	목적이나 주제에 따라 알맞은 내용과 매체를 선정하여 글을 쓴다.
평가 목표	겪은 일이 드러나게 글을 쓸 수 있다.

1 겪은 일을 글로 쓰는 과정에 맞게 보기 에서 차례대로 골라 쓰시오. [5점]

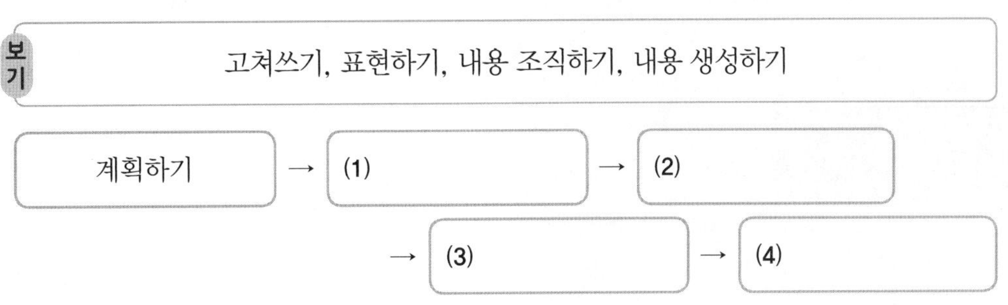

2 자신이 겪은 일을 떠올려 생각그물로 정리해 보시오. [10점]

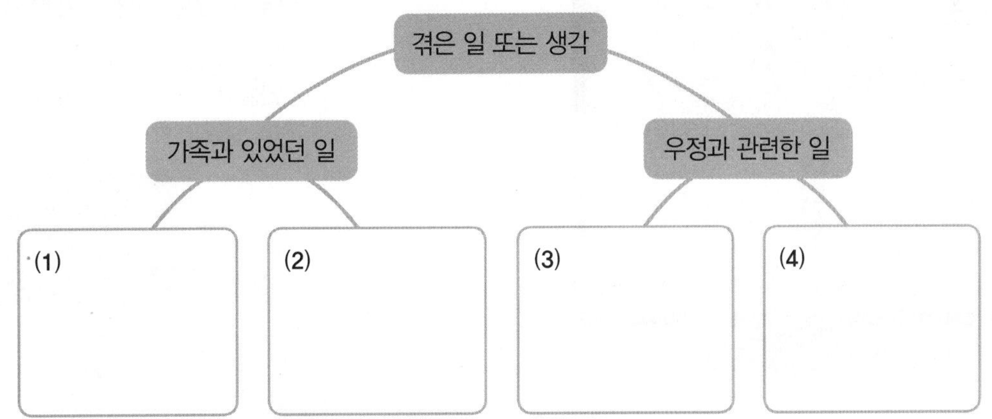

3 2번 문제에서 쓴 내용 중 겪은 일을 한 가지 골라 글로 쓸 내용을 조직해서 정리하시오. [15점]

(1) 처음	
(2) 가운데	
(3) 끝	

단원평가 1회 5. 여러 가지 매체 자료

[1~2] 자료를 보고, 물음에 답하시오.

㉮

어린이 신문 20○○년 ○○월 ○○일

걸어서 만나는 세계적인 생태 천국, 창녕 우포늪

여름철 우포늪은 온갖 생명의 움직임으로 분주하다. 개구리밥, 마름, 생이가래 같은 수생 식물이 세력을 넓히고, 새하얀 백로가 얕은 물가를 느긋하게 거닐며 먹이 활동을 한다. 가시연꽃이 보랏빛 꽃을 피워 여름의 절정을 알릴 날도 머지않았다.

㉯

아름다운 몸짓으로 피겨 스케이팅의 새 역사를 열어

1 ㉮와 ㉯는 어떤 매체 자료에 해당하는지 바르게 선으로 이으시오.

(1) ㉮ • •① 영상 매체 자료

(2) ㉯ • •② 인쇄 매체 자료

2 ㉮의 내용을 잘 이해하려면 어떤 부분에 집중해 읽어야 합니까? ( )

① 글만 집중해서 읽는다.
② 제목만 집중해서 본다.
③ 사진만 꼼꼼하게 살펴본다.
④ 사진과 글을 모두 살펴보며 읽는다.
⑤ 내용에 어울리는 음악을 떠올리며 읽는다.

3 다음에서 설명하는 매체 자료의 종류를 쓰시오.

- 누리 소통망[SNS], 휴대 전화 문자 메시지와 성격이 비슷하다.
- 정보를 전달할 때 글, 그림, 사진, 영상을 모두 활용한다.

( ) 매체 자료

4 다음은 영상 매체 자료의 한 장면입니다. 다음 장면에서 인물이 처한 상황을 표현하려고 사용한 방법으로 알맞은 것에 ○표를 하시오.

인물이 처한 상황	주인공이 밤새도록 환자를 치료한다.
장면	

(1) 치료 장면을 연달아 보여 준다. ( )
(2) 인물의 속마음을 그대로 들려준다. ( )
(3) 인물이 주위를 두리번거리는 모습을 가까이 보여 준다. ( )

서술형

5 영상 매체 자료를 읽을 때 주의할 점을 쓰시오.

5학년 반 점수

이름

6 '인물 소개하기'를 하기 위해 여러 가지 매체에서 김득신에 대한 자료를 찾았습니다. 각 자료를 알맞은 방법으로 읽은 것을 두 가지 고르시오. (,)

① 김득신을 소개한 책을 읽을 때 책 제목과 차례만 살펴보았다.
② 김득신이 쓴 글을 읽을 때 내용에 어울리는 음악을 상상했다.
③ 김득신에 대해 인터넷에서 검색한 자료에서 글은 읽지 않고 동영상만 보았다.
④ 김득신에 대한 기록 영화를 볼 때 영상에 나오는 음악이 주는 효과를 생각했다.
⑤ 김득신을 소개한 텔레비전 방송을 볼 때 카메라가 인물의 얼굴을 가까이 다가가며 보여 준 까닭을 생각했다.

[7~9] 글을 읽고, 물음에 답하시오.

㉮ 민주는 떨리는 마음으로 서영이가 올린 글을 읽어 보았다. 흑설 공주에 대한 분노, 엄마 아빠에 대한 자부심과 사랑과 함께 흑설 공주의 글이 모두 사실이 아니라는 걸 당당하게 밝혀 놓은 글이었다. / '역시 민서영이구나.'

민주는 자기 생각을 당당하게 밝힐 줄 아는 서영이의 용기가 몹시 부러웠다. 하지만 핑공 카페에 들어와 서영이가 올린 글을 읽은 아이들은 저마다 자기 의견을 달아 놓았다. 그중에는 서영이를 두둔하는 선플도 있었지만, 흑설 공주를 비방하는 악플과 함께 여전히 흑설 공주 편을 드는 아이들도 있었다.

㉯ 빨간 풍선: 민서영이 흑설 공주에게 일방적으로 당한 것 같다. 지금이라도 민서영이 자기 입장을 밝혀 주어 속 시원하다.
은하수: 내가 보기에 흑설 공주가 너무 심하다. 본인이 사실이 아니라는데 왜 그런 거짓 글을 실었을까?
거지 왕자: 어쩌면 우리가 모르는 두 사람만의 갈등이 있는 건 아닐까?

7 이 이야기에서 주요 갈등을 겪고 있는 인물은 누구와 누구입니까?

( )과/와 ( )

8 서영이의 글을 읽은 아이들이 글 ㉯에서 보인 반응으로 알맞은 것은 무엇입니까? ( )

① 서영이를 비방하는 댓글을 올렸다.
② 댓글로 올라온 의견이 모두 같았다.
③ 댓글로 올라온 의견이 서로 달랐다.
④ 서영이와 흑설 공주에게 관심을 갖지 않았다.
⑤ 모두 흑설 공주의 말이 진실이라고 믿었다.

서술형

9 이 이야기의 주제에 대해 친구들과 이야기를 나누려고 합니다. 대화할 때 지켜야 할 예절을 한 가지 쓰시오.

10 다음 인물에 대해 다양한 매체에서 조사하려고 합니다. 조사 방법과 조사 내용이 알맞은 것에 모두 ○표를 하시오.

이야기 「소나기」를 쓴 작가

(1) 작가의 삶을 다룬 기록 영화를 본다. ( )
(2) 작가가 쓴 작품에는 무엇이 있는지 인터넷으로 조사한다. ( )
(3) 작가에 대해 얼마나 알고 있는지 반 친구들에게 물어본다. ( )

단원평가 2회 5. 여러 가지 매체 자료

[1~3] 그림을 보고, 물음에 답하시오.

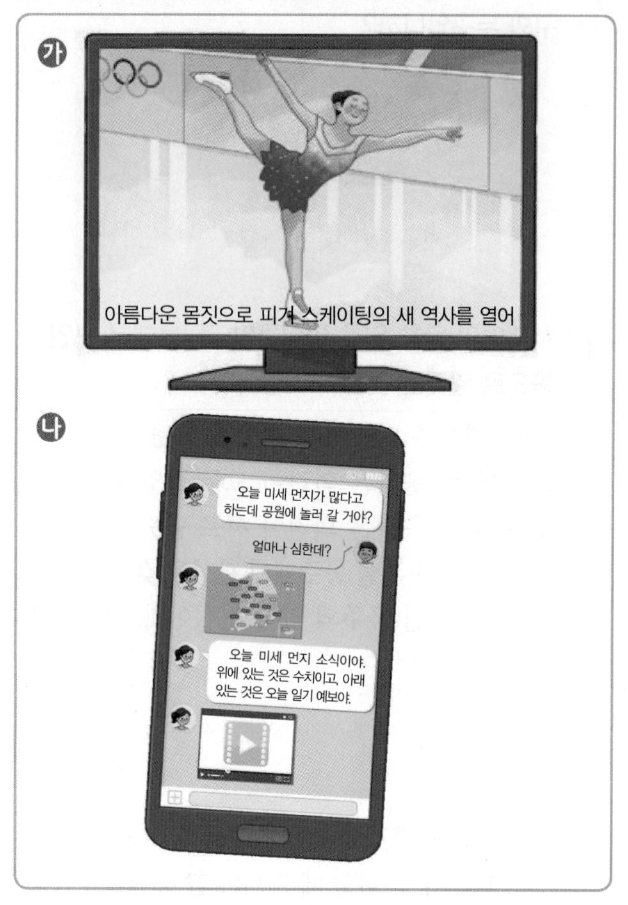

가
아름다운 몸짓으로 피겨 스케이팅의 새 역사를 열어
나
오늘 미세 먼지가 많다고 하는데 공원에 놀러 갈 거야?
얼마나 심한데?
오늘 미세 먼지 소식이야. 위에 있는 것은 수치이고, 아래 있는 것은 오늘 일기 예보야.

1 **㉮의 내용을 잘 이해하려면 어떤 부분에 집중해 읽어야 하는지 바르게 말한 사람을 쓰시오.**

연서: 글만 꼼꼼히 읽는 게 좋아.
형준: 음악이나 인물의 말은 제외하고 자막에 집중해야 해.
지우: 장면과 어우러지는 음악이나 연출 기법의 의미를 생각하며 읽어야 해.

( )

2 **㉯와 같은 매체 자료가 정보를 전달하는 방법으로 알맞은 것은 무엇입니까?** ( )

① 글로만 표현한다.
② 사진으로만 표현한다.
③ 그림으로만 표현한다.
④ 소리와 화면으로만 표현한다.
⑤ 글, 그림, 사진, 영상을 모두 활용해 표현한다.

3 **㉮, ㉯와 성격이 비슷한 매체 자료를 보기에서 골라 각각 쓰시오.**

보기: 신문 영화 잡지 누리 소통망[SNS]

(1) ㉮: ( )
(2) ㉯: ( )

4 **다음은 영상 매체 자료의 한 장면입니다. 다음 장면에서 비장한 느낌의 음악을 사용하여 얻을 수 있는 효과로 알맞은 것에 ○표를 하시오.**

인물이 처한 상황	여기서 무너지면 안 된다고 다짐한다.
장면	

(1) 자신을 희생하고 다른 사람을 위하는 인물의 태도가 강조된다. ( )
(2) 다른 사람들이 부추겨서 억지로 환자를 돌보고 있는 인물의 상황이 강조된다. ( )

서술형

5 **다음은 영상 매체 자료에서 뇌물을 건네는 장면입니다. 카메라가 뇌물을 주는 인물 쪽으로 가까이 다가갔다면 그 까닭은 무엇일지 쓰시오.**

5학년 반 점수

이름

5 단원

6 민찬이는 '인물 소개하기'를 하기 위해 매체에서 김득신에 대한 자료를 찾아 읽었습니다. 민찬이가 찾은 자료의 종류는 무엇이겠습니까? ( )

민찬: 글로 표현한 내용을 머릿속으로 떠올리면서 내용을 꼼꼼히 확인하며 읽었어.

① 김득신에 대한 영화
② 김득신에 대한 연속극
③ 김득신을 소개하는 책
④ 김득신에 대한 기록 영화
⑤ 김득신에 대해 인터넷에서 찾은 동영상 자료

[7~9] 글을 읽고, 물음에 답하시오.

㉮ 민주는 덜덜 떨리는 마음으로 흑설 공주가 올린 글을 읽기 시작하였다.

민서영, 내가 쓴 글이 사실이 아니라면 그걸 반박할 증거를 내놓아라. 그럴 용기가 없다면 내가 쓴 모든 글이 사실임을 인정해야 할 것이다.

㉯ 서영이가 펑공 카페에 아빠가 은좀베 마을에서 의료 봉사를 하는 모습과 엄마가 디자인한 옷을 입고 모델들이 패션쇼를 하는 사진을 올리자, 이번에는 서영이를 응원하는 댓글과 흑설 공주를 비난하는 댓글이 수없이 올라와 있었다.

허수아비: 아무리 얼굴과 이름을 숨기고 자기 생각을 마음대로 실을 수 있는 인터넷 세상이지만, 최소한의 예의는 지켜야 한다. 그런데도 거짓 정보를 올린 흑설 공주는 당장 사과해라!

㉰ 하지만 웬걸, 싸움은 그게 끝이 아니었다. 흑설 공주가 곧바로 서영이의 글을 읽고 또 다른 공격을 해 온 것이다.

㉱ 흑설 공주는 마치 먹이를 문 사자처럼 좀처럼 서영이를 잡고 놓아주지 않았다. 그러자 펑공 카페는 점점 더 흑설 공주와 민서영의 싸움을 구경하려는 구경꾼들로 가득 찼다.

7 인물들이 이야기를 나누는 공간은 어디입니까?
( )

8 이 이야기에서 일어난 사건을 차례대로 정리했습니다. 정리한 내용이 알맞지 않은 부분은 어느 것입니까? ( )

①	흑설 공주가 민서영의 글에 대한 반박 글을 올림.
②	서영이가 다시 흑설 공주의 글에 대한 반박 글을 올림.
③	카페 가입자들이 흑설 공주의 편을 들어줌.
④	흑설 공주가 또 다시 민서영의 글에 대한 반박 글을 올림.
⑤	민서영과 흑설 공주의 진실 싸움을 구경하려는 카페 가입자들이 점점 늘어남.

9 이 이야기에 나오는 인물들과 비슷한 경험을 알맞게 떠올린 것에 ○표를 하시오.

(1) 친구와 다투고 속상해하는 동생을 위로해 준 적이 있다. ( )
(2) 인터넷 대화방에서 누군가를 비난하는 것을 본 적이 있다. ( )

논술형

10 매체에서 조사하여 여러 사람에게 알리고 싶은 인물과 그 인물을 알리고 싶은 까닭을 쓰시오.

서술형 평가 5. 여러 가지 매체 자료

5학년 반	점수
이름	/30점

1 다음과 같은 매체 자료에서 정보를 전달하는 방법과 읽는 방법을 쓰시오. [6점]

어린이 신문 20○○년 ○○월 ○○일

걸어서 만나는 세계적인 생태 천국, 창녕 우포늪

여름철 우포늪은 온갖 생명의 움직임으로 분주하다. 개구리밥, 마름, 생이가래 같은 수생 식물이 세력을 넓히고, 새하얀 백로가 얕은 물가를 느긋하게 거닐며 먹이 활동을 한다.

(1) 정보 전달 방법	
(2) 읽는 방법	

2 다음은 영상 매체 자료에서 인물이 무엇인가 이상한 낌새를 느끼는 장면입니다. 인물이 처한 상황을 어떻게 표현할 수 있을지 쓰시오. [6점]

3 독특한 방법으로 공부한 인물을 찾고, 그 인물의 공부 방법을 여러 가지 매체를 이용해 조사하여 쓰시오. [6점]

(1) 인물	
(2) 자료를 찾은 매체	
(3) 인물의 공부 방법	

[4~5] 글을 읽고, 물음에 답하시오.

㉮ 핑공 카페에 들어와 서영이가 올린 글을 읽은 아이들은 저마다 자기 의견을 달아 놓았다. 그중에는 서영이를 두둔하는 선플도 있었지만, 흑설 공주를 비방하는 악플과 함께 여전히 흑설 공주 편을 드는 아이들도 있었다.

㉯ 민주는 덜덜 떨리는 마음으로 흑설 공주가 올린 글을 읽기 시작했다.

> 민서영, 내가 쓴 글이 사실이 아니라면 그걸 반박할 증거를 내놓아라.

㉰ 서영이가 핑공 카페에 아빠가 은좀베 마을에서 의료 봉사를 하는 모습과 엄마가 디자인한 옷을 입고 모델들이 패션쇼를 하는 사진을 올리자, 이번에는 서영이를 응원하는 댓글과 흑설 공주를 비난하는 댓글이 수없이 올라와 있었다.

> 허수아비: 아무리 얼굴과 이름을 숨기고 자기 생각을 마음대로 실을 수 있는 인터넷 세상이지만, 최소한의 예의는 지켜야 한다. 그런데도 거짓 정보를 올린 흑설 공주는 당장 사과해라!
> 어린 왕자: 흑설 공주가 대체 누구인가? 이런 사람은 카페에 들어올 자격이 없다.

4 이 이야기의 제목은 '마녀사냥'입니다. 이와 같은 제목을 붙인 까닭은 무엇일지 쓰시오. [6점]

5 이 이야기의 배경인 인터넷 카페를 바르게 이용하는 방법을 쓰시오. [6점]

수행평가 5. 여러 가지 매체 자료

5학년 반	점수
이름	/30점

관련 성취 기준	매체에 따른 다양한 읽기 방법을 이해하고 적절하게 적용하며 읽는다.
평가 목표	매체의 특성을 생각하며 알리고 싶은 인물을 소개할 수 있다.

1 여러 사람에게 알리고 싶은 인물을 고르고, 인물의 어떤 점을 소개하고 싶은지 쓰시오. [5점]

(1) 알리고 싶은 인물	
(2) 소개하고 싶은 점	

2 인물에 대한 자료를 찾을 때 어떤 매체를 활용할지 생각해 보고, 그 매체를 고른 까닭을 쓰시오. [10점]

(1) 활용할 매체	
(2) 매체를 고른 까닭	

3 소개할 인물에 대한 정보를 찾기 위해 다음 매체를 사용했을 때, 장점과 단점을 정리하여 쓰시오. [15점]

매체	장점	단점
인쇄 매체 자료 (책)	(1)	(2)
영상 매체 자료 (연속극, 영화)	(3)	(4)
인터넷 매체 자료 (누리집)	(5)	(6)

단원평가 1회 6. 타당성을 생각하며 토론해요

[1~2] 글을 읽고, 물음에 답하시오.

지후, 수아: (학교 복도에서 선생님을 보고) 착한 사람이 되겠습니다.
수아: 나는 우리 학교 인사말이 좀 어색해. 우리가 지금은 착한 사람이 아닌 것 같거든. 또 "안녕하세요?"와 같은 전통적인 인사말을 우리가 지켜야 하는 것이 아닐까 하는 생각도 들어.
지후: 넌 왜 그렇게 항상 불만이 많니? 어휴, 투덜이 같아.

1 두 친구가 나누는 대화 주제로 알맞은 것은 무엇입니까? (　　)

① 학교에서 친구들끼리 인사를 하지 않는 문제
② 학생들이 선생님께 예의를 지키지 않는 문제
③ 스스로 착한 사람이라고 생각하지 않는 친구들이 많은 문제
④ 학교에서 인사말을 "착한 사람이 되겠습니다."로 하는 문제
⑤ 학교에서 친구들끼리 "안녕하세요?"라는 인사말을 사용하는 문제

2 두 친구의 대화가 앞으로 어떻게 이어질지 알맞게 짐작한 것의 기호를 쓰시오.

㉠ 서로 근거를 대며 자신의 의견을 나누게 될 것이다.
㉡ 서로 기분을 상하게 하면서 자신이 옳다고 우기기만 할 것이다.

(　　　　　　　　)

3 자신의 의견을 상대가 받아들이도록 하기 위해서는 어떻게 말해야 하는지 빈칸에 알맞은 말을 쓰시오.

• 타당한 (　　　　　　)을/를 들어 말한다.

[4~5] 글을 읽고, 물음에 답하시오.

㉮ 자신이 희망하는 직업을 유행에 따라 결정하는 일이 과연 옳은 것일까?
㉠실제로 자신의 꿈이 '연예인'으로 바뀌었다고 하는 한 학생을 면담한 결과, "요즘에는 연예인이 대세이다."라면서도 "사실은 한 해에도 여러 번 바뀌는 희망 직업 때문에 고민이 많다. 무엇을 준비해야 할지 모르겠다."라고 털어놓았다. 직업의 선택은 유행이 아니라 자신의 적성이나 흥미, 특기를 고려해 이루어져야 한다.
㉯ 이와 같은 현실과 관련해 ㉡직업 평론가 ○○○ 씨와 면담한 결과 그는 "자신이 원하는 일이 무엇인지 모르며 사회에 어떤 다양한 직업이 있는지 알아보려고 하지 않는 사실이 문제"라며 우려를 나타냈다. 직업은 미래에 자기 삶을 유지해 줄 수 있는 수단 가운데 하나이다. 직업으로 사람들은 소득을 얻기도 하고, 행복과 보람을 느끼기도 한다. 그러므로 유행보다는 자신의 흥미와 적성, 특기를 알고, 이것을 바탕으로 하여 직업을 고르려고 노력해야 한다.

4 글쓴이의 주장은 무엇인지 빈칸에 각각 알맞은 말을 써서 완성하시오.

(1)(　　　　　)의 선택은 (2)(　　　　　)이/가 아니라 자신의 흥미와 적성, 특기를 고려해 이루어져야 한다.

서술형

5 ㉠과 ㉡의 자료 가운데에서 더 믿을 만한 근거 자료는 무엇인지 그 까닭과 함께 쓰시오.

5학년 반 점수

이름

[6~8] 글을 읽고, 물음에 답하시오.

㉮ 사회자: 지금부터 "학급 임원은 반드시 필요하다."라는 주제로 토론을 시작하겠습니다.

㉯ 찬성편: 저희 찬성편은 두 가지 까닭에서 "학급 임원은 반드시 필요하다."라는 주제에 찬성합니다. / 첫째, 실제로 학생 대표가 학교생활에 많은 역할을 합니다. 많은 학생들이 함께 생활하다보니 학교에는 여러 가지 문제나 불편한 점이 생길 수 있습니다. 이러한 것에 대한 해결은 전교 학생회 회의에서 이루어지는데 학급 임원은 여기에 참여해 우리 반 학생들의 의견을 전달하는 역할을 합니다. 저희가 설문 조사를 한 결과에 따르면 우리 지역의 초등학교 가운데에서 95퍼센트가 넘는 학교가 학급 임원을 뽑고 있다고 합니다. 이렇게 많은 학교가 학급 임원을 뽑는다는 것은 실제로 학급 임원이 필요하기 때문이 아니겠습니까?

㉰ 반대편: 저희는 다음과 같은 까닭으로 "학급 임원은 반드시 필요하다."라는 주제에 반대합니다.

첫째, 학급 임원을 뽑는 기준이 올바르다고 보기 어렵습니다. 한 매체에서 설문 조사를 한 결과에 따르면 70퍼센트 정도의 학생들이 "후보들의 능력보다 친분을 우선으로 투표한 적이 있다."라고 응답했습니다. 이 조사는 정말 우리가 우리를 대표할 수 있는 사람을 학급 임원으로 뽑았는지에 대한 의문을 가지게 합니다.

6 **찬성편과 반대편이 근거에 대한 자료로 공통으로 제시한 것은 무엇입니까?** ( )

① 설문 조사 자료 ② 관련 있는 책 내용
③ 학교 선생님의 의견 ④ 학생과의 면담 자료
⑤ 전문가와의 면담 자료

7 **이 글은 다음 토론 절차 가운데 어느 부분에 해당하는지 쓰시오.**

주장 펼치기 → 반론하기 → 주장 다지기

( )

8 **이와 같은 토론 절차에서 하는 일을 두 가지 고르시오.** (,)

① 근거를 들어 주장을 펼친다.
② 상대편의 주장을 요약한다.
③ 근거와 관련해 구체적인 자료를 제시한다.
④ 상대편에서 제기한 반론이 타당하지 않음을 지적한다.
⑤ 상대편의 주장이 타당하지 않다는 것을 밝히기 위한 질문을 한다.

[9~10] 시를 읽고, 물음에 답하시오.

기계를 더 믿어요

시장에 간 우리 고모
물건 사고 아주머니가 돌려주는
거스름돈,
꼭 세어 보아요

은행에 간 고모
현금 지급기가
'달깍' 내미는 돈
세어 보지도 않고
지갑에 얼른 넣는 거 있죠?

고모도 참

논술형

9 **이 시를 읽고 친구들과 이야기하고 싶은 주제를 쓰시오.**

10 **이 시를 읽고 친구들과 토론을 했습니다. 자신의 의견을 잘 내세우지 못한 친구는 누구인지 쓰시오.**

규선: 이 시는 사람보다 기계를 더 믿는 현실을 비판적으로 바라보는 것 같아.
두리: '시장'과 '은행'을 대비하려고 한 연씩 구성한 점이 시의 주제를 더 잘 드러내.
희영: 나는 외삼촌께서 용돈을 주시면 돈을 세어 보지 않고 그냥 지갑에 넣어.

( )

6 단원

단원평가 2회 6. 타당성을 생각하며 토론해요

1 **다음 대화 상황에서 보기 와 같은 주장을 펼칠 사람은 누구인지 쓰시오.**

보기 학교 운동장을 외부인에게 개방하면 안 된다.

성진: 운동장에 왜 이렇게 쓰레기가 많은 거야?
지아: 학교 운동장을 외부인에게 개방해서 쓰레기가 더 많아졌어요.
선생님: 하지만 우리 학교 운동장은 이 지역 사람들이 이용할 수 있는 유일한 운동장이에요.

( )

[2~3] 글을 읽고, 물음에 답하시오.

지후, 수아: (학교 복도에서 선생님을 보고) 착한 사람이 되겠습니다.
수아: 나는 우리 학교 인사말이 좀 어색해. 우리가 지금은 착한 사람이 아닌 것 같거든. 또 "안녕하세요?"와 같은 전통적인 인사말을 우리가 지켜야 하는 것이 아닐까 하는 생각도 들어.

2 **수아는 대화 주제에 어떤 입장을 보이고 있는지 알맞은 말에 ○표를 하시오.**

- 새로운 인사말에 (긍정적 , 부정적)인 입장이다.

3 **수아의 의견에 지후가 어떻게 말하는 것이 문제를 해결하는 데 더 도움이 될지 알맞은 것의 기호를 쓰시오.**

㉠ 넌 왜 그렇게 항상 불만이 많니? 어휴, 투덜이 같아.
㉡ 나는 형식적으로 하는 인사말보다 새롭고 좋은 뜻이 있는 인사말이 더 뜻깊다고 생각해.

( )

[4~5] 글을 읽고, 물음에 답하시오.

최근 한 매체에서 '연예인'이 초등학생들의 장래 희망 직업 1위를 차지했다는 결과를 발표했다. 초등학생들 사이에서 번진 아이돌 열풍 때문이다. 몇 년 전에는 꿈이 '요리사'인 초등학생이 많았는데, 그 당시에는 요리를 주제로 한 텔레비전 프로그램이 유행했기 때문이다. 게임 산업의 발전에 따라 '프로 게이머'를 희망 직업으로 뽑은 학생이 대다수였을 때도 있었다. 직업은 생활 수단이자 자신의 능력을 발휘하고 꿈을 실현할 수 있는 기회이기도 하다. 그런데 자신이 희망하는 직업을 유행에 따라 결정하는 일이 과연 옳은 것일까?

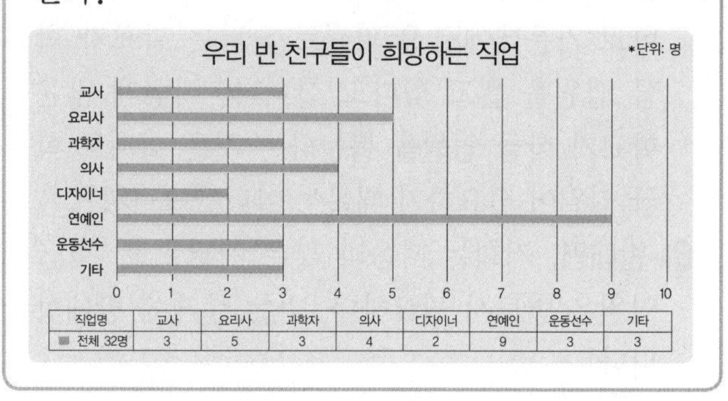

직업명	교사	요리사	과학자	의사	디자이너	연예인	운동선수	기타
전체 32명	3	5	3	4	2	9	3	3

4 **이 글에 사용된 자료에 대한 설명으로 알맞지 않은 것은 어느 것입니까?** ( )

① 설문 조사 자료이다.
② 조사 범위는 32명이다.
③ 응답이 가장 많은 항목은 연예인이다.
④ 조사 대상은 글쓴이가 다니는 학교의 전체 학생이다.
⑤ 자료의 출처는 글쓴이의 반 친구들을 대상으로 한 설문 조사 결과이다.

서술형

5 **이 글에 사용된 자료의 부족한 점은 무엇인지 쓰시오.**

5학년 반 점수
이름

[6~7] 글을 읽고, 물음에 답하시오.

㉮ 사회자: 이제 토론의 마지막 단계인 주장 다지기입니다. 먼저 찬성편이 발언해 주시기 바랍니다.
찬성편: 학급 임원은 반드시 필요합니다. 공정한 선거로 학생 대표를 뽑고, 그 대표를 도와 학교생활이 잘 이루어지도록 하는 경험을 해 보는 것은 큰 의미가 있습니다. ㉠학급 임원을 뽑는 기준에 문제가 있다면 그 문제를 해결하면 됩니다. 반대편의 대안처럼 할 경우 원하지 않는 학생이 학생 대표를 맡게 되는 또 다른 문제가 발생할 수 있습니다.

㉯ 반대편: 저희 반대편은 학급 임원이 반드시 필요하지는 않다고 생각합니다. 학급 임원을 뽑는 기준에 문제가 있고, 학생들 간 동등한 관계에 부정적인 영향을 끼친다면 반드시 학급 임원 제도를 유지해야 할 필요가 있을까요? 물론 학급 대표가 필요한 경우도 있습니다. 그러나 그렇다고 해서 꼭 한두 사람이 학급 임원이 될 필요는 없습니다. 오히려 여러 학생이 한 번씩 돌아가면서 봉사하고 학급을 대표하는 경험을 쌓는다면 좀 더 많은 학생이 지도력과 책임감을 키울 수 있다고 생각합니다.

6 ㉠에 대한 설명으로 알맞은 것은 무엇입니까? ( )

① 자기편의 주장을 요약한다.
② 상대편의 주장을 요약한다.
③ 자기편 주장의 장점을 정리한다.
④ 주장을 뒷받침하는 근거를 제시한다.
⑤ 상대편에서 제기한 반론이 타당하지 않음을 지적한다.

7 반대편이 찬성편에서 제기한 반론을 반박하려고 사용한 방법을 생각하며 빈칸에 알맞은 말을 쓰시오.

• (1) ( )이/가 돌아가면서 (2) ( )을/를 맡는 방법을 제안했다.

8 학급 친구들과 주제를 정해 토론을 하려고 합니다. 토론 주제를 정한 다음에 할 일로 알맞은 것은 무엇입니까? ( )

① 상대편의 주장 예상하기
② 토론 참여자의 입장 정하기
③ 자기편 주장을 뒷받침할 근거 마련하기
④ 근거를 뒷받침할 수 있는 자료 생각하기
⑤ 자기편의 주장과 관련해 상대편이 펼칠 것으로 예상되는 반론 생각하기

6 단원

[9~10] 시를 읽고, 물음에 답하시오.

기계를 더 믿어요

시장에 간 우리 고모
물건 사고 아주머니가 돌려주는
거스름돈,
꼭 세어 보아요

은행에 간 고모
현금 지급기가
'달깍' 내미는 돈
세어 보지도 않고
지갑에 얼른 넣는 거 있죠?

논술형

9 이 시와 비슷한 경험을 떠올려 쓰시오.

10 이 시를 읽고 독서 토론을 하려고 합니다. 자신의 의견을 말하는 방법으로 알맞은 것은 무엇입니까? ( )

① 의견을 두 가지 이상 말한다.
② 친구의 의견을 무조건 비판한다.
③ 의견만 말하고 근거는 말하지 않는다.
④ 되도록 주제와 관련 없는 내용을 말한다.
⑤ 토론 주제에 알맞은 의견과 까닭을 말한다.

서술형평가 6. 타당성을 생각하며 토론해요

5학년 반 | 점수
이름 | /30점

1 일상생활에서 토론이 필요한 경우를 한 가지 쓰시오. [6점]

[2~3] 글을 읽고, 물음에 답하시오.

㉮ 직업은 생활 수단이자 자신의 능력을 발휘하고 꿈을 실현할 수 있는 기회이기도 하다. 그런데 자신이 희망하는 직업을 유행에 따라 결정하는 일이 과연 옳은 것일까?

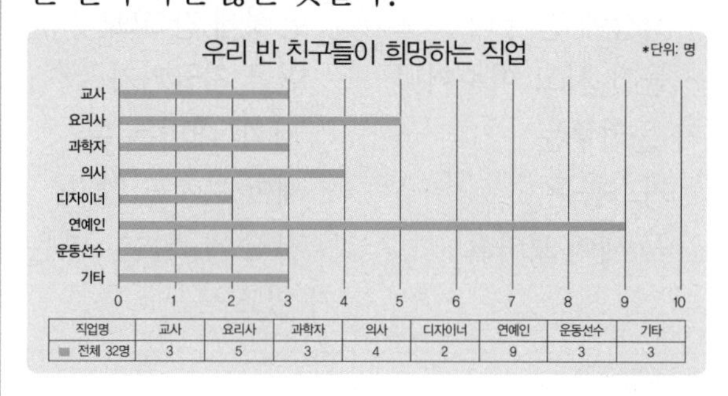

직업명	교사	요리사	과학자	의사	디자이너	연예인	운동선수	기타
전체 32명	3	5	3	4	2	9	3	3

㉯ 이와 같은 현실과 관련해 직업 평론가 ○○○ 씨와 면담한 결과 그는 "자신이 원하는 일이 무엇인지 모르며 사회에 어떤 다양한 직업이 있는지 알아보려고 하지 않는 사실이 문제"라며 우려를 나타냈다. 직업은 미래에 자기 삶을 유지해 줄 수 있는 수단 가운데 하나이다. 직업으로 사람들은 소득을 얻기도 하고, 행복과 보람을 느끼기도 한다. 그러므로 유행보다는 자신의 흥미와 적성, 특기를 알고, 이것을 바탕으로 하여 직업을 고르려고 노력해야 한다.

2 이 글에서 글쓴이가 자신의 주장을 뒷받침하려고 사용한 근거 자료를 모두 쓰시오. [6점]

3 글 ㉮와 ㉯에 제시된 근거 자료를 평가할 때 생각할 점을 한 가지씩 쓰시오. [6점]

(1) 글 ㉮	
(2) 글 ㉯	

4 토론의 반론하기 절차에서 찬성편이 ㉠과 같이 상대편에게 질문하여 얻고자 한 것을 두 가지 쓰시오. [6점]

찬성편: 반대편은 학급 임원을 뽑는 기준이 올바르지 않은 까닭을 근거로 들었습니다. 하지만 반대편에서 첫 번째 자료로 제시한 설문 조사 결과는 다른 학교에서 조사한 것입니다. 따라서 우리 학교의 상황과 설문 조사 결과가 반드시 같다고는 볼 수 없습니다. ㉠우리 학교 사정을 고려해서 근거를 말씀해 주셔야 하지 않을까요?

5 독서 토론을 하면 좋은 점을 한 가지 쓰시오. [6점]

수행평가 6. 타당성을 생각하며 토론해요

5학년 반	점수
이름	/30점

관련 성취 기준	절차와 규칙을 지키고 근거를 제시하며 토론한다.
평가 목표	주제를 정해 토론할 수 있다.

1 다음 대화 상황을 보고 친구들과 함께 토론을 하려고 합니다. 알맞은 토론 주제를 생각하여 쓰시오. [10점]

운동장에 왜 이렇게 쓰레기가 많은 거야?
학교 운동장을 외부인에게 개방해서 쓰레기가 더 많아졌어요.
하지만 우리 학교 운동장은 이 지역 사람들이 이용할 수 있는 유일한 운동장이에요.

〈토론 주제〉

2 1번 문제에서 정한 토론 주제를 살펴보며 자신은 어떤 주장과 근거를 내세울지 쓰시오. [10점]

(1) 주장	
(2) 근거	

3 상대편이 펼칠 것으로 예상되는 반론과 그에 대한 우리 편의 반박을 생각하여 쓰시오. [10점]

(1) 상대편이 펼칠 것으로 예상되는 반론	
(2) 상대편 반론에 대한 우리 편의 반박	

6 단원

[1~2] 글을 읽고, 물음에 답하시오.

㉮ 귀가 어두워 무슨 말을 해도 제대로 알아듣지 못하는 만화 주인공 '사오정'을 아시나요? 만화 주인공 사오정과 비슷한 사람이 우리 주변에 많이 생겨나고 있습니다. 사오정이 뜬금없는 말로 우리에게 재미와 웃음을 주지만 요즘에 사오정들은 귀 건강을 위협받는 아주 위험한 상황에 놓여 있습니다.

㉯ 우리 귀 건강에 가장 큰 걸림돌은 '이어폰'입니다.

서술형

1 이 글을 읽으면서 다음과 같은 행동을 했을 때 어떤 문제가 생길 수 있는지 쓰시오.

> 귀가 어둡다는 말은 무슨 뜻일까? 귀 색깔이 검은색이라는 뜻이겠지. 그냥 대충 읽어야겠다.

____

____

2 밑줄 그은 낱말의 뜻을 짐작해 선으로 이으시오.

(1) 어두워 •		• ① 엉뚱한
(2) 뜬금없는 •		• ② 방해물
(3) 걸림돌 •		• ③ 귀가 잘 들리지 않아

3 낱말의 뜻을 짐작하며 글을 읽는 방법이 아닌 것은 어느 것입니까? ( )

① 낱말의 앞뒤 상황을 살펴본다.
② 낱말을 사용한 예를 떠올려 본다.
③ 해당 낱말을 건너뛰고 글을 읽는다.
④ 낱말의 뜻과 비슷한 낱말을 대신 넣어 본다.
⑤ 낱말의 뜻과 반대인 낱말을 대신 넣어 본다.

[4~5] 글을 읽고, 물음에 답하시오.

"첫 번째 과제는 수필이다. 내가 놀라 까무러칠 정도로 재미있는 글을 써 오도록. 내가 너희의 반짝이는 생각에 홀딱 빠질 만큼 대단한 작품을 써 보란 말이다. 너희가 이 수업을 들을 만한 자격이 있는지를 알아보려는 거니까! 주제는? 가족이나, 집에서 일어나는 일상생활에 대한 이야기라면 뭐든지 괜찮아."

우리는 허둥지둥 종이를 꺼내 끼적이기 시작했다.

"아니, 아니! 여기서 말고!"

켈러 선생님의 호통에 우리는 바로 연필을 놓았다.

"숙제란 말이다, 숙제! 세 쪽 가득 채워 오도록. 기한은 내일까지!"

나는 ㉠마른침을 꿀꺽 삼켰다.

집으로 돌아오는 내내, 나는 줄곧 숙제 생각만 했다.

진짜 잘 써야 하는데!

4 켈러 선생님의 첫 번째 과제에 대한 '나'(퍼트리샤)의 마음은 어떠합니까? ( )

① 숙제를 하기 싫어한다.
② 정말 잘하고 싶어 한다.
③ 숙제에 별로 관심이 없다.
④ 숙제를 안 해도 된다고 생각한다.
⑤ 하기 쉬운 숙제라 걱정하지 않는다.

5 다음 내용을 참고해 ㉠'마른침'의 뜻을 짐작해 쓰시오.

> 낱말이 나온 앞부분에 켈러 선생님께서 내일까지 숙제를 해 오라고 호통을 치시는 긴장되는 상황이 나와 있기 때문이다.

( )

5학년 반 점수

이름

7 단원

[6~7] 글을 읽고, 물음에 답하시오.

위의 잎이 바로 아래 잎과 겹치면 위에 있는 잎의 그림자 때문에 아래 잎은 햇빛을 받지 못합니다. 식물은 햇빛을 보지 못하면 살 수가 없지요. 그래서 어떻게 잎을 펼쳐야 햇빛을 잘 끌어 모을까 고민합니다.

그럼 식물이 줄기에 어떤 모양으로 잎을 붙여 나가는지 그 기술을 알아보기로 할까요? 줄기에 차례대로 잎을 붙여 나가는 모양을 '잎차례'라고 합니다.

먼저, 줄기 마디마다 잎을 한 장씩 피우되 서로 어긋나게 피우는 방법이 있습니다. 이것을 '어긋나기'라 합니다. 국수나무처럼 평행하게 어긋나기만 하는 식물이 있는가 하면, 해바라기처럼 소용돌이 모양으로 돌려나면서 어긋나는 식물도 있습니다.

6 다음 ㉠, ㉡ 중에서 이 글의 요약 글로 더 적절한 글의 기호를 쓰시오.

㉠ 위의 잎이 바로 아래 잎과 겹치면 위에 있는 잎의 그림자 때문에 아래 잎은 햇빛을 받지 못합니다.

㉡ 위의 잎이 바로 아래 잎과 겹치면 위에 있는 잎의 그림자 때문에 아래 잎은 햇빛을 받지 못하므로 식물은 다양한 모양으로 잎을 피웁니다. 줄기에 차례대로 잎을 붙여 나가는 모양인 '잎차례'로는 서로 어긋나게 피우는 '어긋나기'가 있습니다.

( )

7 6번 문제의 답이 요약 글로 적절한 까닭을 바르게 말한 것에 ○표를 하시오.

(1) 글의 중요한 내용을 이해할 수 있게 글을 간추렸기 때문이야. ( )

(2) 중요한 내용까지 대부분 삭제하여 글을 짧게 간추렸기 때문이야. ( )

8 글의 구조에 따라 요약하는 방법으로 알맞지 <u>않은</u> 것은 어느 것입니까? ( )

① 글의 구조를 파악하며 읽는다.
② 문단의 중심 내용을 간추린다.
③ 글의 내용을 최대한 그대로 옮겨 쓴다.
④ 글의 구조에 알맞은 틀을 그려 내용을 정리한다.
⑤ 정리한 내용은 중요한 내용이 잘 드러나도록 간결한 문장으로 쓴다.

[9~10] 글을 읽고, 물음에 답하시오.

㉮ 보기 좋게 글씨를 쓰고, 아름다운 그림을 그리는 데는 내가 제일이야! 가볍고 부드러우면서도 질겨서 천 년이 가도 변하지 않거든.

나는 숨을 쉬니까 집 단장에도 좋아. 더운 날에는 찬 공기 들여 시원하게 하고, 추운 날에는 더운 공기 잡아 따뜻하게 하지. 또 습한 날은 젖은 공기 머금어 방 안을 보송보송하게 하고, 건조한 날은 젖은 공기 내놓아 방 안을 상쾌하게 하지. 따가운 햇볕을 은은하게 걸러 주는 건 기본이고말고.

㉯ 나는 흥겨운 놀이에도 빠지지 않아. 방패연, 가오리연이 되어 하늘을 훨훨 날 수도 있고, 제기가 되어 이리 펄쩍 저리 펄쩍 뛰기도 해. 풍물패 고깔 위에 알록달록 핀 예쁜 꽃도 바로 나야. 나는야 못 하는 게 없는 재주꾼, 한지돌이!

9 이 글에서 설명하는 내용은 무엇입니까? ( )

① 한지의 역사
② 한지의 쓰임새
③ 한지의 단점
④ 한지를 만든 사람
⑤ 한지를 만드는 과정

서술형

10 이 글은 어떤 방법으로 내용을 소개하고 있는지 쓰시오.

단원평가 2회 7. 중요한 내용을 요약해요

1 ㉠~㉣ 중 파란색으로 쓰인 '뜬금없는'의 뜻을 짐작할 수 있는 부분은 어느 것입니까?

> ㉠귀가 어두워 무슨 말을 해도 제대로 알아듣지 못하는 만화 주인공 '사오정'을 아시나요? 만화 주인공 사오정과 비슷한 사람이 ㉡우리 주변에 많이 생겨나고 있습니다. 사오정이 뜬금없는 말로 ㉢우리에게 재미와 웃음을 주지만 요즘에 사오정들은 귀 건강을 위협받는 ㉣아주 위험한 상황에 놓여 있습니다.

( )

2 1번 문제의 글에서 '뜬금없는'과 바꾸어 쓸 수 있는 낱말은 어느 것입니까? ( )

① 무서운 ② 조급한
③ 황당한 ④ 불안한
⑤ 인색한

3 다음 그림을 보고 '얼굴'의 뜻을 짐작하여 알맞게 선으로 이으시오.

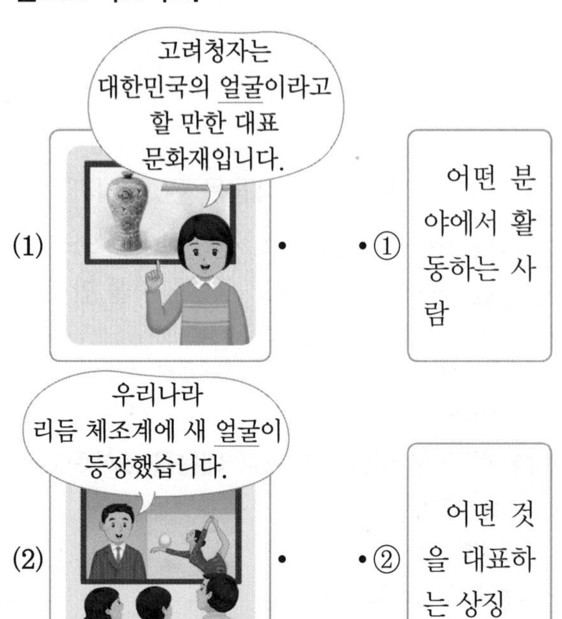

- ① 어떤 분야에서 활동하는 사람
- ② 어떤 것을 대표하는 상징

[4~5] 글을 읽고, 물음에 답하시오.

> ㉮ "퍼트리샤, 음, 그러니까 일단 슐로스 할아버지의 아내를 주제로 삼은 점은 적절했단다. 하지만 이 글에서 진실한 감정을 드러내는 낱말이 어디에 있지?"
> 켈러 선생님은 나를 똑바로 보며 말을 이었다.
> "㉠글을 읽는 사람이 글쓴이의 '진짜' 감정을 느낄 수 있어야 해. 물론 평범한 방식으로는 절대 안 되지. 독자들이 전혀 예상하지 못한 방식으로, 깜짝 놀라도록. 한마디로 독창적이어야 한다는 말이야!"
> ㉯ 엎친 데 덮친 격으로, 켈러 선생님이 할 말이 있다며 따로 남으라고 했다.
> "퍼트리샤, 너는 자신이 겪은 일을 써 왔으면 좋겠다. 솔직히 말해서, 네 글은 여전히 감정이 잘 드러나지 않고 있으니까." / 하지만 아무리 머리를 ㉡쥐어짜도, 켈러 선생님을 감동시킬 만한 주제가 하나도 떠오르지 않았다.

4 켈러 선생님이 ㉠과 같이 말씀하신 까닭은 무엇이겠습니까? ( )

① 글은 아무나 쓰는 것이 아니기 때문에
② 글을 제대로 읽는 사람이 드물기 때문에
③ 글을 읽는 사람들은 글쓴이의 마음에 관심이 없기 때문에
④ 글을 읽는 사람이 글을 쉽고 재미있게 읽는 것이 중요하기 때문에
⑤ 글을 읽는 사람이 글쓴이가 전하려는 진실한 마음을 파악하는 것이 중요하기 때문에

서술형

5 ㉡'쥐어짜도'의 뜻을 짐작하여 그렇게 짐작한 까닭과 함께 쓰시오.

(1) 짐작한 뜻: ______________________

(2) 그렇게 짐작한 까닭: ______________________

5학년 반 점수

이름

6 글을 요약하는 까닭은 무엇입니까? ( )

① 글을 고쳐 쓰려고
② 낱말 뜻을 찾으려고
③ 글을 빨리 읽으려고
④ 있었던 일을 기록하려고
⑤ 글의 중심 내용을 잘 파악하려고

7 요약한 글을 평가하는 기준으로 알맞은 것을 두 가지 고르시오. (,)

① 재미있는 내용이 있는가?
② 글을 자세하고 길게 간추렸는가?
③ 글의 내용을 새롭게 꾸며 썼는가?
④ 글에서 중요한 내용을 이해할 수 있게 간추렸는가?
⑤ 사소한 내용은 삭제하고 중요한 내용만 간추렸는가?

8 글의 내용을 다음처럼 요약하면 좋은 점을 생각해 빈칸에 알맞은 낱말을 쓰시오.

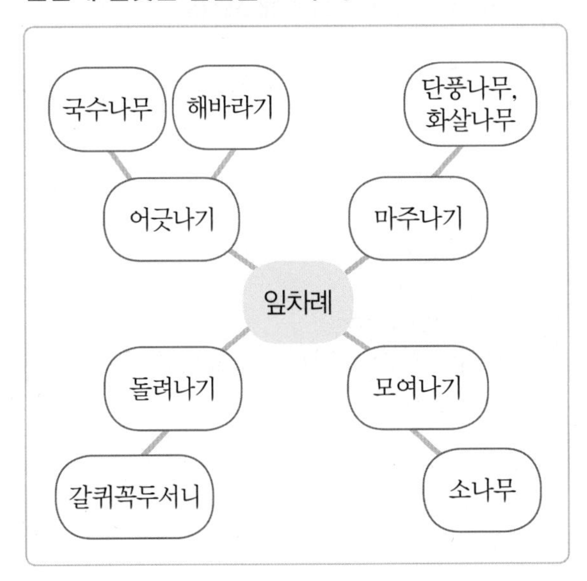

• 글의 ( )을/를 한눈에 파악할 수 있어 글의 핵심 내용을 잘 이해할 수 있다.

[9~10] 글을 읽고, 물음에 답하시오.

> 가 제일 먼저 닥나무를 베어다 푹푹 찐 뒤, 나무껍질을 훌러덩훌러덩 벗겨서 물에 불려. 그러고는 다시 거칠거칠한 겉껍질을 닥칼로 긁어내고 보들보들 하얀 속껍질만 모아.
> 나 이제 보드랍고 하얗게 바랜 속껍질을 나무판 위에 올려놓고 닥 방망이로 찧어 가닥가닥 곱게 풀어야 해. 쿵쿵 쾅쾅! 솜처럼 풀어진 속껍질은 다시 물에 넣고 잘 풀어지라고 휘휘 저어. 그런 다음 닥풀을 넣고 다시 잘 엉겨 붙으라고 휘휘 저어 주지.
> 다 이번에는 엉겨 붙은 속껍질을 물에서 떠내야 해. 촘촘한 대나무 발을 외줄에 걸어서 앞뒤로 찰방, 좌우로 찰방찰방 건져 올리면 물은 주룩주룩 빠지고 발 위에는 하얀 막만 남아. 젖은 종이처럼 말이야. 이렇게 한 장 한 장 떠서 차곡차곡 쌓은 다음 무거운 돌로 하루 정도 눌러서 남은 물기를 빼.
> 마지막으로 차곡차곡 눌러둔 걸 한 장 한 장 떼어서 판판하게 말려야 해. 따뜻한 온돌 방바닥이나 판판한 벽에 좍좍 펴서 말리면 드디어 숨 쉬는 종이, 한지 완성!

9 이 글은 대상을 어떤 방법으로 설명하였습니까? ( )

① 시간의 순서에 따라 설명했다.
② 두 대상의 공통점을 중심으로 설명했다.
③ 두 대상의 차이점을 비교하며 설명했다.
④ 해결할 문제와 그에 대한 해결 방법을 제시했다.
⑤ 하나의 주제에 대해 몇 가지 특징을 늘어놓았다.

서술형

10 이 글의 구조에 따라 요약하는 방법을 써 보시오.

서술형평가 7. 중요한 내용을 요약해요

5학년 반 점수

이름 /30점

1 ㉠'들떠'의 뜻을 짐작하여 그렇게 짐작한 까닭과 함께 쓰시오. [6점]

'마녀 켈러'가 나를 안아 주다니! 그러면서 켈러 선생님은 나직이 속삭였다.

"퍼트리샤, 슐로스 할아버지에게 바치는 글은 정말 놀라웠다. 자신이 겪은 일 쓰기의 모범으로 삼아도 좋을 만큼 말이다."

반으로 접힌 기말 과제 종이를 손에 꼭 쥐고 집으로 달려가는 내내, 나는 기대에 ㉠들떠 가슴이 부풀어 올랐다.

(1) 짐작한 뜻: ______________

(2) 그렇게 짐작한 까닭: ______________

2 다음 글을 읽고 틀에 맞게 요약하여 쓰시오. [6점]

동물들은 한꺼번에 먹이를 나르려고 무엇을 이용할까?

다람쥐는 볼주머니를 이용한다. 볼주머니는 입안 좌우에 있는 큰 주머니를 말한다. 다람쥐는 먹이를 입에 넣은 다음 볼에 차곡차곡 담는데 밤처럼 너무 큰 먹이는 이빨로 잘라서 넣기도 한다. 다람쥐의 경우 도토리 같은 열매 열 개 이상을 볼주머니에 잠시 저장할 수 있다.

원숭이도 볼주머니가 있다. 원숭이의 볼주머니에는 사과 한 개 정도가 들어갈 수 있는 공간이 있다. 원숭이는 먹이를 발견하면 대충 씹어 그곳에 잠시 저장한다. 그런 다음 다른 원숭이에게 먹이를 빼앗기지 않으려고 안전한 장소로 이동한 뒤 먹이를 조금씩 꺼내어 먹는다.

볼주머니에 먹이를 저장해 나르는 동물	
다람쥐	원숭이
(1)	(2)

[3~4] 글을 읽고, 물음에 답하시오.

드디어 숨 쉬는 종이, 한지 완성!

보기 좋게 글씨를 쓰고, 아름다운 그림을 그리는 데는 내가 제일이야! 가볍고 부드러우면서도 질겨서 천년이 가도 변하지 않거든.

나는 숨을 쉬니까 집 단장에도 좋아. 더운 날에는 찬 공기 들여 시원하게 하고, 추운 날에는 더운 공기 잡아 따뜻하게 하지. 또 습한 날은 젖은 공기 머금어 방 안을 보송보송하게 하고, 건조한 날은 젖은 공기 내놓아 방 안을 상쾌하게 하지. 따가운 햇볕을 은은하게 걸러 주는 건 기본이고말고.

낡은 옷장에 나를 겹겹이 붙이면 새 옷장이 되고, 요리조리 모양 잡으면 안경집, 벼룻집, 갓집이 되지. 바늘, 실, 골무 같은 바느질 도구 넣는 ㉠반짇고리도 될 수 있어.

3 ㉠'반짇고리'의 뜻을 짐작해 쓰시오. [6점]

____

4 이 글의 내용을 요약해 쓰시오. [6점]

• 한지는 쓰임새도 많다. ______________

5 사회나 과학 교과서에서 요약할 글 한 편을 골라 요약해 쓰시오. [6점]

수행평가 7. 중요한 내용을 요약해요

5학년 반	점수
이름	/30점

관련 성취 기준	글의 구조를 고려하여 글 전체의 내용을 요약한다.
평가 목표	글의 구조에 따라 요약할 수 있다.

[1~3] 글의 구조를 생각하며 글을 읽어 봅시다.

제일 먼저 닥나무를 베어다 푹푹 찐 뒤, 나무껍질을 훌러덩훌러덩 벗겨서 물에 불려. 그러고는 다시 거칠거칠한 겉껍질을 닥칼로 긁어내고 보들보들 하얀 속껍질만 모아.

이렇게 모은 속껍질은 삶아서 더 보드랍게, 더 하얗게 만들어야 해. 먼저 닥솥에 물을 붓고 속껍질을 담가. 그리고 콩대를 태워 만든 잿물을 붓고 보글보글 부글부글 삶아. 푹 삶은 다음에는 건져 내서 찰찰찰 흐르는 맑은 물에 깨끗이 씻어.

이제 보드랍고 하얗게 바랜 속껍질을 나무판 위에 올려놓고 닥 방망이로 찧어 가닥가닥 곱게 풀어야 해. 쿵쿵 쾅쾅! 솜처럼 풀어진 속껍질은 다시 물에 넣고 잘 풀어지라고 휘휘 저어. 그런 다음 닥풀을 넣고 다시 잘 엉겨 붙으라고 휘휘 저어 주지.

아, 한지를 물들이려면 지금 준비해야 해. 잇꽃으로 물들이면 붉은 한지 되고 치자로 물들이면 노랑, 쪽물은 파랑, 먹으로 물들이면 검은 한지 되지.

이번에는 엉겨 붙은 속껍질을 물에서 떠내야 해. 촘촘한 대나무 발을 외줄에 걸어서 앞뒤로 찰방, 좌우로 찰방찰방 건져 올리면 물은 주룩주룩 빠지고 발 위에는 하얀 막만 남아. 젖은 종이처럼 말이야. 이렇게 한 장 한 장 떠서 차곡차곡 쌓은 다음 무거운 돌로 하루 정도 눌러서 남은 물기를 빼.

마지막으로 차곡차곡 눌러둔 걸 한 장 한 장 떼어서 판판하게 말려야 해. 따뜻한 온돌 방바닥이나 판판한 벽에 쫙쫙 펴서 말리면 드디어 숨 쉬는 종이, 한지 완성!

1 이 글은 무엇에 대해 설명하는 글인지 한 문장으로 쓰시오. [5점]

2 이 글은 어떤 방법으로 내용을 소개했는지 쓰시오. [5점]

( )

3 이 글의 구조에 따라 내용을 요약하여 쓰시오. [20점]

단원평가 1회 8. 우리말 지킴이

[1~3] 그림을 보고, 물음에 답하시오.

Book적Book적
저 아이들이 하는 말을 잘 모르겠네.
수업 시간에 열공했더니 배고프다.
나도 배고픈데 편의점에서 삼김 사 먹을까?
한마음플라워
유니크펫숍

1 이 그림에 나오는 간판 이름의 특징은 무엇입니까? (　　)

① 한자어를 사용했다.
② 줄임 말을 사용했다.
③ 우리말을 바르게 사용했다.
④ 무엇을 파는지 쉽게 알 수 있다.
⑤ 같은 뜻을 지닌 우리말이 있는데도 외국어를 그대로 사용했다.

2 이 그림에 나오는 간판 이름을 자연스러운 우리말로 바꾸어 쓰시오.

(1) Book적Book적: (　　　　　　　　)
(2) 한마음플라워: (　　　　　　　　)
(3) 유니크펫숍: (　　　　　　　　)

논술형

3 '열공했더니', '삼김'과 같은 표현을 자주 사용하면 어떤 문제가 생길지 쓰시오.

---

4 다음 그림을 보고, 여진이네 모둠에서 정한 조사 주제는 무엇인지 쓰시오.

우리 모둠은 '우리말이 있는데도 영어를 사용하는 예'를 조사하기로 했어. 영어를 무분별하게 사용하는 예로 무엇이 있을까?

여진 ▶

(　　　　　　　　　　　　　　　　　　　　)

5 다음은 여진이네 모둠에서 4번 문제에서 정한 조사 주제에 맞게 조사 대상을 정하는 장면입니다. 여진이네 모둠에서 정한 조사 대상에 대한 설명으로 알맞지 <u>않은</u> 것은 무엇입니까? (　　)

그럼 방송을 조사해 보면 어떨까? 방송은 아이들에게 영향을 많이 주잖아.
조사한 결과를 방송사에 알려 주고 영어 사용을 자제해 달라고 요청할 수도 있어.

① 조사 주제에 맞는 대상이다.
② 아이들에게 영향을 많이 준다.
③ 실제로 조사할 수 없는 대상이다.
④ 조사한 결과를 방송사에 알려 줄 수 있다.
⑤ 영어 사용을 자제해 달라고 요청할 수 있다.

5학년 반 점수
이름

6 조사 방법과 각 방법의 장단점이 알맞게 짝 지어진 것은 어느 것입니까? ( )

① 관찰 – 시간이 적게 걸리나 정확하고 다양한 정보를 얻을 수 없다.
② 책 – 현장에서 조사 대상을 직접 파악할 수 있으나 시간이 많이 걸린다.
③ 면담 – 여러 사람을 한꺼번에 조사할 수 있으나 자세한 정보를 수집하기 어렵다.
④ 글 – 여러 사람을 한꺼번에 조사할 수 있으나 답한 내용 외에는 자세한 내용을 알기 어렵다.
⑤ 설문지 – 여러 사람을 한꺼번에 조사할 수 있으나 답한 내용 외에는 자세한 내용을 알기 어렵다.

7 발표할 원고를 구성할 때 '전달하려는 내용'에 들어가야 할 내용은 무엇입니까? ( )

① 자료
② 발표 제목
③ 모둠 이름
④ 발표한 내용
⑤ 모둠의 의견이나 전망

8 발표 자료를 제시하며 발표할 때 주의할 점으로 알맞은 것을 두 가지 찾아 기호를 쓰시오.

㉠ 자료는 모두가 볼 수 있도록 크게 마련한다.
㉡ 자료는 한 화면에 되도록 많은 내용을 제시한다.
㉢ 발표를 시작할 때 듣는 사람을 바라보며 바른 자세로 발표한다.
㉣ 자료를 보여 줄 때에는 화면 쪽으로 몸을 돌려 자료를 그대로 읽듯이 발표한다.

( )

[9~10] 만화를 보고, 물음에 답하시오.

수업 시간에 열공했더니 배고프다.
나도 배고픈데 편의점에서 삼김 사 먹을까?
저기 편의점이 있다.
오! 들어가자.
편의점
삼김 두 개 있어요?
삼김이라니? 무슨 말인지 모르겠구나.
삼각김밥 주세요.
나도 줄임 말을 사용하지 말아야겠구나.

9 장면 ❺에서 남자아이의 표정과 몸짓을 어떻게 표현하였습니까? ( )

① 활짝 웃는 표정을 그렸다.
② 얼굴에 땀방울을 여러 개 그렸다.
③ 눈을 크게 치켜 뜬 모습을 그렸다.
④ 이마 부분에 세로선을 여러 개 그렸다.
⑤ 두 손을 앞으로 공손히 모으는 동작을 그렸다.

서술형

10 이 만화의 내용으로 보아 주제는 무엇일지 쓰시오.

8 단원

단원평가 2회 8. 우리말 지킴이

[1~2] 그림을 보고, 물음에 답하시오.

sweet카페
「거북이」라는 영화 봤어?
응, ㉡노잼이었어.
주문하신 사과주스 나오셨습니다.
㉠

1 ㉠의 표현에 대한 설명으로 알맞지 않은 것은 어느 것입니까? ( )

① 사물을 높이는 표현이다.
② 우리말 규칙에 맞지 않다.
③ 우리말을 바르게 사용하지 못하였다.
④ '주문하신'을 '주문한'으로 고쳐야 한다.
⑤ '나오셨습니다'를 '나왔습니다'로 고쳐야 한다.

2 ㉡'노잼이었어.'를 자연스러운 표현으로 고쳐 쓰시오.

( )

3 다음에서 설명한 조사 방법은 무엇입니까? ( )

> 현장에서 조사 대상을 직접 파악할 수 있지만, 시간이 많이 걸린다.

① 책 ② 글 ③ 방송
④ 관찰 ⑤ 설문지

[4~5] 다음을 보고, 물음에 답하시오.

• 시작하는 말 구성하기

시작하는 말	우리 샛별 모둠에서는 영어를 지나치게 많이 사용하는 실태를 조사했습니다. 발표 제목은 「영어가 아름다운 우리말을 사라지게 해요」입니다.

• 전달하려는 내용 구성하기

자료	방송 프로그램 가운데에서 영어를 지나치게 많이 사용하는 동영상 보여 주기(출처: 샛별방송사 「다 같이 요리」 프로그램)
설명하는 말	샛별방송사에서 방송한 「다 같이 요리」 프로그램을 짧게 보여 드리겠습니다. 이 동영상에서 "김○○ 셰프 출연"이라는 자막이 보입니다. '셰프'는 요리사를 뜻하는 영어입니다. 또 프로그램에 나오는 출연자가 '메인 디시'라는 영어를 지나치게 많이 사용하는데 그것을 편집하지 않고 그대로 방송했습니다.

• 끝맺는 말 구성하기

끝맺는 말	지금까지 영어를 지나치게 많이 사용하는 실태를 발표했습니다. 아름다운 우리말을 보존할 수 있도록 우리말을 바르게 사용하는 습관을 기릅시다.

4 발표할 원고의 각 부분에 들어간 내용을 바르게 설명하지 못한 것은 어느 것입니까? ( )

① 시작하는 말에 모둠 이름을 넣었다.
② 끝맺는 말에 발표한 내용을 넣었다.
③ 시작하는 말에 모둠의 의견을 넣었다.
④ 전달하려는 내용에 조사한 자료를 넣었다.
⑤ 전달하려는 내용에서 보여 준 자료의 출처를 밝혔다.

서술형

5 발표할 원고에서 자료를 잘 활용했는지 점검할 내용을 쓰시오.

5학년 반 점수

이름

[6~7] 그림을 보고, 물음에 답하시오.

가
여진이가 발표 내용만 보며 발표하네.
지금까지 영어를 지나치게 많이 사용하는 실태를 발표했습니다.
나
말이 너무 빨라.
아름다운 우리말이 자리를 잃지 않도록…….
목소리가 잘 안 들려.
다
라

6 그림 ㉮~㉰에서 여진이가 발표할 때 잘못한 점을 찾아 각각 선으로 이으시오.

(1) ㉮ • 　　• ① 듣는 사람이 알아듣지 못하게 작게 말했다.

(2) ㉯ • 　　• ② 너무 빠른 속도로 발표하고 있다.

(3) ㉰ • 　　• ③ 발표 내용만 보면서 읽듯이 발표하고 있다.

서술형

7 그림 ㉱에서 여진이가 발표 자료를 제시할 때 잘못한 점을 쓰시오.

______

______

8 발표를 들을 때 주의할 점으로 알맞은 것은 무엇입니까? ( )

① 제시한 자료는 있는 그대로 믿는다.
② 발표 주제가 무엇인지 알 필요는 없다.
③ 발표자에게 빨리 발표하라고 재촉한다.
④ 내가 이미 아는 내용만 집중해서 듣는다.
⑤ 발표 내용이 주제와 관련 있는지 판단한다.

8 단원

[9~10] 만화를 보고, 물음에 답하시오.

저기 편의점이 있다.
오! 들어가자.
편의점
1
삼김 두 개 있어요?
2
삼김이라니? 무슨 말인지 모르겠구나.
3
삼각김밥 주세요.
나도 줄임 말을 사용하지 말아야겠구나.
4

9 장면 ❸에서 아저씨가 당황한 까닭은 무엇입니까? ( )

① 남자아이가 높임말을 쓰지 않아서
② 남자아이가 물건값을 치르지 않아서
③ 남자아이가 찾는 물건을 팔지 않아서
④ '삼김'이라는 말의 뜻을 알 수 없어서
⑤ 남자아이가 사물을 높이는 표현을 사용해서

10 장면 ❸에서 아저씨의 표정을 어떻게 표현했는지 빈칸에 각각 알맞은 말을 쓰시오.

(1)( ) 표정으로 (2)( ) 사이를 찡그리는 모습을 그렸다.

서술형 평가 8. 우리말 지킴이

5학년 반 / 이름 / 점수 /30점

1 다음과 같이 우리말을 바르게 사용하지 못하는 현상이 일어나는 까닭은 무엇일지 쓰시오. [6점]

2 다음과 같이 우리 주변에서 우리말을 바르게 사용하지 못한 경우를 생각하여 쓰시오. [6점]

3 조사 주제를 정할 때 주의할 점을 생각하여 쓰시오. [6점]

4 다음 발표할 원고에 어울리는 끝맺는 말을 생각하여 쓰시오. [6점]

• 시작하는 말 구성하기

시작하는 말	우리 샛별 모둠에서는 영어를 지나치게 많이 사용하는 실태를 조사했습니다. 발표 제목은 「영어가 아름다운 우리말을 사라지게 해요」입니다.

• 전달하려는 내용 구성하기

자료	방송 프로그램 가운데에서 영어를 지나치게 많이 사용하는 동영상 보여 주기(출처: 샛별방송사 「다 같이 요리」 프로그램)
설명하는 말	샛별방송사에서 방송한 「다 같이 요리」 프로그램을 짧게 보여 드리겠습니다. 이 동영상에서 "김○○ 셰프 출연"이라는 자막이 보입니다. '셰프'는 요리사를 뜻하는 영어입니다. 또 프로그램에 나오는 출연자가 '메인 디시'라는 영어를 지나치게 많이 사용하는데 그것을 편집하지 않고 그대로 방송했습니다.

• 끝맺는 말 구성하기

끝맺는 말	

5 여러 사람 앞에서 조사한 내용을 발표할 때와 발표를 들을 때 주의할 점을 각각 쓰시오. [6점]

(1) 발표할 때:

(2) 발표를 들을 때:

수행평가 8. 우리말 지킴이

5학년 반	점수
이름	/30점

관련 성취 기준	일상생활에서 국어를 바르게 사용하는 태도를 지닌다.
평가 목표	우리말 훼손 사례를 조사할 수 있다.

[1~3] 조사 주제와 조사 대상을 생각하며 그림을 살펴봅시다.

8 단원

1 우리 반 아이들이 사용하고 있는 줄임 말을 어떤 방법으로 조사할지, 보기 에서 한 가지를 골라 그 조사 방법의 장단점을 쓰시오. [10점]

보기: 관찰, 설문지, 면담, 책이나 글

(1) 조사 방법	(2) 장점	(3) 단점

2 우리 반 아이들이 사용하고 있는 줄임 말을 조사하여 바른 표현으로 고쳐 쓰시오. [10점]

(1) 줄임 말	(2) 바른 표현

3 2번 문제에서 조사한 줄임 말에 대해 자신이 생각하거나 느낀 점을 쓰시오. [10점]

[1~3] 글을 읽고, 물음에 답하시오.

> ㉮ 명준: 지난번 질서 지키기 그림 대회에서 내가 그린 그림이 뽑히지 않아서 무척 서운했어.
> 지윤: 네가 그림을 못 그렸겠지. 그러니까 할 수 없잖아?
> 명준: (화내는 목소리로) 너는 친구에게 어떻게 그런 말을 하니?
> ㉯ 명준: 이번 일로 그림 그리기에 자신감을 많이 잃었어.
> 지윤: 힘내! 너는 그림을 열심히 그리니까 다음에는 꼭 뽑힐 거야.
> 명준: 그렇게 말해 줘서 고마워. 다시 힘을 내서 해 볼게.

1. 마음을 나누며 대화해요

1 ㉮에서 지윤이는 명준이에게 어떻게 말했습니까? (　　)

① 명준이를 위로하는 말을 했다.
② 명준이를 배려하지 않고 말했다.
③ 명준이의 기분을 생각하며 말했다.
④ 명준이의 처지를 생각하며 말했다.
⑤ 자신의 생각을 솔직히 말하지 않았다.

1. 마음을 나누며 대화해요

2 ㉮에서 명준이가 지윤이에게 화를 내는 까닭으로 알맞은 것에 ○표를 하시오.

(1) 지윤이가 거짓말을 해서 (　　)
(2) 지윤이가 한 말에 기분이 나빠져서 (　　)
(3) 지윤이가 자신의 말에 대답하지 않아서 (　　)

1. 마음을 나누며 대화해요

3 ㉮와 ㉯ 중 공감하며 대화하고 있는 것은 어느 것인지 기호를 쓰시오.

(　　　　　　)

1. 마음을 나누며 대화해요

4 공감하며 듣고 말하는 방법으로 알맞지 않은 것은 어느 것입니까? (　　)

① 상대의 기분을 고려해 말한다.
② 상대의 말을 귀 기울여 듣는다.
③ 전하고 싶은 생각을 말하지 않는다.
④ 말하는 사람의 처지가 되어 생각한다.
⑤ 자신의 잘못은 없는지 생각하며 말한다.

1. 마음을 나누며 대화해요

5 누리 소통망에서 상대의 말에 공감하며 대화한 친구는 누구인지 쓰시오.

> 진아: 글보다 그림말을 많이 사용했어.
> 우진: 내가 할 말만 한 뒤 대화방에서 나갔어.
> 소미: 대화를 할 때 상대의 상황이 되어 생각해 보았어.

(　　　　　　)

[6~7] 글을 읽고, 물음에 답하시오.

> 여기에는 봄기운이 시작되는 정월에 풍년을 기원하고, 줄다리기라는 큰 행사를 치르면서 마을 사람들이 마음을 한데 모아 무사히 한 해 농사를 지으려는 지혜가 담겨 있어요. 영산 줄다리기는 1969년에 국가 무형 문화재 제26호로 지정되었답니다.

또 다른 국가 무형 문화재에는 무엇이 있는지 궁금해.
윤지

2. 지식이나 경험을 활용해요

6 윤지가 이 글을 읽으며 떠올린 내용에 ○표를 하시오.

알고 싶은 것	짐작한 것	새롭게 안 것

논술형 　2. 지식이나 경험을 활용해요

7 6번 문제에서 답한 내용이 윤지가 글을 읽는 데 어떤 도움이 되었을지 쓰시오.

5학년 반	점수
이름	

[8~10] 글을 읽고, 물음에 답하시오.

아이들이 놀면서 한글을 배울 수 있는 '한글 놀이터', 한글에 익숙하지 않은 사람들을 위해 마련한 '한글 배움터'는 모두 체험과 놀이를 하면서 한글을 이해하도록 만들어졌다는 점이 흥미로웠다. '특별 전시실'에서는 국립한글박물관 개관 기념 특별전을 진행했는데, '세종 대왕, 한글문화 시대를 열다'라는 기획 아래 세종 대왕의 업적과 일대기, 세종 시대의 한글문화, 세종 정신 따위를 주제로 한 전통적인 유물과 이를 현대적으로 해석한 현대 작가의 작품을 만날 수 있었다.

㉠박물관을 관람하면서 책과 화면으로만 봤던 한글 유물을 직접 볼 수 있어서 신기하고 즐거웠다.

2. 지식이나 경험을 활용해요

8 글쓴이가 체험한 일은 무엇인지 빈칸에 알맞은 말을 쓰시오.

국립한글박물관의 (   ), (   ), (   ) 을/를 관람했다.

2. 지식이나 경험을 활용해요

9 ㉠에 해당하는 내용을 찾아 번호를 쓰시오.

① 글쓴이가 체험한 일을 구체적으로 설명한 부분이다.
② 글쓴이가 체험한 일에 대한 감상이 나타난 부분이다.

(   )

2. 지식이나 경험을 활용해요

10 이와 같은 글을 쓰는 방법으로 알맞은 것은 어느 것입니까? (   )

① 상상하여 꾸며 쓴다.
② 체험한 일을 간단히 줄여 쓴다.
③ 인상 깊은 체험을 중심으로 쓴다.
④ 체험에 대한 감상은 쓰지 않는다.
⑤ 내 생각이 드러나지 않게 주의한다.

[11~13] 그림을 보고, 물음에 답하시오.

처음에 우리가 토의로 해결하려고 했던 문제는 무엇이었죠?
미세 먼지에 대처하는 방안을 마련하는 것입니다.
그렇군요. 토의로 해결하려는 문제를 정확히 파악해야 했습니다.
맞아요. 그리고 의견을 실천하려면 무엇이 필요한지 따질 필요가 있겠군요. 자세한 자료를 찾아 각자 의견을 뒷받침해 봅시다.

잠시 뒤

3. 의견을 조정하며 토의해요

11 친구들은 미세 먼지에 대처하는 방안을 마련하기 위한 토의에서 의견을 조정하고 있습니다. 친구들이 가장 먼저 한 일은 무엇인지 쓰시오.

(   )

3. 의견을 조정하며 토의해요

12 의견 실천에 필요한 조건을 따지기 위해 친구들이 한 일은 무엇인지 빈칸에 알맞은 말을 쓰시오.

(   )을/를 찾아 의견을 뒷받침했다.

3. 의견을 조정하며 토의해요

13 의견을 조정하는 방법을 떠올리며 그림 ❻의 뒷부분에 이어질 내용을 찾아 ○표를 하시오.

(1) 해결하려는 문제 파악하기 (   )
(2) 의견을 뒷받침하는 근거 제시하기 (   )
(3) 의견대로 실천했을 때 결과 예측하기 (   )

중간 기말 평가

3. 의견을 조정하며 토의해요

14 의견을 조정하는 태도로 알맞지 않은 것은 무엇입니까? ( )

① 결정한 의견에 따른다.
② 의견과 발언에 집중한다.
③ 해결 방안을 끝까지 알아본다.
④ 자신의 생각을 적극적으로 표현한다.
⑤ 문제를 해결하는 데 무관심한 태도를 갖는다.

3. 의견을 조정하며 토의해요

15 자신이 찾은 자료를 표나 도표를 이용해 표현하면 효과적인 까닭을 보기 에서 골라 기호를 쓰시오.

보기
㉠ 많은 내용을 담을 수 있어서
㉡ 자료의 원래 모습 그대로 옮길 수 있어서
㉢ 글을 읽는 것보다 더 쉽고 빠르게 이해할 수 있어서

( )

4. 겪은 일을 써요

16 글쓰기의 과정 중 직접 글을 쓰는 단계에 해당하는 것은 무엇입니까? ( )

① 계획하기
② 표현하기
③ 고쳐쓰기
④ 내용 생성하기
⑤ 내용 조직하기

[17~18] 글을 읽고, 물음에 답하시오.

한참 있다가 어머니께서 오셨다. ㉠문을 열어 보라고 하시는데 어머니의 표정이 별로 좋아 보였다. 나는 혼이 날까 봐 살짝 문을 열었다.
"윤서야, 너 좋아하는 연속극 해."
"일기 쓸래요."

4. 겪은 일을 써요

17 ㉠의 문장에서 다음과 같은 말과 호응하는 낱말을 찾아 쓰시오.

'-지 않다, -지 못하다'와 같은 부정적인 서술어나 '안', '못'이 꾸며 주는 서술어

( )

서술형

4. 겪은 일을 써요

18 17번 문제에서 답한 낱말에 주의하여 ㉠의 문장을 알맞게 고쳐 쓰시오.

4. 겪은 일을 써요

19 다음 중 문장 성분의 호응이 잘 이루어진 문장은 무엇입니까? ( )

① 날씨가 그다지 춥다.
② 할아버지는 얼른 밥을 먹었다.
③ 나는 책 읽기를 별로 좋아하는 편이다.
④ 어제저녁 아버지와 함께 산책을 나간다.
⑤ 선생님 말씀은 전혀 들어 본 적이 없는 내용이었다.

4. 겪은 일을 써요

20 다음은 어떤 방법으로 글머리를 시작한 것입니까? ( )

하늘에서 물을 바가지로 퍼붓는 듯 비가 내리는 날이었다.

① 대화 글로 시작하기
② 날씨 표현으로 시작하기
③ 인물 설명으로 시작하기
④ 속담이나 격언으로 시작하기
⑤ 의성어나 의태어로 시작하기

중간 이후 **기말 평가** 5. 여러 가지 매체 자료 ~ 8. 우리말 지킴이

5학년 반 이름 점수

[1~3] 글을 읽고, 물음에 답하시오.

어린이 신문 20○○년 ○○월 ○○일

걸어서 만나는 세계적인 생태 천국, 창녕 우포늪

여름철 우포늪은 온갖 생명의 움직임으로 분주하다. 개구리밥, 마름, 생이가래 같은 수생 식물이 세력을 넓히고, 새하얀 백로가 얕은 물가를 느긋하게 거닐며 먹이 활동을 한다.

5. 여러 가지 매체 자료

1 이 매체 자료의 종류로 알맞은 것에 ○표를 하시오.

인쇄 매체 자료 영상 매체 자료

5. 여러 가지 매체 자료

2 이와 같은 매체 자료를 읽는 방법으로 알맞은 것의 기호를 쓰시오.

㉠ 화면 구성을 잘 살펴본다.
㉡ 소리에 담긴 정보를 잘 탐색한다.
㉢ 글과 그림, 사진이 주는 시각 정보를 잘 살펴본다.

( )

5. 여러 가지 매체 자료

3 이와 성격이 비슷한 매체 자료는 어느 것입니까? ( )

① 영화 ② 잡지
③ 드라마 ④ 누리 소통망[SNS]
⑤ 휴대 전화 문자 메시지

5. 여러 가지 매체 자료

4 '인물 소개하기'를 하려고 인물에 대한 자료를 영상 매체에서 찾았습니다. 자료를 읽을 때 주의하며 볼 부분으로 알맞은 것은 무엇입니까?( )

① 글과 그림 ② 그림과 음악
③ 글과 사진 ④ 사진과 그림
⑤ 음악과 장면 표현 방법

5. 여러 가지 매체 자료

5 친구들과 이야기를 나눌 때 지켜야 할 예절로 알맞은 것은 무엇입니까? ( )

① 말은 되도록 길게 한다.
② 대화 주제와 관련 없는 내용을 말한다.
③ 친구가 말할 때 무슨 말을 할지 생각한다.
④ 친구의 말을 잘 듣고 적극적으로 반응한다.
⑤ 다른 사람의 말이 끝나기 전에 끼어들어 말한다.

[6~7] 글을 읽고, 물음에 답하시오.

실제로 자신의 꿈이 '연예인'으로 바뀌었다고 하는 한 학생을 면담한 결과, "요즘에는 연예인이 대세이다."라면서도 "사실은 한 해에도 여러 번 바뀌는 희망 직업 때문에 고민이 많다. 무엇을 준비해야 할지 모르겠다."라고 털어놓았다. 직업의 선택은 유행이 아니라 자신의 적성이나 흥미, 특기를 고려해 이루어져야 한다. 정작 자신이 무엇을 원하는지보다 다른 많은 사람이 원하는 것에 이끌려 인생의 중요한 결정을 내린다면 결국 후회만 남을 것이다.

6. 타당성을 생각하며 토론해요

6 이 글에 나타난 글쓴이의 주장을 생각하며 빈칸에 알맞은 말을 쓰시오.

• 직업의 선택은 (1)( )이/가 아니라 자신의 적성이나 (2)( ), 특기를 고려해 이루어져야 한다.

서술형 6. 타당성을 생각하며 토론해요

7 다음 기준에 따라 이 글에서 사용한 근거 자료를 평가하여 쓰시오.

• 주장을 뒷받침하는 자료인가?
• 믿을 만한 전문가의 의견인가?

중간 기말 평가

6. 타당성을 생각하며 토론해요

8 설문 조사 자료를 평가하는 기준으로 알맞지 않은 것은 어느 것입니까? ( )

① 출처가 정확한가?
② 자료가 믿을 만한가?
③ 조사 범위가 적절한가?
④ 주장을 뒷받침하는 자료인가?
⑤ 조사 대상이 내가 아는 사람들인가?

[9~11] 글을 읽고, 물음에 답하시오.

사회자: 지금부터 "학급 임원은 반드시 필요하다."라는 주제로 토론을 시작하겠습니다. 저는 토론의 사회를 맡은 구민재입니다. 먼저 찬성편이 주장을 펼치겠습니다.
찬성편: 저희 찬성편은 두 가지 까닭에서 "학급 임원은 반드시 필요하다."라는 주제에 찬성합니다.
첫째, 실제로 학생 대표가 학교생활에 많은 역할을 합니다. 많은 학생들이 함께 생활하다 보니 학교에는 여러 가지 문제나 불편한 점이 생길 수 있습니다. 이러한 것에 대한 해결은 전교 학생회 회의에서 이루어지는데 학급 임원은 여기에 참여해 우리 반 학생들의 의견을 전달하는 역할을 합니다. 저희가 ㉠설문 조사를 한 결과에 따르면 우리 지역의 초등학교 가운데에서 95퍼센트가 넘는 학교가 학급 임원을 뽑고 있다고 합니다.

6. 타당성을 생각하며 토론해요

9 이 토론의 주제를 쓰시오.

( )

6. 타당성을 생각하며 토론해요

10 이 토론에서 찬성편이 주장을 펼친 방법으로 알맞은 것을 두 가지 고르시오. (,)

① 토론 주제를 소개했다.
② 반대편의 주장을 반박했다.
③ 근거를 들어 주장을 펼쳤다.
④ 반대편에게 질문을 하며 주장을 펼쳤다.
⑤ 근거와 관련해 구체적인 자료를 제시했다.

6. 타당성을 생각하며 토론해요

11 찬성편에서 ㉠ 자료를 제시한 까닭은 무엇일지 빈칸에 알맞은 말을 보기 에서 각각 찾아 쓰시오.

보기	주장 근거

- 자기편의 (1)( )에 대한 (2)( ) 이/가 믿을 만하다고 반대편이 생각하도록 하기 위해서이다.

6. 타당성을 생각하며 토론해요

12 토론 절차 중 다음과 같은 일을 하는 단계를 쓰시오.

- 상대편의 주장 요약하기
- 상대편의 주장이 타당하지 않다는 것을 밝히기 위한 질문하기
- 주장에 대한 근거나 그에 대한 자료가 적절하지 않다는 것을 밝히기

( )

[13~14] 글을 읽고, 물음에 답하시오.

귀가 ㉠어두워 무슨 말을 해도 제대로 알아듣지 못하는 만화 주인공 '사오정'을 아시나요? 만화 주인공 사오정과 비슷한 사람이 우리 주변에 많이 생겨나고 있습니다. 사오정이 ㉡뜬금없는 말로 우리에게 재미와 웃음을 주지만 요즘에 사오정들은 귀 건강을 위협받는 아주 위험한 상황에 놓여 있습니다.

7. 중요한 내용을 요약해요

13 ㉠'어두워'와 바꾸어 쓸 수 있는 말은 어느 것입니까? ( )

① 잘 들려서
② 매우 커서
③ 잘 안 들려서
④ 검은색이라서
⑤ 빠르게 알아채서

7. 중요한 내용을 요약해요

14 ㉡'뜬금없는'의 뜻을 짐작해 쓰시오.

( )

[15~16] 글을 읽고, 물음에 답하시오.

"그동안 너희는 수많은 글쓰기 형식을 배웠어. 대화 글 쓰기나 상황을 묘사하는 글 쓰기, 주장을 펼치는 글 쓰기, 자신이 겪은 일 쓰기 등등. 이 중에서 가장 자신 있는 형식 한 가지를 골라 글을 쓰는 것이 마지막 과제다. 아주 잘 골라야 할 거야. 이 기말 과제 점수로 합격이 결정되니까!"

역시! 이런 날이 올 줄 알았다. 나는 벌써부터 진땀이 났다. 엎친 데 덮친 격으로, 켈러 선생님이 할 말이 있다며 따로 남으라고 했다.

"퍼트리샤, 너는 자신이 겪은 일을 써 왔으면 좋겠다. 솔직히 말해서, 네 글은 여전히 감정이 잘 드러나지 않고 있으니까." / 하지만 아무리 머리를 ㉠쥐어짜도, 켈러 선생님을 감동시킬 만한 주제가 하나도 떠오르지 않았다.

7. 중요한 내용을 요약해요

15 **켈러 선생님께서는 퍼트리샤에게 기말 과제를 어떤 글의 형식으로 써 오라고 하셨습니까?**

(　　　　　　　　　　)

7. 중요한 내용을 요약해요

16 **㉠'쥐어짜도'의 뜻을 바르게 짐작한 것은 어느 것입니까?** (　　)

① 말려도　② 빗어도　③ 풀어도
④ 묶어도　⑤ 골똘히 생각해도

[17~18] 글을 읽고, 물음에 답하시오.

줄기에 차례대로 잎을 붙여 나가는 모양을 '잎차례'라고 합니다. / 먼저, 줄기 마디마다 잎을 한 장씩 피우되 서로 어긋나게 피우는 방법이 있습니다. 이것을 '어긋나기'라 합니다. 국수나무처럼 평행하게 어긋나기만 하는 식물이 있는가 하면, 해바라기처럼 소용돌이 모양으로 돌려나면서 어긋나는 식물도 있습니다.

이와는 달리 줄기 한 마디에 잎 두 장이 마주 보는 '마주나기'도 있습니다. 단풍나무나 화살나무는 잎 두 장이 사이좋게 마주 보고 있습니다.

7. 중요한 내용을 요약해요

17 **이 글을 다음과 같이 요약할 때, 빈칸에 알맞은 말을 쓰시오.**

줄기에 차례대로 잎을 붙여 나가는 모양인 '(　　　　　)'로는 서로 어긋나게 피우는 '어긋나기', 줄기 한 마디에 잎 두 장이 마주 보는 '마주나기'가 있습니다.

7. 중요한 내용을 요약해요

18 **17번 문제의 요약 글을 다음 요약하기 평가 기준을 활용해 평가해 쓰시오.**

- 글을 짧게 간추렸는가?
- 사소한 내용은 삭제하고 중요한 내용만 간추렸는가?
- 글에서 중요한 내용을 이해할 수 있게 간추렸는가?

(　　　　　　　　　　　　　　　　)

8. 우리말 지킴이

19 **다음 간판에 쓰인 가게 이름 가운데 우리말을 바르게 사용하지 못한 것은 어느 것입니까?** (　　)

① 멋진 옷　② 유니크펫숍
③ 한마음 꽃집　④ 달콤한 찻집
⑤ 여러분을 위한 음식점

논술형　8. 우리말 지킴이

20 **다음 표현이 문제가 되는 까닭을 쓰시오.**

주문하신 사과주스 나오셨습니다.

중간 기말 평가

[1~2] 글을 읽고, 물음에 답하시오.

> "예. 수세미로는 잘 닦이지 않아서 철 수세미를 썼어요."
> 엄마는 한숨을 한 번 쉬시고는 다시 웃음을 띠고 말씀하셨다.
> "㉠우리 아들이 집안일을 도와주려는 마음으로 설거지를 열심히 했구나. 그렇지만 금속으로 프라이팬 바닥을 긁으면 바닥이 벗겨져서 못 쓰게 된단다."
> 엄마의 말씀을 듣고 나니 부모님의 일을 도와드렸다는 생각에 뿌듯했던 나는 금세 부끄러워졌다.
> "죄송해요, 엄마. 집안일을 도와드리려다가 오히려 프라이팬만 망가뜨렸어요."
> 엄마는 웃으며 나를 꼭 안아 주셨다.
> "미안해하지 않아도 돼. 집안일을 도와주려고 한 현욱이 마음이 엄마는 정말 고마워."

1. 마음을 나누며 대화해요

1 이 글에서 현욱이와 엄마는 어떻게 대화했습니까? (　　)

① 자신의 기분만 생각하고 대화했다.
② 서로 배려하고 공감하며 대화했다.
③ 상대의 기분을 상하게 하며 대화했다.
④ 서로의 처지를 생각하지 않고 대화했다.
⑤ 상대의 말에 귀 기울이지 않고 대화했다.

1. 마음을 나누며 대화해요

2 ㉠은 공감하며 듣고 말하는 방법 가운데 무엇에 해당하는지 ○표를 하시오.

(1) 경청하기 (　　)
(2) 처지를 바꾸어 생각하기 (　　)

[3~4] 글을 읽고, 물음에 답하시오.

> 조선 시대의 빙고는 정식 관청이었으며, 얼음의 공급 규정을 법으로 엄격히 규정할 만큼 얼음의 공급을 중요하게 여겼다.
> 한겨울의 얼음을 보관했다가 쓰는 기술을 장빙이라고 했다. 우리나라는 여름과 겨울의 기온 차가 커서 옛날부터 장빙 기술이 크게 발달했다.

2. 지식이나 경험을 활용해요

3 이 글을 읽고 다음과 같은 내용을 떠올렸습니다. 다음 내용은 무엇에 해당합니까? (　　)

> '한겨울의 얼음을 보관했다가 쓰는 기술'이라는 부분에서 '장빙'이라는 낱말의 뜻을 알 수 있었어.

① 느낀 점　② 짐작한 것
③ 새롭게 안 것　④ 알고 싶은 것
⑤ 이미 알고 있던 것

서술형　2. 지식이나 경험을 활용해요

4 이 글을 읽고 짐작할 수 있는 내용을 쓰시오.

____

____

2. 지식이나 경험을 활용해요

5 체험한 일을 떠올리며 감상이 드러나는 글을 쓰는 방법으로 알맞지 <u>않은</u> 것의 기호를 쓰시오.

> ㉠ 인상 깊은 체험을 중심으로 쓴다.
> ㉡ 체험한 일에 대한 생각이나 느낌이 생생하게 전달되도록 쓴다.
> ㉢ 체험할 때 본 것, 들은 것, 한 것 등은 최대한 간단하게 줄여 쓴다.

(　　　　　　　　)

3. 의견을 조정하며 토의해요

6 오른쪽 그림은 의견을 조정할 때 일어날 수 있는 문제 가운데 무엇과 관련한 문제인지 ○표를 하시오.

시간이 부족해.
의견을 조정하지 못한 채 끝날 것 같아.

(토의 진행 , 토의 태도 , 의견 및 근거)

5학년 반 점수
이름

3. 의견을 조정하며 토의해요

7 토의를 준비하기 위해 의견을 뒷받침할 자료를 찾으려고 합니다. 컴퓨터를 활용해 신문 기사를 찾으려면 어떤 방법으로 찾아야 하는지 다음 빈칸에 알맞은 말을 쓰시오.

> 찾고 싶은 자료와 관련한 (1)(   )을/를 컴퓨터로 검색한다. → 신문 기사나 뉴스의 (2)(   )을/를 중심으로 훑어 읽는다. → 의견을 뒷받침하는 기사문이나 보도문을 찾아 자세히 읽는다. → 필요한 내용을 정리하고 날짜, 신문 또는 방송 이름을 쓴다.

3. 의견을 조정하며 토의해요

8 알기 쉽게 표현한 자료를 검토할 때 살펴볼 내용으로 알맞지 않은 것은 무엇입니까? (   )

① 중요한 내용을 요약했나요?
② 보기 쉽게 자료를 배치했나요?
③ 글씨 크기는 제일 작게 조절했나요?
④ 자료를 이해하기 쉽고 간단하게 나타냈나요?
⑤ 설명하려는 대상을 사진이나 그림으로 잘 나타냈나요?

[9~10] 글을 읽고, 물음에 답하시오.

> ㉠용준이가 씩 웃으며 나를 쳐다보았다. 웃음이 나오려는 것을 참고 아버지 쪽으로 얼굴을 돌렸는데 아버지께서 손으로 하트 모양을 만들고 계셨다. ㉡그만 웃음이 피식 웃어 버렸다. ㉢아버지께서도 웃으셨다. ㉣내 마음이 녹아 버렸다.

4. 겪은 일을 써요

9 ㉠~㉣ 중 문장 성분의 호응이 바르지 않은 문장은 무엇인지 기호를 쓰시오.

(   )

4. 겪은 일을 써요

10 9번 문제에서 답한 문장을 바르게 고쳐 쓰시오.

(   )

[11~12] 글을 읽고, 물음에 답하시오.

> ㉮ 민주는 덜덜 떨리는 마음으로 흑설 공주가 올린 글을 읽기 시작했다.
>
> 민서영, 내가 쓴 글이 사실이 아니라면 그걸 반박할 증거를 내놓아라. 그럴 용기가 없다면 내가 쓴 모든 글이 사실임을 인정해야 할 것이다.
>
> ㉯ 서영이가 핑공 카페에 아빠가 은좀베 마을에서 의료 봉사를 하는 모습과 엄마가 디자인한 옷을 입고 모델들이 패션쇼를 하는 사진을 올리자, 이번에는 서영이를 응원하는 댓글과 흑설 공주를 비난하는 댓글이 수없이 올라와 있었다.

5. 여러 가지 매체 자료

11 다음 사건이 일어난 원인은 무엇입니까? (   )

> 카페 가입자들이 흑설 공주를 비난했다.

① 민주가 흑설 공주의 정체를 말했다.
② 흑설 공주가 자신의 잘못을 사과했다.
③ 흑설 공주가 자신이 올린 글을 지웠다.
④ 민서영이 흑설 공주의 글에 대한 반박 글을 올렸다.
⑤ 핑공 카페에 민서영의 부모님을 알고 있는 사람이 나타났다.

5. 여러 가지 매체 자료

12 이 이야기의 등장인물들은 인터넷 카페에서 대화하고 있습니다. 인터넷 카페를 이용하는 방법을 바르게 말한 친구는 누구인지 쓰시오.

> 유진: 올라온 정보는 의심하지 말고 무조건 믿어야 해.
> 성아: 얼굴과 이름을 감춘 공간이므로 다른 사람에 대한 예절을 더욱 갖추는 것이 필요해.

(   )

6. 타당성을 생각하며 토론해요

13 토론 절차를 생각하며 빈칸에 알맞은 말을 쓰시오.

• 주장 펼치기 → 반론하기 → (   )

중간 기말 평가

[14~15] 시를 읽고, 물음에 답하시오.

기계를 더 믿어요

시장에 간 우리 고모
물건 사고 아주머니
가 돌려주는
거스름돈,
꼭 세어 보아요

은행에 간 고모
현금 지급기가
'달깍' 내미는 돈
세어 보지도 않고
지갑에 얼른 넣는
거 있죠?

고모도 참

6. 타당성을 생각하며 토론해요

14 이 시의 주제는 무엇입니까? (　　)

① 돈의 가치
② 믿음의 중요성
③ 장사의 어려움
④ 사람보다 기계를 더 믿는 세상
⑤ 미래 사회를 준비하는 우리의 자세

논술형　6. 타당성을 생각하며 토론해요

15 이 시의 주제와 관련한 자신의 경험을 쓰시오.

____

____

____

[16~17] 글을 읽고, 물음에 답하시오.

그러다 우리가 함께 쿠키를 만들 때 슐로스 할아버지가 입었던 요리복을 발견했다. 나는 요리복을 덥석 움켜잡았다. 북받쳐 오르는 눈물을 그칠 수가 없었다. 이제는 하늘도 ㉠꼴 보기 싫었다. 슐로스 할아버지 같은 사람이 돌아가셨는데, 어째서 세상은 이리도 멀쩡히 잘 돌아가고 있을까!

7. 중요한 내용을 요약해요

16 이 이야기에는 '나'의 어떤 마음이 드러나 있는지 쓰시오.

(　　　　　　　　　　)

7. 중요한 내용을 요약해요

17 ㉠'꼴'의 뜻을 바르게 짐작한 것은 어느 것입니까? (　　)

① 눈에 나타나는 기색
② 모양새를 낮잡아 이르는 말
③ 피부에 닿아서 느껴지는 감각
④ 아무것도 없는 빈 곳을 이르는 말
⑤ 괴로움을 덜어 주는 따뜻한 말이나 행동

7. 중요한 내용을 요약해요

18 요약하기 평가 기준으로 적절하지 않은 것은 어느 것입니까? (　　)

① 글을 짧게 간추렸는가?
② 중요한 내용만 간추렸는가?
③ 사소한 내용은 삭제했는가?
④ 글의 제목을 새롭게 바꾸어 붙였는가?
⑤ 글의 중요한 내용을 이해할 수 있게 간추렸는가?

8. 우리말 지킴이

19 다음 중 우리말을 바르게 사용한 경우는 어느 것입니까? (　　)

① 친구가 선물을 주어서 심쿵했다.
② 정말 귀여우신 반려견을 보았다.
③ 친구에게 삼각김밥을 사 주었다.
④ 휴대 전화가 고장 나셔서 불편했다.
⑤ 방이 너무 클린해서 기분이 좋았다.

8. 우리말 지킴이

20 발표할 원고를 구성할 때 '시작하는 말'에 들어가는 내용은 어느 것입니까? (　　)

① 자료　② 모둠 이름
③ 자료의 출처　④ 자료의 저작자
⑤ 자료를 설명하는 말

MEMO

MEMO

한·끝·시·리·즈 교과서 학습부터 평가 대비까지 한 권으로 끝! 국어 공부의 진리입니다.

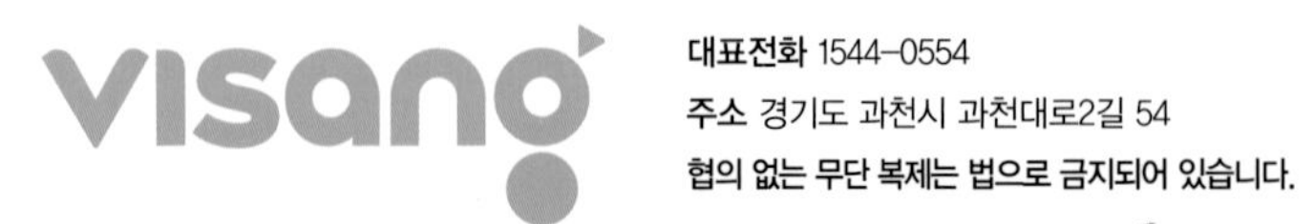